La Côte d'Azur, symbole du luxe et du farniente,
connaît des heures particulièrement fastueuses entre
les deux guerres, comme en témoignent ici les
élégantes déambulant sur le ponton du Carlton ou,
dans un tout autre style, les exhibitions joyeuses
des Girl's au casino municipal de Cannes.

Le monde brillant et mondain côtoie parfois le petit peuple, telles ces «bugadières» lavant leur linge à l'embouchure du Paillon, à Nice, tout près de la jetée-promenade, temple du divertissement.

Cette photographie, prise par le sisteronnais
Saint Marcel Eysseric (1831-1915), met en
scène un moine de l'abbaye de Ganagobie,
en haute Provence, et un touriste, au début
du siècle, devant le cabanon en pierre sèche
situé à l'entrée du monastère.

L'élevage de taureaux est encore une activité importante en Camargue. Ce fut longtemps le seul moyen de tirer parti de terres incultes. Aujourd'hui, la plupart des bêtes sont destinées aux jeux taurins. Chaque printemps, lâchers de taureaux, courses à la cocarde et ferrades animent les arènes du pays d'Arles. Les corridas ont fait leur apparition à la fin du XIXe siècle, avec l'introduction de races espagnoles.

Le sel fut exploité dès l'Antiquité dans le delta du Rhône ; l'industrie chimique est aujourd'hui son principal débouché. Lorsque l'eau de mer est évaporée, le sel est récolté et mis en camelles pouvant atteindre 8 m de haut.

Aujourd'hui comme en 1920, la jument se capture toujours de la même façon en Camargue (ici, au domaine du Petit-Badon).

DE NOMBREUSES PERSONNALITÉS UNIVERSITAIRES OU LOCALES
ONT COLLABORÉ À CE GUIDE. TOUTES LES INFORMATIONS CONTENUES
DANS CET OUVRAGE ONT ÉTÉ SOUMISES À LEUR APPROBATION.

GUIDES GALLIMARD
PRÉSIDENT DIRECTEUR GÉNÉRAL
Antoine Gallimard
COMITÉ STRATÉGIQUE
Hedwige Pasquet, Pierre Cohen-Tanugi
DIRECTEUR : Philippe Rossat
DIRECTRICE ÉDITORIALE : Nicole Jusserand
assistée de
Catherine Bourrabier, Anne-Josyane Magniant
COORDINATION
GRAPHISME : Yann Le Duc
ARCHITECTURE : Bruno Lenormand
NATURE : Frédéric Bony
PHOTOGRAPHIE : Éric Guillemot, Patrick Léger
RÉACTUALISATION : Virginie Maubourguet
PARTENARIATS : Philippe Rossat
assisté de Marie-Christine Baladi
COMMERCIAL : Jean-Paul Lacombe
PRESSE ET PROMOTION : Manuèle Destors
DROITS ÉTRANGERS : Gabriela Kaufman

PROVENCE-CÔTE D'AZUR
ÉDITION : Marie-Hélène Albertini-Viennot
et Clotilde Lefebvre
CAHIER PRATIQUE : Florence Picquot
MAQUETTE : Isabelle Roller
ICONOGRAPHIE : Danièle Gillot, Nathalie Beaud,
Françoise Thurel et Nicolas Tourlières
RÉACTUALISATION : Sybille d'Oiron,
France Bourboulon, Florence Picquot

DES CLEFS POUR COMPRENDRE
NATURE : Michel Albarède, Michel Arnaud, Jean-Marie
Triat, Gilles Cotin, Richard Bonnet, Jean-Marie Rocchia,
Valérie Jacq, Georges Olioso, René Volot, Gilles Cheylan,
Nadine Gomez, Samuel Michel, Alain Robert, Gaëtan
Congès, Josette Dejean, Philippe Dubois, Henri Farrugio,
Philippe Orsini, Marie-Hélène Sibille
HISTOIRE ET LANGUE : Noël Coulet, René Moulinas,
Claude Mauron, Céline Magrini, Henri Moucadel,
Martin Barros, Jean-Louis Panicacci, Ralph Schor,
Bernard Lacroix
ART DE VIVRE : Régis Bertrand, Pierre Echinard,
Michel Lamy, Claude Martel,
Danièle Maternati-Baldouy, André Kaufman,
Annie Sidro, Yves Fattori, Danièle Musset
ARCHITECTURE : Erik Fannière, Jean-Luc Massot,
Bruno Lallemand, Gaëtan Congès, Jean-Pierre Brun,
Nicolas Faucherre, Jean-Loup Fontana,
Philippe Genin, Jean Marx, Michel Perreard,
Françoise Santinecci-Boitelle, Ivan Yarmola,
Henri Raulin, Jean-Christophe Simon
LE PAYS VU PAR LES PEINTRES : Raphaël Mérindol,
François Bazzoli
LE PAYS VU PAR LES ÉCRIVAINS : Claude Mauron,
Ralph Schor, Annick Vigier
ITINÉRAIRES EN PROVENCE
AVIGNON ET SES ENVIRONS : Alain Breton,
Sylvain Gagnière, Marie-Claude Léonelli,
Georges Olioso, Marie-Christine Roquette,
Maurice Contestin, Éric Coulet, Laurence Fumey,
Alain Fretay, Marie-Hélène Sibille, Claude Sintès,
Corinne Frayssinet-Savy
ORANGE ET SES ENVIRONS : Maryse Woel,
Michel Bonifay, Joël-Claude Meffre, Monique Bruno,
Sylvie Grange, René Bruni, André Kaufman,
Isabelle Battez, Georges Olioso, Ève Duperray
MARSEILLE ET SES ENVIRONS : Gilles Cheylan,
Pierre Échinard, Émile Témimes
AIX ET SES ENVIRONS : Jean Boyer, Gilles Cheylan,

Thierry Durousseau, Bruno Ély, Martine Vasselin,
Noëlle Déjardin, Pierre Colomb, Gabriel Demians
d'Archimbaud, Yves Esquieu, Raoul Bérenguier,
Yann Codou, Jean-Yves Royer, Guy Barruol,
Pierre Lieutaghi, Léone Caffarel
CANNES ET SES ENVIRONS : José Cucurullo,
Pierre Cosson, Pierre Joannon, les Amis du vieux
Toulon, Jean-Luc Mordefroid, Karine Lenfant-Valère,
Yves Paccalet, Jean-Paul Monery,
Philippe Orsini, Gil Gianone, Edmonde Soubervie
NICE ET SES ENVIRONS : Bernard Lacroix,
Jean-Baptiste Robert, Charles Astro, Rosine Cleyet
Michaud, Dominique Escribe, Ernest Hildesheimer,
Jean-Paul Potron, Ralph Schor, Régis Vian des Rives,
Noëlle Déjardin
CORRESPONDANT EN PROVENCE
Michel Lamy
CONSEILLERS
Charles Astro, Jean Boyer, Christian Fontaine,
Marie-Claude Léonelli, Hélène Vésian, René Volot
ILLUSTRATIONS
NATURE : Frédéric Bony, Jean Chevallier,
Gismonde Curiace, François Desbordes,
Gilbert Houbre, Alban Larousse, Claire Felloni,
Catherine Lachaud, François Place, Bernard Duhem,
Anne Bodin, Franck Stefan, René Metler,
Pascal Robin, Jacqueline Candiard, Denis Clavreuil,
Bruce Pearson
ARCHITECTURE : Denis Brumaud, Philippe Lhez,
Philippe Candé, Jean-Benoît Héron,
Jean-Michel Kacédan, Christian Rivière,
Maurice Pommier, Michel Sinier, Gabor Szyttia,
Chris Faweey, Trevor Hill, Olivier Hubert,
Roger Hutchins, Ruth Lindsay, Colin Rose,
Ed Stuart, Tony Townsend, Benoît Cusson,
Éric Gillion, Nicolette Castle, Sandra Doyle,
Pavel Kostel, Ruth Lindsay, Arthur Phillips
ITINÉRAIRES : Alban Larousse, Frédéric Bony,
Claire Felloni, Catherine Lachaud, John Wilkinson,
Jean-Philippe Chabot, Jean Chevalier,
Jean-Michel Lanusse, Bernard Duhem, Gabor Szyttia,
Gismonde Curiace, François Desbordes,
Bernard Duhem, Philippe Lhez,
Jean-Michel Kacédan, René Metler, Pascal Robin,
François Place, François Desbordes,
Dominique Mansion, Vincent Brunot,
Jean-Benoît Héron, Véronique Marchand
CARTOGRAPHIE : Eric Gillion, Vincent Brunot,
Dominique Duplantier, Jean-Yves Duhoo,
Stéphane Girel, Frédéric Liéval, Sylvie Serprix
et Isabelle-Anne Chatellard, Dominique Gros
(mise en couleurs)
INFOGRAPHIE : Emmanuel Calamy, Paul Coulbois,
Aubin Leray, Jean-Claude Boronine, Édigraphie
Patrick Merienne, Cyril Malié, Kristof Chemineau
PHOTOGRAPHES
Maryan Daspet, François-Xavier Émery,
Fabrice Lepelletier (L'Œil et la mémoire),
Philippe Abel, Michel de Lorenzo, Claude Gouron,
Pierre Ricou, Yves Gallois, Robin Hacquard,
Gil Gianone, Jean-Marc Fichaux, Michel Massy,
Pierre Nicolini, Emmanuel Chapsoul,
Daniel Deschâteaux, François Fernandez,
Léonard de Selva, Georges Véran, Jean Bernard,
Michel Delgado, Daniel Faure, Laurent Giraudou

Nous remercions également pour leur aide précieuse :
Anne Cauquetoux, Pierre-Gilles Bellin,
Françoise Thurel et Benoît Laudier

Collection conçue par Pierre Marchand
© Éditions Nouveaux-Loisirs, 2000
Dépôt légal : janvier 2000. Numéro d'édition : 93774. ISBN 2-74240663-8
Photogravure : France Nova Gravure (Paris)
Imprimé en Italie par la Editoriale Lloyd sur un papier 100% biologique
Janvier 2000

FRANCE

PROVENCE
CÔTE D'AZUR

GUIDES GALLIMARD

Sommaire
Des clés pour comprendre

SOMMAIRE
ITINÉRAIRES EN PROVENCE-CÔTE D'AZUR

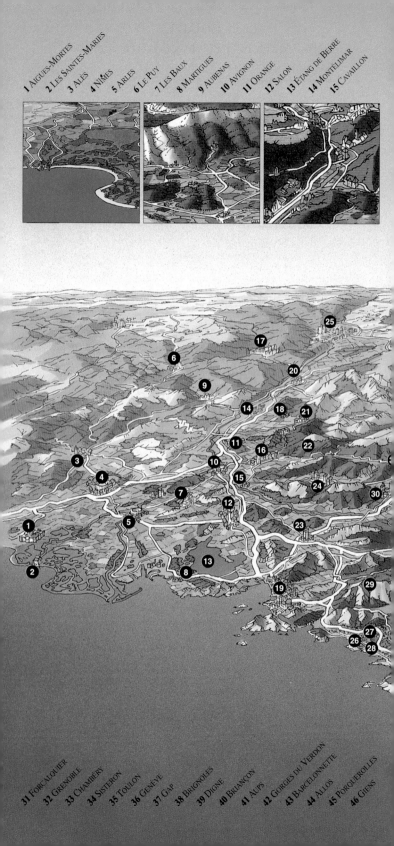

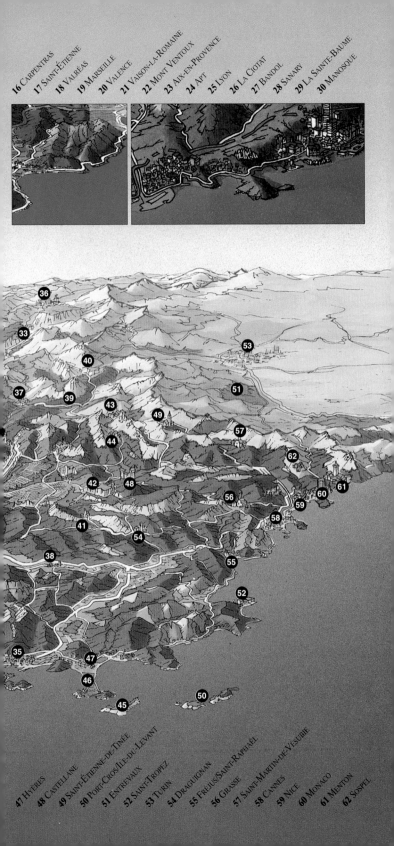

COMMENT UTILISER CE GUIDE

En haut de page,
les symboles annoncent
les différentes parties
du guide.

■ NATURE
● DES CLEFS POUR COMPRENDRE
▲ ITINÉRAIRES
◆ INFORMATIONS PRATIQUES

La carte-itinéraire
présente les principaux
points d'intérêt du parcours
et permet de se reporter
à une carte routière.

La mini-carte
situe l'itinéraire
à l'intérieur
de la zone
couverte
par le guide.

♥ Le coup de cœur
de l'éditeur
pour un site
dont la beauté,
l'atmosphère
ou l'intérêt culturel
séduiront
particulièrement
le visiteur.

● ■ ▲ ◆
Les symboles,
en titre ou
à l'intérieur du texte,
renvoient à un lieu
ou à un thème traité
ailleurs dans le guide.

Au début de chaque itinéraire
les modes de déplacement
possible, le kilométrage
et la durée sont signalés
sous les cartes :

🚗 En voiture
🚤 En bateau
🚶 A pied
🚲 A bicyclette
⏱ Durée

Le kilométrage indiqué
ne tient pas compte
des détours proposés.

NATURE

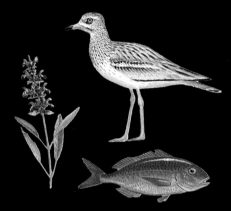

CLIMATOLOGIE

Il est difficile de figer le mistral soufflant parfois en rafales d'une vitesse supérieure à 100 km/h. Un montage photographique du début du siècle y parvient avec humour.

Le climat provençal se caractérise par un ensoleillement exceptionnel et des étés secs. Cependant, les températures varient sur l'ensemble de la région, la Provence, au relief très diversifié, étant soumise à la fois à l'influence de la Méditerranée et des Alpes. Les vents et les pluies, parfois violents, font partie intégrante de son climat. Les précipitations, faibles sur le littoral, augmentent graduellement à mesure qu'on s'éloigne des côtes en direction de l'est et qu'on prend de l'altitude. Le mistral, vent fort et turbulent, soufflant en rafales, produit de brusques refroidissements en hiver, mais tempère les fortes chaleurs de l'été.

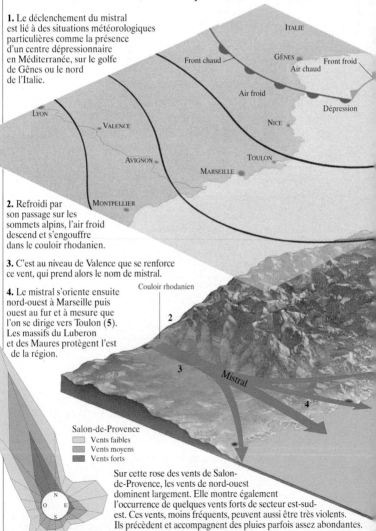

1. Le déclenchement du mistral est lié à des situations météorologiques particulières comme la présence d'un centre dépressionnaire en Méditerranée, sur le golfe de Gênes ou le nord de l'Italie.

ITALIE

Front chaud

GÊNES

Front froid

Air chaud

Air froid

Dépression

LYON

VALENCE

NICE

AVIGNON

TOULON

MARSEILLE

MONTPELLIER

2. Refroidi par son passage sur les sommets alpins, l'air froid descend et s'engouffre dans le couloir rhodanien.

3. C'est au niveau de Valence que se renforce ce vent, qui prend alors le nom de mistral.

4. Le mistral s'oriente ensuite nord-ouest à Marseille puis ouest au fur et à mesure que l'on se dirige vers Toulon (**5**). Les massifs du Luberon et des Maures protègent l'est de la région.

Couloir rhodanien

2

3

Mistral

4

Salon-de-Provence

Vents faibles
Vents moyens
Vents forts

N
O   E
S

Sur cette rose des vents de Salon-de-Provence, les vents de nord-ouest dominent largement. Elle montre également l'occurrence de quelques vents forts de secteur est-sud-est. Ces vents, moins fréquents, peuvent aussi être très violents. Ils précèdent et accompagnent des pluies parfois assez abondantes.

16

Il neige rarement sur la Côte d'Azur mais, quand il se présent, le phénomène neigeux est souvent important du fait de la proximité du massif alpin. Ainsi, en février 1956, on a mesuré 31 cm de neige à Antibes ; en 1986, 22 cm et en 1991, 15 cm.

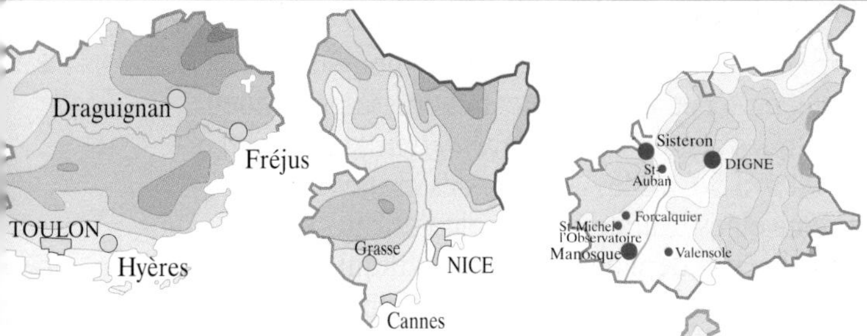

Draguignan

Fréjus

TOULON
Hyères

Grasse

NICE

Cannes

Sisteron
St Auban
DIGNE
St-Michel Forcalquier
l'Observatoire
Manosque Valensole

Les hauteurs moyennes annuelles augmentent au fur et à mesure que l'on aborde les régions alpines. Les précipitations peuvent apporter d'importantes quantités d'eau sur de très courtes durées et provoquer alors de lourds dégâts. C'est en automne, après un été relativement sec, que l'on constate les plus fortes précipitations.

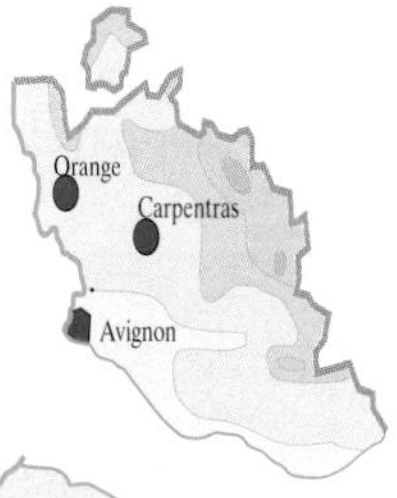

La fréquence du mistral est variable ; c'est en février, mars et avril qu'on l'observe le plus, et en juillet-août, mais avec des vitesses moins fortes.
L'été, il accélère la propagation des incendies de forêt.

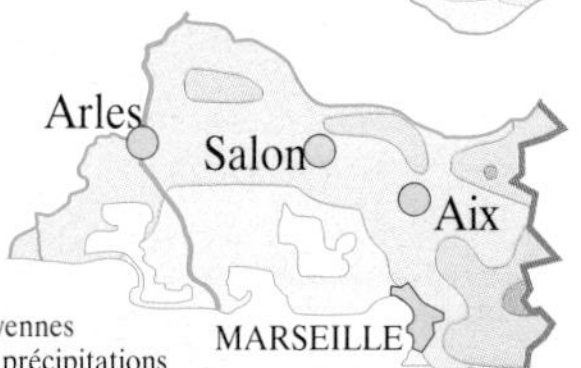

plus de 1200
1100- 1200
1000- 1100
900-1000
800-900
700-800
600-700
moins de 600

Orange
Carpentras
Avignon

Arles
Salon
Aix

CORSE

MARSEILLE

Hauteurs moyennes annuelles des précipitations en mm (réf. Paris ou Rennes 630 mm).

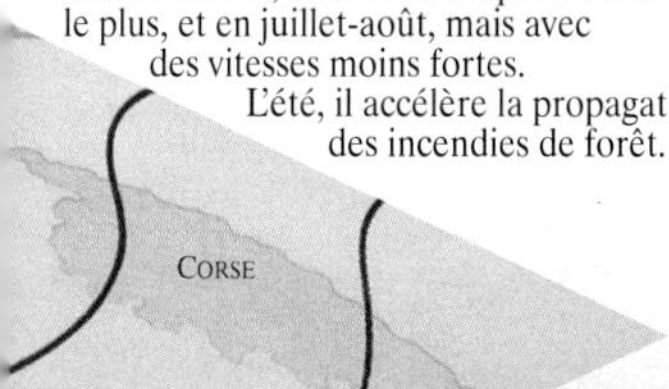

Le mistral s'accompagne généralement d'un temps ensoleillé. La visibilité devient extraordinaire et le ciel d'un bleu intense.

1 Centre dépressionnaire

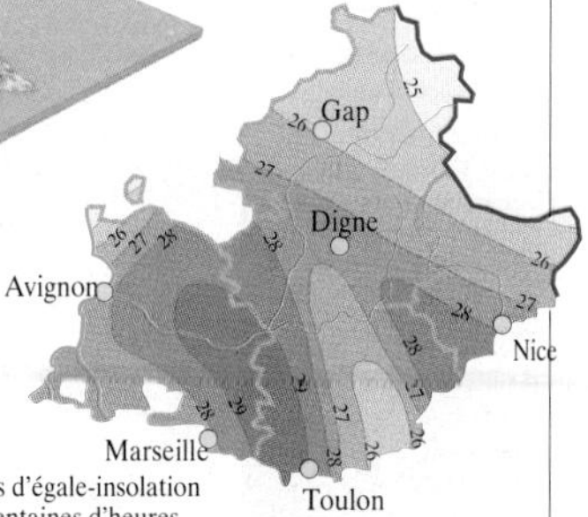

Malgré un très fort ensoleillement, les températures matinales en hiver sont relativement fraîches et accompagnées de brume dès que l'on s'éloigne du littoral. De plus, l'absence de nuages favorise le rayonnement du sol et la baisse des températures nocturnes.

Gap
Digne
Avignon
Nice
Marseille
Toulon

Lignes d'égale-insolation en centaines d'heures.

Le soleil brille très généreusement sur la Provence, de 2 700 à 2 900 heures par an.

FONDS MARINS ROCHEUX

BALANES
Accrochées à la coque des navires, elles peuvent parcourir des distances considérables.

La Provence offre plus de 600 km de côtes très découpées et abruptes dont les pentes raides se poursuivent sous l'eau. À peu de distance du bord, la profondeur, de quelques centaines de mètres, atteint vite 1 000 m, et 2 500 m à 5-6 milles au large des grands golfes. Ces dénivelées brutales marquent l'étroitesse, voire l'absence de plateau continental qui conditionne en partie l'abondance de la faune marine. Lorsque ce plateau se prolonge, des zones riches en faune et en flore apparaissent.

MURÈNE. Redoutée à tort à cause de sa silhouette serpentiforme, elle était pourtant prisée depuis la plus Haute Antiquité par les Grecs et les Romains qui les conservaient en vivier.

MÉROU
Poisson symbole de la Méditerranée, sa protection a permis de sauver l'espèce, depuis 1980. Présent aujourd'hui sur certains fonds rocheux.

ÉPONGE TUBULAIRE
Elle vit accrochée sur le rocher.

MURÈNE
Elle passe la plus grande partie de son temps cachée sous un rocher, seule la tête dépassant.

LIMACES-DE-MER
Appelées aussi nudibranches, ces gastéropodes ont des couleurs superbes.

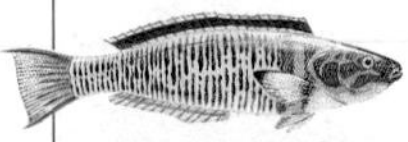

GIRELLE PAON MÂLE

GIRELLE COMMUNE MÂLE

GIRELLE COMMUNE FEMELLE

GIRELLES
Ces poissons, parmi les plus colorés, ont la particularité d'être transsexuels : d'abord femelles, ils se transforment en mâles avec l'âge. Littoraux en été, ils vivent en profondeur l'hiver.

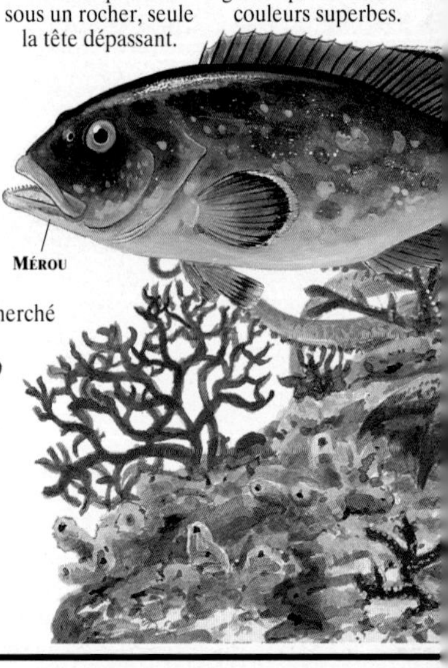

MÉROU

CORAIL ROUGE. Polypes vivant en colonies. Recherché pour la fabrication de bijoux.

18

BALANES ET CHTHAMALES
Ces crustacés primitifs,
qui ressemblent à des
coquillages, vivent en
colonies dans la zone
couverte et découverte
par les vagues.

MÉDUSE
Gracieuse et
phosphorescente,
elle agite des
tentacules dont
le contact peut
provoquer de
graves brûlures.

OURSIN COMESTIBLE
C'est un redoutable
brouteur d'algues,
dont on apprécie
la saveur iodée.

**APOGON OU
ROI-DES-ROUGETS**

POULPE
Mollusque vivant dans
les anfractuosités rocheuses où il se protège
LANGOUSTE avec de petits murs de cailloux qu'il déplace.

CIGALE DE MER
Crustacé massif
habitant les grottes.
En voie de
disparition.

**ASCIDIE
«CIONA»**

**ANÉMONE
«AIPLASIA»**

HERBIERS DE POSIDONIES

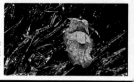

Les herbiers de posidonies servent aussi de refuge aux seiches.

Le plateau continental très étroit qui borde les côtes rocheuses des Alpes-Maritimes et du Var supporte un herbier de posidonies. Ces dernières sont, comme la plupart des plantes terrestres, des végétaux supérieurs assurant leur reproduction sexuée grâce à des fleurs. Leurs racines ramifiées qui les ancrent sur le fond forment de véritables talus – logis d'une faune très variée – stabilisant le fond marin. Plantes chlorophylliennes, les posidonies

jouent un rôle important dans l'oxygénation du milieu littoral. Sous l'effet de la pollution, l'herbier de posidonies est en régression depuis une vingtaine d'années.

BANC DE SAUPE

POSIDONIE. Plante à fleurs qui constitue de vastes prairies sous-marines abritant plus de cent espèces.

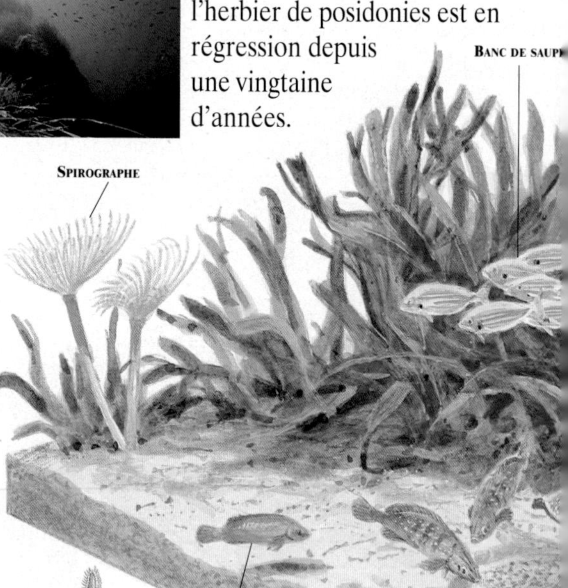

SPIROGRAPHE

SPIROGRAPHE
Ver marin tubicole qui possède une couronne tentaculaire atteignant parfois 15 cm.

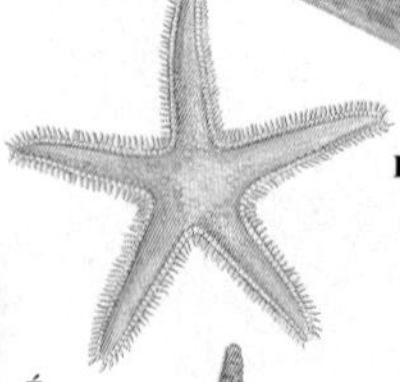

LABRE VERT

Spirographes et sabelles sont des vers vivant dans un tube qui se fixe sur des substrats durs.

ÉTOILE PEIGNE

L'étoile peigne peut atteindre 60 cm de diamètre.

«SCYLLARIDES»

ÉTOILE DE MER
Vit souvent enfouie dans le sable et sort la nuit pour se nourrir.

COMATULE
Échinoderme vivant sur le dos. S'accroche à un substrat grâce à des cirres dorsaux.

GRANDE NACRE
Peut atteindre 90 cm. Son attache forme une espèce de soie dorée qui servait jadis à tisser des bas !

Les oursins comme les flabellines et les corypnelles (ci-contre) trouvent refuge dans les herbiers de posidonies.

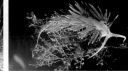

SEICHE. Excellente nageuse, elle s'enterre dans le sable pour capturer ses proies. Elle change de couleur en fonction de son environnement.

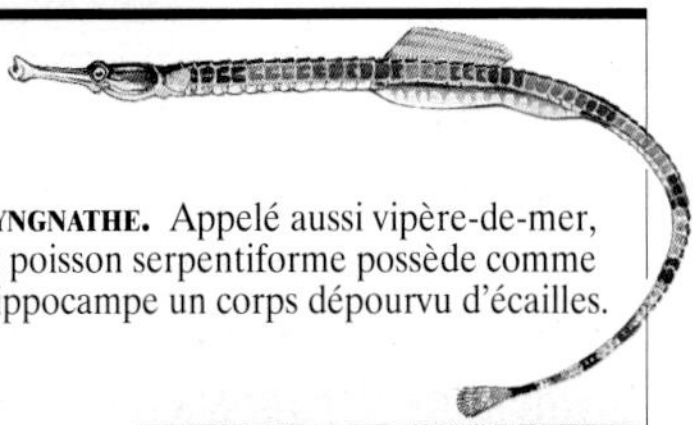

SYNGNATHE. Appelé aussi vipère-de-mer, ce poisson serpentiforme possède comme l'hippocampe un corps dépourvu d'écailles.

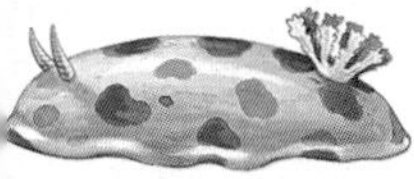

DORIS MACULÉE ou limace-de-mer Endémique à la Méditerranée, elle se nourrit de spongiaires.

HOLOTHURIE. Appelée aussi concombre-de-mer, elle est détritivore. La reproduction a lieu fin juillet-début août, surtout dans les herbiers de posidonies.

POSIDONIE. Son nom est dédié au dieu Poséidon. Elle témoigne de la qualité de l'écosystème sous-marin. Elle fleurit rarement et donne des fruits appelés olives de mer.

SERRAN CHÈVRE

SERRAN ÉCRITURE

GRANDE NACRE Sérieusement menacée à cause de collectes effrénées.

GIRELLE COMMUNE MÂLE

GIRELLE COMMUNE FEMELLE

ROUGET DE ROCHE. Malgré son nom, vit surtout sur les fonds sableux. Plus il est en profondeur, plus sa couleur est contrastée.

GIRELLE PAON MÂLE

▪ PÊCHE

VIOLET ET OURSIN. Leur chair d'un jaune très vif a un goût fortement iodé. On les trouve dans les herbiers.

Si la pêche provençale est restée, d'une façon générale, typiquement artisanale, elle comporte encore sur les côtes des Bouches-du-Rhône, zone de transition entre la plate-forme et les fonds rocheux, une activité chalutière assez importante orientée vers la capture des poissons de fond. Cependant, la majorité des bateaux est de type «pointu» équipé de roue remonte-filet ; c'est ce que l'on appelle la pêche aux petits métiers. Chaque filet est adapté à un type de prises : filets maillants pour la capture des poissons de roche ; filets dérivants pour les poissons migrateurs de pleine eau ; palangres pour les congres. Ces engins sont aussi utilisés pour la pêche aux langoustes.

CASIERS À LANGOUSTES
De fabrication artisanale, leur goulet en forme d'entonnoir empêche le crustacé prisonnier de s'échapper.

ROUGET BARBET. Il vit sur les fonds de graviers ou à proximité des rochers, jusqu'à 90 m de profondeur.

LANGOUSTE. Pêchée à la nasse ou au filet maillant sur les fonds coralligènes du plateau continental, elle fait partie des crustacés les plus rares et les plus recherchés.

LOUP. Poisson noble, le loup est très recherché. Il peut dépasser 10 kg mais les individus de cette taille sont devenus rares.

PAGEOT. De la même famille que la daurade, il fréquente des fonds plus importants. Excellent en hiver, il est recherché pour sa saveur iodée. Pêché au trémail ou aux palangres.

MERLU
Cette espèce côtière très féconde vit en bancs sur les fonds vaso-sableux. Sa pêche au chalutier et au filet maillant est très active.

CHALUT
Le filet ba[...] les profonde[...] (parfois 700 ou 800 [...] tandis que deux pièces de [...] et de fer le tiennent ouvert. Les poiss[...] effrayés par le câble qui frôle le [...] se réfugient dans la poche arri[...]

POINTU

Il doit son nom à sa forme effilée aux deux extrémités. Cette embarcation de 6 à 8 m, large et peu profonde – qui peut être pontée ou semi-pontée –, sert essentiellement à la pêche côtière au filet trémail ou à la palangre.

LA ROUE REMONTE-FILET. Entraînée par un moteur hydraulique, elle facilite la remontée des filets, opération qui se faisait autrefois à la force des bras.

POINTU GRÉÉ. Un moteur de puissance très variable a remplacé aujourd'hui la voile latine.

SAINT-PIERRE
Poisson traditionnel de la région, il figure en bonne place dans les composants de la célèbre bouillabaisse.

FILET DROIT À MERLU
Ces filets maillants, calés sur le fond, ont une hauteur de 7 à 8 m et leur longueur peut atteindre 5 km ou plus.

LABRE
Typique de l'herbier littoral, il y vit solitaire ou en couple.

Palangres de fond Palangres de surface

PALANGRES. Elles sont formées d'une ligne mère pouvant atteindre 5 km de long sur laquelle on attache tous les 5 m environ des hameçons appâtés. Mises à l'eau de nuit, à proximité des côtes, on les repère en surface par des bouées munies de drapeaux. On les utilise pour la pêche aux congres, mais aussi pour les daurades, pageots, sars, loups…

LICHE. Espèce côtière de pleine eau, ce chasseur carnassier qui se déplace en bancs a une chair très fine. On la pêche à la ligne de traîne ou à la senne tournante.

THON ROUGE
C'est le plus gros poisson de Méditerranée : il peut atteindre 700 kg. Il se déplace en bancs.

MÉROU ROUGE. Très sédentaire, il vit dans les grottes à la limite des fonds rocheux et sableux. Décimé par la pêche sous-marine, il est devenu rare. C'est une espèce protégée.

CONGRE
Ce poisson est un carnassier redoutable. On le pêche à la palangre dans les petits fonds rocheux.

CAMARGUE

BUSARD DES ROSEAUX
Le rapace le plus abondant
en Camargue. Environ 70 couples
y nichent chaque année.

BUSARD DES ROSEAUX
Le rapace le plus abondant
en Camargue. Environ 70 couples
y nichent chaque année.

La Camargue est sans nul doute le site
le plus remarquable de France pour
sa diversité avifaunistique. Plus de 365 espèces d'oiseaux y ont
été observées ainsi que dans la Crau voisine. Zone d'hivernage
européenne majeure pour les canards, la Camargue héberge au
printemps de grandes colonies de plusieurs espèces de hérons
ainsi que des mouettes et des sternes. C'est également le seul
lieu de France (et l'un des très rares de la Méditerranée) où
niche le flamant rose, mais aussi des espèces comme le goéland
railleur, la sterne hansel ou la glaréole à collier, très localisées
en Europe. Mammifères, reptiles et amphibiens sont aussi très
communs dans certains milieux favorables.

AVOCETTE ÉLÉGANTE
Niche dans les salines
où sa population
peut atteindre
600 couples.

ÉCHASSE BLANCHE
Éclectique dans ses
choix, elle affectionne
aussi bien les milieux
salés que les marais
doux ou les rizières.

**GRAVELOT À COLLIER
INTERROMPU**
Espèce liée surtout
aux salines. La
Camargue héberge
plus de 300 couples.

GOÉLAND LEUCOPHÉE
Omniprésent. Sur les
salines et les étangs,
plusieurs milliers
nichent aujourd'hui
en Camargue.

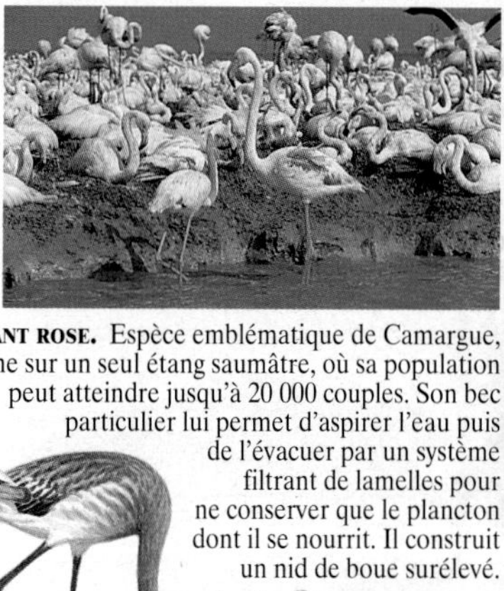

Adulte

FLAMANT ROSE. Espèce emblématique de Camargue,
il niche sur un seul étang saumâtre, où sa population
peut atteindre jusqu'à 20 000 couples. Son bec
particulier lui permet d'aspirer l'eau puis
de l'évacuer par un système
filtrant de lamelles pour
ne conserver que le plancton
dont il se nourrit. Il construit
un nid de boue surélevé.

Immature

Jeune
(2-3 mois)

Poussin
(1 sem.)

F. Desbordes

HÉRON POURPRÉ
Ce héron a connu récemment un déclin significatif de ses effectifs aussi bien en Camargue qu'ailleurs en France.

Adulte hiver

Plumage nuptial

HÉRON GARDEBŒUFS
Installé en Camargue depuis peu. Plus de 1 000 couples y nichent à présent, en colonies arboricoles. On les voit souvent près des taureaux.

HÉRON CENDRÉ
Le plus commun des hérons français a reniché en Camargue à partir de 1964, après une longue absence peut-être due à sa non-protection.

GRANDE AIGRETTE
Jusqu'à 150 oiseaux passent l'hiver ici, venus sans doute d'Europe de l'Est où ils nichent.

Hiver

GUIFETTE MOUSTAC
Cette sterne d'eau douce niche (irrégulièrement) dans les marais et fait son nid sur la végétation flottante.

Été

Hiver

STERNE CAUGEK
Niche dans les salines de Camargue, sur des îlots tranquilles.

GOÉLAND RAILLEUR
La Camargue est le seul site de France où se reproduit ce goéland, originaire du pourtour méditerranéen.

Été

MOUETTE MÉLANOCÉPHALE
Nicheuse depuis peu, cette mouette hivern en nombre le long des côtes de Camargu et des environs.

TADORNE DE BELON
Ce beau canard niche à présent communément sur les milieux saumâtres. Les jeunes se regoupent en «crêche».

FOULQUE MACROULE
Hivernante abondante sur le Vaccarès, où ses effectifs peuvent atteindre plus de 40 000 oiseaux.

SANGLIER D'EUROPE
Commun, on peut le voir en plein jour.

RAGONDIN
Lié aux zones humides, il apprécie les «roubines» qui parsèment la Camargue.

RENARD ROUX
Dans le bois des Rièges notamment, il joue un rôle important en éliminant les animaux malades.

LAPIN DE GARENNE
Il est très régulièrement victim d'épidémies de myxomatose.

Les vignobles plantés en terrasses sont à l'abri du vent grâce à des palissades d'arbres.

Produits depuis 2 600 ans, les vins de Provence sont, pour beaucoup, synonymes de vins rosés. S'ils représentent, en effet, une part importante de la production (65%), on trouve également des vins rouges (30%) et des vins blancs (5%). Le climat méditerranéen, tempéré par la proximité du littoral et de l'altitude, mais aussi la diversité des sols et l'assemblage des cépages expliquent la diversité et la qualité des vins. Grâce aux progrès accomplis, la région produit une large palette de vins de qualité, du rosé de saignée, à boire dans l'année, jusqu'à d'excellents vins rouges de garde, en passant par les vins blancs aromatiques.

CINSAULT
Cépage assez vigoureux, le cinsault exige de la chaleur. Troisième cépage de la région, il apporte des arômes de fruits secs et de rose.

MOURVÈDRE
Originaire d'Espagne, il est très apprécié pour sa résistance spécifique à l'oxydation dans la fabrication des vins rouges de la région.

SYRAH
Cet excellent mais fragile cépage de complément apporte des arômes de framboise, de cassis et de violette.

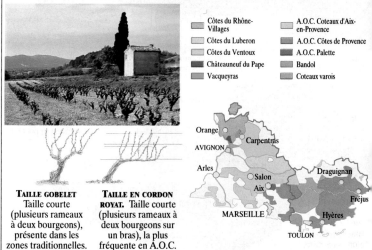

Côtes du Rhône-Villages
Côtes du Luberon
Côtes du Ventoux
Châteauneuf du Pape
Vacqueyras

A.O.C. Coteaux d'Aix-en-Provence
A.O.C. Côtes de Provence
A.O.C. Palette
Bandol
Coteaux varois

Orange
Carpentras
AVIGNON
Arles
Salon
Draguignan
Aix
Fréjus
MARSEILLE
Hyères
TOULON

TAILLE GOBELET
Taille courte (plusieurs rameaux à deux bourgeons), présente dans les zones traditionnelles.

TAILLE EN CORDON ROYAT. Taille courte (plusieurs rameaux à deux bourgeons sur un bras), la plus fréquente en A.O.C.

GRENACHE NOIR
C'est le cépage de
base de tous les vins
rouges de la vallée du Rhône. Très
vigoureux, il est implanté sur des terrains
de coteaux secs et caillouteux. Il dégage
des arômes de kisch et de réglisse.

VINIFICATION DES ROSÉS

CABERNET-SAUVIGNON
Il s'est facilement adapté
à la région méridionale.
Il permet d'obtenir des vins de
garde, mais son utilisation reste
limitée.

VINIFICATION DES ROUGES

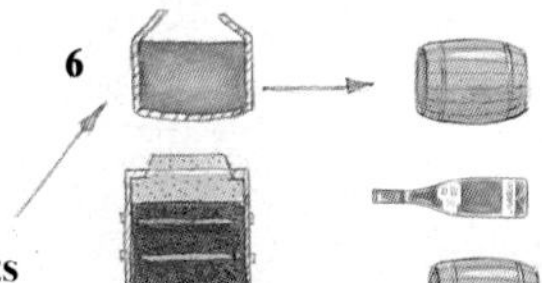

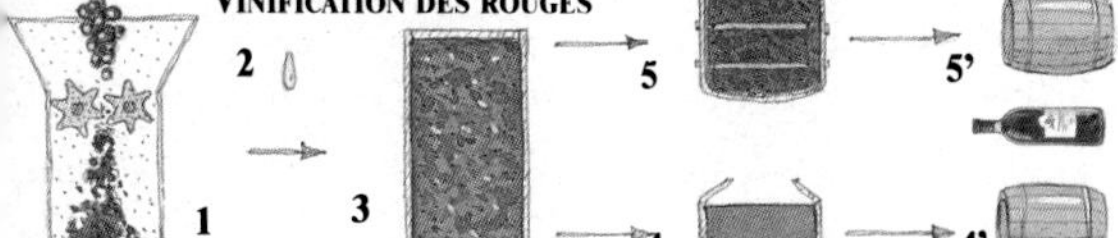

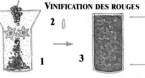

Les baies sont brisées par foulage puis
envoyées en fermentation (1, 3). La peau et le
jus sont en contact pendant une semaine pour
un rouge de goutte (vin léger à boire dans
les 2 à 3 ans), et 2 ou 3 semaines pour un vin
de garde pressé (5, 5').

Pour les rosés (6), le moût de raisins rouges
macère seulement une nuit, puis le vigneron
écoule une partie de la cuvée et lui fait
poursuivre sa fermentation dans un fût, hors
de toute substance colorante.

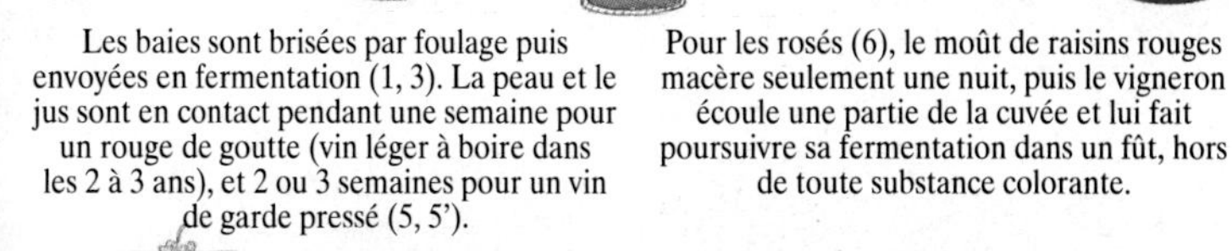

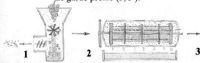

VINIFICATION DES BLANCS

Les côtes-de-provence blancs sont des blancs
de blancs, c'est-à-dire vinifiés uniquement à
partir de cépages blancs. Les raisins blancs
sont pressés dès leur arrivée en cave (1) puis

débarrassés de leurs impuretés par
précipitation à froid (2). Le jus de raisin
fermentera en cuve ou dans des foudres de
chêne (3). On dit que leur robe est dorée.

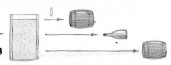

GARRIGUE

AIGLE DE BONELLI
Ce grand rapace est aujourd'hui menacé de disparition en France : seule une quinzaine de couples niche encore en Provence.

Les garrigues désignent des écosystèmes de transition entre milieux ouverts (landes, pelouses) et milieux fermés (chênaies, pinèdes) et occupent de grandes étendues en Provence. Leurs caractères intermédiaires, fortement influencés par le sol calcaire et leur exposition, en font des espaces d'une grande diversité biologique où dominent plantes et animaux adaptés à la sécheresse. Elles sont, hélas, parfois la proie des incendies.

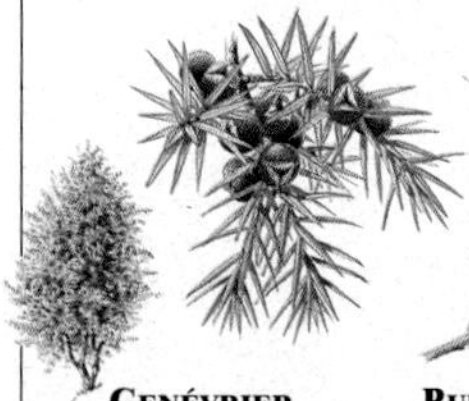

GENÉVRIER OXYCÈDRE OU CADE
Ses aiguilles servent à la confection d'huile antiseptique.

BUPLÈVRE LIGNEUX
Cette ombellifère aux feuilles persistantes atteint parfois 2 m de haut.

CHÊNE KERMÈS
Petit arbre résistant aux incendies, il pousse sur sol pauvre.

CHÊNE VERT. Ses jeunes plants peuvent être confondus avec ceux du chêne kermès.

GENÉVRIER COMMUN
Dans toute la France ; lié aux sols calcaires et aux milieux ensoleillés.

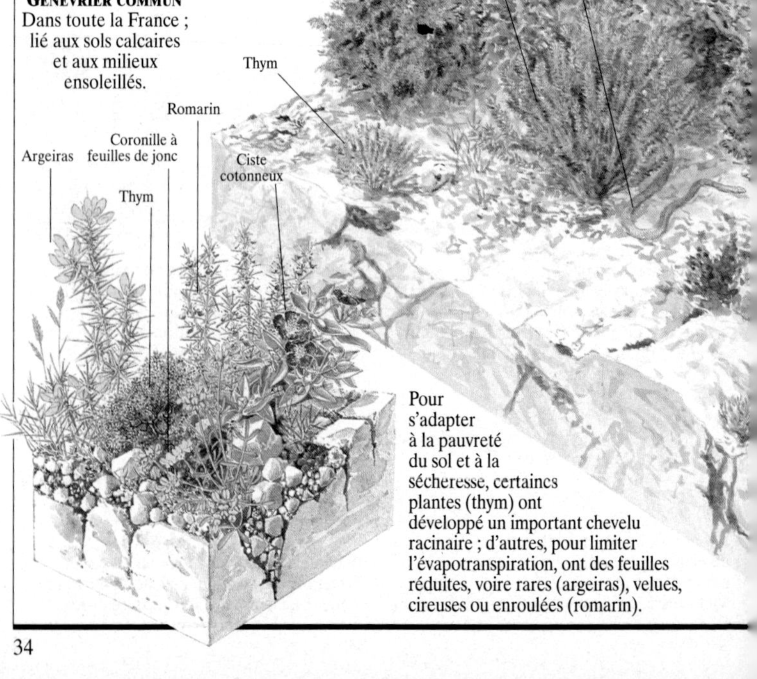

Couleuvre de Montpellier

Fauvette passerinette

Romarin officinal

Genévrier oxycèdre

Thym

Romarin

Coronille à feuilles de jonc

Argeiras

Ciste cotonneux

Thym

Pour s'adapter à la pauvreté du sol et à la sécheresse, certains plantes (thym) ont développé un important chevelu racinaire ; d'autres, pour limiter l'évapotranspiration, ont des feuilles réduites, voire rares (argeiras), velues, cireuses ou enroulées (romarin).

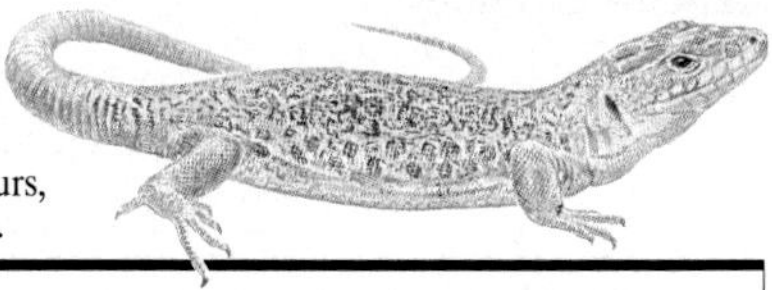

LÉZARD OCELLÉ. Il est, avec ses 60 cm de long, le plus grand lézard d'Europe. Il se nourrit surtout de petits mammifères et d'autres reptiles. Pendant la période des amours, les flancs du mâle se couvrent d'ocelles bleus.

FAUVETTE PASSERINETTE. Elle peuple dès fin mars les zones buissonnantes.

FAUVETTE MÉLANOCÉPHALE. La mieux représentée en garrigue provençale.

FAUVETTE PITCHOU Elle se reproduit dans les zones à pistachiers, bruyères et genévriers.

FAUVETTE ORPHÉE Elle fréquente les boisements clairs de chênes verts.

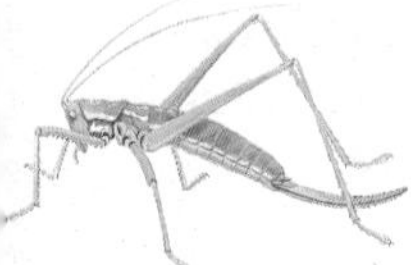

DEVINERESSE Elle se reproduit par parthénogenèse : aucun mâle n'a été observé en France !

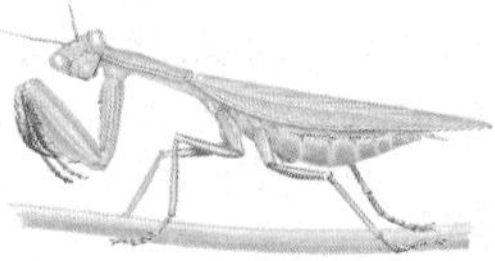

MANTE RELIGIEUSE Elle est connue pour être un redoutable insectivore. La femelle dévore parfois le mâle au moment de l'accouplement.

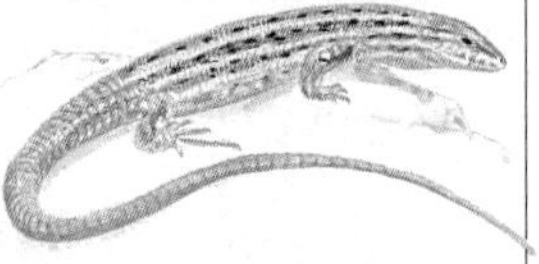

PSAMMODROME D'EDWARDS. Commun dans les zones dégradées de garrigue.

Chêne vert

COULEUVRE DE MONTPELLIER Lorsqu'elle est menacée, elle n'hésite pas à se dresser en soufflant et en cherchant à mordre.

Lavande officinale

Perdrix rouge

SCOLOPENDRE Ce myriapode venimeux n'est pas sans danger pour l'homme.

Fissures du calcaire par où s'infiltre l'eau.

PACHYURE ÉTRUSQUE Ce minuscule insectivore est le plus petit mammifère du monde (2 g !).

■ PIN D'ALEP

RAT NOIR
Ce rat, au pelage brun et au ventre blanc, vit à l'état sauvage dans les pinèdes. Originaire du Sud-Est asiatique, il est apparu en Provence au néolithique.

Le pin d'Alep, contrairement à ce qui est avancé parfois, n'a pas été introduit en France au retour des croisades : son ancêtre poussait déjà en Provence il y a 25 millions d'années, et des pollens, datés de 11 000 ans, ont été retrouvés dans le Var. Cette espèce colonisatrice à croissance rapide conquiert garrigue, maquis et anciennes cultures et se régénère remarquablement après l'incendie grâce à ses graines ailées entraînées par le vent. Favorisé ainsi par la déprise rurale et la fréquence des feux de forêt, le pin d'Alep, qui occupait 20 000 ha en 1850 dans l'ensemble de la France méditerranéenne, s'étend aujourd'hui sur plus de 200 000 ha.

PETIT-DUC SCOPS
Ce minuscule hibou (100 g) insectivore niche dans les pinèdes et passe l'hiver en Afrique.

CIGALE PLÉBÉIENNE
La larve vit quatre ans sous terre ; l'adulte, qui se nourrit de sève, ne vit que trois ou quatre mois.

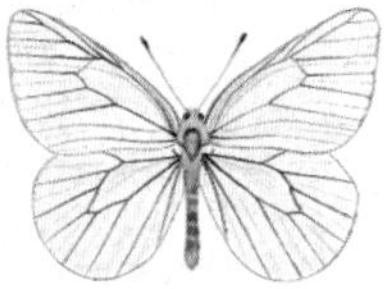

GAZÉ
Il se rencontre jusqu'à plus de 2 000 m entre mai et juillet.

ROUGEGORGE FAMILIER
Hivernant fréquent d'octobre à mars. Ne niche pas dans les pinèdes côtières, trop sèches.

FAUVETTE MÉLANOCÉPHALE
Oiseau sédentaire, reconnaissable au cercle rouge vif qui lui entoure l'œil. Préfère les clairières et les pinèdes claires.

FAUVETTE À TÊTE NOIRE
Originaire d'Europe du Nord. Elle niche dans la forêt de pins d'Alep, où elle abonde surtout en hiver.

ROSSIGNOL PHILOMÈLE
Il arrive en avril et pousse son chant mélodieux du plus profond des fourrés.

GRIMPEREAU DES JARDINS
Sédentaire. Il niche souvent sous l'écorce décollée des arbres.

Fauvette mélanocéphale

Faucon crécerelle

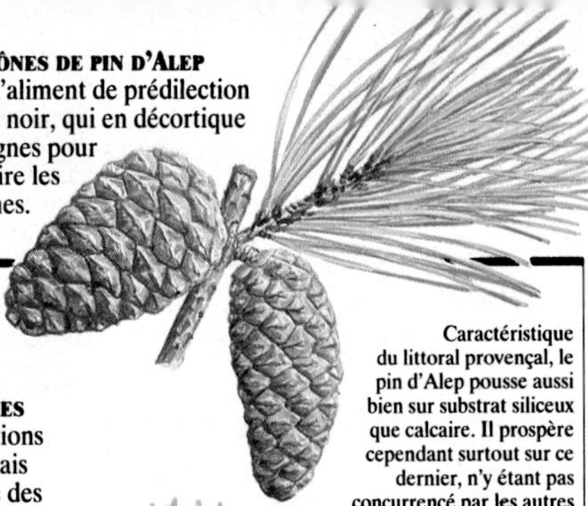

CÔNES DE PIN D'ALEP
C'est l'aliment de prédilection
du rat noir, qui en décortique
les pignes pour
extraire les
graines.

NID DE CHENILLES PROCESSIONNAIRES
Ces chenilles provoquent des défoliations
importantes lors des pullulations, mais
elles menacent rarement la pérennité des
peuplements de pins d'Alep. Elles sont
recouvertes de poils urticants
qui occasionnent d'intenses
irritations.

Caractéristique
du littoral provençal, le
pin d'Alep pousse aussi
bien sur substrat siliceux
que calcaire. Il prospère
cependant surtout sur ce
dernier, n'y étant pas
concurrencé par les autres
pins méditerranéens.

■ INCENDIES

Les accidents topographiques créent des couloirs aérologiques où le feu est attisé.

La Provence subit chaque année les ravages du feu. Les surfaces incendiées sont des espaces caractérisés par un ensoleillement intense et une flore à croissance rapide. Cette végétation «pyrophile», constituée essentiellement de pins d'Alep, de diverses espèces de cistes, de genêts épineux, se restaure rapidement. En revanche, la faune est gravement atteinte : les invertébrés périssent dans les flammes, la micro-faune ne peut pas vivre sur un sol sinistré, ce qui entraîne la disparition des oiseaux qui se nourrissent d'insectes, d'araignées, de gastéropodes, de vers, etc.

La garrigue s'embrase en un clin d'œil lors des périodes de sécheresse amplifiées parfois par le mistral.

PERDRIX ROUGE
Devenue rare à la suite de la disparition de l'agriculture de colline. Les espaces ouverts créés par les incendies lui sont favorables pendant quelque temps.

Femelle · Mâle

LINOTTE MÉLODIEUSE
Elle se nourrit des graines des plantes herbacées, recherche les lieux dégradés où les arbustes lui permettent de construire son nid.

ALOUETTE LULU
Elle abonde sur les plateaux pierreux et les sommets de collines.

BELETTE
Elle recherche les mulots et les souris attirés par la végétation herbacée qui repousse sur les espaces incendiés.

Les animaux ne périssent pas tous brûlés dans les flammes. Les gaz dégagés par la combustion asphyxient de nombreuses espèces comme cet étourneau.

FAUCON CRÉCERELLE
C'est un rapace commun en plaine. Dans les collines, il se cantonne dans les espaces dégradés et ensoleillés où ses proies préférées (insectes, lézards) abondent.

FAUCON HOBEREAU
Il est rare en Provence où il préfère les vallées fluviales et les boisements clairs de chênes lièges et pins pignons.

IRIS NAIN

La fréquence élevée des feux provoque l'installation d'une friche peu productive et peu recouvrante d'où la roche affleure, donnant lieu à un paysage quasi désertique. Les plantes à bulbe comme l'iris nain résistent bien au feu. Elles recouvrent les crêtes ventées.

OLIVIER

L'olivier, bien adapté au climat chaud et sec, est l'arbre typique des paysages méditerranéens. Il fut introduit en Provence, il y a près de trois mille ans, par les Grecs, qui estimaient que sa culture marquait la frontière entre civilisés et barbares ! Fruit du soleil, l'olive se cueille dès les premiers froids. L'olive verte se récolte en septembre pour être préparée en fruit vert de table, tandis que certaines variétés sont ramassées, jusqu'en février, à pleine maturité, pour être préparées en olives noires ou destinées à l'huilerie.

AGLANDAU Olive à huile réputée (Alpes-de-Haute-Provence et Bouches-du-Rhône).

CAILLETIER OU OLIVE DE NICE. Olive de table très savoureuse, conservée en saumure et consommée noire (Alpes-Maritimes).

GROSSANNE. Olive de table réputée pour sa chair pulpeuse. Préparée en verte et en noire (Bouches-du-Rhône).

TANCHE. Olive à la pulpe onctueuse, plongée dans la saumure et piquée au sel (Vaucluse).

SALONENQUE. Olive de table préparée en verte ou en olives cassées (Bouches-du-Rhône).

PICHOLINE. Olive de table se dégustant en verte et en saumurée (Bouches-du-Rhône et Var).

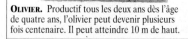

OLIVIER. Productif tous les deux ans dès l'âge de quatre ans, l'olivier peut devenir plusieurs fois centenaire. Il peut atteindre 10 m de haut.

VERGERS. L'olivier s'épanouit sur pente modérée, orientée au sud et protégée des vents. Il pousse sur sols profonds, bien drainés.

DE L'OLIVE À L'HUILE

1. Les olives sont tout d'abord lavées à l'eau froide puis écrasées par meule de granit, ce qui permet l'obtention d'une pâte onctueuse, affinée par malaxage puis pressurée.

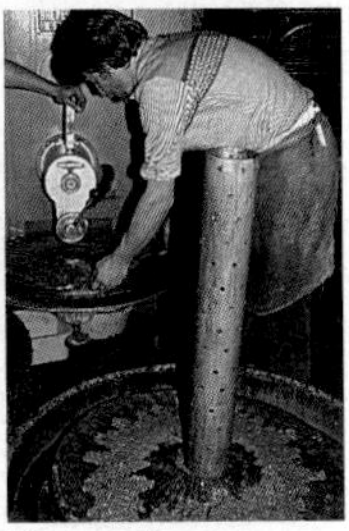

FLORAISON
Feuilles et jeunes rameaux poussent en mars. La floraison a lieu en avril-juin.

RÉCOLTE
Si la cueillette se fait encore à la main pour les olives de table, celle des olives noires destinées à l'huile se fait par secouage mécanique. L'époque varie, selon les régions, de septembre à février.

MATURATION
5 % seulement des fleurs donnent des fruits. Les premières olives apparaissent en juin ; le fruit est mature en octobre.

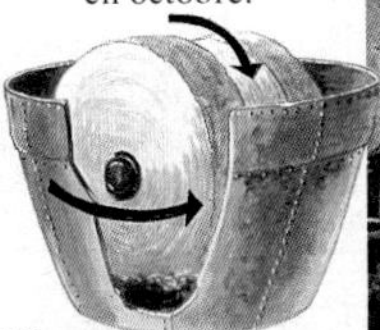

MEULE

L'HUILE D'OLIVE
Il faut 5 à 6 kg d'olives pour obtenir 1 l d'huile. L'huile d'olive vierge est un pur jus de fruit obtenu sans aucun mélange.

SCOURTINS

2. On répartit la pâte déjà malaxée par paquets de 2 à 5 kg sur des scourtins, petits plateaux ronds, autrefois en osier, et aujourd'hui en nylon. Les scourtins sont ensuite empilés par 25 ou 30 pour être pressés (pression hydraulique).

On distingue l'huile d'olive vierge extra (taux d'acidité < 1%), la fine (taux d'acidité < 1,5 %) et la semi-fine (taux d'acidité < 3,3%). L'huile plus acide est appelée huile d'olive pure.

3. L'élément liquide (mélange d'huile et d'eau) s'écoule. On fait ensuite décanter pour séparer l'huile de l'eau. La centrifugation est également utilisée au niveau industriel.

41

■ PLANTES AROMATIQUES

La concurrence rencontrée
dans la commercialisation de l'essence
de lavande a conduit les producteurs
à se tourner vers la fleur séchée.

La culture des lavandes et lavandins, étroitement associée aux collines sèches de la Provence intérieure, s'est développée dès la seconde moitié du XIXe siècle pour atteindre son apogée dans les années 1920. La production d'essence de lavande fine atteignit alors 100 t, puis le lavandin domina avec 700 t d'essence dans les années 1980. Lavandes et lavandins occupent 80 % des surfaces cultivées de plantes aromatiques, thym, romarin, hysope, sauges officinale et sclarée venant en complément.

LAVANDE ET LAVANDIN
La lavande fine s'épanouit entre 600 et 1 600 m et, sauvage, se laisse mal apprivoiser. Le lavandin, hybride de deux lavandes (l'aspic et l'officinale), de qualité inférieure, est cultivé dans les piémonts, entre 400 et 600 m.

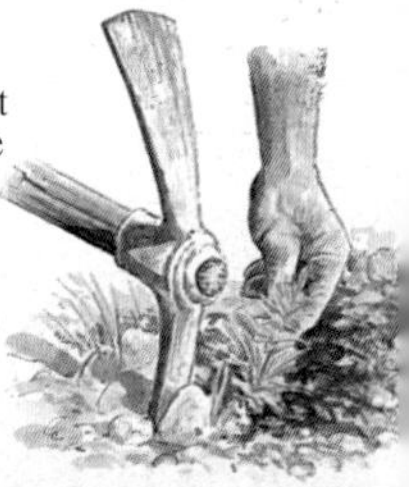

CHAMPS DE BLEU
Actuellement concentrés sur le plateau d'Albion, les 2 000 ha de lavande fine et clonée produisent 20 t d'essence. Le lavandin, couvrant 1 500 ha, donne annuellement 100 t d'essence.

CUEILLETTE
Elle s'effectue l'été, sous un fort soleil, la chaleur favorisant la montée de l'essence dans la fleur. Depuis les années 1970, elle est mécanisée.

L'ESSENCE DE LAVANDE
Elle s'accumule dans les poils épidermiques, disséminés sur toutes les parties annuelles de la plante, notamment les fleurs.

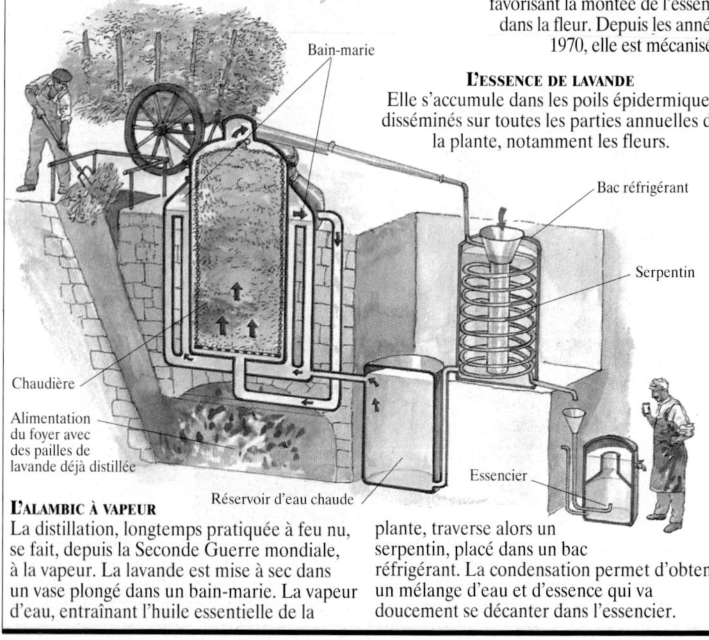

Bain-marie

Bac réfrigérant

Serpentin

Chaudière

Alimentation du foyer avec des pailles de lavande déjà distillée

Réservoir d'eau chaude

Essencier

L'ALAMBIC À VAPEUR
La distillation, longtemps pratiquée à feu nu, se fait, depuis la Seconde Guerre mondiale, à la vapeur. La lavande est mise à sec dans un vase plongé dans un bain-marie. La vapeur d'eau, entraînant l'huile essentielle de la plante, traverse alors un serpentin, placé dans un bac réfrigérant. La condensation permet d'obtenir un mélange d'eau et d'essence qui va doucement se décanter dans l'essencier.

HERBES DE PROVENCE
La plupart se cueillent encore à l'état sauvage dans la garrigue (origan, fenouil, thym…).

HYSOPE. Culinaire. Huiles essentielles en parfumerie et pharmacopée.

SAUGE OFFICINALE. Médicinale (digestion et sueurs nocturnes) et aromatique.

SAUGE SCLARÉE Vertus similaires à la sauge officinale. Se cultive en plein champ.

SARRIETTE. Vertus similaires au thym. Parfume idéalement le fromage de chèvre.

ORIGAN. Plante apéritive au goût amer (digestion, et en compresses contre les refroidissements).

FENOUIL. Pousse ici à l'état sauvage. Huiles essentielles en pharmacopée (calmant).

ESTRAGON Plante d'origine asiatique cultivée. Aromatise potages, sauces, vinaigres.

LAURIER. Feuilles uniquement utilisées en cuisine (propriétés diurétiques et digestives des fleurs).

Lavandin
Lavande à toupet
Lavande stoechas

LAVANDES. Leurs fleurs séchées sont commercialisées en herboristerie et pour l'assaisonnement (propriétés bénéfiques pour les intestins), pour leur essence en parfumerie, pharmacie et industries lessivières.

THYM. Condiment, mais aussi désinfectant et désodorisant. Tisanes (tonique et digestif).

ROMARIN. Qualités thérapeutiques (digestif) et aromatiques (gibiers, pâtés, saucisses).

■ PLANTES EXOTIQUES

LE VAL RAHMEH
Jardin botanique créé
à Menton en 1925.

Au XIXᵉ siècle, la vogue des voyages lointains et les nouvelles découvertes botaniques suscitent un véritable engouement pour les plantes exotiques. La clémence des cieux, la parfaite conjugaison de l'eau et du soleil permettent l'acclimatation de dizaines d'espèces tropicales sur la Côte, à Nice, Antibes ou Monaco. Des jardins botaniques sont aménagés, les promenades de bord de mer sont plantées de palmiers ; sous l'impulsion des Anglais, nombreux à fréquenter les rivages méditerranéens, rocailles et terrasses se couvrent d'une végétation luxuriante.

On recense sur le département une douzaine de variétés de palmiers. La plupart, comme le sabal et le washingtonia, proviennent du sud-est des États-Unis ou de Californie.

Le palmier des Canaries est originaire, comme son nom l'indique, des Canaries. C'est le plus répandu sur la Côte (ici, à Nice).

De gauche à droite : palmier des Canaries, sabal et washingtonia.

BANANIER. Éthiopie. Les fruits ne mûrissent qu'à Menton et Saint-Jean-Cap-Ferrat.

AGAVE. Mexique. Plante grasse sans tige qui fleurit une seule fois dans sa vie puis meurt. Ses feuilles, raides et pourvues d'épines, se développent en rosette.

EUCALYPTUS Australie. Utile en pharmacopée et menuiserie (bois extrêmement dur).

EURYOPS. Afrique australe. Vivace. Fleurit de l'hiver au printemps.

AGATHEA. Le Cap. Vivace. Pâquerette bleu roi au cœur jaune. Atteint 50 cm.

FIGUIER DE BARBARIE Mexique. Cactée qui fleurit en juin-juillet. Fruits comestibles.

BOUGAINVILLÉE Amérique. La partie décorative est en fait une feuille modifiée.

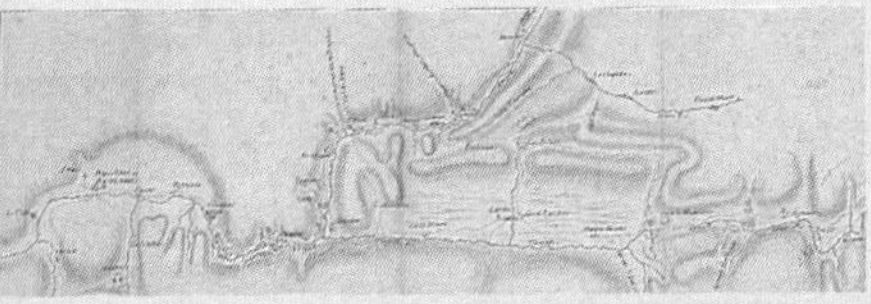

LE BON ROI RENÉ. En 1471, le roi René (1434-1480), qui n'a jusqu'ici que peu résidé en Provence, s'y installe, partageant son temps entre Aix, Gardanne et Marseille. La paix restaurée permettra une lente reprise économique. En 1481 meurt Charles III, neveu et successeur du roi René, après avoir légué son comté à Louis XI. La Provence devient française.

Entrevue de François Ier et Clément VII.

LES TEMPS MODERNES

SOMBRE XVIe SIÈCLE. Unie et non rattachée en droit à la France, la Provence gardera jusqu'en 1789 des privilèges propres (libertés et franchises) ; cependant, les rois de France aligneront progressivement les institutions du comté sur celles du royaume, par l'installation des grands corps de l'Administration française (création du parlement d'Aix, 1501-1503). En août 1539, l'ordonnance de Villers-Cotterêts impose l'usage du français en Provence pour les actes officiels. De 1524 à 1544, la guerre entre François Ier et Charles Quint soutenu par la Savoie affecte fortement ces régions. En 1543, la flotte turque se joint aux troupes du roi de France pour assiéger Nice. Les massacres des vaudois du Luberon, en 1545, annoncent les guerres de Religion qui rythmeront, avec les fréquents retours de la peste, les quarante dernières années du siècle. Ces événements n'empêchent pas un certain essor démographique, économique et même artistique.

Édit de Nantes, 1598.

1515
Marignan.

1517
Réforme luthérienne.

1572
Massacres de la Saint-Barthélemy.

L'ANCIEN RÉGIME. Le Grand Siècle commence en Provence par une lutte de factions et ce qu'on a appelé la «fronde» provençale qui, sans véritable rapport avec les troubles du reste de la France, représente essentiellement un soulèvement provoqué par la révolte des parlementaires. En 1614, Nice devient capitale provinciale : le duc Charles-Emmanuel Ier y installe un sénat, à la fois cour d'appel et conseil de gouvernement ; le XVIIe siècle niçois contraste avec l'agitation incessante en Provence. En 1622, Louis XIII visite Arles, Aix et Marseille ; Louis XIV entrera solennellement

1661-1715
Règne personnel de Louis XIV.

1701-1714
Guerre de la Succession d'Espagne.

«Dévouement de Mgr de Belzunce durant la peste de Marseille» en 1720.

«Massacres commis dans le palais d'Avignon sous les ordres des principaux chefs de l'armée de Monteux».

5 mai 1789
Ouverture des états généraux.

20 juin 1791
Fuite de Louis XVI à Varennes.

J.-E. Sieyès, caricature.

21 janvier 1793
Exécution de Louis XVI.

18 mai 1804
Proclamation de l'Empire.

18 juin 1815
Waterloo.

dans Marseille soumise en 1660. Les guerres reprennent entre la France et la Savoie : les Français occupent Nice et son comté de 1707 à 1713. Par le traité d'Utrecht de 1713, la vallée de Barcelonnette est rattachée à la Provence tandis que la principauté d'Orange, possession des Nassau, est acquise par la France. Le XVIIIᵉ siècle débute par le «grand hiver» de 1709, qui gèle les oliviers, et par la peste de 1720 qui, de Marseille, gagne tout le pays. La production industrielle fait de remarquables progrès : tanneries, savonneries, papeteries, textile. En matière agricole, les gradins de Forcalquier et le plateau de Valensole sont les greniers à blé de la Provence. L'élevage des ovins, des chevaux et des mulets fait la prospérité des foires de Sisteron, de Digne et de Seyne.

RÉVOLUTION ET EMPIRE. En 1787, la réunion des états de Provence à Aix ouvre le temps de la pré-révolution. En 1790, la Provence est divisée en trois départements (Bouches-du-Rhône, Var, Basses-Alpes) ; un an plus tard, le Comtat Venaissin, annexé à la France, devient le Vaucluse. Depuis 1789, Nice, qui a accueilli des nobles émigrés, devient un centre de propagande contre-révolutionnaire. L'armée du Midi, constituée en mai 1792, reprend la ville : la Convention décrète, le 31 janvier 1793, la réunion du comté à la France, ce qui donne naissance au département des Alpes-Maritimes. La révolte fédéraliste contre les violences jacobines gagne le Var dans l'été 1793 ; Toulon ouvre en août la rade à la flotte anglaise. La dictature de Bonaparte puis le règne de Napoléon laissent aux Provençaux l'illusion que les temps révolutionnaires sont achevés. Le 23 avril 1814, le comté de Nice est rendu à Victor-Emmanuel Iᵉʳ, roi de Sardaigne. Paradoxalement, les élites provençales se rallieront aussi largement et aussi vite à la monarchie restaurée qu'ils l'avaient fait pour l'Empire.

XIXᵉ ET XXᵉ SIÈCLES

Vue de l'intérieur de l'arsenal à Toulon.

LE XIXᵉ SIÈCLE. La première moitié de ce siècle se caractérise par de formidables transformations économiques. Les transports s'améliorent : une dizaine de ponts suspendus sont lancés sur le Rhône et la Durance entre 1813 et 1846 ; les années 1840 marquent le début de la navigation à vapeur sur le Rhône, l'aménagement des ports, la mise en valeur de la Camargue. L'industrie se modernise ;

Soupière et rafraîchissoir
à bouteille, faïences de Moustiers,
seconde moitié du XVIIIᵉ siècle.

l'urbanisme évolue : nouvelles artères, éclairage au gaz, démolition des remparts. Nice, comme sa voisine Cannes, profite de l'essor du tourisme hivernal dès les années 1820. Sous la monarchie de Juillet, l'arsenal de Toulon devient le foyer du mouvement ouvrier naissant. Le Var et les Alpes-de-Haute-Provence résistent au coup d'État de Louis Napoléon en 1851. Le Second Empire réunit le comté de Nice à la France en 1860 ; avec l'arrondissement de Grasse, détaché du Var, il forme un nouveau département des Alpes-Maritimes. La IIIᵉ République naît en Provence au milieu d'un nouveau paysage économique : accélération du déclin démographique des Alpes du Sud, prospérité des cultures maraîchères du bas Rhône, création de zones de spécialisation agricole (fleurs, plantes à parfum, viticulture), élargissement de l'aire touristique sur le littoral.

LE XXᵉ SIÈCLE. Le début de ce siècle est profondément marqué par la saignée humaine de la Première Guerre mondiale et l'exode rural. Avec l'institution des congés payés, en 1936, le tourisme se démocratise et évolue, une évolution

qu'interrompt provisoirement la guerre. Le second conflit mondial épargne d'abord la région provençale : l'armistice l'inclut dans la zone libre ; les Italiens occupent néanmoins Menton et les Alpes-Maritimes sont démilitarisées. Le 11 novembre 1942, les Allemands envahissent la zone sud et les Italiens occupent Nice. Pour éviter de tomber aux mains des nazis, la flotte de Toulon se saborde. Le 15 août 1944, les alliés débarquent en plusieurs points de

la côte. Tandis que l'intérieur de la région est libéré d'un bloc, les combats se concentrent à Marseille et Toulon. Du 23 au 28 août, les troupes du général de Montsabert, aidées par les forces de la Résistance, libèrent Marseille de l'occupation allemande. La région de Tende et de La Brigue, demeurées italiennes, sont rattachées à la France en 1947. Par une décision de 1956 est créée la Région de programme Provence-Corse-Côte d'Azur. Le 1ᵉʳ janvier 1970, la Corse en est détaché pour former une région à part. Le premier Conseil régional de la nouvelle région Provence-Alpes-Côte d'Azur (PACA) se réunit le 8 janvier 1974. Cette réorganisation n'empêchera pas l'effondrement de la région côtière entre Marseille et Toulon, qui vit un phénomène de désindustrialisation avec les espoirs déçus de Fos et la mort lente des chantiers de construction et réparations navales. Tandis que certaines industries s'essoufflent (crise de la bauxite), un centre de haute technologie se développe à Nice (Sophia-Antipolis). Le tourisme, désormais phénomène de masse, transforme le paysage ; l'arrivée du T.G.V. à Marseille ne fera que renforcer cette tendance.

1824
*Charles X succède
à Louis XVIII.*

Bulletin de vote pour
le rattachement
de Nice à la France.

4 septembre 1870
*Chute du Second
Empire.*

1922
*Marche des fascistes
italiens sur Rome.*

1933
*Hitler devient
chancelier du Reich.*

1957
Traité de Rome.

Affiche de
souscription
nationale.

1958
*Naissance
de la Vᵉ République.*

1979
*L'Assemblée
européenne est élue au
suffrage universel.*

Fos-sur-Mer.

LA PESTE

«**VUE DU COURS PENDANT LA PESTE DE 1720**»
Michel Serre (1658-1733)
La peste de Marseille se répand dans toute la
Provence ; elle laissera derrière elle entre
trente mille et trente-cinq mille victimes.

Le 25 mai 1720, le *Grand-Saint-Antoine*, qui a quitté Marseille le 22 juillet 1719 pour Smyrne, rentre au port chargé de cotonnades et d'indiennes embarquées en Syrie. Sur le trajet de retour du vaisseau, quatre matelots et le chirurgien de bord ont été emportés par une maladie foudroyante avant l'escale de Livourne.

LES ORIGINES DU FLÉAU

Parce que la peste est endémique en Orient, les ports méditerranéens, dont Marseille, ont mis au point un système de protection permettant de constater l'état sanitaire des navires. Il détermine la durée de la quarantaine imposée au navire et le sort réservé à la cargaison. En ce qui concerne le *Grand-Saint-Antoine*, le médecin de Livourne a conclu à des «fièvres pestilentielles». Ce diagnostic aurait dû imposer à la cargaison de faire sa purge à l'île de Jarre, mais les soieries, fragiles, en auraient souffert et, à la fin du mois de juin, les morts suspectes se multiplient parmi les portefaix qui manipulent la cargaison. Le 20 juin, une femme est emportée en quelques heures. Sur sa lèvre, une pustule noirâtre, un «charbon». D'autres morts subites surviennent : cette fois, les cadavres portent les ganglions caractéristiques, les «bubons». Le doute n'est plus permis.

L'HORREUR

La peur s'installe. Le 31 juillet, un arrêt du parlement d'Aix interdit aux Marseillais de sortir des limites de leur terroir et aux habitants des autres localités de Provence de communiquer avec eux. En août, on compte jusqu'à mille décès par jour.

Les églises et les cimetières ne suffisent plus aux ensevelissements. Les cadavres sont, au mieux, déposés dans des fosses communes après avoir été recouverts de chaux vive, au pire, laissés par terre, en pleine ville. On trouve des malades dans les rues, sur les places. Une toile de Michel Serre a conservé l'image du Cours transformé en mouroir et en hôpital.

LA LUTTE

Ce n'est qu'à la fin du XIXe siècle que l'on saura quel bacille transmet la peste et quels en sont les vecteurs. Pour la science de 1720, la peste résulte d'une corruption de l'air ou des humeurs. Des bûchers odoriférants répandent des parfums destinés à purifier l'air. Les médecins, engoncés dans des tenues de toile cirée, une éponge imbibée de vinaigre attachée au nez, saignent les patients et incisent leurs bubons. Plus qu'un phénomène naturel, la peste est considérée comme un fléau de Dieu. En novembre, Mgr de Belsunce guide, pieds nus, une procession à travers la ville jonchée de cadavres et lance des exorcismes contre la peste. Dès la fin des grosses chaleurs, le fléau recule. En décembre, l'épidémie a quitté Marseille.

Pince pour transporter les cadavres.

Pince à courrier.

LES VAUDOIS DU LUBERON

Bible vaudoise
du XIVᵉ siècle
écrite en romano-
provençal
(ci-dessous).

Vers 1170, un riche négociant lyonnais, Valdès, plus connu sous le nom de Pierre Valdo, décide de tout quitter pour une vie d'absolue pauvreté conforme à l'Évangile. Bien qu'il ne s'oppose pas de front à l'Église, ses prédications sont vite interdites. Fuyant la persécution qui s'abat à partir de 1230, ses adeptes se dispersent et parviennent à survivre dans les vallées écartées des Alpes. Peu après la rupture de Luther avec Rome, des contacts s'établissent entre partisans de la Réforme et vaudois. Au synode de Chanforan, en 1532, les vaudois se rallient à la Réforme.

LA PARABOLE DU JEUNE HOMME RICHE
Prenant acte de cette parabole, Valdès vend tous ses biens, choisit la pauvreté, et prêche la conversion : il fait des disciples, qui eux aussi proclament l'Évangile. Mais leurs prédications sont vite interdites par l'archevêque de Lyon. Une première condamnation, en 1184, amorce une rupture entre les Pauvres de Lyon et l'Église. En 1230, fuyant des traitements injustes et cruels, les vaudois se retranchent dans les vallées alpines, puis dans le massif du Luberon.

UN BIBLICISME ABSOLU
Refusant de prêter toute forme de serment, ils récusent les pratiques et les dévotions dont l'Évangile ne porte pas trace, du culte des saints au purgatoire. Ils rejettent également le sacrifice de la messe et la confession auriculaire.
Des prédicateurs viennent ranimer épisodiquement la foi de leurs frères qui vivent dans la clandestinité. Cette hiérarchie d'apôtres laïques apparente les vaudois aux cathares et prépare le chemin du protestantisme.

Le temple de Lourmarin (ci-contre).

LE SIÈGE DE MÉNERBES
Citadelle vaudoise importante, elle fut assiégée par l'armée d'Henri d'Angoulême pendant cinq ans, de 1573 à 1578.

JEAN DE MAYNIER
(1495-1558)
baron d'Oppède, tristement célèbre pour son action contre les vaudois, qu'il extermina.

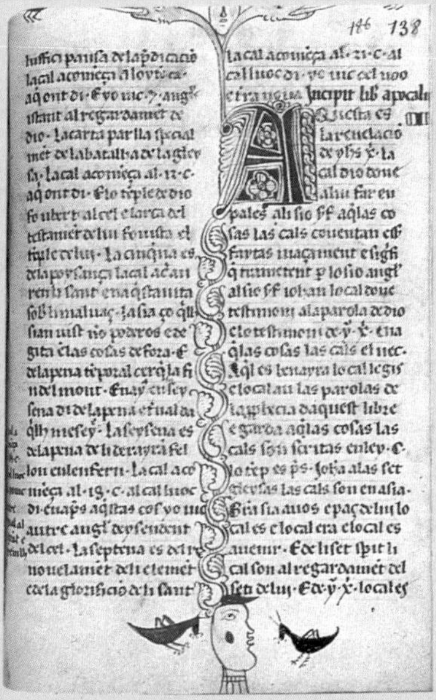

QUERELLES RELIGIEUSES ET PERSÉCUTIONS

La Réforme et les querelles religieuses qui font rage dans le royaume de France attirent l'attention des autorités sur les vaudois du Luberon à partir de 1531. Près de quatre cents personnes sont poursuivies pour hérésie entre 1532 et 1539. En avril 1545, le parlement d'Aix exécute un arrêt contre les habitants de Mérindol qui «tiennent sectes vaudoises et luthériennes» et contre ceux de La Roque-d'Anthéron, de Villelaure et d'autres villages voisins. Cet arrêt les condamne par défaut à être brûlés vifs.

LA CROISADE CONTRE LES VAUDOIS

L'opération est dirigée contre l'ensemble des localités où se seraient regroupés trois mille vaudois. Contre eux, Jean de Maynier, président du parlement de Provence depuis décembre 1543, a levé une armée de cinq mille hommes. Le 16 avril, le baron de La Garde, dit le capitaine Polin, occupe La Motte, Cabrières et la vallée d'Aygues, tandis que Maynier d'Oppède entre à Villelaure et à Lourmarin. Le 18, c'est au tour de Mérindol d'être pillé, rasé et brûlé. Cette croisade se solde par la destruction d'une dizaine de villages, près de trois mille morts et l'envoi aux galères de plus de six cents personnes.

SIÈGE DE MÉNERBES

● LE DÉBARQUEMENT DU 15 AOÛT 1944

Décembre 1943, la décision est prise : l'opération Overlord, le débarquement en Normandie, s'accompagnera d'une autre opération, dénommée Anvil, que l'on lancera sur les côtes méditerranéennes de la France afin de retenir dans le sud du pays les troupes allemandes qui y stationnent.

Les états-majors alliés, qui ont en vue la conquête du port de Marseille, optent pour les côtes des Maures et de l'Esterel. Mais, faute de pouvoir disposer d'un nombre suffisant de péniches de débarquement, il faut renoncer à la simultanéité des opérations. Dragoon, c'est le nouveau nom de code d'Anvil, ne débute que trois mois après le jour le plus long.

LE DISPOSITIF
Le 4 août, l'aviation alliée commence à pilonner la Provence. Le 14, 1 200 navires se regroupent au large de la Corse. A leur bord, la VIIe armée américaine (général Patch) et la Ire armée française (général de Lattre de Tassigny).

LES PREMIÈRES TÊTES DE PONT
Le 15, vers 1 heure, les premiers commandos français se lancent à l'assaut des falaises du cap Nègre. La batterie allemande, qui domine la plage du Rayol, est neutralisée.

L'ARRIVÉE DE LA FLOTTE ALLIÉE EN VUE DES CÔTES DE PROVENCE

À 8 heures, les premières péniches d'assaut chargées de troupes, d'armes, de munitions et de chars abordent les plages de Cavalaire, Pampelonne, dans la presqu'île de Saint-Tropez, la Nartelle et, plus à l'est, vers Saint-Aygulf, le Val-d'Esquières et Les Issambres.

UNE LIBÉRATION RAPIDE

Les Allemands, après avoir, au petit jour, fait sauter les installations portuaires de Saint-Tropez (ci-dessus, avec le *Montcalm* au premier plan), ont presque tous quitté la localité, sauf les occupants de la citadelle, qui se rendront en fin d'après-midi. Sainte-Maxime tombe plus vite. Cogolin, Grimaud et La Môle sont libérés vers 15 heures.

LA REDDITION ET L'ÉVACUATION DES TROUPES

Le 17 août est une journée doublement décisive. À Draguignan, le général Neuling se rend. À Rastenburg, Hitler ordonne à ses troupes de quitter le midi de la France.

«INTÉRIEUR D'UNE SALLE DE CLASSE», par François Marius Granet (1775-1849). La scolarisation, qui se généralise et devient obligatoire, tend à l'uniformité linguistique ; à partir de 1870-1880, lorsque l'instruction des jeunes filles se développe, elle affecte gravement la transmission maternelle du provençal.

La région Provence-Alpes-Côte d'Azur se distingue par des données linguistiques complexes, dues à une extraordinaire pluralité de parlers locaux. L'espace régional peut être réparti, de manière sommaire, en quatre grands domaines linguistiques : au nord, le domaine du provençal dit «gavot» ou «alpin», qui fait partie d'un ensemble comprenant les Alpes-de-Haute-Provence, les Hautes-Alpes et les vallées alpines du Piémont italien d'expression provençale ; à l'ouest, une variété de langue que l'on appelle «rhodanienne», dont l'aire s'étend sur le Vaucluse, le sud de l'Ardèche et de la Drôme, sur la partie orientale du Gard et sur toute la moitié occidentale des Bouches-du-Rhône ; au sud, le domaine du provençal dit «maritime» ou «méditerranéen», qui s'étend sur tout le département du Var et sur la partie orientale des Bouches-du-Rhône ; à l'est enfin, le domaine du parler «nissart», centré sur Nice mais qui a tendance à remonter vers l'intérieur des terres. Pour plus de simplicité, on distinguera les évolutions ayant trait, d'une part, aux dépendances du comté de Provence, d'autre part au comté de Nice : les situations politiques se présentent en effet, ici ou là, de façon très différente, avec des incidences importantes sur les usages écrits.

LE COMTÉ DE PROVENCE

DES ORIGINES LATINES. Le provençal est une langue romane, dérivée, pour l'essentiel, du latin vulgaire. Arrivé en Gaule avec la colonisation romaine, ce dernier s'est greffé sur le substrat des parlers locaux, avant de recevoir, plus tard, au moment des invasions qui disloqueront l'Empire, un superstrat de caractère germanique. Ce processus est semblable à celui qui, plus au nord, a abouti au français, à ces différences essentielles près qu'en Provence la latinisation est intervenue à une date plus ancienne (IIe siècle av. J.-C.), qu'elle a été plus soutenue et ensuite moins affectée par l'influence franque.

> «CE N'EST PAS LE PASSÉ QUE NOUS CHANTONS, ET CE N'EST PAS
> DANS UNE LANGUE MORTE ; NOTRE LANGUE VIT, ELLE EST PARLÉE
> PAR TOUT UN PEUPLE, ELLE A SA GLOIRE, SES SAVANTS, SES POÈTES»
>
> FRÉDÉRIC MISTRAL

LANGUE ORALE, LANGUE ÉCRITE. S'il est la langue normale de communication orale depuis la fin de l'Empire romain, le provençal n'émerge que lentement et tardivement (vers 1100) dans la pratique écrite, où le latin, restauré par la réforme carolingienne, jouit longtemps d'un immense prestige. Cependant, l'essor du provençal est réel dans la littérature.

L'ASCENDANT DU FRANÇAIS. C'est sur le terrain de l'écrit qu'intervient, aux alentours de 1500, la première poussée du français, aux dépens du latin mais aussi du provençal dont l'emploi s'était généralisé, pendant le XVe siècle, dans les écrits de caractère local. Facilitée par le rattachement de la Provence au royaume en 1481, cette avancée est radicalisée par l'édit de Villers-Cotterêts (1539), qui impose de rédiger «en langage maternel françoys et non autrement» les actes officiels.

Les écrits privés passent très vite au français, ne recourant au provençal que pour des expressions techniques ou familières.

Littérairement, le français bénéficie du prestige de la Pléiade, puis des classiques du XVIIe siècle : en dépit de quelques exceptions (Belaud de La Bellaudière, Toussaint Gros...), les auteurs provençaux, du XVIe au XVIIIe siècle, tendent à se réfugier dans des genres mineurs.

RECUL ET MÉPRIS. Au XVIIIe siècle, le provençal connaît un nouveau recul, cette fois dans le domaine de l'usage oral. Parler la langue de l'Encyclopédie, des Lumières, des élites, est tenu pour un élément d'ascension sociale : le provençal, dès lors, devient d'usage exclusivement populaire, victime d'un certain mépris contre lequel s'élèvera Frédéric Mistral, et promis à une mort prochaine. Les premières années de la Révolution sont favorables aux patois : la Constitution française est même traduite en provençal par le député d'Aix, Charles François Bouche, en 1792. Mais, à partir de 1793, la politique nationale prend une tonalité jacobine, privilégiant le français.

Au XIXe siècle, celui-ci progresse assez rapidement dans les milieux populaires grâce aux brassages de populations (dus aux guerres, au chemin de fer), au développement de la presse et de l'enseignement.

RENAISSANCE. Face à ces menaces, il se produit au milieu du XIXe siècle une réaction indignée qui s'inscrit, d'une certaine façon, dans l'éveil des nationalités en Europe. Le grand homme de cette renaissance est Frédéric Mistral ● *125*, né et mort à Maillane (1830-1914). Au provençal, Mistral donne un système d'orthographe simple, moderne et propre à traduire les nuances de la parole populaire. Il l'illustre par ses écrits et dans son dictionnaire monumental, *Lou Tresor dou felibrige*, qu'il fait imprimer à Aix à partir de 1878.

Avec son ami Joseph Roumanille (1818-1891), libraire à Avignon, Mistral publie, à partir de 1855, un almanach annuel, l'*Armana prouvençau* :

AUJOURD'HUI
Les efforts du mouvement régionaliste portent, en priorité, sur l'enseignement : en 1946, Camille Dourguin et Charles Mauron créent l'association pédagogique *Lou Provençau* ; de plus en plus de candidats présentent l'épreuve de provençal au baccalauréat. Contes, poèmes, romans témoignent de la vitalité de la langue provençale, de Joseph d'Arbaud à Max-Philippe Delavouët en passant par André Degioanni, ou Pierre Millet.

FRANÇOIS RAYNOUARD (1761-1836)
Avocat puis député, il fut surtout linguiste et écrivain ; à ce titre, il publia un *Choix de poésies originales des troubadours*, en six volumes, de 1816 à 1826. Le XIIIe siècle fut le bel âge des troubadours ; la réputation de Blacas, seigneur d'Aups, Raimbaut d'Orange, Raimond de Beaujeu ou Albertet de Sisteron est fort honorable.

LE NISSART
Loin d'être quelque dialecte rattaché à l'italien, le nissart, bien qu'il possède ses caractéristiques propres, est un parler bien provençal : Frédéric Mistral voyait en cette «provençalité» une des causes du retour de Nice vers la France en 1860.

exclusivement provençal (et qui paraît toujours en 1994), il inaugure une série de périodiques qui se poursuivra notamment par *L'Aiòli* (de 1891 à 1899) et, de nos jours, par *Li Nouvello de Prouvènço*, bimestriel créé en 1989 et qui rayonne sur la totalité de l'aire provençale.

LE COMTÉ DE NICE

AVANT LE RATTACHEMENT À LA FRANCE. Le passage du comté de Nice sous l'autorité des comtes de Savoie, en 1388, soustrait l'idiome local à la poussée du français dans les textes manuscrits et imprimés. Jusqu'à la seconde moitié du XVIe siècle, on écrit, on publie en latin, mais aussi en nissart. En 1562, vingt-trois ans après que François Ier a imposé le français aux rédacteurs d'actes officiels dans son royaume, son gendre Emmanuel-Philibert de Savoie entreprend une démarche similaire et impose l'italien comme langue administrative. Cette italianisation, néanmoins, met du temps à se diffuser. De même, les événements de la Révolution et de l'Empire (afflux d'émigrés à Nice, première réunion du comté à la France) ne produisent qu'une francisation limitée. Le nissart demeure bien vivace, comme l'illustre la *Grammatica nissarda* de l'abbé Joseph Niceu ; il connaît un regain de faveur lorsque le pays, en 1814, est soustrait à la tutelle française.

À PARTIR DE 1860. Le rattachement à la France ouvre la voie à une francisation systématique. Le nissart bénéficie cependant du mouvement de renaissance provençale. Ce nouvel essor se développe dans deux directions : d'une part la presse d'expression nissarde, d'autre part le théâtre populaire. Il convient, en outre, de rendre hommage aux efforts déployés par André Compan (né en 1922) pour faire connaître la langue et la littérature nissardes, grâce à sa *Grammaire niçoise* (1965) et à ses anthologies des écrivains nissarts.

FRÉDÉRIC MISTRAL
Le but de son œuvre est «premièrement, de relever, de raviver en Provence le sentiment de race que je voyais s'annihiler sous l'éducation fausse et antinaturelle de toutes les écoles ; secondement, de provoquer cette résurrection par la restauration de la langue naturelle et historique du pays, à laquelle les écoles font toutes une guerre à mort ; troisièmement, de rendre la vogue au provençal par l'influx et la flamme de la divine poésie».

Art de Vivre

● JEUX DE BOULES

Les jeux de boules, associés au soleil, au pastis et au farniente, sont devenus en Provence l'un des symboles de l'art de vivre populaire. L'essor des cercles, des cafés et des guinguettes au XIXᵉ siècle contribua fortement à leur diffusion. Si le jeu provençal traditionnel, la longue, est aujourd'hui détrôné par une nouvelle venue, la pétanque, tous deux restent une pratique essentiellement masculine. Jeu de défi et d'honneur, la partie de boules se déroule sous les yeux d'un public facétieux, et donne lieu à des joutes verbales mémorables.

LE BUTABAN ET LA ROULETTE
Dès le XVIIIᵉ siècle, la boule a envahi les campagnes et les esplanades, sous la forme du butaban et de la roulette, après avoir servi pendant longtemps au jeu de quilles et à celui du mail.

LE JEU TRADITIONNEL
Le jeu provençal, appelé longue, se joue sur un grand terrain (de 15 à 21 m). Le joueur doit prendre de l'élan et faire un seul grand pas en avant s'il pointe sa boule, trois s'il la tire.

UNE VÉRITABLE ÉPIDÉMIE
Sous le Premier Empire, le jeu de boules conquiert peu à peu les moindres recoins des villes. Jugé dangereux – de nombreux passants déposent plainte après avoir été touchés aux chevilles ou à la tête par les lourdes boules de buis recouvertes de clous – il est interdit sur la voie publique et doit se réfugier dans les guinguettes, les jardins privés, les bastides.

LA PÉTANQUE Ce nouveau jeu serait né un jour de juin 1910 à La Ciotat, parce qu'un joueur, hors d'état de faire les trois pas pour tirer sa boule, décida de la lancer à l'arrêt, les pieds joints.

La premières sociétés boulistes apparaissent en 1828. Très vite, des concours locaux ou régionaux sont organisés. Certaines compétitions sont mêmes patronnées et dotées par la presse.

CORSOS ET CAVALCADES
Fêtes provençales typiques, les corsos sont pourtant de tradition récente. Ils ont remplacé au XIXe siècle les débordements du carnaval et ses rites d'exorcisme agraire. Tout le village s'affaire à préparer les chariots ornementés, les *carreto ramado* (charrettes décorées de branchages),

Autrefois, l'année était rythmée par d'innombrables fêtes religieuses dont les deux temps forts correspondaient aux solstices d'hiver et d'été : Noël et la Saint-Jean. Les festivités faisaient aussi écho au calendrier agraire qui voyait se succéder pèlerinages et bénédictions des troupeaux, des récoltes ou des fermes. Bien que la déchristianisation des campagnes ait rendu ces manifestations plus rares, la Provence a conservé de nombreuses fêtes populaires qui ont su garder saveur et authenticité. Certaines ont été restaurées ; d'autres sont apparues au cours des dernières décennies, en particulier dans de petites villes en croissance.

LA COURSE CAMARGUAISE
Encore appelée course à la cocarde ou course libre, c'est un spectacle camarguais (Arles, Saintes-Maries-de-la-Mer) auquel sont attachés les Provençaux. Les *raseteurs*, dont l'adresse consiste à enlever la cocarde, les glands et les ficelles, sont tout de blanc vêtus et s'attaquent au taureau en un acte appelé *raset*. D'autres jeux pour amateurs (abrivado, ferrade), pratiqués lors des fêtes patronales des villages de la Provence d'Arles, complètent le spectacle.

LES JOUTES NAUTIQUES
Déjà pratiquées au début du XVe siècle, elles voient s'affronter des barques montées chacune par six rameurs et un jouteur en caleçon, poitrine et jambes nues, une lance dans la main droite, un bouclier rond dans la gauche, juché sur une longue planche, la *tintaine*, qui prolonge la barque par-devant. Les joutes ont lieu autour du 14 juillet et du 15 août.

ou encore les chars thématiques en carton-pâte. Cette tradition est très vivante à Cavaillon, Apt, Pertuis, dans le Luberon et les Alpilles, à Draguignan, et à Nice.

LES BRAVADES

Encore bien vivante dans de nombreux villages, la bravade est à l'origine une procession en l'honneur du saint patron de la ville. Celui-ci est accompagné par une garde d'honneur composée, selon les lieux, de hussards, mousquetaires, marins, cavaliers ou turcos, armés de tromblons ou de vieux mousquets chargés de poudre noire. Le défilé, au son des fifres et des bachas, traverse la cité, entièrement décorée. De multiples salves d'honneur ponctuent les cérémonies.

LE CARNAVAL

Fête païenne récupérée par l'Église qui l'insère dans le cycle annonçant le carême au Moyen Âge, le carnaval précède Pâques de quarante jours . Des rites respectés depuis des siècles sont servis par des personnages fantastiques, issus de la mythologie populaire, elle-même entretenue par des dynasties d'artisans carnavaliers.

L'AÏOLI

Ce plat savoureux a toujours été prétexte à des retrouvailles familiales ou amicales, notamment l'été où on va le déguster au cabanon (ici en 1930). Cette convivialité s'étend à tout le village, au moins une fois par an, en général pour clore les festivités patronales.

67

«LES JEUX SONT FAITS ?
RIEN NE VA PLUS !»

Mot italien diminutif de *casa*, le terme «casino» n'est utilisé en France que depuis le XIXᵉ siècle. Juridiquement défini par la loi du 3 avril 1942 et l'arrêté du 23 décembre 1959, «un casino est un établissement comportant trois activités distinctes : le spectacle, la restauration et le jeu» et ne peut être ouvert que dans les localités classées stations balnéaires, thermales ou climatiques. Créé pour divertir des curistes, le casino attira vite des touristes plus enthousiasmés par la roulette et les cartes que par les bienfaits des eaux. Les communes concernées, voyant croître et prospérer leur commerce et leur tourisme, se sont toujours montrées favorables à l'ouverture d'un casino. La France compte, selon les saisons, quelque cent trente-quatre établissements répartis sur cinquante et un départements. Les Alpes-Maritimes totalisent, à elles seules, près du tiers du revenu des jeux (2,3 milliards).

LE PERSONNEL

Si le terme «croupier» désigne communément tout employé des casinos, on distingue en pratique, selon l'emploi tenu, le chef et le sous-chef de table, le croupier, le changeur, le ravitailleur et le valet de pied. Pour une plus grande régularité des jeux, tout le personnel, y compris le comité de direction, doit avoir été agréé par les services de police... et porter des vêtements sans poches.

LES JEUX

La liste des jeux autorisés est fixée par décret. Cependant, pour chaque établissement, un arrêté d'autorisation détermine les jeux dont la pratique est légale. En 1907, seuls étaient permis dans les casinos le *baccara* à deux tableaux, l'*écarté* et les *petits chevaux* puis, le *chemin de fer,* peu de temps après. Le jeu des *petits chevaux* fut remplacé, en 1921, par la *boule,*

en 1932, la *roulette* rétablie et le *trente-et-quarante* autorisé. Un décret de 1969 rendit licites de nouveaux jeux : le *vingt-trois* (variante de la *boule*), la *roulette américaine*, le *craps* et le *black jack*. En 1987 enfin, la *roulette anglaise*, le *punto banco* et les machines à sous furent introduits dans les casinos.

CANNES — Le Casino Municipal

LES JOUEURS

Attirés par l'appât du gain et passionnés par le jeu, les joueurs sont admis (majeurs et non «exclus») dans les salles de jeu après délivrance d'une carte nominative payante.

Le temps de Noël dure traditionnellement quarante jours en Provence, jusqu'à la Chandeleur. Cette longue période a favorisé le développement d'un cérémonial très spécifique : l'exposition dans les églises de crèches au décor complexe, nées au cours du XVIIᵉ siècle, l'élaboration de pièces de théâtre, les pastorales, et une forte provencialisation de la messe de minuit. Bergers, pêcheurs ou paysans offrent au cours de la cérémonie un agneau, des poissons ou une pomme fleurie en gage de prospérité.

Les foires aux santons sont nées sous le Premier Empire.

TROIS TYPES DE SANTONS
Ils figurent les personnages de la crèche, de la pastorale ou les petits métiers.

LEUR FABRICATION
Le santon provençal, né sur une idée de J.-L. Lagnel (1764-1822), est fait d'argile fine d'Aubagne ou de Marseille, dont on remplit un moule de plâtre à deux pièces pour le santon simple ; dans le cas du santon détaché, membres et accessoires sont moulés à part et rapportés. Avant le séchage et la cuisson, le santon est retouché à la main et peint avec soin.

LE GROS SOUPER
Ce repas maigre mais copieux du soir du 24 décembre est ordinairement constitué de plats de poisson et de légumes. De nombreux desserts le terminent et permettent aux enfants d'attendre la messe de minuit. Leur nombre a été fixé à treize (référence mystique au Christ et à ses douze apôtres) par les milieux félibréens : la *pompe*, par exemple, est une galette à l'huile ou au beurre que l'on trempe dans du vin cuit, très liquoreux.

SCÈNE DE PASTORALE
La pastorale est une pièce de théâtre qui, à l'origine, met en scène les types sociaux variés d'un bourg confronté à la grande nouvelle de la Nativité. Elle fut créée par Antoine Maurel en 1842-1844.

COURONNE DES ROIS (6 JANVIER-2 FÉVRIER)
C'est une brioche couverte de fruits confits qui renferme une fève grillée et un sujet.

PASTRAGE DE LA MESSE DE MINUIT
Le *pastrage* est l'offrande, faite par les bergers, d'un agneau nouveau-né, au cours d'une cérémonie très ritualisée pendant la messe de minuit.

Le mobilier d'église reflète l'évolution historique des croyances religieuses. Ces objets de culte popularisent très souvent le message de la religion officielle : commandés par la paroisse ou par des confréries de laïcs, vitraux, fresques et peintures de retables sont là pour instruire le fidèle en transposant en images les Écritures Saintes ou les dogmes de la Contre-Réforme. Offerts en action de grâces ou pour se préserver des épidémies et des calamités naturelles, reliquaires, ex-voto peints, statues de saints traduisent quant à eux les craintes et les dévotions d'un peuple souvent éprouvé.

Fêtes religieuses
Pèlerinages et processions constituent l'une des manifestations les plus importantes de la piété populaire. L'après-midi de la fête patronale, le soir du vendredi saint, lors des rogations (25 mars) et au cours des trois jours précédant l'Ascension, statues et reliques sont portées sur un brancard ou dans un habitacle.

«LES PÉNITENTS BLANCS [SONT] AINSI APPELÉS PARCE QU'ILS SONT
REVÊTUS DE LONGUES ROBES BLANCHES LES CACHANT
ENTIÈREMENT ET DANS LESQUELLES SONT PRATIQUÉS SEULEMENT
DEUX TROUS À LA PLACE DES YEUX»

MME CRADOCK, 1785

LES PÉNITENTS

Ils remplissaient des devoirs de dévotion et d'entraide, surtout à l'occasion des obsèques : après avoir préparé le mort, ils le portaient en procession et se chargeaient de sa sépulture.

CULTE DES SAINTS

Plus que des modèles, les saints sont des intercesseurs ou des thaumaturges ; on cherchait moins à les imiter, que le contact de leurs reliques. Celles-ci sont placées dans un coffret qui

AUTELS ET RETABLES

Les chapelles sont les lieux privilégiés de la piété : on vient y prier la Vierge et les saints, intercesseurs célestes plus accessibles que Dieu, ou l'on se fait ensevelir à proximité, afin de bénéficier d'indulgences et du rachat de ses péchés. Trois dévotions dominent, assurées par des confréries : la Vierge du Rosaire qui remplace après la Contre-Réforme la Vierge de Miséricorde du Moyen Âge, le Saint-Sacrement et les Âmes du Purgatoire.

EX-VOTO

Ces petits tableaux, sur bois, sur toile ou sur papier, en usage du XVIIe au début du XXe siècle, représentent un miracle ou un personnage en action de grâces. Ils témoignent la reconnaissance de fidèles ayant obtenu la protection divine lors de maladies, d'incendies, d'épidémies ou d'accidents.

prend souvent la forme d'une statue, d'un bras reliquaire, ou plus généralement d'un buste.
Outre les saints antipesteux, saint Roch et saint Sébastien, les figures les plus sollicitées sont saint Joseph et saint Éloi.

● FAÏENCES

LE FLAMME
Léon Sagy et André Bernard sauvèrent la
faïencerie d'Apt de la disparition et inventèrent
après la Première Guerre mondiale un nouveau
mélange de terre : le «flamme».

La Provence eut trois centres faïenciers de grand renom qui
prirent leur essor à la fin du XVIIe siècle : Moustiers, Marseille
et Apt. Trois provenances, trois styles très différents que
portèrent à leur apogée certaines fabriques familiales.
La tourmente révolutionnaire frappera de plein fouet cet
artisanat d'art. Aujourd'hui, à Moustiers et à Apt, une nouvelle
génération a repris le flambeau et renouvelle les formes.

FAÏENCE FINE DU CASTELLET
La faïence d'Apt a démarré au
Castellet : en 1730 César Moulin y
ouvre une manufacture ; ses fils
s'installeront à Apt en 1768. Un
fond jaune orangé, dû à une argile
saturée en oxyde en fer,
caractérise les deux productions.

LE DÉBUT DU XIXe SIÈCLE, APOGÉE DE LA FAÏENCE D'APT
Les faïenciers
aptésiens rencontrent
à cette époque un vif
succès en proposant
des pièces décoratives
raffinées rappelant le
goût du XVIIIe siècle
et des bassins à décor
végétal (ci-dessous)
un pot à eau orné de
branches d'olivier en
relief).

LE STYLE RÉACTUALISÉ
Jean Faucon a su
maintenir la
tradition (faïence
jaspée, rehaussée
de reliefs
monochromes), tout
en innovant : il a ainsi
créé de nouvelles
gammes de coloris,
dans des camaïeux de
bleu contrastant avec
les traditionnels tons
chauds (ci-dessus).

FAÏENCE JASPÉE
Cette technique, introduite à Apt en
1775, permet de juxtaposer (et non
plus de superposer) les terres de
différentes couleurs. On obtient
ainsi des fonds
polychromes
dont le
dessin imite le
jaspe ou le
marbre.

1927 : LA RENAISSANCE DE MOUSTIERS

Au XIXᵉ siècle, la production avait cessé, victime des troubles révolutionnaires et de l'engouement pour la porcelaine d'Extrême-Orient. Les faïenciers revinrent grâce à Marcel Provence qui fit construire un four en 1927 et créa une académie.

UN STYLE ORIENTALISANT À MARSEILLE

Le décor dit au «chinois-fleurs», qui marie des figures asiatiques, souvent réalisées dans des tons polychromes, et des motifs symétriques et rayonnants influencés par Rouen, marque la production de l'un des grands ateliers marseillais au XVIIIᵉ siècle, celui de Louis Leroy.

LE VERT DE CUIVRE TRANSPARENT

Honoré Savy, marseillais, met au point à la fin du XVIIIᵉ siècle un vert de cuivre transparent que l'on retrouve sur la base de cette fontaine d'applique.

LES GROTESQUES

Le décor à grotesques, qui mettait en scène les personnages caricaturaux de Jacques Callot et un bestiaire fantastique alors très en vogue, fit la gloire de Moustiers et fut très imité.

DÉCORS DE PETIT FEU

Cette technique de cuisson, spécialité des frères Ferrat à Moustiers, permit à partir de 1760 de nouveaux coloris (roses et verts).

DÉCOR À LA BÉRAIN

Autre gloire de Moustiers, il marie arabesques, draperies, animaux et mythologie.

LE STYLE ROCAILLE

Les décors floraux en camaïeu bleu et manganèse, sur fond blanc ou gris perle, sont la spécialité de Joseph Fauchier, faïencier marseillais. Maître de la statuaire polychrome et de la ronde-bosse, il exécuta de nombreux sujets religieux.

L'*adòba* est un plat très répandu en Provence. Il se fait dans une daubière, marmite en terre dont le couvercle est creux.
Ceci permet d'y verser régulièrement de l'eau froide qui condense par contraste de température, les sucs de la cuisson à l'intérieur du pot et rend la viande moelleuse. Mais vous pouvez également utiliser un fait-tout ou un autocuiseur !

INGRÉDIENTS. 1 kg de bon bœuf que l'on découpera en morceaux de 80 g. 100 g de petit salé, 3 oignons, 2 carottes, 4 gousses d'ail entières,

2 tomates concassées, 1 bouquet garni (thym, laurier, persil), 1 morceau d'écorce d'orange, sel, poivre, vin rouge.

1. La veille, faire mariner la viande dans du vin rouge avec 1 oignon coupé en quatre, 1 gousse d'ail, du sel et du poivre, du thym et du laurier.

2. Le lendemain, au moment de la cuisson, poser la daubière (ou la cocotte !) sur un feu (dans le mas, on se servait autrefois du «potager» garni de braises) en intercalant une plaque d'amiante. Sinon, la daubière en terre risquerait d'éclater.

3. Verser quatre cuillerées d'huile d'olive et, lorsque celle-ci est chaude, y jeter le petit salé coupé en dés.

4. Couper les carottes, les tomates et les oignons en rondelles assez épaisses. Faire revenir les oignons dans la daubière.

1. Entrée et boutiques
2. Atrium
3. Tablinium
4. Jardins intérieurs
5. Triclinium (salle à manger),
thermes privés
et pièces d'habitation
6. À l'étage, chambres

AQUEDUCS
Le besoin en eau
des villes romaines,
qui possédaient déjà
de nombreux
thermes, des
fontaines, un réseau
d'égouts, amena
les Romains
à construire
de gigantesques
aqueducs. La
longueur de celui
de Fréjus, bâti vers
le Ier siècle ap. J.-C.,
est de 40 km ▲ 252.

**UN «DOMUS»
DE LUXE**
La maison au
Dauphin
à Vaison-
la-Romaine
▲ 186 est
caractéristique
des riches maisons
urbaines des villes
de la Narbonnaise
de la fin du IIe siècle.
Ses murs étaient bâtis
à la chaux, ses toitures
couvertes de tuiles
et ses sols mosaïqués.

**LE THÉÂTRE
D'ORANGE ▲ 182**
Il offre l'image
presque intacte de ces
immenses édifices
de spectacle, qui
témoignent de
l'organisation sociale
(place des diverses
catégories de citoyens,
spectacles offerts par
les notables) et du
degré de perfection
technique dans
l'architecture
(circulations des
spectateurs et des
acteurs, couverture
de la scène et des
gradins, ingéniosité
des machineries).

**L'AMPHITHÉÂTRE
D'ARLES ▲ 159**
L'architecture
des amphithéâtres
est stéréotypée :
une arène ovale
recouverte de sable
et des gradins
reposant sur
des voûtes.
Celui d'Arles,
construit à la fin
du Ier siècle pour
vingt-trois mille
spectateurs, fut édifié
en grand appareil
de calcaire local.
Deux étages
d'arcades d'ordre
toscan supportent
les gradins et
desservent couloirs
et escaliers.

DU SACRÉ AU PROFANE
Le théâtre grec, adossé
à une colline, s'ouvrait
sur le paysage.
Les représentations
étaient d'ordre
religieux. L'orchestre,
circulaire, servait à la
déambulation du
chœur. Avec les
Romains, le théâtre
perd son caractère
sacré pour devenir
un lieu de
représentations
profanes : les chœurs
disparaissent et un
mur de scène,
composé de colonnes
et statues, propose
une véritable
«mise en scène»
de l'architecture par
elle-même.

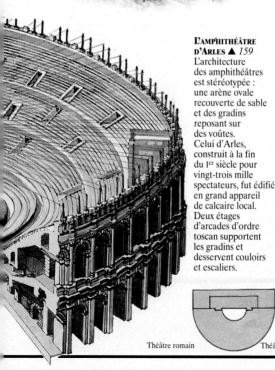

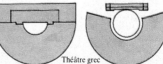

Théâtre romain   Théâtre grec

Partagée au Moyen Âge entre les comtes catalans et angevins puis entre le roi de France, le comte de Savoie, le pape et les comtes de Nassau, la Provence a longtemps été une terre convoitée et divisée. Afin de répondre à l'insécurité, villes et villages se sont très tôt entourés de murailles, tandis que, sur les frontières, les seigneurs faisaient édifier forts et châteaux pour surveiller l'ennemi. Aux donjons médiévaux, ultimes défenses en cas d'attaque mais surtout symboles du pouvoir seigneurial, vont répondre les places fortes, aménagées, le long des Alpes, selon les préceptes de Vauban.

TOUR D'ARTILLERIE BASTIONNÉE
Moins solide qu'un bastion, mais moins coûteuse, elle renforçait l'enceinte de la ville et convenait à une région où l'on ne pouvait amener de gros canons. De plan pentagonal, sa gorge faisait saillie à l'intérieur de l'enceinte.

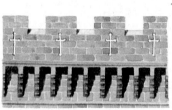

MÂCHICOULIS (Tarascon ▲ *151*)
Avant l'existence de ce dispositif, si l'assaillant parvenait au pied de la muraille, le défenseur ne pouvait l'atteindre qu'en se penchant hors du créneau, ce qui le rendait vulnérable. Les mâchicoulis lui permettront de tirer des traits verticaux avec plus de sécurité.

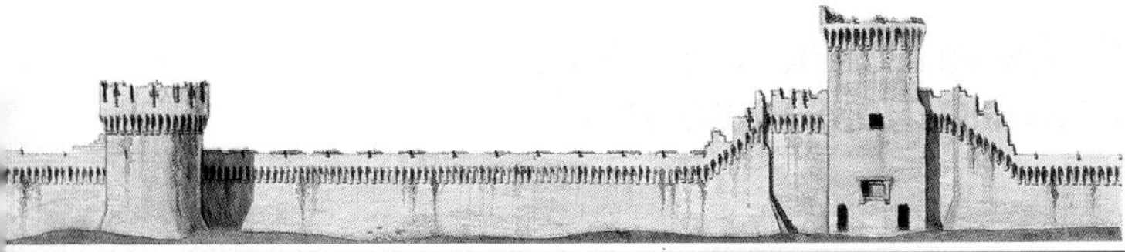

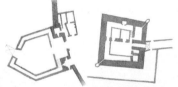

**L'OUVRAGE
À CORNES
1** front
bastionné
2 face
3 flanc
4 front
5 aile

PLACE FORTE
(Entrevaux ▲ 310)
Vauban projeta de
nombreuses
améliorations du
système défensif de la
cité dont une partie
seulement sera
réalisée. Il dota
l'enceinte du village
d'échauguettes, de
deux tours d'artillerie
bastionnées, d'un
ouvrage à cornes
protégeant la porte
de Savoie. La «grande

corne», qu'il avait
dessinée en avant de la
porte Royale, fut
remplacée par une
porte flanquée de
deux tours et
surmontée d'une
bretèche en surplomb
permettant un tir vers
le pied de la porte, par
ses ouvertures au sol.
La ville sera aussi
protégée par deux
fortins d'artillerie et
reliée à la citadelle par
un chemin couvert.

ÉCHAUGUETTE
C'est une tourelle construite le
plus souvent en encorbellement
aux principaux angles saillants
d'une fortification pour en
surveiller les abords.

FORTS (Colmars ▲ 311)
Véritables citadelles,
les forts avaient un rôle de défense
autant que de surveillance.

ENCEINTE URBAINE
(Saint-Paul-de-Vence ▲ 308)
Elle enveloppe à la fois la muraille
médiévale et le château primitif.
Ses portes sont protégées par
des orillons arrondis.

83

Le terroir provençal est parsemé de villages qui portent
le témoignage d'une très ancienne organisation de la société, souvent
héritée du Moyen Âge, voire de l'Antiquité. Qu'il s'agisse du village
perché à l'image des antiques oppidums, marqué fréquemment d'une
empreinte féodale, du village de plaine, généralement implanté à un
point de rupture de charge – carrefour routier ou confluence de
rivières –, ou encore du village côtier, posé en un lieu se prêtant au
mouillage et à la pêche, ils sont tous la survivance d'une forme
d'habitat groupé, établi selon un schéma caractéristique.

LE PERCHEMENT «ABSOLU»
Sur les sommets, les bâtisseurs trouvaient,
en plus d'un site facile à défendre, des pierres
en abondance, un air salubre, et remédiaient
à l'absence d'eau en construisant de vastes
citernes. L'installation de certaines de ces
agglomérations sur les hauteurs correspond
également à l'émergence du pouvoir féodal,
obligeant les habitants à se regrouper
autour du château fortifié.

VILLAGE DE PIED DE PENTE
Ce type d'agglomération bénéficie
des ressources en eau que lui offre la rupture
de pente. Cotignac (Var) en est l'exemple
type : il s'est construit au pied d'une falaise,
percée de grottes occupées dès le néolithique.
La sécurité était assurée
par une enceinte, et par un château bâti
au sommet de la falaise.

LE PERCHEMENT DE RESSAUT
Entre le village de perchement et celui
de plaine, les variantes sont innombrables.
Ce type d'implantation bénéficie à la fois de
la sécurité du   perchement
et des ressources en   eau des nappes
aquifères peu
profondes.

LE VILLAGE DE PLAINE
Ce type de village, répondant au
souhait des habitants de s'installer
au plus près de leurs terres, apparaît
souvent quand le pouvoir féodal
n'est plus assez fort pour obliger
les populations à rester
autour du château.

UN VILLAGE DE LITTORAL (Martigues)
S'articulant sur trois quartiers bien
distincts – Jonquières, l'Île et
Ferrières – séparés par les deux
bras de la passe de Caronte, le
paysage urbain des vieux quartiers
présente une unité fortement
marquée par les façades étroites
des maisons de pêcheurs.

UN VILLAGE EN COQUILLE
(Pélissanne)
Cet étonnant village de plaine ne laisse pénétrer en son cœur aucune des routes dont il constitue pourtant un carrefour majeur. Il régnait dans ces micro-cités très autonomes une intense vie communautaire : on travaillait ensemble et les ruelles étaient de véritables espaces collectifs.

UN VILLAGE PERCHÉ DÉFENSIF (Peillon ▲ 318) Sa situation, sur un piton rocheux, permet un étagement des constructions qui bénéficient ainsi d'un bon ensoleillement. En revanche, l'exiguïté du site, le manque de place au sol nécessitent un entassement en hauteur, allant jusqu'à six ou sept niveaux. Les ruelles occupent de ce fait un espace réduit, s'entrelaçant jusque sous les immeubles.

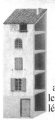

LA MAISON DE VILLAGE
À chaque niveau correspond une fonction : à la cave, les réserves d'huile, de vin et de farine ; au rez-de-chaussée, une écurie pour l'âne ou le mulet ; aux deux niveaux suivants, l'espace d'habitation ; au troisième et au grenier, le foin, les fruits et les légumes.

Profondément inscrite dans le terroir, liée aux activités quotidiennes autant qu'au climat, l'architecture rurale traditionnelle, destinée au berger, au fermier ou à l'exploitant agricole, témoigne d'une adaptation remarquable. Si de nombreux types d'habitat la caractérisent (ferme, bastide, mas, cabane, borie, cabanon, pigeonnier), elle répond toujours à des besoins familiaux et agricoles, juxtaposant ou intégrant dans un même bâti les lieux d'habitation et ceux à caractère professionnel. Les techniques de construction sont étroitement liées aux ressources en matériaux.

CABANE CAMARGUAISE Elle se compose d'une ossature en bois sur laquelle sont fixés des fagots de roseaux. Sa forme arrondie à l'arrière permet de résister aux vents.

DES MOYENS MODESTES (fermette de la campagne niçoise) La simplicité du volume est compensée par l'emploi de la couleur. L'ocre rouge du fond est mis en valeur par l'ocre jaune des bandeaux et des cadres. Parfois, une peinture en trompe l'œil d'une fenêtre rétablit l'effet de symétrie quand celle-ci est rompue.

ÉVOLUTION DE LA BASTIDE DE PONTEVÈS

1. 1750 **2.** Avant 1840 **3.** 1858 **4.** Seconde moitié du XIXᵉ siècle **5.** Seconde moitié du XIXᵉ ou début du XXᵉ siècle

La bastide, dite aussi maison de maître, est une grande exploitation agricole appartenant à un riche propriétaire. Les bâtiments d'exploitation s'organisent autour de cette dernière, au centre, reconnaissable à sa toiture à coupe et à ses génoises (rangs de tuiles soulignant la toiture).

MAS CAMARGUAIS Aveugle au nord et au nord-ouest pour échapper aux coups violents du mistral, il est fait, à l'étage, de murs épais en pierre de taille et, au rez-de-chaussée, en maçonnerie de moellons qui lui garantissent une agréable fraîcheur. Ici, l'une des extrémités du plan en U est marquée par un pigeonnier monté en pierre de taille.

CABANON
Ses matériaux : pierres sèches, moellons, mortier d'argile, de sable ou de chaux.

BORIE Cette petite construction en pierres sèches – c'est-à-dire bâtie sans liant – servait de petite écurie, de remise ou de bergerie. La porte, basse et étroite, est surmontée d'un linteau de bois ou de pierre. La couverture est réalisée selon le principe de la voûte en encorbellement dégrossi sans aucun cintre en bois.

PIGEONNIER Il peut être partiellement ou totalement intégré aux bâtiments d'exploitation et prend la forme d'une tour, ronde ou carrée, quand il est isolé. Sa toiture, à un seul versant, simple ou en cascade, lui confère une silhouette bien caractéristique. Une grande échelle tournant sur un axe central permettait d'accéder à chaque hauteur des boulins.

LA MAISON DES VALLÉES ALPINES
(Pra Roustan) Elle se caractérise par un volume massif, ramassé, enchâssé dans la pente ; la façade principale, de deux ou parfois trois niveaux, est parallèle à la pente. De plan rectangulaire, elle est couverte d'un toit à deux ou quatre pentes, fait de lauzes grises, de bardeaux de mélèze, d'ardoises de schiste gris ou de tuiles plates en écailles. Les fenêtres sont peu nombreuses et étroites. Ces habitations sont bâties avec la pierre grise du pays qui permet d'édifier d'épais murs jointoyés ou couverts d'un enduit (chaux-sable) d'aspect rustique.

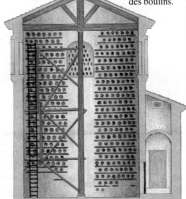

À la période d'insécurité qui suivit la chute de l'Empire romain succède un temps de paix, propice au développement du premier art roman. Les églises se construisent autour de l'an mil avec pour caractéristiques principales l'emploi systématique de la voûte, la simplicité des plans, l'harmonie des volumes, l'absence d'ouvertures, un réel dépouillement et la perfection de l'appareil. Le second âge roman (XIIe-XIIIe siècle) allégera les édifices, les ouvrira à la lumière et les ornera à l'antique.

PORTAIL ROMAN ALPIN (N.-D.-du-Bourg, Digne ▲ 240) Dans l'art roman alpin, le portail reprend la tradition italienne des assises alternées de pierres blanches et de pierres gris sombre ou roses.

CHEVETS (N.-D.-de-Valvert, Allos) Ils peuvent être plats et voûtés en berceau, ou en abside de plan semi-circulaire et voûtés en cul-de-four.

GROUPE ÉPISCOPAL (Fréjus, ▲ 252) Siège de l'évêché, il alliait temporel et spirituel, avec le palais épiscopal, résidence des puissants évêques de Fréjus, la cathédrale, le baptistère et le cloître.

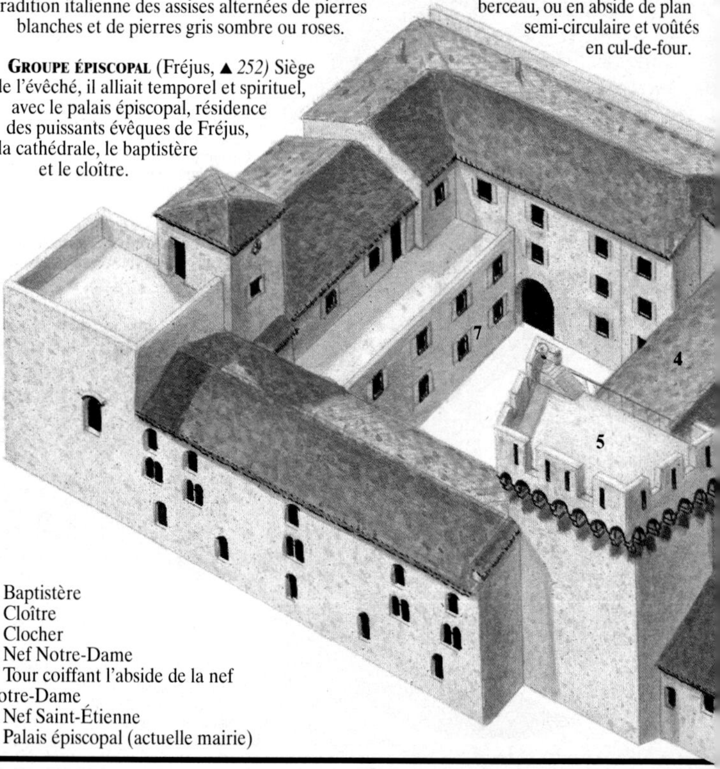

1. Baptistère
2. Cloître
3. Clocher
4. Nef Notre-Dame
5. Tour coiffant l'abside de la nef Notre-Dame
6. Nef Saint-Étienne
7. Palais épiscopal (actuelle mairie)

SYMBOLIQUE ROMANE (cathédrale Saint-Sauveur ▲ *213*, Aix) Si les chapiteaux s'ornent souvent des symboles des évangélistes, ils conservent cependant un décor antiquisant (géométrique ou végétal).

ÉVOLUTION DE LA VOÛTE

Roman et gothique se singularisent par l'évolution de la voûte. La voûte forme d'abord un demi-cercle régulier (berceau en plein cintre), puis se déforme pour former un berceau brisé. A la fin du roman apparaît l'arc ogival, qui trouvera son plein épanouissement lors du gothique : les ogives (1) se rejoignent dans la clef (2) pour former la voûte sur croisée d'ogives. Les arcs-doubleaux (3) séparent les travées.

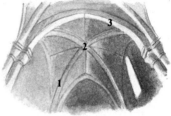

UNE ORDONNANCE À L'ANTIQUE (Saint-Trophime, Arles ▲ *162*) La forme en arc de triomphe et la richesse du décor sculpté tranchent avec l'austérité de la façade. Les principaux thèmes de l'histoire sainte sont déclinés, dominés par le Christ en majesté entouré du tétramorphe.

ÉVOLUTION DU PLAN
(Saint-Donat-de-Montfort) Le premier art roman se caractérise par un plan basilical supplanté par la suite par un plan à nef unique.

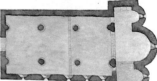

ÉVOLUTION DE L'ART ROMAN (cathédrale de Fréjus ▲ *253*) Typique de l'art roman, la nef Saint-Étienne (XIe-XIIe siècle) (6), long vaisseau étroit (5,5 m), est voûtée entièrement en plein cintre. La nef Notre-Dame (4), couverte d'une voûte d'ogives, est caractéristique de l'évolution du roman.

93

Un riche décor de stuc doré
et polychromé vient souligner l'architecture
de l'église du Jésus à Nice ▲ 286.

Plus qu'un style, le baroque provençal
doit se comprendre comme une véritable
civilisation dont les manifestations se
lisent encore à travers les constructions
du XVIIᵉ siècle. Folle intermède entre la
Renaissance tardive qui a évolué vers le maniérisme
et le néo-clacissisme marqué par le retour à l'antique,
le baroque répond aux besoins de l'Église dans ses nouvelles
orientations et s'exprime par la spirale, la volute, la courbe et la
contre-courbe, dans le jeu alterné des masses convexes et concaves
et les prouesses techniques auxquelles les progrès contemporains
des mathématiques ne sont pas étrangers.

RIGUEUR ET ÉQUILIBRE DU STYLE JÉSUITE (chapelle du collège
des Jésuites, Avignon)
La façade est ici caractéristique de ce
que l'on a appelé le «style jésuite»,
qui s'inspire de l'église du Gesù
de Della Porta à Rome. Deux étages,
d'inégale largeur et animés de
pilastres corinthiens et de niches
vides de statues, sont reliés
par de larges volutes.

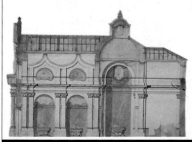

DES THÈMES BAROQUES (chapelle des
pénitents noirs, Avignon) Le baroque exalta
de nouveaux thèmes comme ceux du martyre
et de l'extase des saints. L'originalité repose
ici sur le très beau bas-relief où la tête
de saint Jean (emblème des pénitents noirs)
est glorifiée par des angelots.

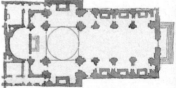

DEUX TYPES DE PLANS
Si les grandes
églises conservent un
plan basilical
traditionnel, elles
comportent le plus
souvent une partie
centrale importante,
mise en valeur par
une coupole ou une
rotonde.

Les plus petits
édifices présentent
une disposition
centrée et, quand il y
a lieu, un seul axe
longitudinal.

ÉLÉGANCE ET SCÉNOGRAPHIE (église Saint-Pons, Nice) La restitution de la façade d'origine rend toute sa grâce à un édifice où se discerne l'influence de Juvara. Le clair-obscur des portiques, l'élégance de l'escalier et la vitalité des courbes convexes trouvent leur écho dans la voûte ellipsoïdale.

LE DÉCOR
Donnant une large part à l'illusion et aux effets dramatiques, le baroque a su aborder de nouveaux thèmes religieux et renouveler le vocabulaire décoratif désormais composé de raccourcis, de diagonales, de perspectives, de trompe-l'œil et de polychromie. Murs et plafonds se couvrent d'angelots, de masques, de cariatides, de rinceaux, de drapés et de guirlandes.

LES FAÇADES (église de Lambesc) Si les trois ordres classiques – dorique, ionique et corinthien –, théorisés avec rigueur par le Romain Vitruve, sont conservés, au-dessus d'un soubassement, leur superposition est de plus en plus remplacée par un seul ordre colossal qui recouvre toute la hauteur des murs et donne aux façades une très forte unité.

Conçus au Moyen Âge en fonction d'impératifs de défense militaire, les châteaux furent réaménagés dès la Renaissance pour répondre aux critères de commodités de la vie privée. Le vieux schéma du plan quadrangulaire flanqué de tours perdura cependant longtemps et les bâtiments ne seront souvent mis au goût du jour que par des réfections partielles et des placages décoratifs. Les modèles d'Île-de-France ne furent réellement suivis qu'au XVIIIe siècle. Les bastides, prolongement «hors les murs» de l'esprit de grandeur qui marque les cités de Provence à l'époque classique, expriment quant à elles la volonté de certaines familles d'affirmer leur position sociale par l'achat d'une terre. Leur vocabulaire architectural s'identifiera souvent à celui de l'hôtel particulier.

RENAISSANCE Le château d'Allemagne en Provence (XVIe siècle) est un bel exemple de transition entre le château à caractère défensif du Moyen Âge et le château à caractère résidentiel de la Renaissance. Superbes fenêtres à meneaux et gâbles gothiques voisinent ainsi avec harmonie.

DU MANIÉRISME AU CLASSICISME Doté de grands fenestrages répartis sur six travées, ce corps de logis (1645) du château d'Ansouis annonce le classicisme par la régularité et la sobriété de sa composition. L'ornementation rappelle cependant Renaissance et maniérisme aixois.

DE NOUVEAUX MODÈLES (Chaffaut) Dès la fin du XVIe siècle, les sites perchés des anciens castrums sont abandonnés au profit de sites de plaine. Ces implantations permettent de concevoir des plans d'ensemble réguliers, s'apparentant aux grands châteaux d'Île-de-France.

TRANSITION (Château-Arnoux, vers 1510) Si les agencements intérieurs obéissent à un nouveau désir de confort, la silhouette trapue et la présence de bouches à canons montrent que les mentalités sont encore en cours d'évolution.

PAVILLON CLASSIQUE Le volume cubique du château de Tourreau à Sarrians (1748), ponctué de frontons sur les façades principales, évoque le pavillon déjà ancien que Louis XIV avait bâti à Marly. Toutefois le balcon à ferronnerie supporté par des atlantes révèle une influence aixoise.

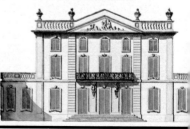

**DU GOTHIQUE
À LA RENAISSANCE**
Le château de
Lourmarin ▲ *195*
juxtapose un habitat
du XVe siècle (à droite)
et un édifice du
XVIe siècle qui témoigne
du souci d'un meilleur
art de vivre : pièces plus
vastes destinées chacune
à une fonction précise.

**SOBRIÉTÉ DU
DÉCOR EXTÉRIEUR**
(pavillon de
Lenfant ▲ *219*,
1677, environs
d'Aix) Tandis que
le décor intérieur
envahit la moindre
surface disponible,
l'ordonnance
des façades est
uniquement indiquée par l'opposition des formes, la rigueur
des proportions et quelques éléments sculptés se résumant
à des modillons, consoles, mascarons et agrafes.

PORTE MANIÉRISTE
Faste de la menuiserie,
multiplication des décors
architecturaux.

LA FAÇADE DU XVIIIe SIÈCLE
(La Mignarde ▲ *219*, Aix)
La façade principale est
le plus souvent rythmée
par un axe central
matérialisé de différentes
façons : avant-corps,
léger décrochement,
maçonnerie à refends ou
frontons (en arc ou
triangulaire). Des
chaînages à refends
délimitent le bâtiment.

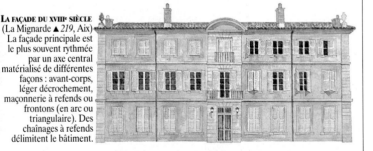

**ENTRE BASTIDE ET HÔTEL
PARTICULIER**
(pavillon Vendôme ▲ *217*,
1665, Aix) Surélevée
en 1730, la façade de ce
pavillon, au décor
exceptionnellement riche,
est composée sur un axe
central marqué par des
atlantes et des niches.
Des frises sculptées signalent
les différents étages
tandis que des pilastres
soulignent la verticalité
et rythment les travées.

Les villes provençales voient s'épanouir, autour de 1650, une architecture publique et privée qui témoigne de la prospérité et de la richesse de la noblesse terrienne et de la haute bourgeoisie. L'urbanisme moderne s'impose aussi bien dans les quartiers anciens que dans de nouvelles extensions. Les villes s'agrandissent, rectifient leurs rues étroites et sinueuses, s'ornent de cours et de places. La composition urbaine s'affirme par des perspectives, de belles ordonnances architecturales, des lieux de promenade et des espaces verts.

UN TRACÉ RÉGULATEUR
(quartier Mazarin ▲ *218*, 1646, Aix-en-Provence) L'élévation traduit avec clarté les intentions du tracé : de larges rues sur un plan orthogonal.

LE COURS
Les origines du cours comme espace public urbain sont provençales. Le premier, le «Cours-la-Reine», apparaît en 1616 à Paris (à l'initiative de Marie de Médicis qui l'importe d'Italie), où il fera office de promenade à carrosses, ou «course», à l'extérieur des remparts. Mais c'est à Aix (cours Mirabeau ▲ *217*), en 1649, puis à Marseille (cours Belsunce ▲ *205*), en 1668, que cet espace sera véritablement intégré au tissu urbain : césure verte dans un urbanisme qui souhaite l'embellissement du cadre de vie et lieu de promenade et d'élégance. Édifié sur l'emprise d'anciens remparts, il sert de lien entre la ville ancienne et les nouveaux quartiers.

LA PLACE (place Thiars, Marseille)
Située dans le quartier des arsenaux, cette place est traitée comme un vide voulu dans le tissu urbain. Les façades qui la bordent n'ayant pas été composées en fonction de cette dernière, on ne peut parler ici de place ordonnancée.

UNE NOUVELLE DISTRIBUTION (hôtel de Caumont, Aix) L'époque classique place souvent le corps de logis principal entre cour et jardin.

Les pièces doivent être régulières et leurs proportions rigoureuses, les portes, dans l'axe des croisées, les cheminées, au milieu des parois. L'appartement de parade comprend en général un vestibule, une grande antichambre (salle d'attente), une salle d'audience (pour les réceptions) et un ou plusieurs salons. L'appartement de ommodité, plus bas de plafond et plus facile à hauffer, se compose d'une antichambre, d'une grande chambre, de la chambre à coucher, du cabinet de chaise et de la garde-robe.

UNE ORDONNANCE CLASSIQUE (façades du cours Mirabeau, ▲ *217* Aix) Les immeubles sont désormais traités pour rythmer l'espace par des points forts : les portails se détachent de la façade ; les atlantes et les colonnes font saillie ; des niches avec statues attirent l'œil ; les lourdes corniches appareillées avec des masques grotesques participent au spectacle d'une vie publique de représentation qui s'affiche sur les cours bordés d'arbres et ponctués de fontaines.

Fontaine de l'hôtel d'Espagnet, Aix.

ATLANTES ET CARIATIDES (hôtel d'Arbaud, Aix) Inspirés des télamons et des cariatides qui, dans l'Antiquité, se substituaient aux colonnes, les atlantes ornent les portails pour supporter entablement ou balcon. Le portail de cet hôtel comporte deux atlantes dont l'un est de face, et l'autre de dos.

LES BALCONS (hôtel d'Arbaud-Jouques, Aix) L'agrandissement des fenêtres autorise des balcons. La maîtrise du fer forgé donnera en Provence des ouvrages remarquables.

UN RÔLE D'URBANISTE Ce sont les contrôleurs des bâtiments du roi qui agissent en tant qu'urbanistes pour juger d'un projet, de nouveaux alignements, de la création de voies... Il n'y a pas de règlement mais une décision prise sur place.

Pour satisfaire les caprices d'une aristocratie et d'une bourgeoisie européennes nostalgiques des civilisations passées et coutumières des voyages, l'architecture des années 1860-1914 est avant tout éclectique : la diversité des modèles – édifices gothiques, villas mauresques ou grecques, palais italiens, églises russes, chalets suisses, etc. – et des matériaux doit dépayser et éviter toute monotonie. Si fantaisistes soient-elles, les villas ne remettent pas en cause un mode de vie bourgeois : le plan traditionnel de la maison de campagne est respecté, et la forme des pièces ne dépend jamais de l'enveloppe. Les palaces, eux, se caractérisent par un ordre colossal, un plan tout en longueur et des façades à travées répétitives. Un riche décor sculpté agrémente fenêtres et balustrades et, en attique, frontons et corniches.

UNE VILLA MAURESQUE
(Villa Djezaïr, Juan-les-Pins ▲ 275) Témoin du courant orientaliste de l'époque, le style néo-mauresque utilise les éléments structuraux et le répertoire décoratif propres à la tradition islamique. Arcs outrepassés, merlons – rappel de l'architecture militaire – carreaux de faïence, polychromie et minarets en sont les caractéristiques principales.

LUXE ET DÉMESURE
(Excelsior Regina ▲ 291)
Le rez-de-chaussée est consacré à l'accueil et à la vie mondaine : halls, grands escaliers, salles à manger, salons, salles des fêtes, tous luxueusement décorés.

Les chambres et les suites occupent les étages, les plus prisées sont exposées au sud, avec vue sur un parc planté d'essences exotiques, la ville et la mer. Les dépendances et les modestes chambres de domestiques sont rejetées à l'arrière, côté nord.

LA MODE DES PAVILLONS
Isbas, pagodes, kiosques, présentés lors des Expositions, sont souvent transplantés dans les stations balnéaires et servent de modèles aux villas.

UN CHÂTEAU NÉO-GOTHIQUE
(Château Scott, Cannes ▲ 249)
Vaste et de plan irrégulier, cet édifice est représentatif
des pastiches médiévaux anglais : tour centrale
et mâchicoulis, pierres apparentes, toiture aux versants
fortement inclinés, terrasse et galerie à arcades.

AU-DELÀ DU PASTICHE
(Château de l'Anglais, Nice)
Cette synthèse fantaisiste d'un palais de maharadjah
et d'une architecture coloniale se rattache au style indien lancé
en 1815 par le prince de Galles à Brighton.

UNE ÉGLISE ORTHODOXE
(Saint-Nicolas, Nice ▲ 289)
Si elle s'inspire des églises
à cinq coupoles de Moscou,
elle s'en distingue cependant
par l'utilisation de matériaux
méditerranéens tels que
marbre de granit rose
d'Italie, écailles de terre cuite
bleue de Florence et pierre
de La Turbie.

PALACES AUX LONGUES FAÇADES RYTHMÉES
(Carlton, Cannes ▲ 247)
Flanquées de tourelles à dôme couvert d'ardoises, elles
s'animent de volumes en saillie, d'avant-corps, de balcons et
balconnets, de grands pilastres classiques, et incluent
parfois des chaînages de brique verticaux.

CARLTON HOTEL

● PORTES ET CAMPANILES

UN RÔLE DÉFENSIF À PARTIR DU XIVᵉ SIÈCLE
(porte Saint-Jean ▲ *151*, Tarascon) Flanquée
de deux grosses tours reliées par un châtelet et
couronnées d'un mâchicoulis, ce type de porte
permettait des tirs croisés sur l'assaillant.

Jusqu'au XVIIIᵉ siècle, la plupart des villages de Provence sont ceinturés de remparts avec, pour seules entrées, des portes réparties en fonction des voies de circulation. Ce contrôle des accès a un triple objectif : la sécurité, l'octroi et la surveillance sanitaire. Les campaniles, particularité provençale, furent construits, à partir du XVIᵉ siècle, pour résister au vent, leur structure légère et ajourée ne lui offrant que peu de prise. L'art des forgerons en fit peu à peu de véritables éléments décoratifs, hissés au sommet des tours et des clochers.

UNE PORTE TRIOMPHALE (porte de l'Horloge, Salon)
Sur l'emprise du rempart primitif a été élevée au
XVIIᵉ siècle une première porte, d'inspiration
italienne, avec fronton triangulaire, arc à
bossages et colonnes détachées. Trois étages
pyramidaux ornés de bossages d'angles sont
venus la surélever au XVIIIᵉ siècle.

POUR RÉSISTER AU VENT (campaniles de Saint-
Jérôme à Digne ▲ *240* et de Saint-Maximin)
Leur forme est inspirée de la fleur
de campanule, mot datant du XVIIIᵉ siècle
et provenant du latin *campanula*, clochette.

HALTE LÀ (château de
l'Emperi, Salon)
Se succédaient pont-
levis, barbacanes, herses
et portes à vantaux.

DE BELLES CAGES DE FER (campanile du
couvent des Augustins, Aix) Leur forme est
sphérique, pyramidale ou bulboïde.

LE PAYS
VU PAR LES PEINTRES

Des artistes, représentés ici, c'est PIERRE BONNARD (1867-1947), installé définitivement au Cannet en 1925, qui illustre le mieux cet émerveillement devant la lumière. Dans ses paysages découpés en plans successifs et aux contrastes très marqués – *Paysage vu du Cannet* **(4)** –, le jeu des ombres et des lumières s'exprime par la seule opposition de couleurs vives, posées en taches rigoureuses.

Dans *Paysage à Cagnes* **(5)**, CHAÏM SOUTINE (1894-1943), peu inspiré par les paysages horizontaux, peint des ruelles et des escaliers qui montent à l'assaut du ciel. Il est d'emblée séduit par les tons rouges – sa couleur favorite – de la pierre et des tuiles.

NICOLAS DE STAËL **(1)** (1914-1955) s'installe en France en 1938 et pratique une peinture de formes simples et de couleurs intenses, qui se réduisent souvent à une gamme limitée d'où émergent le bleu, le blanc et le rouge. Lorsqu'il peint cette *Marine* **(2)** l'année de sa mort, à Antibes, il a depuis peu abandonné la non-figuration et le travail à la spatule pour une peinture fluide au pinceau. La lumière aveuglante de la Méditerranée se traduit dans le jeu des couleurs : «un peu de bleu et beaucoup de blanc», avait-il écrit quelques années auparavant en parlant des effets du soleil sur les choses.

L'histoire d'amour entre PICASSO et la Provence imprègne surtout l'œuvre de ses vingt dernières années. Il redécoupe *La Baie de Cannes* **(3)** avec un cerne épais donnant une équivalence de la lumière tranchante.

1	2
3	4	5

«LE PEINTRE FAIT DE LA PEINTURE,
COMME UN BESOIN URGENT DE SE DÉCHARGER
DE SES SENSATIONS ET DE SES VISIONS»

PABLO PICASSO

DES COULEURS PURES
LE FAUVISME

Dans l'Estérel régnaient, dit-on, les bêtes fauves, les brigands et les ermites. Cette solitude, qui éclate en couleurs violentes, où les ravins sont surplombés par le bleu net du ciel, où des rochers roux paraissent tomber en cascades verticales dans la Méditerranée, ne pouvait que séduire les peintres.

LOUIS VALTAT (1869-1952) s'installe à Anthéor en 1899. Il y restera jusqu'en 1913. Les harmonies violentes de cette côte (tardivement apprivoisée par une route, celle de la Corniche Sublime, ouverte en 1903) imprègnent *L'Estérel* (1903). Cette œuvre rappelle que Valtat se rangeait parmi les fauves, ces peintres

«Le contraste est saisissant entre [...] la flamme des porphyres, l'azur de la mer et du ciel et, d'un côté, le profil noir des Maures, tandis que de l'autre la ligne argentée des Alpes étincelle à l'horizon» Pierre Foncin

dont le critique d'art Louis Vauxelles écrivit que leurs couleurs «rugissaient». Comme ses compagnons, Valtat n'est pas tributaire d'une doctrine, mais se laisse entraîner par ses sensations. Le rouge des porphyres s'exalte au contact du vert sombre des forêts, embrasant littéralement le tableau. De petits cernes curvilignes, sous les rochers et la végétation, créent un rythme sensible, restituant la force et le caractère farouche de ces lieux, traités presque de façon expressionniste. Ici, le paysage provençal, la force de la lumière conduisent à une autre manière de peindre.

Une œuvre telle que *Soleil à Cassis* **(2)**, du Marseillais Adolphe Monticelli (1824-1886), permet de comprendre comment, à partir des recherches novatrices que ce peintre entreprend dès 1871, le paysage s'efface devant la peinture. Ses paysages étranges, entre impressionnisme et expressionnisme, ouvrent la voie à une peinture brillante dont les effets frisent parfois l'abstraction : Vincent Van Gogh fut d'ailleurs l'un de ses fervents admirateurs et c'est, notamment, pour retrouver son œuvre qu'il entreprit son voyage provençal en 1888. Monticelli invente dans les vingt dernières années de sa vie (*Le Rocher de Ganagobie* **(3)**) un style personnel et violent (brosses courtes et dures, essuyage au chiffon, étalement de la peinture avec les doigts) qui traduit particulièrement bien la nature contrastée de Ganagobie, dans un jeu serré de touches contrastées. Joseph Mallord William Turner **(4)** (1775-1851), peintre romantique et précurseur des impressionnistes, respectant une tradition de voyages à laquelle se soumirent aussi bien Delacroix que Stevenson ou Victor Hugo, parcourt les Alpes françaises et italiennes en couvrant ses carnets de croquis de multiples aquarelles. Celles-ci, dont *Sisteron, Basses-Alpes* **(1)**, font disparaître les détails constitutifs de chaque étape dans un savant effet de brume et de flou que la nature liquide de l'aquarelle renforce et souligne. Et les alentours de Sisteron deviennent ainsi l'équivalent du paysage de quelque Burg allemand, la lumière en plus.

À mi-chemin des influences de Turner et de Monticelli, toujours vivantes et productives, s'est développée par la suite

une représentation
des Alpes-de-Haute-
Provence qui tient
compte de l'aspect
presque vierge de
certains de ses plus
beaux paysages...
Entre impressionnisme
et expressionnisme,
parfois tentée par
une expression dure
à la Chabaud ou par
le paysagisme
abstrait, il s'agit
toujours d'une
glorification
du paysage.

RENÉ SEYSSAUD (1867-1952), peintre indépendant et annonciateur de l'expressionnisme dès le début des années 1880, partagea sa vie de peintre entre deux sites principaux, le Ventoux et l'étang de Berre. Il utilisa les couleurs pour leur capacité à exacerber le réel, comme le rouge du *Faucheur à Beaumont d'Orange* qui semble écraser toutes les autres couleurs mais qui, par contraste, les exalte. On retrouve dans ses œuvres une densité de pâte et une vigueur des touches qui furent ses caractéristiques essentielles.

LE PAYS
VU PAR LES ÉCRIVAINS

● La Riviera, la Côte d'Azur

Les hivernants de la Côte d'Azur à la Belle Époque

Jean Lorrain (1855-1906), de son vrai nom Paul Duval, est né à Fécamp. Écrivain, journaliste, poète, romancier, il oscille entre le naturalisme et le symbolisme. Excentrique, débauché, grand buveur, éthéromane, homosexuel, il se fit le peintre des perversités sociales. En 1900, il s'installa à Nice, devint le chroniqueur satirique du Tout-Côte d'Azur et célébra aussi les paysages de cette région.

❝On ne peut pas s'ennuyer sur la Riviera. C'est de novembre à mai le Carnaval de Nice, on n'y respire qu'en août, et s'il fut jamais société extravagante et drolatique à faire pouffer un mort c'est bien celle que l'on rencontre ici, de Saint-Raphaël à Menton, en comptant Antibes et le Cap-Martin. Toutes les folles et tous les fous de la terre, tous les déséquilibrés et tous les hystériques se donnent ici rendez-vous, oui, tous en vérité. Il en vient de Russie, il en vient d'Amérique, il en vient du Thibet et de l'Afrique australe, et quel choix de princes et de princesses, de marquises et de ducs, les vrais et les faux, les plus solidement rivés dans l'opinion publique comme les plus notablement compromis ! Et que de Majestés, les régnantes et les déchues, les «celles» en exil, les déposées et celles à la veille de l'être ! Les rois sans liste civile et les ex-reines encombrées de budgets, les vrais budgets, ceux des économies du règne, et que sais-je encore, toutes les unions morganatiques, toutes les anciennes maîtresses d'empereur, tout le stock des ex-favorites ! Et des croupiers épousés par des millionnaires yankees et des tziganes enlevés par des princesses et des ex-marmitons devenus secrétaires de prince et des pianistes déconcertants pour tous les concerts intimes, Liszt, Franck et Chopin, toutes les phtisies roucoulantes de Schumann, des artilleurs aimés par de grandes altesses, des cochers pour baronnes moscovites et des alpins pour boyards nihilistes, théosophistes et voyageurs, et là-dessus quel inénarrable lot de vieilles dames ! [...] il y a une poussée de sève et une générosité du sol qui font fleurir les aventures dans le passé des gens comme les anémones aux talus, et aux noms roturiers, des titres de noblesse.❞

Jean Lorrain, *La Nostalgie de la beauté*, 1912

Les Américains découvrent la Côte d'Azur

Les écrivains américains de la «génération perdue» s'enthousiasmèrent souvent pour la Côte d'Azur durant l'entre-deux-guerres. Ils furent parmi les premiers à y séjourner l'été. Voici les témoignages de Scott Fitzgerald (1896-1940), qui, avec sa femme Zelda, symbolisa l'insouciance des années folles, de John Dos Passos (1896-1970), qui s'installa à Antibes, et de Henry Miller (1891-1980), qui garda un vif souvenir de Grasse.

❝C'est à mi-chemin de Marseille et de la frontière italienne, un grand hôtel au crépi rose, qui se dresse orgueilleusement sur les bords charmants de la Riviera. Une rangée de palmiers éventent avec déférence sa façade congestionnée, tandis qu'une place aveuglante s'étend à ses pieds. Un petit clan de gens élégants et célèbres l'ont choisi récemment pour y passer l'été, mais il se trouvait pratiquement vide, il y a dix ans, quand sa clientèle d'Anglais remontait vers le Nord, en avril. Et si les bungalows pullulent aujourd'hui, au temps où cette histoire commence, lorsqu'on quittait cet hôtel, dit «des Étrangers», tenu par le ménage Gausse, pour se rendre à Cannes distante de huit kilomètres environ, on n'apercevait qu'une douzaine de villas vétustes, dont les dômes verdis s'ouvraient, dans la touffeur des pins, comme des nénuphars.❞

Scott Fitzgerald, *Tendre est la nuit*,
trad. Jacques Tournier, Belfond, Paris, 1985

❝Tout ce que je savais d'Antibes était que Napoléon y avait débarqué après son évasion de l'île d'Elbe. Depuis, il ne s'y était presque rien passé. Les Français et les Britanniques cossus qui fréquentaient la Riviera en hiver seraient morts plutôt que d'y être vus en été. L'endroit leur paraissait trop chaud, mais à nous, Américains, la température paraissait parfaite, les bains délicieux, et Antibes était le petit port provincial vierge que nous avions rêvé de découvrir. Le culte du soleil commençait à peine.❞

JOHN DOS PASSOS, *LA BELLE-VIE*, TRAD. M. E. COINDREAU,
MERCURE DE FRANCE, PARIS, 1986

Nice, juin 1939, lundi soir

❝Reçu votre note ce soir en revenant de Grasse où j'ai passé l'après-midi [...] Grasse dépasse tous les endroits que j'aie jamais vus ! Vous devez y aller – quand je serai parti. Explorez-le à fond. La vieille ville est d'un seul côté de la rue principale et déroule sur la pente les anneaux d'un labyrinthe. Une décrépitude superbe et très vivante [...] Et le paysage est magnifique. J'aime aussi l'atmosphère – très légère – environ trois ou quatre cents mètres d'altitude. Mieux que Nice – je l'ai tout de suite remarqué. J'aimerais y revenir pour y passer l'hiver. Je pourrais me battre pour n'être pas venu ici plus tôt. Pourquoi les gens ne parlent pas de ces endroits ?❞

HENRY MILLER, *LETTRES À ANAÏS NIN*,
TRAD. PIERRE ALIEN, COLL. «10/18», PARIS, 1973

NIETZSCHE À NICE ET ÈZE

Le philosophe allemand Friedrich Nietzsche (1844-1900) effectua cinq séjours consécutifs à Nice, le premier en décembre 1883. Il y acheva Par-delà le bien et le mal *et y trouva l'inspiration d'une partie de* Ainsi parlait Zarathoustra.

❝Les jours se succèdent ici d'une beauté que je qualifierais d'insolente. Je n'ai jamais vu d'hiver d'une perfection si constante. Et ces couleurs de Nice ! C'est dommage que je ne puisse les détacher et te les envoyer, elles ont comme passé à travers un tamis d'argent, immatérialisées, spiritualisées. Elles ont dépouillé la brutalité des tons crus. Ce qui fait le charme de cette bande du littoral qui va d'Alassio à Nice, c'est la licence qui est donnée ici à un certain africanisme de se manifester librement dans les couleurs, dans la végétation, dans la sécheresse absolue de l'air. C'est ce qui fait de ce coin de terre une chose unique en Europe.❞

FRIEDRICH NIETZSCHE, LETTRE À SA SŒUR, IN *CORRESPONDANCE*, T. II,
TRAD. H. A. BAATSCH, J. BRÉJOUX, M. DE GANDILLAC, GALLIMARD, PARIS, 1986

❝Bien des coins cachés des hauteurs de Nice empruntent désormais à mes yeux de ces instants inoubliables un caractère vraiment sacré. La partie décisive que j'ai intitulée : «Des Anciennes Tables et des Nouvelles» a été composée au cours d'une ascension fort rude entre la gare et le merveilleux village maure d'Eza ; c'est quand l'inspiration créatrice coule en moi le plus richement que mes muscles fonctionnent le mieux. Mon corps – laissons l'«âme» hors du jeu – mon corps se sent enthousiasmé... On m'a vu souvent danser ma joie ; je pouvais alors, sans soupçon de fatigue, gravir les monts sept ou huit heures d'affilée. Je dormais bien, je riais beaucoup, j'étais merveilleux de vigueur et de patience.❞

FRIEDRICH NIETZSCHE, *ECCE HOMO*, TRAD. A. VIALATTE,
GALLIMARD, PARIS, 1942

● La Provence, une terre colorée

Vallauris en 1887

Stephen Liégeard (1836-1925), né à Dijon, vit sa carrière politique brisée par l'effondrement du Second Empire. Il se consacra dès lors aux belles-lettres. Résident fidèle de Cannes, il publia en 1887 un recueil de souvenirs et de descriptions touristiques consacrés à la Riviera et intitulé La Côte d'Azur. *Le succès de ce titre fut tel qu'il entra dans l'usage commun pour désigner la région.*

❝De hautes collines creusent un cirque qui bientôt nous enferme : le rideau est tombé sur le riant décor. Des fumées noires, de laides maisons trahissent l'approche d'une ville. Nous voici au royaume des potiers. De ces chants, de ces lueurs, de ces brises pénétrantes, de tout le prestige d'une nature en fête, il ne nous reste que l'écho d'un nom harmonieux : *Vallauris, la vallée d'or.*

Vallauris, après des fortunes diverses, constitue, en l'an de grâce 1893, une agglomération de six mille habitants, aux trois quarts potiers, distillateurs pour le surplus. Ceux qui n'y triturent pas la terre la cultivent et, Moïses perfectionnés, en font jaillir l'eau parfumée. Leur fleur d'oranger rivalise avec celle des Grassois. Mais, dans l'opinion du pays, la poterie reste le métier noble. Filles et garçons s'y vouent, dès l'enfance, les uns battant l'argile ou tournant la roue, pendant que les autres jettent à la flamme claire des fourneaux la dépouille écorcée du pin d'Alep. Devant chaque porte s'arrondissent écuelles et casseroles qui sèchent au soleil, en attendant le feu. Mal nivelé, bossué – on y emprunte sans doute la matière première –, le sol des rues s'encadre du moins de maisons régulièrement bâties : en quoi la petite ville tranche sur les bourgades environnantes. Elle doit cette faveur, si l'absence de pittoresque en est une, aux exploits d'un malandrin de l'époque, le fameux Raymond de Turenne, dont les bandes n'ayant laissé debout ni têtes, ni pierres, motivèrent impérieusement une reconstruction suivie de repeuplement. À cette fin pieuse, Lérins, suzeraine de Vallauris depuis cinq cents ans, emprunta soixante-dix familles à la Riviera de Gênes, et leur abandonna le terrain, sous la clause qu'elles y bâtiraient et provigneraient.❞

Stephen Liégeard, *La Côte d'Azur*, 1887

Van Gogh à Arles

C'est à Arles, où le soleil l'enchantait et l'exaltait tout à la fois, que Vincent Van Gogh (1853-1890) écrivit ces pages. Il s'y installa en février 1888, durant une intense période de gestation où il accumula paysages et portraits. Possédé par une fureur créatrice qui ne devait plus le quitter, il travailla assidûment avant d'atteindre à la plénitude solaire que sa peinture exprime. Il nous laisse à travers cette correspondance un témoignage incomparable sur sa quête perpétuelle de Dieu, un Dieu qui se confond avec le feu du soleil et la violence de ses passions.

❝Le soleil d'ici, je crois que tu ne le trouverais pas désagréable. Je me trouve on ne peut mieux de travailler dehors par la grande chaleur du jour. C'est une chaleur sèche, limpide, diaphane.

La couleur ici est vraiment très belle. Quand le vert est frais, c'est un vert riche comme nous en voyons rarement dans le Nord, un vert apaisant.

Quand il est roussi, couvert de poussière, il ne devient pas laid pour cela, mais le paysage prend alors des tons dorés de toutes les nuances : or vert, or jaune, or rose, ou bronzé, ou cuivré, enfin du jaune citron au jaune terne, le jaune par exemple d'un tas de grain battu. Quant au bleu, il va du bleu de roi le plus profond dans l'eau jusqu'au bleu du myosotis, au cobalt, surtout au bleu clair transparent, au bleu vert, au bleu violet.

Naturellement, cela appelle l'orangé ; un visage brûlé par le soleil fait orangé. Et puis, en raison de beaucoup de jaune, le violet se met tout de suite à chanter. Une clôture ou un toit gris, faits de roseaux, ou un champ labouré fait beaucoup plus violet que chez nous. En outre, comme tu dois bien l'imaginer, les gens ici sont souvent beaux. Bref, je crois que la vie ici est quelque chose de plus heureux qu'en maint autre lieu de la terre [...]

116

Ce qui me frappe ici, et ce qui fait que la peinture ici est pour moi attrayante, c'est la transparence de l'air ; tu ne peux savoir ce que c'est, justement parce que nous n'avons pas cela chez nous. À une heure de distance, on distingue la couleur des choses : le vert gris des oliviers, le vert de l'herbe des prairies par exemple, et le rose lilas d'un champ labouré. Chez nous, on ne voit qu'une vague ligne grise à l'horizon ; ici, la ligne est nette jusque très loin, et la forme reconnaissable. Cela donne une idée d'espace et de ciel. 99

Van Gogh, «Lettres d'Arles à sa sœur, juin-juillet 1888»,
in *Correspondance complète*, trad. Maurice Beerblock
et Louis Roëlandt, Gallimard, Paris, 1960

Une nuit camarguaise

Passionné par la Camargue, Joseph d'Arbaud (1874-1924) dirigea, pendant quelques années, un élevage de taureaux, auquel il renonça pour des raisons de santé. La plus grande partie de son œuvre provençale, en poésie comme en prose, est consacrée au monde camarguais. En quête d'une mystérieuse bête, demi-dieu venu du fond des âges, le guardian s'est mis à l'affût près du bois des Rièges. Là, il assiste à une sorte de sabbat nocturne qui réunit des taureaux de Camargue.

66 Tau coume l'ai remarca, fresqueirouso, la niue clarejavo, mai la luno, que, tout-bèu-just, venié d'èstre pleno, devié pas resta bèn long-tèms de se leva. Istère uno bono passado, tranquile au tout, qu'entendiéu rèn boulega a moun entour, escoutant, alin, lou sibleja di courreli, emai lou croua di becarut proche entre lou chafaret di granouio a milo. L'oumbro fouscarino d'un aucelas que radavo bas, venguè frusta, en s'esvalissènt, moun espèro. Urousamen que m'ère avisa de me vira d'aut e sentiéu un soufle […] m'aiena sus lou carage, qu'autramen, li mouissau m'agarissènt m'aurien fourça belèu, que que faguèsse, de m'aboulega. D'à chapau, la feruno escoundudo que, souspresso, s'èro amato en m'ausènt veni, coumencè, tourna-mai, de trafega. Dins uno mato de daladèu, entendeguère ras, un bon noumen, uno bèstio proun grosso, aurias di, que tajuravo. Mai me fuguè pas poussible de rèn destria. Gaire après, pounchejè la luno. Veguère, tout-d'uno, per vos, clareja e negreja pèr sòu que mai lis oumbrino. Èro, aperaqui, sus li dès ouro e uno calamo siavo s'espandissié dins la niue. Pèr quant a iéu, m'amatave sèns branda de-jouns en retenènt mis alenado e en m'engardant, mau-grat que mi cambo s'endourmiguèsson, tant pau fugue, de mena brut. Un grand béu-l'òli en cassant, se venguè quiha sus la branco dóu mourven. Lou destriave coume au plen

dóu jour. Restè, uno passado, aplanta, en espinchant lou saquet emé d'iue redoun, pièi, tout-d'uno, esglaria, en siéulant, alarguè sis alo e founsé dins l'èr siau e fousè mounte semblavo, en nadant, que s'enanavo. Gaire après, un reinard se faguè vèire, souple, en oundejant, ablanqui pèr lou cop de luno, s'enfusè, lèri, au pèd de l'aubre ounte se boutè d'assetoun, lou mourre en l'èr, en niflant coume li chin. Mai se nandiguè, tout au cop, dins lou fourni, en m'avènt signala, tau qu'es proubable. **99**

66 Comme je l'ai signalé, la nuit était fraîche et claire, mais la lune, déjà sur le point d'être pleine, ne devait pas tarder bien longtemps à se lever. Je demeurai un bon moment, tout à fait tranquille, n'entendant rien absolument remuer autour moi, écoutant, au loin, la modulation des courlis, le croassement des flamants proches, mêlés à la clameur innombrable des grenouilles. L'ombre indécise d'un gros oiseau chassant bas, vint frôler, en s'évanouissant, mon refuge. J'avais pris heureusement la précaution de me tourner vers le nord et je sentais doucement un souffle […] haleiner sur mon visage, faute de quoi les moustiques m'eussent assailli et forcé peut-être à me remuer malgré moi. Peu à peu, les êtres cachés que mon arrivée avait surpris et qui s'étaient tapis à mon approche, commencèrent de nouveau à aller et à venir. Dans un dalader voisin, j'entendis, un bon moment, fourrager une bête qui paraissait assez grosse. Mais il me fut impossible d'en rien distinguer. Peu après, la lune parut. Je vis s'éclairer le bois tout à coup et les ombres, sur le sol, devenir plus dures. Il était alors environ dix heures et une paix immense emplissait la nuit. Quant à moi, je demeurais parfaitement immobile, retenant mon souffle et me gardant, malgré l'engourdissement qui gagnait mes membres, de faire le moindre bruit. Un grand buveur-d'huile en chasse vint se poser sur la branche du mourven. Je le distinguai comme au plein du jour. Il resta un long instant immobile, considérant le bissac de ses yeux ronds, puis tout à coup, comme épouvanté, avec un cri bref, ouvrit ses ailes et plongea dans l'air calme et laiteux où il sembla s'enfuir à la nage. Peu après, un renard parut, onduleux et doux, tout argenté par la lune, se glissa lestement au pied de l'arbre où il se mit sur son séant et le nez en l'air, flairant à la manière des chiens. Mais il se jeta brusquement dans le fourré, m'ayant éventé, sans aucun doute. **99**

JOSEPH D'ARBAUD, *LA BÈSTIO DÓU VACARES*,
«LA BÊTE DU VACCARÈS», 1924

LA PORTE DE L'ORIENT

Pleine de fantaisie et de poésie, l'œuvre d'Alphonse Daudet (1840-1897) nous conte les aventures de Tartarin, personnage inimitable, qui définit avec «justesse» le type provençal. Dans cet extrait, Tartarin est à Marseille, prêt à s'embarquer pour Alger ; l'auteur nous offre une superbe description du port de Marseille, lieu incontournable avant d'atteindre l'Orient.

66 C'était à perte de vue un fouillis de mâts, de vergues, se croisant dans tous les sens. Pavillons de tous les pays : russes, grecs, suédois, tunisiens, américains… Les navires au ras du quai, les beauprés arrivant sur la berge comme des rangées de baïonnettes. Au-dessous, les naïades, les déesses, les saintes vierges et autres sculptures de bois peint qui donnent le nom au vaisseau ; tout cela mangé par l'eau de mer, dévoré, ruisselant, moisi… De temps en temps, entre les navires, un morceau de mer, comme une grande moire tachée d'huile… Dans l'enchevêtrement des vergues, des nuées de mouettes faisant de jolies taches sur le ciel bleu, des mousses qui s'appelaient dans toutes les langues. Sur le quai, au milieu des ruisseaux qui venaient des savonneries, verts, épais, noirâtres, chargés d'huile et de soude, tout un peuple de douaniers, de commissionnaires, de portefaix avec leurs *bogheys*, attelés de petits chevaux corses.

Des magasins de confection bizarres, des baraques enfumées où les matelots faisaient leur cuisine, des marchands de pipes, des marchands de singes, de perroquets, de cordes, de toiles à voiles, des bric-à-brac fantastiques où s'étalaient pêle-mêle de

vieilles couleuvrines, de grosses lanternes dorées, de vieux palans, de vieilles poulies, vieux porte-voix, lunettes marines du temps de Jean-Bart et de Duguay-Trouin. Des vendeuses de moules et de clovisses accroupies et piaillant à côté de leurs coquillages. Des matelots passant avec des pots de goudron, des marmites fumantes, de grands paniers pleins de poulpes qu'ils allaient laver dans l'eau blanchâtre des fontaines.

Partout, un encombrement prodigieux de marchandises de toute espèce : soieries, minerais, trains de bois, saumons de plomb, draps, sucres, caroubes, colzas, réglisses, cannes à sucre. L'Orient et l'Occident pêle-mêle. De grands tas de fromages de Hollande que les Génoises teignaient en rouge avec leurs mains. [...]

Parfois, entre les mâts, une éclaircie. Alors Tartarin voyait l'entrée du port, le grand va-et-vient des navires, une frégate anglaise partant pour Malte, pimpante et bien lavée, avec des officiers en gants jaunes, ou bien un grand brick marseillais démarrant au milieu des cris, des jurons, et, à l'arrière, un gros capitaine en redingote et chapeau de soie, commandant la manœuvre en provençal. Des navires qui s'en allaient en courant, toutes voiles dehors. D'autres là-bas, bien loin, qui arrivaient lentement, dans le soleil, comme en l'air. **99**

ALPHONSE DAUDET, *TARTARIN DE TARASCON*, 1872

DÉFINITION DU «FADA»

Passé dans le vocabulaire français, le mot «fada» vient du provençal fado, «fée» et du verbe fada, «charmer, jeter un sort». Quant aux multiples sens du terme, on les trouvera dans cette page des souvenirs variés que le Marseillais Cauvière publia, sous le titre Le Caducée, *à partir de 1878.*

66 Les *fadas* sont, dans la catégorie des cerveaux mal équilibrés, une variété particulière au Midi. Dans nos contrées, on est si naturellement intelligent que l'insuffisance d'esprit et de raison n'atteint jamais la limite extrême. Le *fada* est plus que simple, mais moins qu'idiot et encore moins insensé. Il est susceptible de sentiments affectueux à la manière des chiens ; les idées générales lui échappent, il a très peu de facultés perceptives ou réflectives ; en lui les cellules occipitales ne sont pas toutes habitées : quant à ses appétits, autres que ceux de l'estomac, ils sont, parfois, très prononcés. Le *fada* n'est pas étranger aux idées usuelles et pratique la vie dans ce qu'elle a de matériellement obligatoire, mais il y a comme un nuage sur son intelligence et son raisonnement ; une baguette féerique semble avoir oblitéré, endormi ses facultés morales ; de là, sans doute, l'appellation de *fada* dériva de *fado*, nom provençal des fées ou génies qui paralysent à volonté l'esprit et troublent l'action humaine. Le *fada* peut lier quelques idées, mais n'arrive pas à nouer un

raisonnement ; [...] il n'a ni malice ni méchanceté, il est naturellement doux et pacifique, c'est une eau dormante ; seulement il ne faut pas lancer de pierres dans cette eau, car alors elle bouillonne ; appelez *fada* l'être inoffensif qui mérite cette désignation, vous le verrez se lever furieux et frapper à poings fermés sur le mal-avisé qui l'aura qualifié de son vrai nom. **99**

CAUVIÈRE, *LE CADUCÉE*, 1886

LES ÎLES D'HYÈRES

Bien que toujours pris entre deux vols et deux capitales, Paul Morand (1888-1976) séjourna fréquemment en Provence. Ce voyageur moderne traduisit mieux que nul autre la frénésie de son époque. Il nous a donné de vifs récits, enrichis d'images rapides et séduisantes sur notre civilisation. Il saisit d'une plume alerte, en formules rapides, cette étendue offerte à sa sagacité : la Méditerranée.

❝Elles s'avancent en ligne de bataille : Porquerolles, Port-Cros (qui détache, en face, le rocher nu de Bagaud), et l'île du Levant, qui regarde la Côte d'Azur et la haute mer. Cette année, j'arrivais de Tunisie et notre hydravion volait à plus de deux mille mètres. [...] Jamais mon œil n'embrassa un aussi beau panorama, jamais je ne vécus de minutes aussi enivrantes que cette entrée triomphale d'avril, dans l'air français, tandis que les îles d'Hyères se rapprochaient sous nos ailes.

Les Grecs les nommaient *Stichades*, du nom d'une lavande sauvage. Sans doute les Phocéens qui s'y installèrent au IVᵉ siècle avant Jésus-Christ embaumaient-ils leurs palombes aux olives de cette herbe parfumée. Les îles servirent de refuge à des tarasques, à des consuls prévaricateurs, à des empereurs en fuite, comme Claude, à des généraux vaincus, à des moines anachorètes détachés là en avant-garde par le monastère des îles de Lérins, à des troubadours en disgrâce, à des conspirateurs italiens. [...]

Porquerolles : promenades au phare, grand langoustier, heures de lecture dans le cimetière où reposent des soldats de toutes nos expéditions, depuis celle d'Alger jusqu'à celle des Dardanelles, en passant par la Crimée, le Dahomey, Madagascar, Tonkin. Nuits étoilées, tremblantes du bruit des cigales, sur la plage de la Courtade, pêches à la girelle dans la calanque de la galère, que d'heures enfuies, que de déjeuners de soleil, que de sommeils aux plus beaux clairs de lune de ma vie... [...]

L'île du Levant est le paradis des anachorètes d'aujourd'hui. Après avoir compté un millier de moines (de Saint-Honorat), l'île du Levant était tombée au lendemain de la guerre à quatorze habitants. Depuis trois ou quatre ans, elle se peuple l'été de Parisiens que les dames des yachts de passage examinent avec curiosité à la jumelle. Les tirs de la marine, les incendies, les abandons successifs des essais de cultures ont transformé l'île du Levant en désert, un désert que laboure le phare du Titan de sa grande lame que l'on voit monter de la mer à la pointe du jour, lorsqu'on a quitté Nice après dîner et qu'on a navigué doucement à six nœuds, bercé sur une mer apaisée par la nuit, au-dessous du feu de mât qui se balance parmi les étoiles.❞

PAUL MORAND, *MÉDITERRANÉE, MER DES SURPRISES*, LE ROCHER, MONACO, 1952

Une terre de cultures

C'est en 1789 que sir Arthur Young (1741-1820) entama son troisième voyage en France. La situation troublée, fertile en incidents, ne l'en dissuada pas. Témoin des instants critiques de notre histoire, il nous livra une étude précise sur le paysage français à l'aube de la Révolution.

❝ Le 10 septembre – lady Craven m'a convaincu, bien à tort, d'aller me promener jusqu'à Hyères. À l'entendre, elle et bien d'autres, on croirait que tout le pays n'est que jardin ; mais il a été vanté plus qu'il ne le mérite. La vallée est partout fort bien cultivée et plantée de vignes et d'oliviers, au milieu desquels se mêlent des mûriers, des figuiers et d'autres arbres fruitiers. Les montagnes sont des amas de rochers, ou bien sont couvertes d'une maigre végétation de plantes toujours vertes, tels des pins, lentisques, etc. La vallée, bien que de blanches bastides l'animent partout, trahit cependant cette pauvreté de la robe que revêt la nature, qui choque l'œil partout où les oliviers et les arbres fruitiers forment son principal vêtement. [...] Les seules particularités remarquables sont les orangers et les citronniers ; ils viennent ici en pleine terre, atteignent une grande taille, et donnent, pour le regard du voyageur qui se rend dans le Midi, un attrait à tous les jardins. **❞**

ARTHUR YOUNG, *VOYAGES EN FRANCE*, 1931

Une contrée inexplorée

Guy de Maupassant (1850-1893) visita sur son yacht l'Italie, l'Afrique du Nord et le littoral méditerranéen. Il recueillit ses notes en un volume de chroniques. Le «canotier des bords de Seine» y montre une habileté réelle à animer les êtres qu'il met en scène. Dans un style savant mais simple il nous livre sa vision de paysages idylliques qui épousent le mouvement même de la vie.

❝ Elles sont rares aujourd'hui, les contrées inexplorées et désertes, surtout quand on ne veut point sortir de France. La Normandie est traversée par autant de promeneurs que le boulevard des Italiens. La vieille Bretagne cache un touriste, un odieux touriste, derrière chaque menhir. L'Auvergne abreuve à ses sources guérissantes des légions de malades qui rapportent des ballots de photographies prises sur les dômes, les pics et les plombs.

Où aller ? Il est pourtant en France tout un petit pays, bien solitaire et bien beau, qu'on nomme les montagnes des Maures. Un chemin de fer le traversera demain. Passons avant lui dans ces vallons ignorés, incultes, inhabités, où s'élèveront sans doute bientôt autant de villas que sur les rivages de Cannes et de Menton.

Où sont-elles, ces montagnes ? Dans la contrée la plus connue et la plus parcourue de France : entre Hyères et Saint-Raphaël. Les géographes nous apprennent qu'elles possèdent à elles seules un système géologique complet. Elles ont toutes les divisions, toutes les parties, tous les organes de leurs grandes sœurs les Alpes et les Pyrénées. Leur flore est des plus riches de France. Au midi, la Méditerranée baigne leurs côtes où se suivent d'admirables plages. Au nord, un beau fleuve, l'Argens, les sépare du reste du monde. [...] Continuons notre voyage.

La route suit la mer, serpente le long de la côte dans un admirable paysage. À droite, c'est la montagne, quarante kilomètres de cimes, de vallons où coulent de petits torrents, une immense forêt de sapins, onduleuse et soulevée comme une tempête, sans un village, sans une maison, presque sans route, un désert boisé. Mais voici que nous arrivons sur les bords d'un admirable golfe qui s'enfonce dans une échancrure des monts, le golfe de Grimaud. En face de nous, de l'autre côté, nous apercevons une petite ville, Saint-Tropez, la patrie du bailli de Suffren.

● LA HAUTE PROVENCE,
TERRE DE LUMIÈRE ET DE PARFUMS

Et nous traversons un village, Sainte-Maxime. À quelle extrémité du monde sommes-nous donc ? On lit sur les murs de ce hameau, qui compte seulement quelques maisons et que traversent deux voitures par jour : PAR ORDRE DE M. LE MAIRE, IL EST DÉFENDU DE TROTTER DANS LES RUES.
Mais on trotte, dans les rues de Paris, monsieur le Maire ! Et Paris est plus grand que Sainte-Maxime ; et il y a quelques voitures de plus. On trotte même à Marseille, monsieur le Maire, et Marseille est aussi plus grand que Sainte-Maxime. Voyons, laissez-nous trotter, que diable, nous n'écraserons pas vos soixante habitants d'un coup. Mais pourquoi, oui, pourquoi ne peut-on pas trotter dans les rues de Sainte-Maxime ? confiez-nous-en la raison, je vous prie, car je ne la devine pas. Quand je vous disais que nous étions ici au bout du monde ! **99**

GUY DE MAUPASSANT, *CHRONIQUES INÉDITES*, 1884

LE PLATEAU DE VALENSOLE

Fils d'un cordonnier italien et d'une repasseuse, Jean Giono naît le 30 mars 1895 à Manosque et meurt le 9 octobre 1970. C'est là qu'il poursuit toute sa vie son fabuleux périple intérieur et l'élaboration de son œuvre. Après une enfance heureuse, il devient, à seize ans, employé de banque pour subvenir aux besoins de sa famille. Il nourrit son extraordinaire imagination de la lecture des classiques de l'Antiquité. Il s'essaie d'abord à la poésie mais ce n'est qu'à l'âge de trente ans qu'il découvre sa véritable voie : le roman. Colline connaît en 1929 un retentissement immédiat – André Gide salue la naissance d'un «nouveau Virgile». Giono décide alors de consacrer sa vie à l'écriture. Les romans de cette époque, qui célèbrent la vie cosmique et «les vraies richesses» avec un lyrisme éblouissant, dépassent le régionalisme pour atteindre au mythe et à l'universel.

66 La Durance est dans la plaine comme une branche de figuier. Souple, en bois gris, elle est là, sur les prés et les labours, tressée autour des islettes blanches. Elle a cette odeur du figuier ; l'odeur de lait amer et de verdure. Elle a tant emporté dans ses eaux de terre à herbe, de terre à graine, de poids d'arbre ; elle a tant broyé de feuillages, tant roulé de grands troncs sur son fond sonore, tant enchevêtré de branchages dans les osiers de ses marais qu'elle est devenue arbre elle-même, qu'elle est là, couchée sur la plaine comme un arbre ; elle, avec son tronc tors, avec l'Asse, et le Buech, et le Largue, et tant d'autres, tous écartés comme des branches, elle porte les monts au bout de ses rameaux. [...] Au-delà de la Durance, le plateau de Valensole, bleu et toujours pareil, ferme la plaine comme une barre de vieux bronze. Il est le mauvais compagnon. Entendons-nous : il est pour moi l'ami magnifique, mais il est le mauvais compagnon de ce paysan des plaines. Il est le jeteur de grêle, le porteur d'éclairs, le grand artisan des orages. Il est là, tout vêtu de chênes verts et de genévriers, couvert de cicatrices ; il vit à la sauvage avec une large bâfrée de fleurs d'amandiers au printemps et du soleil qu'il mange sec tout le durant de l'été. S'il est courtois, c'est en brutal : vous lui demandez une fleur, il vous jette à la figure toute une touffe de thym avec les racines et la motte de terre. Ce qui inquiète c'est son silence. Il est là-bas, il ne dit rien. [...] il est là-bas, toujours pareil, toujours muet ; il rêve, pensez-vous, à regarder à plein visage la belle lune de jour qui vole avec ses deux cornes au-dessus de lui. Puis, d'un seul coup, il vous écrase avec trois grandes roches du nuage pleines de foudre. La grêle déchire les oreilles du mulet ; vous en avez tant que vous pouvez pour le tenir au bridon et le mener au hangar. Pendant ce temps, le ruisseau déborde, votre sillon s'emplit de boue et d'herbe et ça vous promet belle récolte de chiendent ; ou bien alors il piétine votre vendange à moitié mûre. Il est quand même, pour moi, l'ami magnifique. Qui n'a pas son caractère ? **99**

JEAN GIONO, <i>MANOSQUE-DES-PLATEAUX</i>, 1930,
IN <i>RÉCITS ET ESSAIS</i>, GALLIMARD, BIBL. DE LA PLÉIADE, PARIS, 1989

LE PREMIER FESTIN

Mariée au poète et dramaturge belge Jean Mogin, Lucienne Desnoues réside en Belgique jusqu'en 1983 ; devenue veuve en 1986, elle vit depuis à Montjustin, près de Manosque. Colette, Léon-Paul Fargue, Jules Supervielle, Jean Giono ont toujours su, par leurs encouragements, orienter son travail. Elle accorde ici au lieu le menu, fait de nourritures essentielles.

Noire, noire et noire olive,
Bel œil, bel œil langoureux,
Oignon frais, tomate vive
Et toi l'ail couveur de feu,

Les melons et la tomate
Si bien tournés pour la main,
Et les poivrons écarlates,
Et les piments de carmin,

Aubergine violette,
Figue au gousset éclaté,
Luisez mes joyaux en fête
Dans les coffres de l'été.

Le thym maigre se régale
De pierraille et de clarté.
Les grillons et les cigales
Chantent la frugalité.

Que mettrons-nous sur la table
Pour le tout premier festin ?
Le bolet farci, le râble
Et la fraise au chambertin ?

Non, l'olive nue et pure
Et nus et crus les oignons,
Le fromage sans parure,
L'eau de source et le quignon.

LUCIENNE DESNOUES, <i>LA FRAÎCHE</i>, GALLIMARD, PARIS, 1959

JEUX D'ENFANTS DANS LES RUELLES DE LA VILLE MYSTÉRIEUSE

Paul Arène (1843-1896), poète provençal et romancier du terroir, fut le chantre de Sisteron, sa ville natale. Il l'a peinte avec un constant bonheur dans ce récit, le plus autobiographique de toute son œuvre.

❝Personne, parmi tant de polissons fort érudits en ces matières, ne connaissait la ville et ses cachettes comme moi. Il n'y avait pas, dans tout le quartier du Rocher, un trou au mur, un brin d'herbe entre les pavés dont je ne fusse l'ami intime ! Et quel quartier ce quartier du Rocher ! Imaginez une vingtaine de rues en escaliers, taillées à pic, étroites, jonchées d'une épaisse litière de buis et de lavande sans laquelle le pied aurait glissé, et dégringolant les unes par-dessus les autres, comme dans un village arabe. De noires maisons en pierre froide les bordaient, si hautes qu'elles s'atteignaient presque par le sommet, laissant voir seulement une étroite bande de ciel, et si vieilles que sans les grands arceaux en ogive aussi vieux qu'elles qui enjambaient le pavé tous les dix pas, leurs façades n'auraient pas tenu en place et leurs toits seraient allés s'entrebaiser. Dans le langage du pays, ces rues s'appellent des *andrônes*. Quelquefois même, le terrain étant rare entre les remparts, une troisième maison était venue. Dieu sait quand ! se poser par-dessus les arcs entre les deux premières ; la rue alors passait dessous. C'étaient là les *couverts*, abri précieux pour polissonner les jours de pluie ! [...]

Ai-je assez couru dans les rues désertes ! ai-je assez jeté de pierres contre la maison commune, où se balançaient, scellés au mur, les mesures et les poids confisqués jadis aux faux vendeurs ! Quelle joie si on en ébranlait quelques-uns, car alors, mesures et poids, se heurtant à grand bruit les jours de mistral, semaient sur la tête des passants, chose positivement comique, des plateaux rouillés et des poires en fer.

Ai-je, au péril de ma vie, déniché assez de pigeons dans les trous des tours, et dans les remparts tout dorés au printemps de violiers en fleur qui sentaient le miel ! Pauvres vieux remparts, pauvres vieilles tours républicaines, ils ne nous défendent plus maintenant que de la tramontane et du vent marin ; mais derrière eux, pendant mille ans, nos aïeux se maintinrent fiers et libres. Et dire qu'un avocat libéral voulut un jour les faire détruire ; il les appelait dans son discours – le misérable ! – des monuments de l'odieuse féodalité.❞

PAUL ARÈNE, *JEAN DES FIGUES*, ÉD. FASQUELLE

LA CONSOLATION

Où Pierre Magnan se présente lui-même : «Pierre Magnan est né à Manosque en 1922. Auteur de La Maison assassinée, Les Courriers de la mort, Le Sang des Atrides. *Vit au Revest-Saint-Martin, n'a pas la télévision. Aime le vin de Bordeaux (rouge), le bûcheronnage, la compagnie des femmes et une douzaine environ d'écrivains français de tous les temps. Est surtout lu au sud du quarante-cinquième parallèle de latitude nord.»*

❝Ce fut à peu près vers cette époque-là que l'Henri Gardon remit son fonds d'épicerie et ce fut tragique car il *faisait carnet*. C'est-à-dire que les ouvriers de la mine, les terrassiers, les manœuvres maçons, tous ceux qui étaient payés à la quinzaine

124

pouvaient entre-temps acheter de la nourriture à crédit, grâce à un carnet double sur lequel la Marie-Rose épouse de l'Henri ou la Maria sa belle-sœur inscrivaient les denrées délivrées et leur prix. Mais ce ne fut pas seulement pour cela qu'on regretta ce trio si affable et son chef pince-sans-rire avec sa grosse voix bourrue. Tous les trois jours, cet homme de bien grillait à la main le café de la clientèle. Il tournait pendant des heures la manivelle du brûloir à charbonnille, en tenant haut levé de sa main libre *La Porteuse de pain* qu'il mit longtemps à terminer, ne lisant qu'à cette occasion. La dégringolade des grains à chaque tour du brûloir faisait un bruit d'une extrême sympathie. L'arôme s'en allait flotter jusqu'à la place du Terreau porté par la brise. Les tristes torpeurs des femmes mal aimées ne résistaient pas à cet appel. Elles bondissaient de leur antre noir baptisé cuisine où elles se morfondaient, ouvraient la croisée, se penchaient vers la rue, appelaient :

– Pierre ! Paul ! Lucien ! Louisette ! Y a l'Henri qui brûle le café ! Va vite m'en chercher un hecto ! Tu paieras pas ! Tu diras que c'est pour moi !

Et quand le *drôle* (enfant) revenait, elles avaient déjà le moulin à café serré entre les cuisses de peur de perdre du temps. Ce café de l'Henri Gardon c'était la consolation du pauvre au même titre que l'eau des carmes du frère Mathias.[...]

En 1931 disparurent aussi un grand nombre de paysans de la ville. Ceux de la campagne étaient aux aguets. Sitôt que le vent du nord leur apportait l'écho du glas, ils venaient aux nouvelles, pleins d'espoir car ceux de la ville n'avaient jamais d'héritiers aptes à leur succéder. Ils étaient les derniers à cultiver leurs biens. Pour la première fois dans la chaîne des générations, leurs enfants ne prendraient pas la suite. Ils étaient devenus mineurs, électriciens, camionneurs, commerçants ou bien ils s'étaient exilés ou bien ils étaient entrés dans l'armée. **”**

PIERRE MAGNAN, *L'AMANT DU POIVRE D'ÂNE*,
DENOËL, GALLIMARD, «FOLIO»

L'ENTRÉE EN PROVENCE

En 1896-1897, Frédéric Mistral (1830-1914) publie son dernier chef-d'œuvre, Lou Pouèmo dou Rose *(«Le Poème du Rhône»), couronnement d'une quête poétique qui lui vaudra, en 1904, le prix Nobel de littérature. Au chant VII, le cortège de barques en provenance de Lyon et en route pour la foire de Beaucaire passe sous les arches du pont Saint-Esprit, véritables portes de la Provence et de « l'Empire du soleil ».*

Lis arcado
Dóu Pont Saint-Esperit, espetaclouso,
Le passoun en triounfle sus la tèsto,
Li barcatié, beissant lou front, saludon
Sant Micoulau dins sa capello antico,
Demoulido au-jour-d'uei, mai qu'aparavo
I tèms ancian l'arcado mariniero,
Pèr soun engoulidou tant dangeirouso
Que li batèu perdu noun se ié comton.
La Prouvènço aparèis : es soun intrado,
Lou Pont Sant-Esperit emé si pielo
E si vint arc superbe que se courbon
En guiso de courouno sus lou Rose.
Acò's la porto santo et courounello
De la terro d'amour. L'aubre d'óulivo,
Lou mióugranié tout fièr de si papàrri
Et li gràndi mihiero capeludo
Oundron deja li cremen e li costo.
Lou plan se relargis, li bro verdejon,
Dins lou clarun lou cèu s'emparadiso,
Lis Uba dóu Ventour se laisson vèire :
Lou princihoun d'Aurenjo e la pichoto
Rapugarello d'or, ié sèmblo qu'intron
Dins la benedicioun.

Les arcades
du Pont Saint-Esprit, prodigieuses,
leur passent en triomphe sur la tête.
Les bateliers, baissant le front, saluent
saint Nicolas dans sa chapelle antique,
démolie aujourd'hui, mais qui sauvegardait
aux temps anciens «l'arcade marinière»,
dont l'ouverture était si dangereuse
qu'on y compte plus les bateaux perdus.
La Provence apparaît, car son entrée,
c'est le Pont Saint-Esprit avec ses piles
et ses vingt arcs superbes qui se courbent
en guise de couronne sur le Rhône.
C'est là la porte sainte, la porte triomphale
de la terre d'amour. L'arbre d'olives,
le grenadier, fier de sa floraison,
et les millets aux grandes chevelures
ornent déjà les côtes et les alluvions.
La plaine s'élargit, les orées verdoient,
dans la clarté le ciel s'emparadise,
on aperçoit les Ubacs du Ventour ;
le princillon d'Orange et le petite
glaneuse d'or croient pénétrer d'emblée
dans la bénédiction.

FRÉDÉRIC MISTRAL, *LOU POUÈMO DOU ROSE*, «LE POÈME DU RHÔNE», 1897

AU CŒUR DE LA VILLE

Installé dans le Midi à partir de 1957, le romancier anglais Lawrence Durrell (1912-1990), auteur du Quatuor d'Alexandrie *et du* Quintette d'Avignon, *publia en 1960 un essai sur le Rhône. Ce texte imagine le fleuve « des glaciers à la Méditerranée bleue », avec une longue halte à Avignon, «cœur de la Provence».*

❝Mais, bien sûr, le cœur de tout cela est Avignon, avec ses murailles, ses tours à mâchicoulis miellées et rose délavé qui se dressent au-dessus d'un pays argenté par les oliviers et – sans doute – balayé par un mistral rugissant. Un vieux distique prétend que c'est le mistral qui garde la ville propre.

Avenio ventosa
Cum vento fastidiosa
Siné vente venenosa.

Tout ce que je sais, c'est que lorsque le vent souffle à son maximum, il faut s'agripper solidement au garde-fou du pont quand on veut le passer à pied. Avignon appartient aux papes comme Venise aux doges. (Sept papes et deux antipapes se succédèrent à Avignon au cours de la «seconde captivité de Babylone», lorsque, comme le dit Pétrarque, «on maintint l'Église de Jésus-Christ dans un exil hon-

teux»). Néanmoins, leur passage a fait d'Avignon une des plus belles et des plus romantiques villes du monde. Même des voyageurs comme Dickens, qui étaient profondément indifférents au Midi ensoleillé, furent bouleversés d'admiration. Il dit d'Avignon : «Toute la ville cuit au soleil, avec cependant une sorte de croûte d'or pâle, les remparts fortifiés qui ne bruniront jamais, bien qu'ils cuisent depuis des siècles.» Il a raison, car les couleurs de ces merveilleux palais combinent une dizaine de nuances suaves allant du brun du tabac séché ou du café au violet et au rose perle de la lave refroidie – nuances de nacre, de bistre et de miel suivant l'inclinaison du soleil. Il y a tant à voir que le voyageur en est presque écrasé, conscient que la ville nécessiterait un séjour de plusieurs semaines pour être vraiment apprécié. Quant à l'écrivain-voyageur – que pourrait-il faire d'autre que de se sentir déconte-nancé ? Tant de choses ont été écrites sur ce lieu par tant d'écrivains de premier ordre ! Rabelais l'avait baptisée «Isle sonnante» à cause de l'incessant tintement des cloches des couvents qui, au Moyen Âge, caractérisait la ville quand on y arrivait par le fleuve. Le pont en ruine de Saint-Bénezet trouve toujours le moyen d'être au centre de toute vue d'Avignon, et c'est justice, car il a rendu la ville célèbre grâce à la petite ronde qui est devenue une comptine pour les enfants de partout. **"**

LAWRENCE DURRELL, TRAD. DE J.-R. MAJOR, *L'ESPRIT DES LIEUX*,
GALLIMARD, PARIS, 1976

VILLENEUVE-LÈS-AVIGNON

Henry James (1843-1916) décida en 1875 de s'établir en Europe. Cette expé-rience marqua l'éveil du jeune Américain à la sensibilité du vieux continent. Atteignant dans la composition un degré d'économie et de rigueur inconnus jusque-là, il nous offre une scène harmonieuse de la ville qu'il visite.

"Par bonheur, il n'a pas plu tous les jours (bien qu'il ait plu, j'en suis certain, dans tout le reste du département), sans quoi je n'aurais pas pu me rendre à Villeneuve ni à Vaucluse. Je dois même dire que ce fut par un délicieux après-midi que je franchis le pont interminable qui enjambe le Rhône, divisé en son milieu par une grosse île, et que je me dirigeai, tel un cavalier solitaire, mais à pied, vers la tour isolée qui constitue une des défenses extérieures de Villeneuve-lès-Avignon. Cette pittoresque petite ville, à moitié déserte, est située à quelques miles en amont du fleuve. Les immenses tours rondes de son ancienne citadelle et les longs murs en ruine qui couvrent le coteau sur lequel elle repose sont les traits les plus frappants de la façade qu'elle offre à la vue, quand on la regarde d'Avignon, sur l'autre rive du Rhône. J'ai passé deux ou trois heures à visiter les lieux et ce fut plein d'une douceur pittoresque, mais je n'ai pas beaucoup de détails à rapporter. La tour isolée que je viens de mentionner a plus d'un point commun avec le donjon détaché de Montmajour, que j'avais regardé en me rendant aux Baux, et auquel j'ai rendu hommage en décrivant cette excursion. Œuvre de Philippe le Bel lui aussi (il fut construit en 1307), c'est une construction extraordinairement grosse et butée : elle constituait la limite opposée du pont interrompu, dont il ne reste que les premières arches (du côté d'Avignon) pour donner la mesure du volume que le

Rhône peut atteindre à l'occasion. Il me fallut une demi-heure de marche pour arriver à Villeneuve, qui est située en retrait du fleuve, et qui a l'air d'un gros village, à moitié dépeuplé, et habité essentiellement par des chiens et des chats, des vieilles femmes et des petits enfants qui sont le plus souvent remarquablement jolis comme le sont les petits Provençaux. On traverse l'endroit qui semble singulièrement endormi, pour arriver à la colline ronde sur laquelle les ruines de l'abbaye dressent leurs murs jaunes ; il s'agit de l'abbaye bénédictine de Saint-André, à la fois église, monastère et forteresse. Une grande partie de l'enceinte en ruine s'étale sur la colline mais les seuls autres vestiges qui forment un ensemble reconnaissable sont constitués par un important fragment de la citadelle. La défense de la place était apparemment confiée pour l'essentiel aux immenses tours rondes qui flanquent la vieille porte ; le vieux gardien, après m'avoir introduit dans son petit appartement sombre et m'avoir offert un bouquet de lavande, m'a permis de visiter à fond la plus complète de ces tours. **99**

HENRY JAMES, *VOYAGE EN FRANCE*, TRAD. PHILIPPE BLANCHARD,
ROBERT LAFFONT, 1987

CASANOVA À LA FONTAINE DE VAUCLUSE

En 1760, Giacomo Casanova a trente-cinq ans. Venant de Suisse et de Savoie (où il a rencontré Voltaire), il regagne l'Italie par la vallée du Rhône, et s'arrête à Avignon afin de faire une excursion à la Fontaine de Vaucluse. Car, dit-il : «Un Italien qui a lu et goûté le divin Pétrarque doit être curieux de connaître les lieux qu'il a rendus célèbres par son amour de la belle Laure de Sade.»

66 Arrivé à Vaucluse, je m'abandonnai à Dolci, qui avait visité cent fois ces lieux célèbres et qui, à mes yeux, avait l'immense mérite d'aimer l'amant de Laure. Nous laissâmes la voiture à Apt, et puis nous prîmes le chemin de la fontaine, qui, ce jour-là, fut honorée par une grande affluence de curieux. Elle sort d'une caverne immense, ouvrage de la nature que l'art des humains ne saurait imiter. Elle est à la base d'un rocher taillé à pic de plus de cent pieds de hauteur sur autant de largeur. La caverne n'a guère que la moitié de cette hauteur, et l'eau en sort en si grande abondance qu'à sa source elle mérite déjà le nom de rivière. C'est la Sorgue, qui va se perdre dans le Rhône auprès d'Avignon. Il est impossible de trouver une eau plus pure et plus limpide, car nulle part les rochers qui la bordent n'offrent aucune teinte de dépôt. Ceux à qui cette eau fait horreur parce qu'elle leur paraît noire ne songent pas que l'antre, étant extrêmement obscur, lui communique cette teinte terrible.

Chiare fresche e dolci acque
Ove le belle membra
Pose colei che sola a me par donna.

Je voulus monter jusqu'à la pointe du rocher, où Pétrarque avait sa maison. Les larmes aux yeux, j'en contemplai les vestiges, comme Leo Allatius en voyant le tombeau d'Homère. Seize ans plus tard je pleurai de nouveau à Arqua, lieu où Pétrarque est mort et où la maison qu'il habitait existait encore. La ressemblance était étonnante, car de la chambre où Pétrarque écrivait à Arqua, on voit la pointe d'un rocher qui ressemble à celui que l'on voit à Vaucluse, et où demeurait madonna Laura. «Allons-y, dis-je, ce n'est pas loin.»

Je ne chercherai pas à rendre les sentiments que j'éprouvai quand je vis les restes de la maison de cette femme que l'amoureux Pétrarque a immortalisée dans un vers, fait pour attendrir un cœur de marbre :

Morte bella parea nel suo bel viso.

Je me jetai sur ces ruines, les bras étendus comme pour les embrasser ; je les baisai, je les mouillai de mes larmes ; je cherchai à respirer le souffle divin qui les avait animées. **99**

CASANOVA, *MÉMOIRES*, RÉUNIS PAR R. ABIRACHED,
GALLIMARD, BIBL. DE LA PLÉIADE, T. II, 1959

ITINÉRAIRES
EN PROVENCE
CÔTE D'AZUR

▲ Le plateau de Salignac, près de Sisteron.　　　▼ Plantations forestières près de Larche.

▼ Les sommets de la montagne de Lure, blanchis par le givre.

▲ Automne à Entrechaux.

▲ Vergers dans le Luberon. ▼

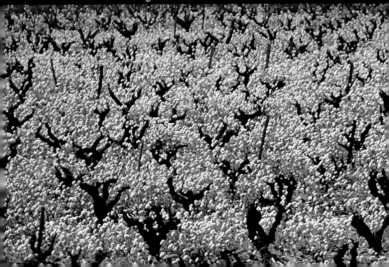

▲ Vue de la côte nord de Port-Cros, depuis le sentier botanique.

▲ Pointe Sainte-Hospice, au cap Ferrat.　　　▼ Crique de la Galère, sur l'île du Levant.

▲ Noir sur blanc, cavalcade de taureaux aux Saintes-Maries-de-la-Mer.

▲ Harmonie de rose et gris des flamants au repos.   ▼ Taureaux camarguais parmi les roselières.

▲ AVIGNON

1 PONT ST-BÉNÉZET
2 PALAIS DES PAPES
3 N.-D.-DES-DOMS
4 MUSÉE DU PETIT-PALAIS
5 TOUR DES CHIENS
6 TOUR DU CHÂTELET
7 ANCIENNE COMÉDIE
8 CHAPELLE DE L'ORATOIRE
9 ÉGLISE SAINT-AGRICOL
10 PALAIS DU ROURE
11 ANCIEN SÉMINAIRE
SAINT-CHARLES
12 MUSEUM CALVET
13 MUSÉUM REQUIEN
14 HÔTEL DE VILLE
15 THÉÂTRE
16 ANCIEN HÔTEL
DES MONNAIES
17 MAISON JEAN-VILAR
18 ÉGLISE SAINT-DIDIER
19 MUSÉE LAPIDAIRE
20 ANCIEN COUVENT
DES CÉLESTINS

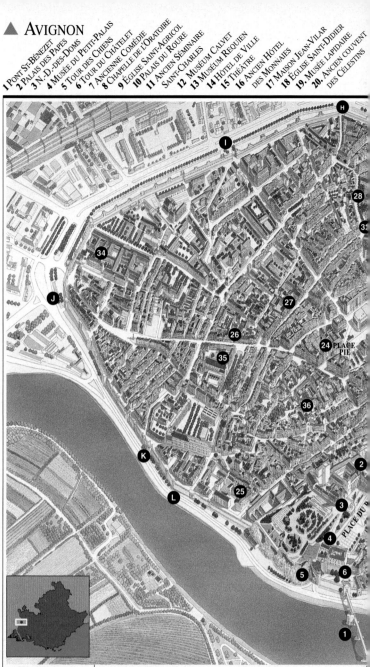

⏲ 2 à 3 jours

LE MUSÉE VOULAND
En 1927, l'industriel avignonnais Louis Vouland devint propriétaire de l'hôtel Villeneuve-Esclapon (1882) et y rassembla meubles et objets (orfèvrerie, faïences, porcelaines, tableaux, tapisseries) avec une nette prédilection pour le XVIIIᵉ siècle.

Le Rhône forme un dernier coude dominé par un abrupt rocher d'une quarantaine de mètres avant de rencontrer son confluent avec la Durance. Ici naquit la future cité des papes ● *48* : les premières traces d'occupation du site remontent au IVᵉ millénaire avant notre ère.

LE QUARTIER SAINT-AGRICOL

LE PALAIS DU ROURE ♥. Cette demeure, construite en 1469 par le banquier florentin Pierre Baroncelli et habitée jusqu'en 1909 par la famille de ce dernier, renferme une importante documentation écrite et figurée sur la Provence. La dernière

21. Hospice Saint-Louis
22. Église Saint-Pierre
23. Synagogue
24. Palais de Justice
25. Chapelle des Pénitents noirs
26. Clocher des Augustins
27. Ancien couvent de la Visitation
28. Chapelle des Pénitents gris
29. Musée Vouland
30. Église Saint-Martial
31. Livrée Ceccano (bibliothèque)
32. Tour des Cordeliers
33. Musée Aubanel
34. Ancien hôpital Sainte-Marthe
35. Ancien couvent des Carmes
36. Musée du Mont-de-Piété

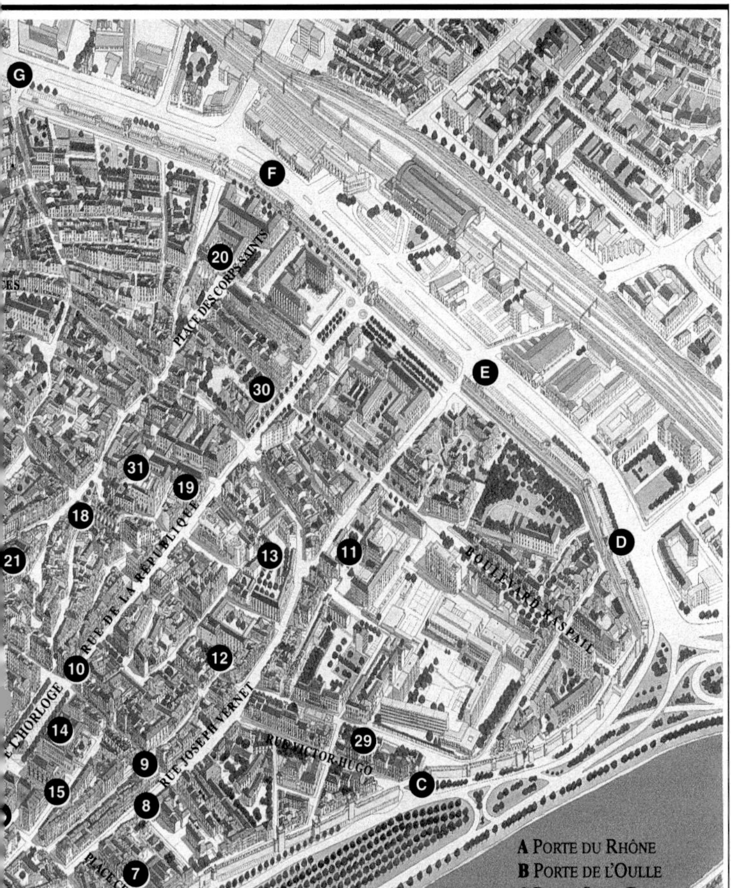
G
F
20
PLACE DES CORPS SAINTS
30
E
31
19
18
21
13
11
D
BOULEVARD RASPAIL
RUE DE LA RÉPUBLIQUE
10
12
14
RUE JOSEPH VERNET
29
RUE VICTOR-HUGO
9
C
15
8
7
PLACE CRILLON
B
A Porte du Rhône
B Porte de l'Oulle
C Porte Saint-Dominique
D Porte Saint-Roch
E Porte Saint-Charles
F Porte Saint-Michel
G Porte Saint-Magnanen
H Porte Limbert
I Porte Thiers
J Porte Saint-Lazare
K Porte Saint-Joseph
L Porte de la Ligne

propriétaire, Jeanne de Flandreysy, y a rassemblé une collection de costumes du pays d'Arles et du Comtat Venaissin. On remarquera une intéressante présentation de santons ● *70,* des souvenirs du manadier Folco de Baroncelli, et des objets et meubles provençaux.

L'Église Saint-Agricol. L'édifice (XIVe siècle), aujourd'hui fermé au public, se compose d'un clocher massif, d'une nef et de deux bas-côtés. La façade, représentative du style provençal de l'époque avec son gâble en accolade, fut réalisée au XVe siècle. La statuaire, très restaurée, est attribuée au sculpteur lorrain Ferrier Bernard, qui séjourna à Avignon vers 1489.

Place de l'Horloge
Située à l'emplacement du forum antique, elle fut aménagée en 1447 et en 1743.

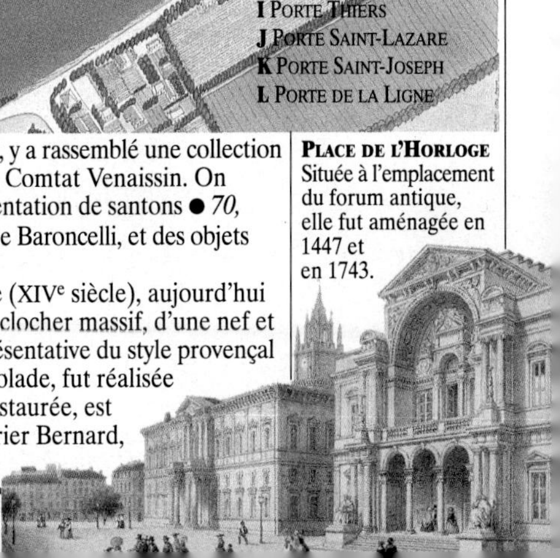

LE «RETABLE REQUIN» (1450)
Parallèlement à l'influence du maître d'Aix, l'art d'Enguerrand Quarton, à la fois élégant et monumental, est déterminant pour l'avenir de l'école d'Avignon qu'il contribuera à détacher de l'emprise néerlandaise.

Son appartenance à l'école d'Avignon se manifeste ici dans la force grandiose de la composition, la fermeté des volumes et la sévérité de l'expression, mise en valeur par un éclairage tranchant.

Ci-dessus, *Prophète*, par Simone Martini, vers 1320.

L'HÔTEL DE VILLE. Il fut bâti au milieu du XIXᵉ siècle sur l'emplacement de l'ancienne maison commune, elle-même installée au XVᵉ siècle dans une livrée cardinalice des années 1360. Le projet conserva la tour de l'ancienne livrée où, depuis 1471, est installé un jacquemart.

LA MAISON JEAN-VILAR ♥. Elle occupe les locaux de l'hôtel de Crochans, dont le riche portail fut réalisé en 1679 par Pierre Mignard. L'hôtel, achevé par Franque au XVIIIᵉ siècle, retrace, depuis 1979, l'œuvre du metteur en scène et l'histoire du festival d'Avignon.

LA PLACE DU PALAIS ♥

Cette vaste esplanade en pente douce est au centre d'un ensemble monumental prestigieux ; pendant le festival, elle devient un lieu de spectacle permanent.

LE FESTIVAL D'AVIGNON. En 1947, René Char, Yvonne et Christian Zervos organisèrent une exposition d'art contemporain au palais des Papes et y invitèrent Jean Vilar (1912-1971) qui y créa, notamment, *Richard II* de Shakespeare. Séduit par ce lieu scénique à ciel ouvert, Vilar signait ainsi des conditions aventureuses l'acte de naissance du festival d'Avignon. Il imposa un style de théâtre neuf et «populaire» au sens noble du terme et sut faire évoluer le festival en l'ouvrant à d'autres disciplines : mime, danse ou musique.

L'HÔTEL DES MONNAIES. Ce monument fut construit en 1619 sous la légation du cardinal Borghèse, par le vice-légat Jean-François de Bagni. Après la suppression de la légation, l'édifice servit de caserne jusqu'en 1840. Il abrite aujourd'hui le Conservatoire de musique.

LA CATHÉDRALE NOTRE-DAME-DES-DOMS. Construite à l'emplacement d'une basilique paléochrétienne et d'une église consacrée en 1069, la cathédrale actuelle date du XIIᵉ siècle. Le PORCHE forme un ensemble inspiré de l'Antiquité romaine. Le portail principal est surmonté d'un tympan d'un fronton décorés de fresques du Christ bénissant et d'une Vierge d'humilité par Simone Martini (vers 1340).

Le CLOCHER, tour carrée en partie détruite en 1405 et reconstruite peu après sans la flèche pyramidale, supporte depuis 1859 une grande statue de la Vierge en plomb repoussé.

L'église comporte un narthex et une nef à quatre travées inégales. L'ABSIDE a été entièrement refaite en 1671 sur les plans de l'architecte Louis-François de La Valfenière (1615-1688). Cet artiste fut, avec son père François (1575-1667), l'architecte de la Contre-Réforme. À la même époque, une galerie baroque formant tribune fut aménagée le long des murs latéraux par François Delbène. Dans le CHŒUR, on peut admirer une *Assomption* (1633) de Nicolas Mignard ainsi que des portraits de papes par Garnier (1869).

LE MUSÉE DU PETIT-PALAIS ♥. Le Petit-Palais fut construit au début du XIVᵉ siècle par Béranger Frédol et Arnaud de Via. Benoît XII achète l'édifice en 1335 et fait de la livrée cardinalice la résidence de l'évêque. Riche, depuis 1976, de peintures et de sculptures médiévales et des quelque trois cents primitifs italiens de la prestigieuse COLLECTION CAMPANA,

le musée permet de découvrir les créations artistiques italiennes (salles 3 à 16) et l'art avignonnais (salles 1, 2, 17, 18 et 19). Si Florence, véritable laboratoire de recherches sur la perspective dès le début du XVᵉ siècle, figure honorablement dans les collections, il reste peu de témoignages de l'école d'Avignon, dans laquelle cohabitent la stylisation de l'Italie et le réalisme flamand.

LE PONT SAINT-BÉNEZET ♥. Il ne reste, de cet ouvrage long de 900 m, édifié de 1177 à 1185 et qui aboutissait au pied de la tour Philippe-le-Bel à Villeneuve-lès-Avignon, que quatre arches sur le Rhône sur les vingt-deux qu'il comprenait à l'origine. Il comportait un tablier en bois, ce qui explique la rapidité de sa construction pour l'époque. On refit le pont en pierre au XIIIᵉ siècle avec une arche de moins car la tête de pont était désormais liée à la nouvelle enceinte. La CHAPELLE SAINT-BÉNEZET, dans laquelle reposait le corps du fondateur du pont (statue ci-contre), est située sur la troisième pile ; à la fin du XIVᵉ siècle, la CHAPELLE SAINT-NICOLAS fut édifiée au-dessus de cette dernière. Le pont, dont les arches s'écroulaient les unes après les autres, fut fermé à la circulation dès 1633.

LE CHÂTELET
Le chemin de ronde passe par la tour des Chiens (ci-contre), seule tour octogonale du rempart, élevée lorsque celui-ci fut refait jusqu'au pont à la fin du XVᵉ siècle. Le Châtelet, édifié vers 1345 par Clément VI pour contrôler le pont et protéger la ville, fut reconstruit en 1414 , puis surélevé et muni d'échauguettes.

Statue en bois doré de saint Bénezet, XVIIᵉ siècle, Notre-Dame-des-Doms.

LE PALAIS DES PAPES

UNE JOURNÉE DU SOUVERAIN PONTIFE
C'est dans ce palais que se déroula,
au XIVᵉ siècle, la vie quotidienne des papes :
dès le lever, le pape récitait les «heures» puis
disait la messe avant de donner les audiences
dans son *studium*. Il se promenait parfois dans
les jardins après la signature des suppliques.

1. Tour de la Campane
2. Chapelle Benoît-XII
3. Cour du cloître
4. Tour de Trouillas
5. Tour des latrines
6. Tour des cuisines
7. Aile du consistoire
8. Tour Saint-Jean

9. Aile du conclave
10. Aile des familiers
11. Appartements privés
12. Tour du Pape
13. Porte principale
14. Aile des grands dignitaires
15. Tour de la garde-robe
16. Tour Saint-Laurent
17. Chapelle Clémentine
18. Salle de la grande audience

Benoît XII, troisième pape avignonnais, fait construire l'actuel palais sur l'emplacement de l'ancien bâtiment épiscopal. Les travaux commencent en 1334 sur les plans de Pierre Poisson, un architecte de Mirepoix qui réalisera une demeure simple et austère, le palais Vieux, aux lignes probablement inspirées par le commanditaire, ancien moine de Cîteaux. Clément VI poursuit l'entreprise et confie à Jean de Louvres, originaire d'Île-de-France, la tâche d'enrichir l'édifice avec le palais Neuf qui forme le corps de bâtiment du Midi. Des tours sont ajoutées à l'ensemble et, en 1363, le palais est achevé.

UN DÉCOR MOBILE
Comme il est d'usage à cette époque, la demeure pontificale reçoit un décor peint et des aménagements mobiles. Les murs sont ornés de tapisseries qui tout en introduisant une touche décorative dans les salles contribuent à mieux les isoler du froid. Les tapisseries proviennent alors d'Orient, d'Italie, des ateliers de Paris ou Valenciennes.

Si certaines salles prestigieuses disposent de sols de carreaux vernissés colorés et historiés, d'autres présentent des dallages de pierre froide recouverts de nattes et de jonchées (grandes brassées d'herbe fraîche, de paille ou d'herbes aromatiques réparties sur le sol). Le mobilier du palais – dont rien n'a été conservé –, est simple, en chêne ou noyer ; seules les cathèdres (sièges pontificaux) font l'objet d'un plus grand soin.

Après le Grand Schisme, la ville est administrée par des légats pontificaux qui résident au palais. François de Conzié, camérier de Jean XXIII (1370-1419) qui caresse le rêve de retourner à Avignon, organise des travaux de réaménagement.
Mais c'est Pierre de Foix, légat de 1433 à 1464, qui, le premier, se réinstalle dans les murs. Peu à peu, les légats, italiens pour la plupart et apparentés aux papes, refuseront de quitter Rome et délégueront leur fonction aux vice-légats.
Ceux-ci, privés de moyens, ne pourront alors entretenir qu'une cour réduite.

CASERNE ET ENTREPÔT
Très endommagé durant la Révolution, le palais sert successivement de caserne pour la troupe au début du XIXᵉ siècle, puis de geôle. En 1871, le palais Vieux, bien que classé monument historique, est affecté au service des Archives départementales. Il faudra attendre 1906 pour que débutent les premiers travaux de restauration.

UNE ARCHITECTURE MILITAIRE
Avec ses 15 000 m² de superficie, cette résidence papale, à la fois forteresse et palais, se dresse à même le rocher. Flanqués de dix tours carrées, les murs comportent d'immenses arcs en tiers-point qui supportent les mâchicoulis.

Après avoir franchi
la porte principale,
au-dessus de laquelle
s'élèvent deux
élégantes tourelles,
restituées en 1933,

on accède au corps
de garde, dont les
parois sont décorées
de peintures
du premier quart
du XVIIᵉ siècle.

Ci-contre, *Pape
entouré de la Justice
et de la Prudence*,
1625-1630.

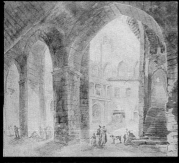

*Saint Martial en habit
d'évêque*, fresque de
Matteo Giovannetti
(XIVᵉ siècle), chapelle
Saint-Martial ▲ *145*.

**PRISON SOUS
LA RÉVOLUTION**
Dans la nuit
du 17 octobre 1791,
le palais, qui fait
office de prison
(ci-contre), est le
théâtre du massacre
dit «de la Galcière»,
suite dramatique
des arrestations qui
ont eu lieu à la suite
de l'assassinat de
Lescuyer, chef du
parti révolutionnaire.
En 1793, la
Convention envisage
de détruire les
remparts, symboles de
féodalité, ainsi que le
palais. L'opération ne
pourra être menée à
bien mais le bâtiment
sera pillé et détérioré.

LA COUR D'HONNEUR

C'est là que se déroulèrent les premières représentations du festival d'Avignon et des spectacles prestigieux sont encore joués sur son esplanade. Bordée au nord et à l'est par le palais de Benoît XII et au sud et à l'ouest par deux ailes construites par Clément VI, elle comporte une excavation rectangulaire qui correspond à un vestige de la salle d'audience de Jean XXII. La tour du Pape abritait jadis le Trésor et la chambre du pontife.

LA LOGGIA

On sort de la chapelle Clémentine par une double porte qui s'ouvre au nord sur la loggia, sorte de porche largement éclairé par la grande fenêtre dite de l'«Indulgence», dont la restauration, en 1913, a été contestée. C'est par cette baie que le pape donnait sa triple bénédiction à la foule assemblée dans la cour du palais. C'est également dans la loggia que le pontife, lors de son couronnement, recevait l'imposition de la tiare à trois couronnes (*triregnum*).

LA CHAPELLE SAINT-JEAN (TOUR SAINT-JEAN)

L'Apparition du Christ à Patmos et ces visages de femmes font partie des fresques réalisées en 1347 par Matteo Giovannetti sur les murs de la chapelle Saint-Jean, charmant petit oratoire voûté sur croisée d'ogives. Les peintures des parois nord et est relatent la vie de saint Jean-Baptiste, celles placées à l'ouest et au sud, celle de saint Jean l'Évangéliste.

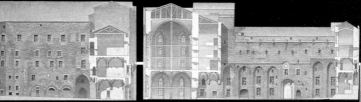

Le campanile, placé au-dessus du cloître de Benoît XII, renferme la cloche dite d'argent.

LE GRAND TINEL

Les dimensions de cette salle (48 m de long sur 10,25 m de large) et son immense voûte de bois reconstituée en carène renversée en font une des pièces les plus imposantes du palais. Les fresques de Matteo Giovannetti disparurent lors de l'incendie de 1413. La cheminée à hotte, reconstruite, servait à réchauffer des mets en provenance des cuisines, situées dans la tour. Cette opération avait lieu dans le *dressoir*, dissimulé par une paroi en matériaux légers, puis les plats étaient portés à la table du pontife.

LA CHAPELLE SAINT-MARTIAL (TOUR SAINT-JEAN)

Ses parois et ses voûtes sur croisées d'ogives sont couvertes de délicieuses fresques exécutées par Matteo Giovannetti en 1344-1345. Ces peintures, qui ont miraculeusement échappé à l'incendie de 1413 et, partiellement, au vandalisme des siècles suivants, retracent avec beaucoup de verve et d'imagination poétique, en dépit d'anachronismes manifestes, les épisodes de la vie de saint Martial, apôtre du Limousin, région natale de Clément VI. On peut suivre l'histoire merveilleuse du saint grâce aux lettres de l'alphabet qui marquent les panneaux.

LE «PORTEMENT DE CROIX»
Ce retable de marbre fut commandé
par le roi René, en 1478, au sculpteur dalmate
Francesco Laurana, pour l'église
des Célestins à Avignon. Il est aujourd'hui
conservé dans l'église Saint-Didier.

ESPRIT REQUIEN
(1788-1851)
Cet Avignonnais,
considéré comme
le précurseur
de la géographie
botanique, réalisa
le premier inventaire
floristique de la
Corse ainsi que le
premier relevé de
l'étagement du mont
Ventoux. Ami de
Prosper Mérimée,
il se distingua
également par ses
prises de position
pour la protection des
remparts de la ville. Il
fut, de 1839 à 1852, le
directeur du muséum.
Installé depuis 1940
dans un hôtel
du XVIIIᵉ siècle,
le muséum possède
un herbier de grande
valeur scientifique,
comportant
environ

RUE DE LA RÉPUBLIQUE

L'ÉGLISE SAINT-DIDIER.
Elle fut bâtie entre
1356 et 1359 sur un
édifice plus ancien.
Son architecture
reprend le style
caractéristique du
gothique méridional
avec une nef unique

de six travées sur croisées d'ogives, terminée par une abside
pentagonale bordée de chapelles et un clocher à tour massive,
elle-même surmontée d'une flèche octogonale. Les fresques,
redécouvertes en 1950 dans l'actuelle chapelle des fonts
baptismaux, sont attribuées à un atelier florentin du XIVᵉ siècle.
LE MUSÉE ANGLADON. Amateur d'art, Jean Angladon vivait
entouré de tableaux de maîtres tels Degas, Cézanne, Van Gogh
et Picasso dans cette demeure, ouverte aux visites depuis 1996.
LE MUSÉE CALVET. Installé depuis 1833 dans l'hôtel
de Villeneuve-Martignan (1742), ce musée fut créé grâce
à Esprit Calvet (1728-1810), qui légua sa bibliothèque et ses
collections (peintures, sculptures, meubles et objets d'art)
à la ville. Pour cause de rénovation, seule une partie des
collections est actuellement accessible aux visiteurs.
LE MUSÉE LAPIDAIRE ♥. Dans l'ancienne chapelle des Jésuites
(1620-1661), le musée abrite les collections archéologiques du
musée Calvet : un panorama de la civilisation gallo-romaine
ainsi que des éléments des civilisations grecque et égyptienne.

LE QUARTIER DE L'ÉGLISE SAINT-PIERRE

300 000
échantillons.
Géologie et
paléontologie
sont également
bien représentées.

**PLACE DES
CORPS-SAINTS**
Ombragée de platanes
et agrémentée d'une
fontaine, elle est le
lieu de prédilection
des étudiants qui
viennent y flâner
entre deux cours.

LA SYNAGOGUE. Le quartier juif
se constitua à proximité de
l'église Saint-Pierre dès
1221. La synagogue,
reconstruite au
XVIIIᵉ siècle, brûla
en 1845. L'architecte
de la ville, M. Jouffroy,
fut chargé de sa
reconstruction et
réalisa la seule synagogue
sur plan circulaire de France.
L'ÉGLISE SAINT-PIERRE ♥. Restée
inachevée, l'église fut très remaniée au XVᵉ siècle. La façade
occidentale, richement ornée, fut exécutée dans le style
flamboyant entre 1512 et 1520. Le chœur est revêtu de boiseries
dorées (vers 1634) où sont enchâssées quatorze toiles relatant
la vie de saint Pierre et des docteurs de l'Église. Les tableaux
de Simon de Châlons et de Nicolas Mignard (*La Sainte Famille*,
1641) sont parmi les plus notables avec la série de toiles
concernant saint Antoine de Padoue, réalisées par Pierre
Parrocel au XVIIIᵉ siècle.
LE COUVENT DES CARMES. De l'ancien couvent, il subsiste
l'église (XIVᵉ et XVIIIᵉ siècles) et le cloître. De précieuses
toiles de Pierre Parrocel et Nicolas Mignard ornent l'église.

LE «COURONNEMENT DE LA VIERGE»
En 1986, le Musée municipal vint s'installer dans
es murs de la livrée de Pierre de Luxembourg.
La pièce maîtresse en est le très beau retable
d'Enguerrand Quarton ▲ *138* de 1454.

VILLENEUVE-LÈS-AVIGNON ♥

LA CHARTREUSE DU VAL-DE-BÉNÉDICTION.

En 1356, Innocent VI
décida de fonder à
Villeneuve, sur les
lieux mêmes de sa
livrée, une chartreuse.
De la livrée, il reste
le tinel, grande salle
rectangulaire, et la chapelle contiguë. Destinée aux religieux,
consacrée en 1358 et d'une architecture très simple, l'ÉGLISE
fut agrandie à plusieurs reprises. Son abside fut détruite après la
Révolution. La chapelle la plus proche du chœur, dédiée à la
sainte Trinité, contient le monumental tombeau d'Innocent VI.
Les CELLULES DES CHARTREUX sont groupées autour de
deux cloîtres, le CLOÎTRE DU CIMETIÈRE et le CLOÎTRE
SAINT-JEAN, construit sur un terrain plus élevé.
La chartreuse, restaurée et propriété de
l'État depuis 1909, abrite aujourd'hui le
Centre national des écritures du spectacle.

LE FORT SAINT-ANDRÉ.

Au début du
Moyen Âge, la colline Saint-André,
appelée le mont Andaon, était encore une
île et abrita un ermitage puis un monastère.
Une ceinture fortifiée, commencée au XIIIᵉ siècle
et achevée vers 1372, protégeait le bourg et le monastère.
Elle n'englobe plus aujourd'hui que les deux CHAPELLES SAINTE-
CASARIE ET NOTRE-DAME-DE-BELVEZET, élégant édifice roman
fortement restauré au XIXᵉ siècle, les restes de l'abbaye du
XVIIIᵉ siècle, quelques habitations et des pentes incultes.
La courtine est jalonnée par plusieurs tours de guet, tandis que
l'entrée monumentale est cantonnée de tours dites «jumelles»,
bien que celle de droite soit plus petite que l'autre. Les troupes
du roi de France occupèrent la forteresse jusqu'à la fin du
XVIIIᵉ siècle. Remontant probablement au VIIᵉ siècle, le
MONASTÈRE SAINT-ANDRÉ, aujourd'hui privé, prospéra
particulièrement sous le long abbatiat de
saint Pons (1063-1087). Les bâtiments
monastiques s'étendaient sur la moitié
orientale du castrum du mont Andaon.

LA COLLÉGIALE NOTRE-DAME.

Le cardinal
Arnaud de Via, neveu de Jean XXII, fit
construire ici un palais (1322) puis y établit
un chapitre de chanoines : la chapelle
devint collégiale, un cloître prit place dans
la cour, et la tour fut transformée en
clocher. L'église est typique des édifices
gothiques méridionaux : sa nef unique est
flanquée de chapelles latérales logées
entre les contreforts. Le décor sculpté et
historié des consoles sur lesquelles
retombent les arcs ouvrant sur les
chapelles est remarquable ; certaines
scènes de la vie du Christ ont conservé
des traces de leur polychromie d'origine.

UNE VOCATION DÉFENSIVE, RELIGIEUSE ET ARTISTIQUE
Face à Avignon
et au Comtat, terres
d'Empire, le roi
de France établit en
1292 une «ville neuve»
au pied de la colline
Saint-André, derrière
l'ensemble
monumental construit
au débouché du pont
de pierre traversant
le Rhône. Il ne reste
aujourd'hui que la
tour carrée, dite
Philippe-le-Bel,
auprès de laquelle se
trouvaient autrefois
un hôpital et le
châtelet du pont.

Le rattachement du
Comtat à la France
supprima cette fonction
de surveillance et
Villeneuve connut
alors une intense vie
religieuse
– monastère Saint-
André, collégiale
et chartreuse.
C'est enfin, depuis le
XIXᵉ siècle, un intense
foyer artistique.

1 AIGUES-MORTES 2 LES SAINTES-MARIES-DE-LA-MER 3 NÎMES 4 ÉTANG DE VACARÈS 5 ARLES 6 SALINS-DE-GIRAUD 7 BEAUCAIRE 8 TARASCON 9 BAUX-DE-PROVENCE

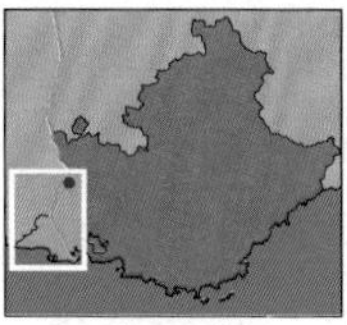

1 semaine
300 km

LE TRAVAIL DE LA PIERRE
Beaucaire s'est longtemps trouvée placée sous la double protection de la pierre et de l'eau. Elle doit à la première son site défensif et un matériau fort réputé ; à la seconde, sa prospérité, tôt liée aux échanges.

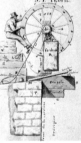

LA FOIRE DE BEAUCAIRE
Du XVe siècle à l'aube du XIXe siècle, ce fut l'une des plus importantes foires de France. Du 22 juillet – fête de sainte Marie Madeleine, patronne de la ville – au 28, toutes les nations y étaient représentées. Trois jours francs, libres de toute taxe ou imposition.

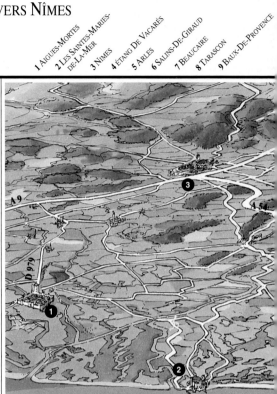

BEAUCAIRE

LE CHÂTEAU MÉDIÉVAL ♥. Fief des comtes de Toulouse au haut Moyen Âge, face à la rive provençale, le château forme l'un des ensembles les plus importants du Midi médiéval. Réaménagé au milieu du XIIIe siècle par les rois de France, il subit au XVIIe siècle l'arasement de ses courtines méridionales et de ses corps de logis. Le MUSÉE MUNICIPAL (vestiges archéologiques et objets traditionnels) y a pris place.
LA VIEILLE VILLE. On flânera rue de la République et rue Barbès, toutes deux jalonnées d'hôtels de négociants des XVIIe et XVIIIe siècles, ainsi que d'entrepôts. Au n° 73, rue Nationale, une maison d'époque Henri IV réunit avec bonheur tous les styles de l'Antiquité romaine. Le superbe hôtel de ville (1679-1683), place Clemenceau, servait de bureaux en période de foire. La COLLÉGIALE NOTRE-DAME-DES-POMMIERS (début du XVIIIe siècle) a conservé en réemploi, sur sa façade arrière, une frise romane (ci-dessus) illustrant onze scènes de la Passion.

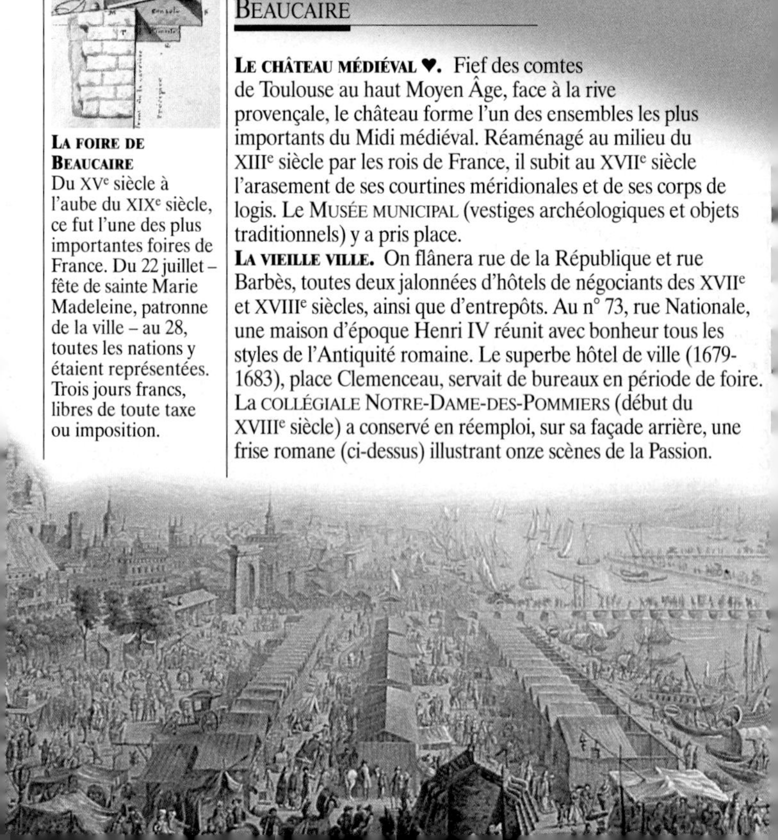

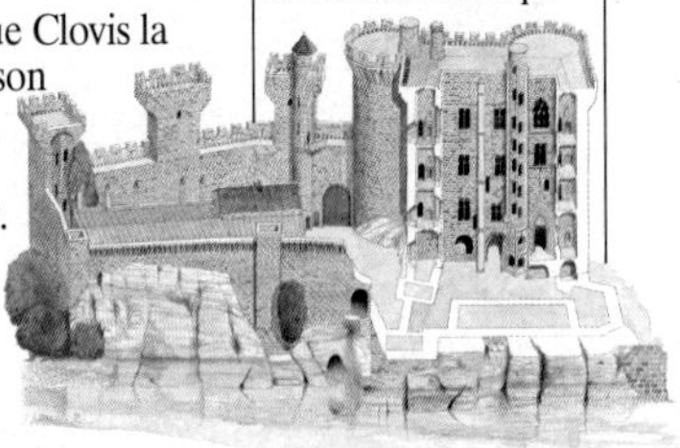

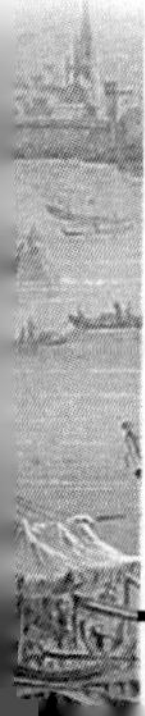

LA TARASQUE

Tarascon n'entre dans l'histoire qu'au Iᵉʳ siècle, lorsque sainte Marthe délivre ses habitants de la tarasque, monstre fabuleux caché dans une grotte du Rhône et qui terrorise la région.

SOULEÏADO

(39, rue Proudhon) Tarascon est célèbre pour ses ateliers de cotonnades imprimées nés en 1882 et repris en 1916 par Charles Démery. Le musée et les ateliers se visitent sur rendez-vous.

LE LOGIS SEIGNEURIAL

Dès l'entrée, à gauche, s'ouvre la salle d'armes. En face, un escalier mène à la chapelle des chantres et à une terrasse qui

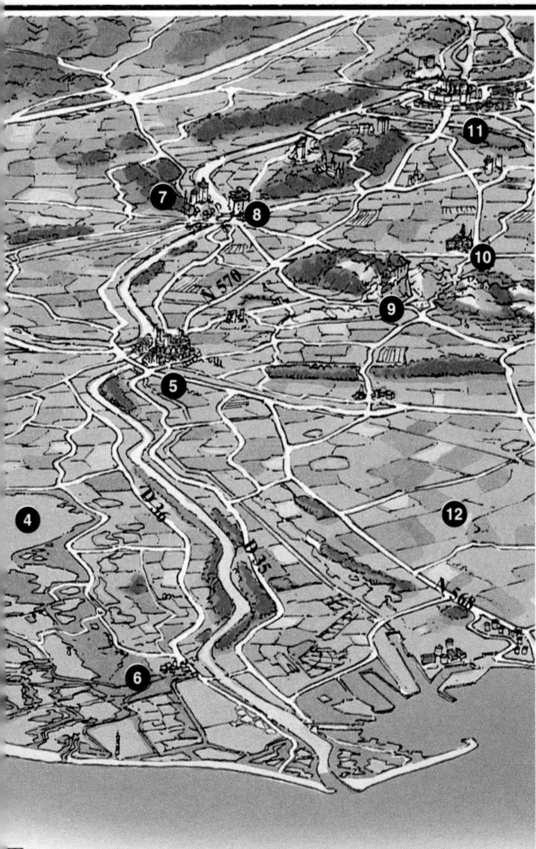

TARASCON

La cité se développa à partir du VIᵉ siècle, lorsque Clovis la dota de franchises et de privilèges après sa guérison sur le tombeau de sainte Marthe. Ville frontière, face au royaume de France, Tarascon avait le privilège de fixer ses impôts et d'élire ses consuls.

LE CHÂTEAU ♥. Construit vers 1400 par Louis II d'Anjou, père du roi René c'est l'un des plus beaux châteaux médiévaux de France. Ce dernier le fit terminer en 1449. L'édifice comprend au nord la basse cour et au sud le logis seigneurial, séparés par un fossé. La basse cour, encadrée de tours carrées, renferme les cuisines médiévales. L'une d'elles abrite l'apothicairerie de l'hôpital Saint-Nicolas ♥ et ses deux cent cinquante pièces de faïence (XVIIᵉ siècle). Les tours rondes du logis seigneurial dominent la basse cour et le Rhône.

LA COLLÉGIALE SAINTE-MARTHE ♥. À l'homogénéité apparente de la forteresse s'oppose l'éclectisme de la collégiale Sainte-Marthe, reconstruite au XIIᵉ, remaniée à la fin du XIIIᵉ siècle, puis au XVᵉ siècle (clocher, sacristie, arcs-boutants). La majorité des œuvres de l'église se rapportent à l'histoire de la sainte (œuvres de Mignard, Vien et Parrocel).

communique avec la salle à manger. Cette immense salle de 200 m² se répète aux deux niveaux supérieurs ; on y voit aujourd'hui une série de tapisseries du XVIIᵉ siècle représentant le cycle de Scipion l'Africain. Au sommet, une immense terrasse domine le Rhône.

151

Ci-contre, aigle de Bonelli,
éphédra et amélanchier.

TARTARIN...
Le personnage qui
inspira Alphonse
Daudet serait un
certain Barberin de
Tarascon qui lui avait
refusé la main de sa
fille. Sa maison
(55 *bis*, bd Itam),
classée monument
historique, se visite.

LES ALPILLES ♥

Le pays de Mistral a peu changé et a su garder son authenticité.
Pour découvrir la beauté de ses crêtes bleutées ou la douceur
des plaines, il suffit de suivre le GR 6. On doit aux agriculteurs
médiévaux l'assèchement des marais et les innombrables
terrasses aménagées sur les collines. Aujourd'hui, si la culture
des amandiers et des abricotiers a régressé, celle de l'olive reste
prépondérante, surtout dans la vallée des Baux. Le massif est
également réputé pour sa faune, notamment ornithologique.
Les rapaces en constituent le fleuron : vautours percnoptères,
aigles de Bonelli et grands ducs d'Europe y nichent.

SAINT-RÉMY-DE-PROVENCE

La ville natale de Nostradamus possède sur son territoire les
vestiges remarquablement conservés de la ville antique de Glanum
et s'enorgueillit d'avoir inspiré à Vincent Van Gogh ses plus belles
toiles en 1889-1890, lors de séjour à Saint-Paul-de-Mausole.
PLACE FAVIER. L'hôtel Mistral de Mondragon, construit vers
1550 et agrandi tout au long du XVIe siècle, donne sur cet
espace aménagé en 1599 et abrite le MUSÉE DES ALPILLES,

LES ALPILLES À PIED
Le GR 6 traverse le
massif depuis Aureille
(il commence au nord
du village sur un
chemin carrossable),
domine les crêtes
jusqu'à Saint-Rémy,
pousse jusqu'aux
Baux puis descend
vers la plaine jusqu'à
Saint-Gabriel.

consacré à l'histoire de Saint-Rémy et de sa région. L'HÔTEL
DE SADE, en face, a été transformé en dépôt archéologique
national des objets trouvés à Glanum. Rue Estrine, le siège de
la justice seigneuriale du prince de Monaco abrite désormais
l'ESPACE-VAN-GOGH.
GLANUM ♥. Cette cité, capitale des Glaniques, un des peuples
saliens confédérés de Provence, connut son apogée au
IIe siècle av. J.-C. Sous Auguste, elle fut dotée de monuments
publics grandioses (arc de triomphe, mausolée) ; mais, écrasée
par la puissance de colonies voisines, comme Arles, elle s'étiola
dès le Ier siècle de notre ère, avant de disparaître, vers 270.

LES BAUX-DE-PROVENCE ♥

Ce site extraordinaire – un éperon rocheux culminant à 245 m au-dessus de deux vallons fertiles – fut occupé dès le néolithique mais prit toute son ampleur au Xe siècle, lorsque la famille des Baux y construisit un château. Au XVe siècle les rois de France ordonnent son démantèlement. À la Renaissance, le gouverneur du Languedoc le restaure. Jugé trop dangereux, il sera détruit en 1632.

GLANUM
La ville antique était plus étendue que le site dégagé. Depuis la route, on peut voir l'arc de triomphe, élevé au début de notre ère à la gloire de Rome et de ses armées, et le mausolée (35 av. J.-C.), qui ouvrait la nécropole et glorifiait une famille gauloise bien intégrée.
En descendant des belvédères, on accède à la zone des sanctuaires et des bâtiments publics.

LA CITADELLE (5 HA) ♥. À l'entrée de celle-ci, le plus ancien hôtel des Baux, la maison de la tour de Brau (XVe siècle), a été aménagé en MUSÉE : il retrace l'histoire du village. À côté, la chapelle romane Saint-Blaise (XIIe siècle) accueille un petit MUSÉE DE L'OLIVIER. Les vestiges de l'ancienne forteresse sont encore dominés par le donjon du XIIe siècle, tandis que les tours Sarrasine, Paravelle et de Bannes et le colombier rupestre ♥ qui faisait partie du système défensif émergent des ruines de l'enceinte. Les fouilles ont permis de dégager le rempart du XVIe siècle ainsi que des vestiges de maisons médiévales.

L'HÔTEL DES PORCELETS ♥. Cette élégante demeure de la fin du XVIe siècle, devenue le MUSÉE YVES-BRAYER, abrite soixante-quinze toiles de la période italienne (1930) de l'artiste qui vécut aux Baux, où il est enterré. En 1974, il a décoré la chapelle des pénitents (XVIIe siècle) de fresques célébrant Noël.

L'ÉGLISE SAINT-VINCENT. L'église, à moitié troglodyte, date du XIIe siècle et fut agrandie en 1609. À Noël y est célébrée la cérémonie très populaire du pastrage ● *70*.

LE PAVILLON DE LA REINE JEANNE ♥
Niché au creux du VALLON DE LA FONTAINE, un élégant pavillon d'angle Renaissance orne un jardin qui appartenait aux comtes des Baux. La légende l'attribue à la reine Jeanne.

MONTMAJOUR ♥
La chapelle Saint-Pierre (Xe siècle) communique avec un ermitage rupestre. Du XIIe siècle subsistent le monastère sur la butte et la chapelle Sainte-Croix au milieu du cimetière. Du monastère mauriste incendié en 1726 ne restent que des ruines.

L'ABBAYE DE MONTMAJOUR

(Route de Fontvieille).
Ce monastère devint au XIe siècle un des plus importants de la région, les comtes de Provence y ayant élu sépulture. La décadence commence dès la fin du Moyen Âge ; en 1630, une réforme est confiée à la congrégation de Saint-Maur. L'abbaye, vendue comme carrière à la Révolution, est rachetée par les peintres Réattu et Révoil. Sa restauration est entreprise dès 1862.

L'ALLÉE DES SARCOPHAGES ♥

Elle fut installée par les frères minimes aux Alyscamps, lors de l'organisation, au XVIIIᵉ siècle, d'un musée d'Art antique consacré aux objets du cimetière. Ce musée fut pillé en 1793 par les amateurs d'antiquités, mais une bonne part des sarcophages sculptés sont aujourd'hui déposés au musée de l'Arles Antique ▲ 163. Cette promenade étrange, bordée de tombeaux et ombragée de cyprès, fut si appréciée par Vincent Van Gogh qu'il en peignit quatre tableaux lors de son séjour à Arles en 1888.

LA FERIA

(week-end pascal) La feria est la présentation au public à la fois de corridas et de *novillades* (courses de jeunes matadors non confirmés. Cette fête tauromachique, qui emplit la cité trois jours et trois nuits de suite, s'accompagne également de nombreux lâchers de taureaux dans la ville, d'expositions sur des sujets taurins et d'animations de rue par les *peñas* (sortes de fanfares).

LES ALYSCAMPS ♥

UN CIMETIÈRE LÉGENDAIRE. On parvient à cette nécropole, l'une des plus célèbres du Moyen Âge, après avoir traversé le boulevard des Lices. Son nom vient d'*Alysii campi* (c'est-à-dire les champs Élysées, la voie conduisant les guerriers valeureux au royaume des morts). L'origine de sa renommée vient de ce que saint Genest – un jeune greffier au tribunal romain qui fut décapité pour avoir refusé d'inscrire un édit de persécution contre les chrétiens – y fut inhumé au Vᵉ siècle.

Des fidèles de l'Europe entière souhaitèrent être enterrés le plus près possible du saint martyr. Les archevêques d'Arles surent profiter de cette aubaine et financèrent ainsi l'église Saint-Honorat, qu'on atteint après avoir parcouru l'allée des Sarcophages. Le cimetière s'étendait jadis bien au-delà, mais une partie du site fut détruite au XIXᵉ siècle.

L'ÉGLISE SAINT-HONORAT. Elle a remplacé au XIIᵉ siècle une basilique dédiée à saint Genest. Le clocher était appelé la «lanterne des morts» : on y entretenait un feu qui signalait à tous la présence du cimetière.

Fragments de sarcophages antiques
décorant la maison des Amazones,
au n° 19 de la rue des Arènes.

LE THÉÂTRE ANTIQUE ♥

À l'ouest des arènes s'étend le théâtre, construit sous
l'empereur Auguste (dernier tiers du Iᵉʳ siècle av J.-C.).
Les gradins sont établis sur un ensemble de substructions faites
de galeries concentriques et de salles voûtées rayonnantes.
Une partie du portique extérieur est encore visible du côté du
jardin, où une travée avait été englobée dans le rempart de la
cité médiévale. Les gradins ont été reconstruits partiellement
au XIXᵉ siècle, mais les rangées inférieures donnent une idée
de l'appareillage utilisé par les Romains. L'*orchestra,* réservé
aux évolutions du chœur, a un sol constitué par un dallage de
cipolin vert encadré par de la brèche rose. La scène est encore
visible, ainsi que son mur de fond de scène, décoré à l'origine
d'une centaine de colonnes. Il en subsiste deux surmontées
d'un fragment d'entablement.

LE QUARTIER DES THERMES

LES THERMES DE CONSTANTIN (rue Dominique-Maisto).
Les établissements thermaux ● *80* jouaient à la fois le rôle de
piscine, de bains publics et de lieu de rencontre. Si les thermes
du Nord sont les mieux conservés, on sait qu'il en existait
d'autres dans le sud de la ville et sous la place de la République.
Le bâtiment alterne briques et moellons de calcaire. La grande
salle est couverte par une voûte en cul-de-four.
LE MUSÉE RÉATTU (rue du Grand-Prieuré)♥. Le musée des
beaux-arts municipal, fondé en 1868, est installé dans un
édifice ayant appartenu à l'ordre de Malte au XIVᵉ siècle.
Le bâtiment, remanié au XVIᵉ siècle, fut acheté en 1797 par le
peintre Jacques Réattu (1760-1833)
qui y installa son atelier. À sa mort,
sa fille légua l'hôtel à la ville afin
qu'y soit créé un musée
de peinture. L'institution
possède la majorité des
œuvres de ce peintre,
mais aussi un fonds d'art
contemporain
(G. Richier, O. Zadkine,
P. Bury, etc.) et, surtout,
une collection de

PORTAIL DE SAINT-TROPHIME ♥
Il est consacré au thème du Jugement dernier. Sous les pieds de saint Pierre et de saint Paul, des lions andropophages rappellent la présence du Malin

cinquante-sept dessins ♥ offerts par Picasso à la ville d'Arles en 1971, série complétée par le portrait de la mère de l'artiste, *Maria Picasso Lopez,* puis par *Lee Miller en Arlésienne.*

LA PLACE DE LA RÉPUBLIQUE

Ancienne place du Marché, elle fut totalement réaménagée au XVIIe siècle.

L'ÉGLISE SAINT-TROPHIME ♥. Ce joyau de l'art roman fut élevé sur l'emplacement de la vieille basilique Saint-Étienne, qui datait du Ve siècle. Modifiée de nombreuses fois, l'église actuelle date du XIIe siècle, moment où elle prit le nom du saint évangélisateur de la Provence, dont on transféra alors les reliques et qui devint le saint patron de la ville.

L'édifice fut complété vers 1180 par un CLOCHER-TOUR de style lombard. L'intérieur surprend, à la fois par la hauteur du vaisseau et l'étroitesse des bas-côtés et par le contraste entre la sobriété romane de la nef et l'exubérance gothique du chœur. LE PALAIS DE L'ARCHEVÊCHÉ, à côté, date du Moyen Âge et fut restauré en 1669 par Mgr de Grignan, puis habillé d'une nouvelle façade au XVIIIe siècle. En empruntant le passage de l'Archevêché, on parvient au CLOÎTRE. Les galeries nord et est datent du XIIe siècle, les autres du XIVe siècle ; la galerie nord est décorée d'une série de sculptures évoquant la résurrection et les origines apostoliques de l'église d'Arles, saint Trophime et saint Étienne ornant les piles d'angle ; la galerie est décline le thème de la divinité du Christ.

L'HÔTEL DE VILLE. Conçu en 1657 par l'architecte Jacques Peytret, le bâtiment fut aménagé par Jules Hardouin-Mansart, qui redessina notamment la splendide voûte plate du hall prévue pour ne pas peser sur les cryptoportiques situés au-dessous. L'ensemble, inspiré de Versailles, inclut la tour de l'Horloge, du XVIe siècle, et fut achevé en 1676. Pour terminer l'aménagement de la place, on y transporta l'obélisque de granit qui s'élevait dans l'Antiquité au milieu du cirque. En face de Saint-Trophime se dresse l'ÉGLISE SAINTE-ANNE qui fut tronquée lors de l'aménagement de la place ; une porte à l'antique anime la façade amputée.

écrasé par la Foi.
Au-dessus,
les symboles
des évangélistes
entourent le Christ
en majesté. Sur le
linteau sont sculptés
les vieillards de
l'Apocalypse dont
parle saint Jean.

LA ROQUETTE
Ce quartier
(ci-dessous), ceinturé
d'un rempart à la fin
du XIIᵉ siècle, était,
au Moyen Âge et à la

période moderne,
le quartier des marins
et du petit peuple
d'Arles. Il disposait
d'une administration
autonome.

AVIGNON VERS NÎMES ▲
ARLES

LE MUSEON
ARLATEN ♥

Cet hôtel particulier
érigé par Honoré de
Castellane témoigne
du goût raffiné des
grandes familles
arlésiennes du
début du XVIᵉ siècle.

En 1648, le bâtiment fut vendu aux jésuites, qui décidèrent d'en faire leur collège et modifièrent la façade d'entrée.
En 1899, Frédéric Mistral y installa le Museon, son grand musée d'ethnographie. Plus de vingt mille objets et documents y sont exposés, allant du costume au mobilier et aux objets de piété en passant par les activités agricoles.

L'ESPACE VAN-GOGH ♥. Rue du Président-Wilson s'élève l'ancien hôpital Van-Gogh, ainsi appelé à la suite de l'internement du peintre. La cour de cet ancien hôtel-Dieu (1573) s'articule autour d'un délicieux jardin à la française, restitué dans son état du XIXᵉ siècle, grâce aux précisions apportées par les peintures, dessins et lettres de Van Gogh.

PRÈS DU MUSÉE DE L'ARLES ANTIQUE

LE CIRQUE D'ARLES. Construit au milieu du IIᵉ siècle, il contenait environ vingt mille spectateurs. En raison de ses dimensions (450 m de long sur 110 m de large), il se trouvait à l'extérieur des murailles, ce qui explique sa destruction complète lorsque, à la fin de l'Empire romain, on eut besoin de pierres pour consolider l'enceinte de la ville. Le cirque comprenait une vaste piste partagée en deux par un long mur décoré de marbre, de sculptures et d'un système visuel (dauphins crachant de l'eau) qui permettait au public de connaître facilement le nombre de tours de piste déjà effectués par les chars. Au centre de ce mur s'élevait le grand obélisque qui se dresse aujourd'hui place de la République.

LE MUSÉE DE L'ARLES ANTIQUE ♥. Cet étonnant triangle bleu, dessiné par l'architecte Ciriani, n'est autre que le musée, qui rassemble l'ensemble des collections antiques de la ville : collection de sarcophages du IVᵉ siècle, tous réalisés dans des ateliers arlésiens, sculptures et mosaïques antiques provenant du territoire de la ville, statuaire augustéenne d'inspiration hellénistique découverte dans les ruines du théâtre antique, dont un spectaculaire torse d'Auguste.

LA VÉNUS D'ARLES
Découverte dans le théâtre antique au XVIIᵉ siècle, elle fut remarquée par un courtisan, qui s'empressa de la signaler à Louis XIV. Le roi fit savoir aux consuls qu'il serait heureux de posséder une telle œuvre. Les Arlésiens obéirent, espérant être exemptés d'impôt. En vain ! Deux siècles plus tard, Frédéric Mistral se plaignait encore de ces notables arlésiens qui «portèrent leur admirable Vénus pour recevoir en échange une croix de Saint-Louis. La Vénus d'Arles est aujourd'hui au Louvre et la copie en plâtre à Arles, c'est bien gagné !».

L'ARLÉSIENNE
Le Museon accumule les images de cette mode arlésienne (ici au temps de Louis-Philippe) que les femmes inventèrent jour après jour, et dont l'originalité

réside dans la coiffure à bandeaux surmontée d'un ruban ourlé de dentelle, qui donne un port de tête élégant.

La Camargue

Enserrée entre les deux bras du Rhône, parcourue de nombreux canaux et trouée de mille étangs, cette terre de marais, de dunes et de rizières, rude et sauvage, est le domaine des chevaux, des taureaux et, dans la réserve naturelle de Vaccarès, d'innombrables oiseaux. Son étrangeté fait rêver mais il n'est pas facile d'explorer ces étendues d'eau : terre de grandes propriétés, l'espace camarguais est en grande partie privé, ou bien son accès est sévèrement réglementé par le Parc naturel régional. Le meilleur moyen de l'explorer est de suivre les sentiers de découverte aménagés par cette institution ou de faire à pied ou à vélo la randonnée qui part de Cacharel et rejoint Méjanes. La digue à la mer, entre Salin-de-Giraud et les Saintes-Maries offre également une promenade de 20 km entre ciel et eau.

HISTORIQUE. Le delta du Rhône est une accumulation d'alluvions, une terre instable qui n'a jamais vraiment encouragé l'implantation humaine. Il a pourtant toujours suscité les convoitises. Les facilités de transport, l'exploitation du sel, la pêche attirent Ligures et Grecs. Les Romains, eux, y cultivent la vigne et des céréales. À la chute de l'Empire romain, cependant, la Camargue subit de nombreux pillages qui la fragilisent. Elle ne se relève qu'au Moyen Âge, lorsque les cisterciens puis les templiers s'y implantent, y développent l'agriculture et exploitent les salines. À la fin du XVe siècle, la région est assez prospère. Des aménagements hydrauliques importants sont alors entrepris dans le delta, des associations d'assainissement se créent. L'endiguement du Rhône, en 1869, marque un nouveau tournant pour la Camargue : elle prend un visage artificiel, entièrement modelé par la main de l'homme.

L'ÉCONOMIE. La Camargue produit essentiellement du blé et du riz. Les rizières étaient utilisées jadis pour dessaler les terres. Les ressources des marais sont toujours exploitées, comme les roseaux, que l'on récolte pour le bétail (fourrage, litière) et la construction des cabanes, ainsi que pour les vendre dans le nord de la France ou à l'étranger. L'élevage du mouton, très important au XIXe siècle, a presque disparu. Le cheval, essentiel, est le complice du gardian qui surveille les taureaux sur de grandes étendues souvent immergées. Mais le taureau, surtout, est «incontournable» : son élevage

Cabanes de gardians par Van Gogh. Cet habitat plus ancien et plus modeste ● 88 que les mas était destiné aux pêcheurs, aux saliniers, aux gardians. Il est aujourd'hui restauré à des fins touristiques ou résidentielles.

LE TRIDENT DU GARDIAN
Il ne sert que pour soumettre les bêtes récalcitrantes, et pour se défendre contre l'attaque éventuelle d'un taureau.

LA PÊCHE DANS L'ÉTANG DE VACCARÈS
Les pêcheurs professionnels qui utilisent quelques parcelles de la réserve vivent de la capture des anguilles, des muges et des athérinidés. Ils se servent de trabaques, filets comportant

fut longtemps le seul moyen de tirer parti de certaines terres, trop pauvres pour la culture. Cet élevage est désormais plutôt destiné aux jeux taurins.

LA FOI DU TAUREAU. Derrière l'image du gardian, chevauchant à travers marécages et sansouires ▲ *166*, il y a une croyance, la *fe di biou*, la foi du taureau, véritable religion qui compte de nombreux fidèles de la Provence au Languedoc. Les premiers statuts officiels de leur rude métier remontent à la fondation, en 1512, de la confrérie de Saint-Georges ▲ *159*. Au début du XIXe siècle apparaissent les premières manades, où l'on élève des animaux pour les jeux taurins. Issus d'une très ancienne tradition tauromachique, les jeux taurins s'organisent autour de la course camarguaise, passée de la cour des mas de Camargue à la place du village, puis à l'arène. L'enjeu de cette course sans mise à mort consiste à enlever les attributs fixés sur et entre les cornes de six taureaux qui se succèdent en piste. D'autres jeux pour amateurs (abrivado, ferrade), pratiqués lors des fêtes patronales des villages de la Provence d'Arles, avec la participation plus ou moins active de la population, complètent le spectacle, rigoureusement codifié et ritualisé, de la course.

LE PARC NATUREL RÉGIONAL DE CAMARGUE. Créé en 1970, il comprend la commune des Saintes-Maries-de-la-Mer et la partie deltaïque de la commune d'Arles, soit 86 300 ha au sein desquels on circule librement, à l'exception des terrains englobés dans la réserve nationale. Outre la protection du site, le parc a pour mission de mettre en valeur le patrimoine naturel et culturel régional, particulièrement fragile.

une partie perpendiculaire à la rive, qui rabattent les poissons vers des «cœurs» constitués de groupes de trois nasses.

D'ARLES À SALIN-DE-GIRAUD (D 36)

LE VACCARÈS ♥. Pièce maîtresse de tout le système hydraulique du delta, le Vaccarès est une vaste lagune d'environ 6 000 ha ; sa faible profondeur (moins de 2 m), les vents quasi permanents qui brassent les eaux et son fort ensoleillement lui confèrent une extraordinaire capacité d'épuration : cela lui permet de recevoir sans dommages importants plus de 40 millions de m^3 d'eau agricole (destinée aux rizières) nécessaire à sa survie

CAMELLE DE SEL (ci-dessous)
Après que l'eau de mer est évaporée, le sel est récolté et mis en camelles pouvant atteindre 8 m de haut. Ces pyramides sont les seuls reliefs qui dominent les plates étendues du delta.

LES SANSOUIRES
C'est le domaine des salicornes, ces plantes grasses caractéristiques des régions salées.

En période humide, le sol est généralement inondé ; en période sèche, il se craquelle et se couvre d'une couche de sel provenant des remontées de la nappe phréatique salée.
La combustion de la salicorne produisait jadis une partie de la soude nécessaire à la fabrication du savon de Marseille.

La saladelle, fleur sacrée des Camarguais, honore tombes et mausolées.

depuis que l'endiguement du Rhône l'a privé des crues régulières du fleuve. Sa salinité peut varier de 4 à 32 g de sel par litre, sa flore et sa faune passant alors des myriophylles et des carpes aux zostères et aux daurades. C'est le lieu de rassemblement privilégié d'une multitude d'oiseaux pêcheurs ainsi que des flamants roses, symboles du delta ■ 24.

LA RÉSERVE NATIONALE ♥. Couvrant sur 13 117 ha une zone allant du nord de l'étang du Vaccarès jusqu'à la mer, la réserve, créée en 1927, est une véritable mosaïque de zones humides douces ou saumâtres. Son accès public est limité à l'aire de la digue à la mer et au domaine de la Capelière. C'est peu après Villeneuve qu'on atteint LA CAPELIÈRE, centre d'information de la Société nationale de protection de la nature qui gère la réserve. La C 134, qui mène jusqu'à la digue à la mer, longe sur une dizaine de kilomètres des paysages grandioses : tamaris, sansouires, baisses (étangs à assèchement estival) et lagunes, parcourus de taureaux et survolés de flamants roses.

LA DIGUE À LA MER ♥. Longue de 20 km, la digue à la mer a été construite en 1857-1858. Son accès est strictement interdit à tout véhicule à moteur. En voiture, on quitte la route goudronnée pour emprunter une digue accessible aux véhicules par temps sec. On traverse d'abord, sur plusieurs kilomètres, une partie de l'exploitation salinière, succession de vastes bassins d'évaporation où l'eau de mer, pompée à Beauduc, se concentre peu à peu. La constance du niveau d'eau de mars à septembre est très favorable aux oiseaux, nombreux à choisir ce site chaque printemps pour se reproduire en colonies sur des îlots. Laisser sa voiture au parking de LA COMTESSE est obligatoire : c'est ici la basse Camargue sursalée, marquée par une forte sécheresse estivale et une immersion hivernale. Deux kilomètres après le phare de la Gacholle, on peut emprunter le chemin des Douanes, qui permet de rejoindre la mer à travers les dunes et la plage de 600 m de large ! Les dunes, menacées actuellement par la montée du niveau marin, sont systématiquement protégées par des ganivelles (palissades de bois dressées pour retenir le sable). On peut poursuivre durant 8 km en bord de mer vers Les Saintes-Maries ; on longe l'ÉTANG DE L'IMPÉRIAL, où abondent les oiseaux d'eau salée ■ 24. Au carrefour Salin-de-Giraud - Bac-de-Barcarin, prendre la C 140 de la Bélugue. À l'embranchement qui mène à BEAUDUC, s'engager vers Salin sur la piste de terre carrossable. Passer FARAMAN et continuer en direction de Salin-de-Giraud.

SALIN-DE-GIRAUD

L'agglomération s'est développée dans la seconde moitié du XIXe siècle pour les besoins de l'industrie salinière et chimique (notamment l'industrie savonnière de Marseille). Elle frappe par son architecture directement inspirée des corons du Nord. **UN «CORON» DU SUD.** Avant l'implantation des usines, l'étang de Giraud était destiné à la pêche et ses environs à l'élevage.

167

LE CHÂTEAU D'AVIGNON
Il conserve de superbes boiseries, des tapisseries

d'Aubusson et des Gobelins, des tableaux de maître, des marbres et un mobilier de rare qualité.

L'ÉGLISE DES SAINTES-MARIES
L'église abrite la barque processionnelle des saintes Maries (ci-contre), l'«oreiller» des saintes (pièce de marbre sur laquelle auraient été retrouvés leurs ossements) et une très belle collection d'ex-voto.

LES GITANS
Ils s'installent aux Saintes chaque année, une semaine avant la fête du 24 mai. Leur regroupement est l'occasion de célébrer des baptêmes en ce lieu sacré ou d'accomplir les rites de la demande en mariage.

C'est pour attirer la main-d'œuvre dans ce lieu isolé que les entreprises Solvay et Péchiney bâtirent des logements, en fait une véritable cité ouvrière moderne. Salin se caractérise autant par son architecture que par la grande diversité de ses habitants (Italiens, Grecs, Arméniens, Espagnols, Turcs). En entrant dans l'agglomération, s'engager à droite au rond-point et passer devant le bureau de poste. Au bout de la ligne droite, prendre la direction de la plage de PIÉMANSON sur la D 36. À 2 km, un belvédère dominant les salins est accessible en voiture.

LE POINT DE VUE DU SEL. Le sel est exploité depuis l'Antiquité. À la fin du XIXᵉ siècle, le salin de Giraud grandit jusqu'à devenir le plus étendu d'Europe. De la plate-forme, aménagée par la Compagnie des salins du Midi et des salines de l'Est, la vue s'ouvre sur les marais salants, la zone de récolte et de stockage. Le sel extrait ici est utilisé dans l'industrie chimique (usines de Fos notamment).

D'ARLES AUX SAINTES-MARIES (D 570)

LE MUSÉE CAMARGUAIS (mas du Pont-de-Rousty). En 1973, la Fondation du parc naturel régional de Camargue fait l'acquisition de ce mas, dont la bergerie va servir de cadre au musée. Conçu sur les principes d'un écomusée, le Musée camarguais présente le delta du Rhône, depuis sa formation géologique jusqu'à nos jours, à travers les activités humaines. Un sentier de découverte ♥ de 3,5 km, qui traverse les terres cultivées, les pâturages et le marais du mas de Rousty, modèle de la propriété camarguaise, lui est associé.

LE CHÂTEAU D'AVIGNON ♥ (Saintes-Maries de-la-Mer, D 85). Le château est propriété du conseil général depuis 1984. Au XVIIIᵉ siècle, Joseph François d'Avignon-Arlatan constitue le noyau du domaine actuel, qui devient ensuite le plus étendu de Camargue. Au XIXᵉ siècle, son nouveau propriétaire, Louis Prat-Noilly, riche industriel marseillais, le fait aménager en résidence de chasse.

LE PARC ORNITHOLOGIQUE DU PONT-DE-GAU ♥. Créé en 1949, ce parc (60 ha) permet, grâce à sa présentation en grandes volières, ses marais et ses étangs, une approche facile et agréable des espèces d'oiseaux vivant en Camargue ou transitant par elle ■ 24. À côté, le CENTRE D'INFORMATION DU PARC NATUREL RÉGIONAL présente expositions et audiovisuels sur le parc.

Plus loin, la D 85 rejoint les Saintes-Maries.

LES SAINTES-MARIES-DE-LA-MER

HISTOIRE. Situé à l'extrémité du delta, sur une mince étendue de terre sablonneuse toujours à la merci des flots, le village, bien qu'étant le plus important de Camargue, a longtemps été très isolé. Au Moyen Âge, le bourg, situé à un kilomètre de la mer, est alors une place forte qui tente d'échapper aux incursions des pirates remontant le Rhône. Au XIXe siècle, le village de Notre-Dame-de-la-Mer prend son nom actuel, en référence aux trois Maries : la Vierge, Marie Jacobé et Marie Salomé.

L'ÉGLISE ♥. Bâtie au XIIe siècle sur un ancien sanctuaire gallo-romain, elle est fortifiée pendant la guerre de Cent Ans. À l'intérieur, ses chapiteaux à décor végétal, d'où émergent des figures humaines, sont remarquables. La crypte, creusée en 1448, abrite sainte Sarah, couverte d'un amoncellement de robes.

LE MUSÉE BARONCELLI (rue Victor-Hugo). On y découvre quelques collections relatives à l'histoire locale, au folklore régional (costumes, meubles) et à la faune de la Camargue. Folco de Baroncelli (1870-1943), manadier de génie, fut l'initiateur du mouvement la *Nacioun gardiano* qui donna aux gardians leurs lettres de noblesse et à la course à la cocarde son droit de cité.

LE PÈLERINAGE. En 1315, la constitution de la confrérie des Saintes-Maries révèle l'importance de la dévotion religieuse populaire aux saintes Marie Jacobé et Marie Salomé. L'affluence des pèlerins conduit l'évêque Foulques de Chanac à instituer dans tout son diocèse, en 1343, la célébration de leur fête, le 25 mai pour l'une et le 22 octobre pour l'autre. Un siècle plus tard, René d'Anjou ● 49 organise dans l'église Notre-Dame-de-la-Mer les fouilles qui permettront de retrouver les reliques. Reposant dans des châsses jumelées, elles sont conservées dans la chapelle haute dédiée à saint Michel. Depuis 1448, une cérémonie se déroule les 24 et 25 mai, le 22 octobre et le 3 décembre, en souvenir du jour de leur consécration.

LES GITANS. Si la participation des gitans à la dévotion de Sarah, leur sainte patronne – jamais reconnue par l'Église, mais vénérée par les Tsiganes pour ses cheveux noirs et sa peau bistrée – est attestée depuis plus d'un siècle, aucun ouvrage ancien ne la décrit. Jusqu'en 1935, ils n'avaient pas accès à l'église durant la cérémonie. Folco de Baroncelli s'entremit et obtint de l'archevêque d'Aix que leur sainte patronne soit portée en procession jusqu'à la mer le 24 mai, à l'image du culte rendu aux autres saintes.

DES SAINTES-MARIES À MÉJANES. Une belle randonnée ♥ (à pied ou à vélo) part de Cacharel qu'on rejoint par la D 85. On emprunte ensuite la digue dite des Cinq-Gorges jusqu'à Méjanes. C'est un parcours à effectuer plutôt au soleil couchant. Le point de vue est incomparable sur les lagunes, les sansouires et les marais aménagés, où pullulent les échassiers.

Après une traversée en barque, tous accostent en Camargue. Tandis que leurs compagnons partent évangéliser la Provence, les saintes, plus âgées, s'installent à l'endroit de l'actuelle église du village, où, dit-on, elles font construire un autel.

Vue d'Aigues-Mortes,
par Frédéric Bazille (1841-1870).

AIGUES-MORTES : HISTOIRE

UNE VOLONTÉ ROYALE. Aigues-Mortes surgit pendant la décennie de 1240, au milieu d'un désert d'étangs et de marécages, à moins de 15 km à l'ouest du delta rhodanien. Cette naissance est liée à la volonté du nouveau roi, Louis IX, plus connu sous le nom de Saint Louis, qui entreprend de créer le port nécessaire à sa politique méditerranéenne. Depuis toujours, les navigateurs connaissaient le site d'Aigues-Mortes ; c'était une position militaire remarquable, car cet ancien lido se trouvait littéralement coupé de la terre ferme par une impénétrable chaîne de marécages.

UNE VILLE NOUVELLE. Pour inciter des pionniers à s'installer sur un site aussi ingrat que devait l'être ce terroir, une charte de fondation est concédée en 1246 à Aigues-Mortes, qui exempte les habitants de péages, d'emprunts forcés, de la taxe portuaire ainsi que des tailles. Pour relier la ville à la terre ferme, on crée une haute chaussée à travers les marécages. En quelques années le port de Saint Louis devient l'un des principaux relais entre les foires de Champagne et les cités italiennes, l'Europe du Nord et le Levant. Une importante colonie génoise s'y fixe. C'est enfin d'Aigues-Mortes que partent les deux croisades de Saint Louis (1248 et 1270). Paradoxalement, les mêmes agents naturels qui avaient façonné le port aigues-mortais allaient aussi causer sa ruine : rien ne peut en effet arrêter l'alluvionnement du Rhône. Dès le XIVᵉ siècle, les passes aménagées pour relier le golfe d'Aigues-Mortes aux bassins intérieurs du port commencent à se colmater. Leur curage incessant engloutit le plus clair des revenus du port. La concurrence de Marseille, devenue française en 1481, portera le coup de grâce au port de Saint Louis.

LA TOUR DE CONSTANCE

UN ÉNORME CYLINDRE DE CALCAIRE. Primitivement appelé tour du Roi, cet ouvrage est achevé dès 1248, tandis que l'enceinte urbaine ne sera élevée que vingt ans plus tard. Il domine, du haut de ses 40 m, la lagune aigues-mortaise ; entièrement isolée au milieu d'un fossé circulaire bordé d'un mur fortifié, la tour possède deux portes et deux ponts qui enjambent le fossé. Les seules failles de ce bloc abstrait, au parement de pierre parfaitement lisse, n'expriment que menace : les étroites rainures des archères qui défendent l'ouvrage.

TOURS ET PORTES
Les tours du Sel et de la Mèche se dressent isolément sur la ligne du front nord de l'enceinte tandis que celles de Villeneuve, de la Poudrière ou des Bourguignons garnissent un angle de la fortification. Enfin pour cinq ouvrages – les portes de la Gardette, de Saint-Antoine, de la Reine (ci-dessus), des Moulins et de la

Marine –, deux tours rondes sont jumelées de part et d'autre d'un passage d'entrée. Ces portes sont toutes équipées d'une double herse : l'espace intermédiaire est traité comme un sas d'entrée, commandé d'en haut par une trappe d'assommoir dont le nom indique assez clairement la fonction. Cependant, certaines portes mineures – portes des Cordeliers, de l'Arsenal, de l'Organeau, des Galions et des Remblais – ont un dispositif plus léger : une seule herse suffit et au lieu de deux grosses tours rondes, l'ouvrage n'est cantonné que de quatre tourelles polygonales. •

Le parapet, arrondi au XVIᵉ siècle, était surmonté d'un chemin de ronde crénelé et portait une couronne de hourds, sortes de galeries surplombantes de charpentes, armées de meurtrières et de trappes. La tourelle qui s'élève à cheval sur le parapet de la tour n'est rien d'autre que le phare du port tandis que la cage de fer forgé fait figure de lanterne.

UN CHEF-D'ŒUVRE DU RATIONALISME GOTHIQUE. Tout l'art de l'ingénieur inconnu a consisté ici à rendre compatible cette machinerie compliquée (escaliers, dégagements, puits, cheminées, organes de défense interne et externe) avec les exigences d'un plan régulier, ordonné selon un schéma dodécagonal et auquel obéissent à la fois le plan de tir des archères et le plan de voûtement des salles.

L'ENCEINTE ♥

UN OUVRAGE HOMOGÈNE. C'est à Philippe III le Hardi que semble revenir l'initiative de la création de l'enceinte. Les travaux durent s'achever vers 1290-1300. En dépit de certaines discontinuités de chantier, c'est un ouvrage construit en quarante ans tout au plus, certainement la synthèse la plus complète de l'art des ingénieurs royaux de la fin du XIIIᵉ siècle.

TECHNIQUES DE CONSTRUCTION. Le calcaire, acheminé depuis les gisements de Beaucaire, est mis en œuvre en appareil fourré : deux parements de pierre de taille contiennent un remplissage de pierraille bloqué à chaux et sable. Le parement est traité en bossage : les faces de chaque pierre demeurent non dégrossies, ce qui contribue à donner aux ouvrages une apparence rude et massive. Un peu partout, les clefs de voûte et les culots sont décorés de figures sculptées ou de motifs végétaux tandis que le bossage est progressivement abandonné. La structure même des voûtes évolua : d'abord montées sur quatre quartiers d'ogives, elles le sont ensuite sur six, voire sept, conformément au schéma adopté dans le chevet des églises.

UNE MACHINE DE GUERRE
Le mur d'enceinte comporte deux fronts d'archères ; un front inférieur, à la base des murs, afin de surveiller le fond des fossés (aujourd'hui comblés) ; et un front supérieur, adapté à un tir de plus longue portée. Les tours rondes d'Aigues-Mortes, qui surplombent les murailles adjacentes de plus de 8 m de haut, sont adaptées au «flanquement», c'est-à-dire à la possibilité de tirer latéralement, de flanc. À leur niveau inférieur, deux archères latérales (transformées par la suite en canonnières) remplissaient cette fonction.

1 JARDIN DE LA FONTAINE 2 TEMPLE DE DIANE 3 TOUR MAGNE 4 SAINT-PAUL 5 LYCÉE 6 PLACE DU MARCHÉ 7 CARRÉ D'ART 8 MAISON CARRÉE 9 ARÈNES

AU CŒUR DE LA VILLE MÉDIÉVALE

Nîmes conserve de cette période un périmètre restreint, puisqu'elle couvre seulement 30 ha, ceinturés par un rempart. Si la ville est alors dans la mouvance du comte de Toulouse, d'autres pouvoirs se dessinent parallèlement :

celui, religieux, de l'évêque, matérialisé par sa propre enceinte enserrant le quartier voisin de la cathédrale dénommé «Enclos du Chapitre» ; et celui des habitants les plus influents de la ville, qui se constituent peu à peu en consulat dans le courant du XIIᵉ siècle, rejetant l'autorité du vicomte.

HISTOIRE

LA «ROME FRANÇAISE».

Dès le VIᵉ siècle av. J.-C., la présence d'une source pérenne, dite source de la Fontaine, fixe la tribu gauloise des Volques, qui y établit une ville fortifiée. Celle-ci est baptisée Nemos, du nom du dieu à qui la source est dédiée. Cependant, c'est avec la domination romaine, sous le règne de l'empereur Auguste, que Nîmes connaît un essor spectaculaire. Au IIIᵉ siècle, les invasions barbares entraînent un déclin de la vie urbaine : Nîmes se replie sur quelques points faciles à défendre, tel l'amphithéâtre, transformé à la hâte en forteresse.

LA CITÉ MÉDIÉVALE.

Nîmes s'affirme peu à peu comme un grand marché agricole, offrant un débouché aux produits de l'arrière-pays, et comme une ville artisanale qui travaille la laine et le cuir. Au XIIIᵉ siècle, à la suite de la croisade contre les Albigeois, Nîmes devient la possession du roi de France, Louis VIII. Après une phase de prospérité, le XIVᵉ siècle apparaît comme une période de crise. Vers 1330, le départ des marchands italiens, en butte à une fiscalité trop exigeante, et l'expulsion des Juifs marquent le début d'une récession économique, accentuée d'un côté par une série de calamités naturelles et de l'autre par les ravages qu'exercent les bandes de mercenaires durant la guerre de Cent Ans.

LES GUERRES DE RELIGION.

Le XVIᵉ siècle est marqué par l'adoption de la Réforme luthérienne. Deux éléments jouèrent en faveur de cette conversion : l'importance du milieu des magistrats de la sénéchaussée, érudits et ouverts aux idées nouvelles, et l'influence du recteur de l'université, Claude Baduel, qui s'était imprégné de la théologie réformée à Wittenberg et à Strasbourg. En mars 1561, le consistoire de Nîmes est établi et, peu à peu, les protestants dominent le consulat. La contre-offensive catholique, appuyant le pouvoir royal, est menée vigoureusement sous Louis XIII et Louis XIV. Dès 1632, les réformés sont écartés du consulat tandis que les jésuites accaparent l'enseignement. L'industrie textile supplante le marché agricole et Nîmes devient une des principales cités manufacturières du royaume, spécialisée dans la production de la soie.

LA FIN DE L'ANCIEN RÉGIME.

L'essor économique provoque une augmentation de la population qui s'installe surtout hors les murs. Le quartier de la Fontaine est alors aménagé. La Révolution réveille les vieux antagonismes entre le progressisme

NÎMES CONTEMPORAINE L'économie reste vouée aux petites et moyennes entreprises.

L'arrivée, dans les années 1960, des rapatriés d'Algérie qui apportent des capitaux frais et la réussite des entreprises Éminence et Cacharel, ajoutées à un développement du bâtiment, favorisent l'essor de Nîmes. Jean Bousquet, PDG de Cacharel et maire de 1983 à 1993, participe à la relance économique par une politique de grands travaux (valorisation du patrimoine ancien avec la création du secteur sauvegardé, en 1985) et d'incitation à la création d'entreprises.

des protestants et le conservatisme du clergé et de l'aristocratie catholique. Après une adhésion très forte aux idées révolutionnaires, Nîmes soutiendra pourtant, en 1792, comme tant d'autres villes marchandes la contre-révolution fédéraliste.

LES MUTATIONS DU XIXᵉ SIÈCLE. De grands travaux édilitaires sont mis en œuvre : déblaiement des arènes en 1809-1811, aménagement des abords de la Maison carrée, transformée en musée, et achèvement du théâtre, ainsi que le boisement du mont Cavalier vers 1820. L'arrivée du chemin de fer vers 1840 transforme Nîmes en plaque tournante ferroviaire.

La production textile, essentielle jusqu'en 1850, décline mais reste la branche industrielle la plus active et la plus diversifiée : tissage d'étoffes et de châles, tapis, bonneterie et passementerie. Nîmes occupe vers 1860 la seconde place pour le commerce des vins en France.

*Visite de François Ier aux Monuments
de Nîmes*, 1838, par Alexandre-Marie Colin.

LE JEAN DENIM
On trouve, dès 1730, une mention commerciale, celle du «nims», drap fin comptant parmi les produits exportés vers l'Amérique du Nord. Mais son succès est dû à la ruée vers l'or aux États-Unis, dans les années 1850. Levi Strauss, émigré de fraîche date, importe alors depuis Nîmes jusqu'à New York un tissu solide, vendu d'abord pour servir de toile de tente et de bâche à chariot, et qu'il utilisera bientôt aussi pour les pantalons de travail. Le produit est amélioré par un certain Jacob W. Davis, qui renforce les poches par des rivets, et s'associe avec Levi Strauss en 1872.

LES CROQUANTS VILLARET
Autre spécialité nîmoise, ces biscuits croustillants aux amandes et au miel, parfumés à la fleur d'oranger, sont fabriqués depuis 1775 à la boulangerie Villaret, qui a conservé son adresse d'origine, au 15, rue de la Madeleine.

quartier clos, avec ses ruelles, ses deux chapelles, ses puits… et ses caves à vins réputées. Il est évacué en 1812, restauré, et retrouve, dès lors, sa fonction de lieu de spectacles, utilisé d'abord pour les jeux taurins, puis, à partir de 1863, pour la corrida espagnole.
LE MUSÉE DES BEAUX-ARTS (rue Cité-Foulc). Les collections artistiques de Nîmes naquirent en 1823 dans le musée Marie-Thérèse, créé dans la Maison carrée comme complément de l'école de dessin ouverte en 1820. Après un bref séjour (1880-1881) dans un éphémère palais des Arts, elles trouvèrent place dans un bâtiment qui fut remplacé en 1907 par le musée actuel. Son architecte, Max Raphel, conçut la grande salle centrale autour de l'immense mosaïque antique des Noces d'Admète, trouvée à Nîmes en 1882. Des aménagements intérieurs ont été réalisés en 1986 par J.-M. Wilmotte. Si l'art français du XIXe siècle forma l'essentiel du fonds initial, ce dernier se diversifia assez rapidement. Le musée, riche de trois mille œuvres, a jusqu'à présent privilégié, par ses aquisitions et ses expositions, les artistes locaux, anciens et modernes ; il pourrait à l'avenir voir s'affirmer une vocation encyclopédique née en 1869 avec le legs, par Robert Gower, de plus de quatre cents peintures des écoles flamande, hollandaise et italienne.

LE QUARTIER DE LA CATHÉDRALE

LES MUSÉES D'ARCHÉOLOGIE ET D'HISTOIRE NATURELLE (bd Amiral Courbet). Tour à tour collège des Jésuites, lycée impérial puis royal, le bâtiment fut souvent agrandi et rénové :

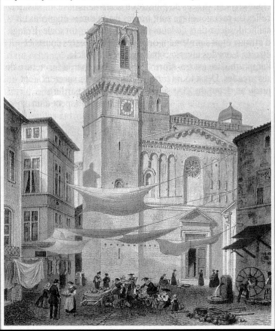

Dans la Grand'Rue, la chapelle et le collège des Jésuites perpétuent le souvenir de la première université nîmoise : le collège ès Arts, autorisé par François Ier, s'élevait à cet endroit. Le cloître, rythmé par de larges arcades, fut réalisé entre 1680 et 1736.

les façades donnant sur le boulevard et la Grand'Rue gardent la trace de ces travaux. Les musées se sont installés ici à partir de 1888. Le MUSÉE D'HISTOIRE NATURELLE ET DE PRÉHISTOIRE présente un panorama de la préhistoire régionale et regroupe des fonds importants en matière d'ethnologie, de zoologie et de géologie. Le MUSÉE D'ARCHÉOLOGIE est réputé pour ses collections allant de l'âge du fer à la fin de l'époque romaine. À la période pré-romaine appartiennent notamment le *Torse de Marbacum* découvert au pied de la tour Magne et un abondant mobilier funéraire. L'époque romaine est illustrée par de nombreux objets de la vie quotidienne qui proviennent également de fouilles locales.

LA CATHÉDRALE (pl. aux Herbes). La cathédrale, consacrée en 1096 par le pape Urbain II lors de son voyage en vue d'initier la première croisade, porte la trace de campagnes de restauration et d'agrandissement successives. Parmi les éléments d'époque romane subsiste le fronton, inspiré par celui de la Maison carrée. Cette restauration est liée à la nécessité de reconstruire la cathédrale, détruite par deux fois – 1567 et 1621 – lors de troubles religieux. Seule la partie gauche de sa façade fut épargnée grâce à son clocher, surhaussé à l'époque gothique et reconverti en tour de guet par les protestants, devenus maîtres de la ville après la Michelade de 1567 – massacre de deux cents religieux et notables catholiques, le jour de la Saint-Michel, et destruction de la quasi-totalité des couvents, églises, et du palais épiscopal. Mgr Cohon, qui anima la reconquête catholique durant la majeure partie du XVIIe siècle, fait reconstruire la cathédrale entre 1636 et 1646, et lui ajouta en 1669, derrière le chœur, la chapelle du Rosaire, de style baroque, célébrant le culte rendu à la Vierge. Enfin, en 1882, Henri Révoil, architecte des Monuments historiques, dote l'intérieur d'un nouveau décor, réalisé dans un esprit néo-médiéval où dominent les éléments gothiques : voûtes à croisée d'ogives et, au long de chaque bas-côté, un triforium surmonté de baies en arc brisé.

LE MUSÉE DU VIEUX-NÎMES (pl. aux Herbes). L'ancien palais épiscopal – actuel musée du Vieux-Nîmes – s'élève tout à côté de la cathédrale. Bâti entre 1683 et 1685 par l'architecte nîmois Jacques Cubizol, sur les plans d'Alexis de La Feuille, ce bel édifice affirme son style classique par l'horizontalité de ses lignes et l'organisation symétrique de sa façade. Il constitue un des rares exemples, dans la région, de l'application du plan de l'hôtel particulier parisien entre cour et jardin. Ce n'est qu'en 1760 que le palais est réellement achevé, sous la direction de Pierre Dardailhon, architecte de la ville, dans le respect du projet initial : datent de cette époque la chapelle épiscopale, communiquant directement avec le palais à l'origine ; et, à l'intérieur, le grand escalier, dont la ferronnerie à voûtes est typique de l'époque Louis XV. Créé en 1920 à l'instigation d'Henri Bauquier, le musée a pour vocation de réunir des témoignages de l'histoire et de la vie quotidienne locales et régionales.

L'ÎLOT LITTRÉ
Dès le Moyen Âge, les activités liées au textile se regroupent dans ce secteur, traversé par le ruisseau de l'Agau, le long duquel s'égrenaient surtout les ateliers des teinturiers ; les actuelles rues de la Gaude et de la Garance – plantes tinctoriales de jadis – ou encore la rue des Flottes – petits écheveaux prêts à teindre – en gardent le souvenir. Les artères voisines abritaient, quant à elles, nombre de cardeurs, tisserands, tondeurs de drap, etc. L'îlot Littré constitue une partie, réhabilitée dans les années 1980, de ces anciens quartiers artisanaux, dont le déclin coïncide avec celui du textile, au XIXe siècle.

JARDIN DE LA FONTAINE

UN JARDIN À LA FRANÇAISE. Ce jardin est né de la volonté, au XVIIIe siècle, d'améliorer l'alimentation en eau de la ville. Pour ce faire, on envisage de dégager les abords de la source, encombrés par la présence de plusieurs moulins. Mais lors des travaux préliminaires, en 1738, on découvre les vestiges du sanctuaire qui entourait la source durant l'Antiquité et dont la seule trace visible, jusque-là, était le temple de Diane. À l'aspect utilitaire du projet se joint alors un souci nouveau d'embellissement et de mise en valeur de la source, tâche confiée, en 1744, à l'ingénieur Mareschal. Celui-ci aménagera l'espace dans la tradition du jardin à la française (1745-1755), privilégiant le décor minéral et l'organisation symétrique à partir du nymphée central.

L'«AUGUSTEUM» DE NÎMES. Il s'agit pour l'essentiel d'un portique, à trois côtés et deux nefs, adossé au pied du mont Cavalier, enfermant les sources de la fontaine. Ce portique, tout en délimitant un espace sacré, assurait la liaison entre un théâtre localisé au nord-est et une grande salle voûtée (pseudo-temple de Diane à l'ouest). Au centre s'élevait sans doute un autel dédié à Rome et à Auguste dont ne subsiste plus que la trace d'un massif de maçonnerie.

LE «TEMPLE DE DIANE». Il appartient à la première phase de construction augustéenne pour l'essentiel. Une vaste salle centrale, encadrée par deux couloirs latéraux, a conservé une partie de son voûtement constitué d'arcs en grand appareil de largeur imposante, certains en saillie, donnant ainsi l'illusion de la présence de doubleaux. Les murs latéraux, intégralement conservés au nord, étaient ornés de colonnes monolithiques à chapiteaux composites et à socles moulurés, plaquées sur les murs supportant un entablement dont la corniche était décorée de denticules. Douze niches étaient réparties dans les parois couronnées de frontons alternativement courbes ou triangulaires. Ce monument servait sans doute de bibliothèque ou de lieu de célébrations liées au culte de l'empereur.

LA TOUR MAGNE (chemin Guillaume-Laforêt). Avec 6 km de murailles, l'enceinte de Nîmes couvre une superficie de l'ordre de 220 ha. La tour romaine (*turris magna*), à parement de moellons et utilisation ponctuelle de grand appareil de pierre de taille, n'a jamais cessé d'intriguer : elle est venue envelopper une tour pré-romaine (détruite au XVIIe siècle) pour s'en servir en coffrage perdu. Au-dessus du soubassement s'élève une tour octogonale à l'architecture très sobre où le décor n'est utilisé que pour rompre la monotonie de la maçonnerie.

ORANGE
ET SES ENVIRONS

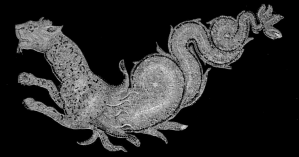

▲ ORANGE

1 PARC GASPARIN 2 COLLINE SAINT-EUTROPE 3 AVENUE-CHARLES-DE-GAULLE 4 MUSÉE MUNICIPAL 5 THÉÂTRE 6 AVENUE VICTOR-HUGO 7 PLACE DE LA RÉPUBLIQUE 8 HÔTEL DE VILLE 9 AVENUE DE L'ARC-DE-TRIOMPHE 10 ARC DE TRIOMPHE 11 CATHÉDRALE 12 PLACE DES CORDELIERS 13 ÉGLISE SAINT-FLORENT 14 RUE SAINT-FLORENT

◷ 1/2 journée

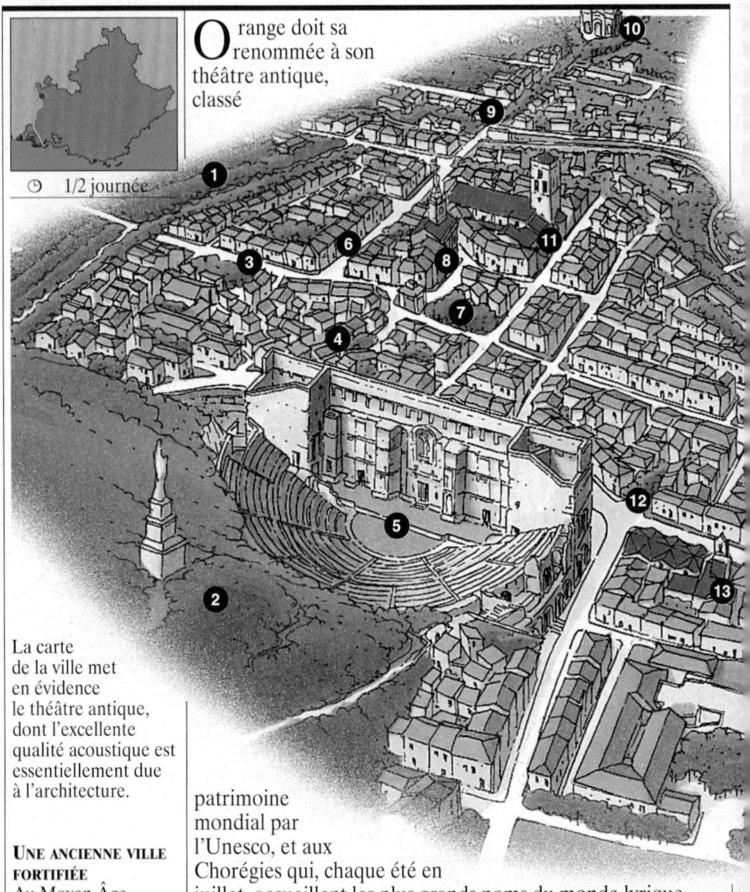

Orange doit sa renommée à son théâtre antique, classé patrimoine mondial par l'Unesco, et aux Chorégies qui, chaque été en juillet, accueillent les plus grands noms du monde lyrique.

La carte de la ville met en évidence le théâtre antique, dont l'excellente qualité acoustique est essentiellement due à l'architecture.

UNE ANCIENNE VILLE FORTIFIÉE
Au Moyen Âge, la ville se resserrait à l'intérieur d'un rempart, renforcé par un château sur la colline. La cité comptait trois couvents et des bâtiments religieux groupés autour de la basilique Saint-Eutrope.

HISTOIRE

UNE COLONIE ROMAINE. En 35 av. J.-C., les Romains colonisent ce secteur et distribuent des terres aux vétérans de la IIe Légion gallique. La ville était alors cernée par un rempart qui coupait la colline en son milieu et laissait hors du périmètre urbain l'arc de triomphe, au nord, et l'amphithéâtre, à l'ouest.

ÉVÊCHÉ ET PRINCIPAUTÉ. L'évêché d'Orange fut fondé au IVe siècle. En 1096, Rambaud de Nice, à la tête de la cité, suivit Pierre l'Ermite en croisade. Sa fille, Tiburge, créa la principauté, vassale du Saint-Empire romain germanique, comprenant Orange, Jonquières et Courthézon. En 1173, Orange passa à la maison de Baux avant de devenir la propriété de Jean Ier de Châlon puis de sa descendance.

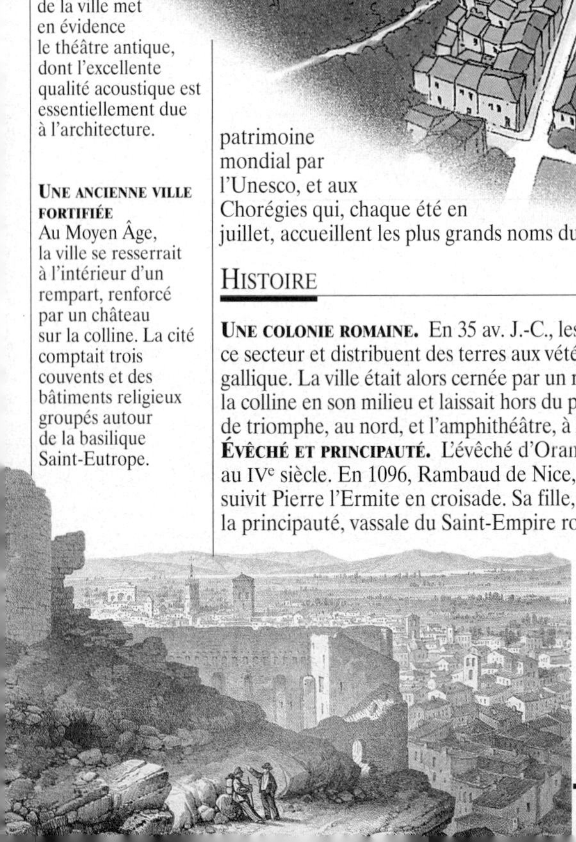

LE COR, EMBLÈME DE LA VILLE
Guillaume au Cornet, comte de Toulouse et parent de Charlemagne, laissa ce symbole à la ville. Il aurait reçu le comté d'Orange au IXe siècle, pour s'être distinguer par sa bravoure contre les Sarrasins.

ORANGE HOLLANDAISE ET PROTESTANTE. Par héritage, la principauté fut léguée aux Nassau, qui, convertis au protestantisme, firent d'Orange une terre d'accueil pour les protestants chassés des provinces voisines. Au début du XVIIe siècle, Maurice de Nassau la transforma en une des plus puissantes places fortes d'Europe grâce aux plans de l'architecte hollandais Servole. Elle fut cependant rasée en 1672, sur les ordres de Louis XIV, lors de la guerre des Provinces-Unies qui l'opposait au prince Guillaume d'Orange. Six ans plus tard, ce dernier reprit la principauté lors de la signature du traité de paix de Nimègue. En 1713, par les traités d'Utrecht, Orange est définitivement intégrée au royaume de France.

AUTOUR DU THÉÂTRE ANTIQUE ♥

LE MUSÉE MUNICIPAL (rue M.-Roch) ♥. Installé dans un hôtel particulier du XVIIe siècle, ce musée retrace l'histoire de la ville, de la préhistoire au XVIIIe siècle. La SALLE DES WETTER renferme cinq peintures qui ornaient le salon d'une maison située rue de la Fabrique et qui furent exécutées en 1764 par Gabriel-Maria M. Rossetti pour les frères Wetter, propriétaires de la manufacture d'indiennes d'Orange. Elles illustrent de façon remarquable la vie de ce type d'industrie, toutes les phases de la fabrication des cotonnades y étant présentées. Les premières toiles de coton peintes, venues des Indes, étaient arrivées en Europe sur les navires de la Compagnie des Indes orientales.

LE THÉÂTRE ANTIQUE ♥ ● 81. Considéré comme l'un des mieux conservés du monde romain, ce théâtre, érigé à l'époque d'Auguste, a été préservé des outrages du temps grâce à sa constante réutilisation dans le tissu urbain. Objet de nombreuses restaurations, il est aujourd'hui classé patrimoine mondial par l'Unesco. La façade nord du mur de scène, haute de 37 m, qualifiée par Louis XIV de «plus belle muraille de [son] royaume», comprend à sa base une série d'arcades, dont certaines aveugles, et trois portes qui étaient abritées par un portique. Au sommet du mur, la rangée de corbeaux en saillie percés de trous auxquels correspondent des consoles elles-mêmes percées de trous cylindriques servait à maintenir des mâts qui soutenaient les câbles du *velum* abritant les spectateurs. Les murs étaient, à l'origine, recouverts d'un placage de marbre et des statues ornaient les niches, à l'instar de celle d'Auguste placée dans la plus grande d'entre elles, au-dessus de la porte Royale. Le mur de scène comportait soixante-seize colonnes de marbre gris ou blanc. La *cavea*, vaste entonnoir, pouvait contenir neuf mille personnes ; on y accédait par des vomitoires depuis les deux entrées principales. La scène, tout en bois et haute de 1,10 m, était protégée par un toit.

GUILLAUME III DE NASSAU (1650-1702)
Il s'opposera au Roi-Soleil. Stathouder des Provinces-Unies, il deviendra roi d'Angleterre, d'Écosse et d'Irlande en 1689 par son mariage avec Marie II Stuart.

LE CADASTRE
Il permettait d'attester la propriété des terres, redistribuées aux colons. Quatre cent seize fragments ont été découverts en 1949, datés entre 25 av. J.-C. et l'an 10 de notre ère.

L'Atelier d'impression, toile peinte pour les Wetter. À gauche, une des premières machines d'impression à rouleau ; à droite se trouve le lieu d'étendage des toiles imprimées.

Les thème
décoratifs de l'ar
de triomph
illustrent la victoir
de Rome

UNE ORIENTATION LYRIQUE. La résurrection des bâtiments du théâtre d'Orange au XIXᵉ siècle donna l'idée d'organiser à nouveau des spectacles dans le cadre de ce prestigieux décor. Avignon, grâce à Jean Vilar, était devenue la capitale internationale du théâtre ; c'est pourquoi en 1970 les Nouvelles Chorégies d'Orange se spécialisent dans le lyrique et deviennent le point de ralliement des amoureux du chant, accueillant les plus grands noms de l'opéra.

L'HÉMICYCLE. Ce vaste espace dallé délimité par un haut mur en hémicycle adossé à la colline Saint-Eutrope paraît avoir un rapport avec un temple, situé sur le flanc de cette dernière, détruit en 1911 lors de la construction d'un réservoir d'eau. Cet ensemble semble avoir constitué un *augusteum,* consacré au culte impérial, prolongé par le forum.

LE DÉCOR
Les murs étaient,
à l'origine, recouverts
d'un placage
de marbre et les
niches ornées de
statues, à l'image de
celle d'Auguste,
placée dans la plus
grande d'entre elles,
au-dessus de la porte
Royale. Le mur de
scène comportait
soixante-seize
colonnes de marbre
gris ou blanc.

LA SCÈNE
Elle ressemblait à
celle utilisée
actuellement
pour les Chorégies et
était cantonnée par le
mur de scène et ses
deux retours latéraux.
Les *basilicae,* salles
à un étage,
l'encadraient.

LA COLLINE SAINT-EUTROPE. Aménagée en jardin public depuis le début du siècle, elle recèle d'importants vestiges archéologiques. La croix, placée à l'entrée du site depuis le XVIIᵉ siècle, marque l'emplacement de ce qui fut la basilique Saint-Eutrope du XIIᵉ siècle. Surplombant le théâtre, le CHÂTEAU DES PRINCES D'ORANGE, élevé sur les ruines d'un ancien *castrum*, occupait la partie nord de la colline ; modifié puis agrandi, il vit sa défense constamment améliorée jusqu'aux grands travaux de Maurice de Nassau qui hérissa la colline Saint-Eutrope de onze bastions. De très larges fossés rendaient l'accès difficile côté sud, tandis qu'une forte pente représentait une protection importante du côté de la ville.

Vue depuis la colline
Saint-Eutrope,
*Chemin montant
à la colline*, 1949,
Paul Surtel.

Cette architecture militaire parut si redoutable à Vauban qu'il en fera copier les plans pour fortifier les frontières du royaume. Deux des quatre corps de logis sont encore nettement reconnaissables, à l'ouest et au sud. La TOUR DES POUDRES, remaniée au XVIIe siècle, renferme une salle inférieure voûtée dont l'entrée en baïonnette est difficilement accessible. Plus au sud, on peut discerner les vestiges d'importants bastions, avec fossé et contrescarpe.

AUTOUR DE LA CATHÉDRALE

Le cœur de la ville est concentré autour du principal édifice religieux. Pour s'y rendre, passer PLACE DES CORDELIERS, afin d'y admirer la fontaine de 1624, et s'arrêter devant une belle demeure de magistrat, l'HÔTEL DE JONC (XVIIIe siècle), au n° 14 de la rue de la Petite-Fusterie.

NOTRE-DAME-DE-NAZARETH. Dès la fin du IVe siècle et durant neuf siècles, Orange fut le siège d'un évêché. L'actuelle cathédrale, bâtie au XIIe siècle, fut consacrée en 1208 et remaniée à plusieurs reprises. Elle s'ouvre au sud sur la place Clemenceau par un portail du XIIe siècle, modifié au XVIIe siècle par l'adjonction d'une double porte couronnée d'un fronton triangulaire. L'édifice roman se compose d'une nef unique à quatre travées couverte d'une voûte en arc brisé, soulignée par des arcs-doubleaux retombant sur des pilastres entre lesquels s'ouvrent les chapelles. À la fin du XVIIIe siècle, Mgr du Tillet fit restaurer la cathédrale et l'enrichit des stalles du chapitre et du maître-autel. Le décor peint, daté de 1809, est l'œuvre de deux Italiens, Zanetti et Perratoni.

et encadrées par des colonnes corinthiennes demi-engagées. C'est grâce à l'architecte Auguste Caristie, en 1824, que l'arc retrouva son aspect originel, la façade latérale ouest ayant été presque entièrement reconstruite.

Bras reliquaire de saint Eutrope, 1895.

L'ANCIEN HÔTEL DE VILLE (rue Puits-Balanson). On peut

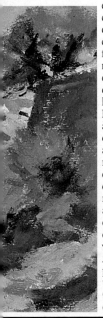

encore aisément discerner ce bâtiment du XIIe siècle, avec ses façades percées de baies géminées aux fines colonnettes couronnées de chapiteaux fleuris et soulignées d'un bandeau moduré. Le conseil communal, créé en 1282, s'y installa dès 1389, afin de disposer d'un lieu fixe où entreposer les archives.

L'ARC DE TRIOMPHE ♥. Il se trouve à l'extérieur des limites antiques de la ville, au nord de l'actuelle agglomération. L'hypothèse la plus récente veut que cet arc ait été érigé dans les années 20-25 de notre ère en l'honneur de Germanicus. Il fut remanié de nombreuses fois, comme au XIIIe siècle, lorsqu'on le transforma en ouvrage de défense. Avant de quitter la cité, parcourir le quartier qui va de la rue Saint-Martin au cours Aristide-Briand et ne pas manquer la pittoresque place aux Herbes, le grand temple protestant, impasse de la Cloche, ou le parc Gasparin, flanqué d'un théâtre du XIXe siècle.

⏱ 5 à 6 jours
🚗 250 km

LE CARTON DE FERDINAND REVOUL
Ce commerçant de Valréas eut l'idée, en réparant un lot de boîtes d'un ami sériciculteur, d'en fabriquer des modèles améliorés. Il étendit sa production aux secteurs de la pharmacie, de la bijouterie et de la confiserie. À sa mort, en 1864, d'autres suivirent son exemple. L'imprimerie se développa parallèlement.

LE CAFÉ DE LA PAIX ♥
(rue de l'Hôtel-de-Ville) Classé monument historique, il a conservé son décor réalisé en 1904-1906.

NOTRE-DAME-DE-NAZARETH
L'église, couverte de dalles de pierre, possède deux clochers : un campanile de plan octogonal et un clocher-arcade dont l'une des baies est murée.

Valréas, Grillon, Richerenches et Visan forment une enclave vauclusienne en terres drômoises. Cette bizarrerie administrative remonte au XIVᵉ siècle ; une bande de terre dauphinoise coupait déjà les possessions papales. Ce n'est qu'en 1791 que leurs habitants purent se prononcer enfaveur d'un rattachement à la France.

VALRÉAS

MUSÉE DU CARTONNAGE ET DE L'IMPRIMERIE ♥ (3 rue du Maréchal-Foch). Au XIXᵉ siècle, Valréas se lança avec succès dans l'industrie du cartonnage. Aménagé dans un ancien local commercial, ce musée retrace l'histoire des procédés de fabrication.

L'HÔTEL DE SIMIANE ♥ (place Aristide-Briand). Cette demeure du XVᵉ siècle prit son aspect actuel au XVIIᵉ siècle sous l'impulsion de Pauline de Grignan, petite-fille de Mᵐᵉ de Sévigné. C'est une construction élégante et sobre dont les trois façades s'ordonnent autour d'une cour d'honneur. On y trouve un grand salon, au plafond peint, orné de fresques, un oratoire et une bibliothèque.

LA TOUR DE L'HORLOGE (à partir de la rue Château-Robert, prendre la ruelle en escalier). Le donjon carré est le seul élément encore visible du château élevé au XIᵉ siècle. Il abrite une horloge depuis la Renaissance.

NOTRE-DAME-DE-NAZARETH (place Pie). L'église primitive fut édifiée au début du XIIᵉ siècle. En 1477, lors de travaux d'agrandissement, des bas-reliefs représentant des animaux et des motifs floraux furent utilisés en réemploi comme claveaux dans l'avant-nef.

LA CHAPELLE DES PÉNITENTS BLANCS (1585). Son charme repose sur un décor de boiseries et un plafond à caissons en bois peint, orné de peintures en trompe l'œil.

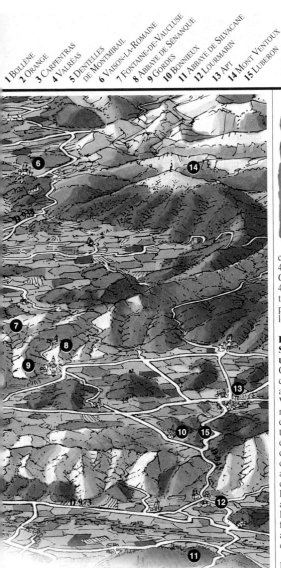

Cette statue d'empereur, découverte à Vaison, fut sans doute commandée en 43 av. J.-C. lorsque Claude, qui régna de 41 à 54 ap. J.-C., traversa la région pour se rendre dans les îles Britanniques.

LE CHANOINE JOSEPH SAUTEL (1880-1955), UN PRÉCURSEUR
Cet ecclésiastique consacra toute sa vie aux antiquités de Vaison. Il débuta ses recherches en 1907 : en quête d'un sujet de thèse de doctorat, il entreprit alors de dégager le théâtre, dont seules deux arcades émergeaient de la colline de Puymin. Un mécène alsacien, Maurice Burrus, l'aida financièrement tout au long de son entreprise.

LA VILLE HAUTE
La cité médiévale fut construite au XIIe siècle sur les hauteurs par le comte de Toulouse, qui, en conflit avec l'évêque, fit raser le bourg établi sur le site antique. À la fin du Moyen Âge, on y éleva des remparts et une cathédrale.

VAISON-LA-ROMAINE ♥

HISTORIQUE. Vers le IIIe siècle av. J.-C. le peuple celte des Vogonces régnait sur un vaste territoire dont Vaison était la capitale. Conquise par Rome au Ier siècle av. J.-C., la ville acquit un statut

Carpentras

Carpentras fut la capitale du Comtat Venaissin, cette enclave papale qui perdura de 1274 à la Révolution. La ville bénéficia tout à la fois de la présence d'un évêché jusqu'en 1801 et de la cour pontificale. Au milieu du XIXᵉ siècle,

L'enceinte du XIXᵉ siècle, démantelée à partir de 1838, état au dire de Prosper Mérimée encore plus impressionnante que les remparts d'Avignon. La porte d'Orange en est le seul vestige.

MGR INGUIMBERT (1683-1757)
Né à Carpentras, cet élève des jésuites parfait ses connaissances à Aix-en-Provence puis à Paris. Après un long séjour en Italie, il est nommé, en 1735, évêque de sa ville natale. Son inlassable charité à l'égard des plus démunis l'amène à construire le vaste hôtel-Dieu. Soucieux de faciliter l'accès de tous à la connaissance, il fonde une étonnante bibliothèque-musée.

la construction d'un canal permit d'irriguer des terres jusqu'ici sans valeur et apporta la prospérité : des conserveries et des confiseries (les fameux fruits confits et berlingots) se créèrent pour transformer les produits des vergers. Aujourd'hui encore les activités sont liées à l'agriculture.

LA PORTE D'ORANGE. Amputée de son ravelin, la porte, seul vestige de l'enceinte du XIVᵉ siècle, est ouverte en tiers-point dans une tour de 25 m de haut du côté de la ville.

LE MUSÉE SOBIRATS (112, rue du Collège). À l'intérieur de l'hôtel Armand de Châteauvieux sont présentés des tapisseries d'Aubusson (XVIIIᵉ siècle) figurant des scènes de chasse et de pêche, des meubles (commodes, sièges, canapés et armoires des XVIIᵉ et XVIIIᵉ siècles) et des faïences (Marseille, Moustiers) qui restituent l'atmosphère d'une noble demeure comtadine à la veille de la Révolution.

LE BEFFROI ♥. Le passage couvert comprend un plafond à caissons et conserve les vestiges de peintures murales du XVIᵉ siècle et les traces de l'incendie de 1723. La porte en anse de panier conduit à l'escalier à vis qui desservait les étages et le beffroi. Le campanile ● *102* fut commandé en 1577.

LA SYNAGOGUE ♥ (place Maurice-Charetier). Lorsque les Juifs furent expulsés de France et de Provence, ils trouvèrent refuge dans les territoires qui relevaient du Saint-Siège : à partir de 1653, seules les villes d'Avignon, de Cavaillon, de Carpentras et de L'Isle-sur-la-Sorgue leur étaient ouvertes. Au XVIᵉ siècle, la communauté juive de Carpentras représentait ainsi près du dixième de la population.
La synagogue est, avec celle de Cavaillon, la seule à être intacte. Les écoles, les salles de

prières et d'assemblée ainsi que les annexes rituelles (bains, boulangerie pour le pain azyme) y étaient regroupées. Comme dans toutes les synagogues comtadines, les salles des hommes et celles des femmes étaient superposées. Si le rez-de-chaussée de la synagogue ne semble pas antérieur au XVe siècle, la façade et le vestibule avec escalier monumental datent de 1890. La salle d'assemblée, la synagogue des femmes, les bains rituels et la boulangerie ouvrent sur une cour intérieure. La salle de prières, au premier étage, fut reconstruite à partir de 1741 ; les galeries aux arcades grillagées étaient réservées aux femmes.

Luminaire de Hanouka conservé dans la synagogue.

L'ARC ANTIQUE (début du Ier siècle ap. J.-C.) ● *80.* Seul vestige de la ville gallo-romaine, on le découvrit enchâssé dans les maçonneries de la cathédrale. Il est orné de bas-reliefs représentant des captifs.

L'ÉVÊCHÉ. Devenu palais de justice au début du XIXe siècle, le palais épiscopal fut construit de 1646 à 1652. Certaines salles ont conservé leur décor d'origine (chambre d'apparat de l'évêque) ou du XVIIIe siècle (grande salle de réception).

LA CATHÉDRALE SAINT-SIFFREIN ♥. De l'esplanade, on peut voir ce qu'il reste de la cathédrale romane du XIIe siècle, écroulée vers 1400. Une cathédrale, gothique, fut reconstruite dès 1404. Le décor de la façade occidentale, composite, fut réalisé par Isnard de 1615 à 1618. La nef à six travées d'ogives, épaulées par des contreforts, se prolonge par un chœur plus étroit et plus bas et une abside à sept pans, remarquable exemple du style gothique méridional. Le décor intérieur est particulièrement soigné : boiseries dorées du chœur, ferronneries du XVIIIe siècle et nombreux tableaux. Orfèvrerie, peintures sur bois et ornements liturgiques composent le trésor. Dans la nef, le balcon du Saint Clou fut édifié pour remercier la Providence d'avoir préservé la ville de la peste en 1721 ● *52.*

LA PORTE JUIVE (à gauche). Les néophytes juifs l'empruntaient avant leur baptême. La boule aux rats (symbole de l'hérésie) se fond dans un décor gothique surmonté par le tympan peint au XVIe siècle avec, au centre, Dieu le Père et le Christ au-dessus desquels plane la colombe du Saint-Esprit.

Ancien clocher de la cathédrale.

LA BIBLIOTHÈQUE INGUIMBERTINE ET LE MUSÉE DUPLESSIS-COMTADIN ♥. La première, avec 250 000 volumes, 5 000 manuscrits, les minutes de la correspondance de Peiresc, ses monnaies, ses dessins et estampes et ses partitions, est l'une des plus importantes de province par la qualité de ses fonds. Le musée abrite les collections de peintures de Mgr Inguimbert, du mobilier et des objets comtadins typiques.

L'HÔTEL-DIEU ♥. Sa longue façade à l'italienne est couronnée d'une balustrade avec six imposants pots à feu. Dans l'aile ouest, l'apothicairie – l'une des plus belles de France – a conservé son mobilier et son décor peint par Duplessis en 1762. Au rez-de-chaussée la galerie, avec sa voûte plate et ses murs couverts de donatifs, mène à la chapelle, dont les marbres incarnats et l'autel de marbre polychrome à baldaquin ont un petit air d'Italie.

FONTAINE- DE-VAUCLUSE ♥

La vallée close, *Vallis Clausa*, a donné son nom au village, puis au département. La petite agglomération doit beaucoup à la source mystérieuse et à la Sorgue : des moulins à papier s'établirent sur le site dès le XVe siècle. Érigée au rang d'industrie, la papeterie assura longtemps la prospérité de l'agglomération.

L'ÉGLISE SAINT-VÉRAN ♥ (av. Robert-Garcin). Elle fut bâtie au XIe siècle à l'emplacement d'un antique sanctuaire des eaux et d'un édifice carolingien abritant le tombeau de saint Véran qui, selon la légende, délogea le dragon de la source. Certains vestiges, tels les fragments d'un cancel du VIIIe siècle, un autel taillé au VIe siècle dans une dalle funéraire du Ier siècle ainsi qu'un sarcophage du VIe siècle encore sont visibles. L'église fut remaniée dès le XIIe siècle puis aux cours des siècles suivants. Le retable de la descente de croix fut offert en 1654 par la confrérie des Papetiers. Sur la place, au débouché du pont, la colonne fut érigée en 1803 en l'honneur de François Pétrarque.

LE MUSÉE-BIBLIOTHÈQUE FRANÇOIS-PÉTRARQUE ♥ (rive gauche). Fondé en 1927, il comprend des dessins et estampes sur Pétrarque, Laure, Avignon et la fontaine de Vaucluse ainsi qu'un fonds d'éditions anciennes des œuvres de Pétrarque. Une collection d'art moderne perpétue les liens sentimentaux de célèbres artistes avec le site autour des écrits de René Char.

LE MUSÉE «APPEL DE LA LIBERTÉ» ♥ (rive gauche). Il évoque la Résistance en Vaucluse, de 1939 à 1945, grâce à une belle collection d'affiches et d'objets (éditions clandestines, revues militantes...) très bien mise en scène.

LE MONDE SOUTERRAIN DE NORBERT CASTERET ♥ (chemin du Gouffre). Le musée porte le nom de l'un des précurseurs de la spéléologie moderne. Il comprend une présentation des équipements, la reconstitution de différents sites et une étonnante collection de cristallisations.

LE CENTRE ARTISANAL DE VALLIS CLAUSA (chemin de la Fontaine). Le moulin Vallis Clausa ♥ fabrique et vend du papier confectionné selon les méthodes en vigueur au XVIe siècle et propose une spécialité : le papier à inclusion de fleurs. Toutes les étapes de fabrication sont commentées.

LA FONTAINE ♥. Si les premières explorations du gouffre ont débuté en 1878, le point le plus bas n'a été atteint qu'en 1985 ; la source jaillit à la base d'un imposant système calcaire karstifié.

GORDES

Juché au bord du plateau du Vaucluse, le village occupa un site fortifié dès le néolithique. Au XIIIe siècle, Gordes, refusant son rattachement au royaume de France, se plaça sous le drapeau de Béatrix de Savoie. Aux XVIIe et

---

UNE SOURCE SPECTACULAIRE
Son débit, qui en fait la première source d'Europe, semble rassembler les pluies sur plus de 1 000 km². L'eau surgit par une fissure verticale d'environ 308 m creusée dans le calcaire.

PÉTRARQUE (1304-1374)
Issu d'une vieille famille toscane chassée de Florence en 1302, il fait ses études en Provence où il séjourne jusqu'en 1351 et embrasse l'état ecclésiastique. Conquis par le site sauvage de la fontaine, il y avait acquis une demeure où il se retira souvent entre 1337 et 1352. Sa maison, à l'emplacement du musée Pétrarque, fut dévastée par des pillards en 1353.

Rouge-gorge

Fauvette
à tête noire

Castor
d'Europe

XVIIIᵉ siècles, le village se fit une
réputation dans le tissage et le cardage
de la laine, la cordonnerie, ainsi que dans
la tannerie destinée à la fabrication des
chaussures. Les moulins de la Véroncle et
l'extraction de la pierre locale, aux
propriétés réfractaires, constituaient
également des activités importantes.
Au XIXᵉ siècle, le déclin s'amorce, aggravé
par un tremblement de terre qui, en 1886,
fait disparaître une partie du village.

LE CHÂTEAU ♥. Le vieux château,
construit aux XIIᵉ et XIIIᵉ siècles, flanqué
de deux tours rondes au nord et
d'échauguettes au sud, occupe le cœur de
l'agglomération. Au XVIᵉ siècle,
le seigneur de Gordes-Simiane le
transforma en un édifice Renaissance,
comme en témoignent la grande salle
avec son plafond à la française et sa superbe cheminée,
ainsi que l'escalier à la stéréotomie savante. En 1996,
un musée consacré à l'artiste flamand contemporain Pol
Mara a remplacé l'exposition consacrée au peintre Vasarely.
L'AUMÔNERIE SAINT-JACQUES ♥. Située rue Porte-de-Savoie,
c'est une des anciennes hostelleries qui jalonnaient le chemin
de Turin à Compostelle. Récemment restauré et utilisé
comme lieu d'exposition, ce bel édifice est doté d'une salle
à travées voûtées d'arêtes reposant sur des piliers d'angle.
Des colonnes, alternativement de calcaire et de grès vert,
surmontées de chapiteaux à décor floral, se succèdent.
LA MAISON LHOTE. Séduit par le site, le peintre et critique
d'art André Lhote vécut à Gordes entre 1939 et 1948. Il invita
ses élèves à y travailler l'été et y fit également venir Chagall.
LE VILLAGE DE BORIES ♥. Cette agglomération d'habitations
permanentes en pierre sèche ● *88,* édifiées entre le XIVᵉ
et le XIXᵉ siècle à l'écart du village, est tout à fait exceptionnelle.
On suppose qu'elle était habitée par la fraction la plus
démunie de la population. Pierre Viala,
acteur du TNP, entreprit de restaurer
ruelles, enclos, porcheries et cuves à vins.

**POINT DE VUE
À FONTAINE-
DE-VAUCLUSE**
La montée, par un
petit sentier, au
château des évêques
de Cavaillon,
reconstruit au
XIIIᵉ siècle, permet
d'avoir une vue
plongeante sur le site
de la fontaine.

**LA SORGUE, UN
SANCTUAIRE NATUREL**
La végétation des
bords de la Sorgue
abrite de très
nombreux oiseaux
dont les espèces les
plus courantes sont le
rouge-gorge et la
fauvette à tête noire.
Mais, surtout,
les zones les plus
sauvages de la rivière
sont fréquentées par
des castors d'Europe.

Le village de Gordes.

Le village de bories, situé à l'écart de Gordes.

Buste reliquaire de saint Crépin, patron des cordonniers (église de Gordes).

LE CLOÎTRE
Tous les moments de la vie monacale convergent vers ce lieu de recueillement. La décoration des chapiteaux, très simple, respecte l'harmonie générale. Au sud du cloître se trouvait le bâtiment des convers, brûlé par les vaudois en 1544. Reconstruit au XVIIIᵉ siècle, il fut transformé en demeure abbatiale et maison d'hôtes.

L'ABBAYE DE SÉNANQUE ♥

UNE ABBAYE CISTERCIENNE. Elle est, avec Silvacane ▲ *196* et Le Thoronet ▲ *225*, l'une des trois «sœurs cisterciennes de Provence». Sa fondation s'inscrit dans l'esprit réformateur de Cîteaux ; elle se distingue par un retour plus austère à la règle de saint Benoît, selon le souhait formulé par saint Bernard dès 1130.

Douze moines entreprirent sa construction en 1148, utilisant les pierres du voisinage et cultivant les terres de ce vallon offert par les seigneurs de Gordes. Après un long déclin, l'abbaye fut réaménagée vers 1600 par l'abbé commendataire qui fit construire l'aile méridionale. Vendue comme bien national à la Révolution, Sénanque connut une certaine résurrection au milieu du XIXᵉ siècle, jusqu'à ce que la loi de séparation de l'Église et de l'État chasse les cisterciens. Depuis 1988, des membres de la communauté de Lérins (Alpes-Maritimes) ont réintégré l'abbaye.

L'AILE DES MOINES. La voûte DU DORTOIR DES MOINES, en berceau brisé, prolonge celle du transept de l'église. Le bâtiment est éclairé par douze fenêtres en plein cintre. Les moines, exclusivement tournés vers le spirituel, vivaient à l'écart des convers, d'origine modeste, affectés aux tâches matérielles. Le CHAUFFOIR a conservé une de ses deux cheminées d'origine. Il est couvert de voûtes d'arêtes qui retombent sur une colonne centrale. Salle de lecture en hiver, il abritait aussi le travail des copistes. La SALLE CAPITULAIRE, où se réunissait le chapitre, est surmontée de voûtes sur croisées d'ogives soutenues par deux piliers. Les chapiteaux, ornés de feuilles d'eau, constituent l'un des rares éléments décoratifs.

L'ABBATIALE. Son architecture correspond à une église réservée aux seuls moines, sans les aménagements prévus pour les fidèles. Ainsi la façade sud ne comporte pas de porche central. La nef, bordée de collatéraux, est voûtée en berceau brisé. À la croisée du transept, une coupole octogonale sur trompes, forme inusitée dans l'expression de Cîteaux, supporte le clocher ; les bras du transept desservent chacun deux absidioles. Le chœur est terminé par une abside semi-circulaire voûtée en cul-de-four, contrairement à la plupart des églises cisterciennes, qui ont un chevet plat. L'éclairage du chœur est assuré par un triplet de baies en plein cintre.

Cette inscription figure dans la crypte de la cathédrale Sainte-Anne. Il s'agit d'une marque d'un maître tailleur de pierres de la région exerçant au XIIe siècle.

APT

HISTOIRE. *Apta Julia*, fondée à la fin du Ier siècle av. J.-C., était le passage obligé de la voie Domitienne ▲ *237* reliant la vallée du Rhône à l'Italie. Les bâtiments antiques encore visibles sont cependant rares : quelques gradins du théâtre ont été mis au jour dans les sous-sols du musée. Dévastée pendant les invasions, la cité reprend vie au XIe siècle ; elle est administrée conjointement par le comte de Provence et l'évêque. Carrefour d'échanges agricoles entre la haute Provence et la vallée du Rhône, mais également important centre faïencier et industriel (confiseries, traitement de l'ocre), Apt connaît à l'époque moderne une prospérité qui transparaît dans les façades des demeures aristocratiques ainsi que dans celle du palais épiscopal, édifié au milieu du XVIIIe siècle.

L'ANCIEN HÔPITAL DE LA CHARITÉ. Construit entre 1690 et 1713, l'édifice comporte une façade principale couronnée par un fronton au-dessus duquel s'élève la statue du bienfaiteur des hospices. Dans l'aile ouest de l'hôpital fut érigée, vers 1700, une chapelle baroque ; elle a conservé son autel majeur en bois doré et un somptueux retable à quatre pilastres corinthiens et fronton curviligne.

PLACE DE LA BOUQUERIE. C'est toujours l'endroit le plus animé de la ville ; le marché s'y tient tous les samedis et de nombreux cafés ont succédé aux anciennes auberges. On peut encore y voir une tour de guet appartenant à l'enceinte du XIIIe siècle, surmontée d'une horloge et d'un campanile du XVIe siècle.

L'ANCIEN ÉVÊCHÉ ♥.
Mentionné comme l'un des tout premiers de la Provence paléochrétienne, il fut dirigé par des prélats prestigieux comme saint Étienne. Le bâtiment, un palais de style classique élevé en 1754, abrite depuis la Révolution la sous-préfecture, la mairie et le tribunal.

LA RUE DES MARCHANDS. Elle suit approximativement le tracé du *decumanus maximus* romain et permet la traversée directe de la cité. Le passage aménagé sous la voûte de la TOUR DE L'HORLOGE, construite entre 1561 et 1568, servit d'axe de communication entre l'ouest et l'est de la ville. Le sommet de la tour est couronné d'un campanile enfermant une cloche à l'image du Christ et de saint Pierre.

LA CATHÉDRALE SAINTE-ANNE ♥.
Une église primitive, construite sur les ruines d'un édifice gallo-romain, occupait déjà l'emplacement de l'actuelle cathédrale dès le IXe siècle. Entièrement

CAPITALE MONDIALE DES FRUITS CONFITS

OCRE ET FAÏENCE
Ces deux industries prirent leur essor à la fin du XVIIIe siècle. En pleine Révolution, un Roussillonnais découvre la qualité de l'ocre du bassin d'Apt et le commercialise sous forme de poudre. Aujourd'hui encore, malgré la concurrence de

pigments de synthèse, la région demeure l'un des premiers fournisseurs mondiaux de sables colorés par des oxydes de fer. La faïence, aux tons orangés ou jaspés, qui connut une grande vogue au XIXe siècle, fut inventée en 1730 par un Aptésien installé au Castellet.

Apt (Vaucluse) Fabrique de Fruits Confits La Fabrication

**LES CRYPTES
DE LA CATHÉDRALE**
La crypte romane supérieure (ci-dessus) est une véritable église en miniature : elle comporte une abside voûtée en cul-de-four, entourée d'un déambulatoire, une petite travée en avant du chœur et une courte nef de deux travées.
La crypte inférieure, partie la plus ancienne de l'édifice, renferme des dalles carolingiennes et un cippe funéraire consacré à la mémoire de C. Allius Celer, prêtre antique.

**L'HARMONIE DES
TOITS DE BONNIEUX**
Le village doit sa richesse architecturale à son rattachement pendant plus de cinq siècles au Comtat.

détruite, une église romane, en forme de croix latine, la remplaça au XIIe siècle. La crypte supérieure, la croisée et le bras sud du transept, ainsi que l'absidiole méridionale, en sont les seuls vestiges. Le sanctuaire fut en effet agrandi au XIIIe puis au XVIIIe siècle dans un style gothique dont les réalisations les plus notables sont une nef revoûtée au moyen de croisées de voûtes et un chœur polygonal à cinq pans. On admirera le mobilier. Citons, entre autres, six tableaux de Christophe et Pierre Delpech, élèves du peintre avignonnais Parrocel dont une toile, *La Descente du Saint-Esprit*, orne une chapelle latérale du collatéral sud ; le vitrail de 1501 du chœur représentant l'arbre de Jessé ; un superbe sarcophage paléochrétien en marbre des Pyrénées dans la chapelle Saint-Jean-Baptiste et enfin le trésor, constitué de vêtements sacerdotaux et de manuscrits du XVIe siècle à lettrines enluminées et dont la pièce maîtresse est le voile de sainte Anne, une pièce de lin copte tissée à Damiette au XIe siècle.

LE MUSÉE D'ARCHÉOLOGIE ET D'HISTOIRE ♥ (27, rue de l'Amphithéâtre). Installé dans l'ancienne maison curiale (1778), il renferme des collections d'archéologie, d'art sacré et d'art décoratif (production des maîtres faïenciers Moulin, Bernard, Sagy, Esbérard, Delacroix).

LA MAISON DU PARC (60, place Jean-Jaurès). L'ancien hôtel Trouchoc de La Sablière (XVIIIe siècle) est devenu, en 1977, le siège du parc naturel régional du Luberon et abrite une exposition permanente : «Genèse d'un territoire remarquable».

LA PORTE DE SAIGNON. C'est l'une des entrées médiévales d'Apt ; elle a été modifiée et élargie au XVIIIe siècle et surmontée d'une horloge et d'un clocheton à campanile ● *102*.

BONNIEUX

LE CASTELLAS ♥. Le village actuel se love au pied de l'éperon sur lequel était situé le castrum. On y accède par le portail du Castellas (ou des Chèvres), du XIIe siècle, face à l'entrée principale du château. Une pinède dissimule les vestiges de l'ancien fort.

L'ÉGLISE VIEILLE ♥. De l'édifice du XIIe siècle ne subsistent que les trois travées de la partie occidentale de la nef et la partie nord du transept. La nef fut agrandie et le chœur refait au XVIe siècle

PLACE ET FONTAINE SAINT-PIERRE, À APT C'est à cet endroit que se trouvait autrefois le château fort des comtes d'Apt, leur résidence principale. Plusieurs familles de la noblesse et de la haute bourgeoisie y avaient également construit sous l'Ancien Régime des hôtels particuliers. Aujourd'hui, la fontaine Saint-Pierre (XIX⁰ siècle) en occupe le centre.

dans un style gothique. On peut admirer dans ce dernier un triptyque de la *Transfiguration*, une œuvre anonyme du XIV⁰ siècle. Le portail primitif, au sud, est surmonté d'un plein-cintre à décoration florale et de l'aigle de saint Jean.

LE VILLAGE. La mairie est installée depuis 1859 dans l'ancien HÔTEL DE ROUVIL, qui conserve son portail à métopes et triglyphes du XVII⁰ siècle. Le campanile provient de la tour de l'Horloge, à présent disparue. La petite place s'étendant devant le portail est bordée de maisons des XVI⁰ et XVII⁰ siècles aux portes surbaissées à bossages.

LE MUSÉE DE LA BOULANGERIE. Installé dans un bâtiment du XVII⁰ siècle, utilisé comme boulangerie au XIX⁰ siècle, il est consacré à l'histoire du pain et à la culture du blé.

L'ÉGLISE NEUVE (1870). Sa voûte en berceau couvre une nef à deux travées. Elle abrite quatre panneaux de bois peint du début du XVI⁰ siècle représentant des épisodes de la Passion.

«ROBERT-LAURENT VIBERT», Cet industriel lyonnais sauva *in extremis* le château de la démolition en 1920. Une fondation pour artistes y fut créée après sa mort.

Ci-dessous, *Rue de Lourmarin*, 1866, par Paul Guigou (1834-1871).

LOURMARIN

HISTOIRE. Importante étape commerciale dès le XI⁰ siècle, l'agglomération s'est développée autour de deux collines : la Colette, sur laquelle se dresse le château, et la Colinette, où s'étend le village. À la suite de pillages et d'épidémies de peste au XIV⁰ siècle, le village fut déserté par ses habitants jusque vers 1470, lorsque Fouquet d'Agoult, seigneur du lieu, fit venir quelques familles vaudoises afin de repeupler et d'exploiter ses terres. La communauté vaudoise, puis protestante, malgré les persécutions liées aux guerres de Religion, devint l'une des plus importantes de la région. La petite cité prospéra grâce à l'agriculture et, plus tard, au commerce de la soie produite et transformée sur place. Depuis le milieu du XIX⁰ siècle, la vigne et les fruits et légumes constituent l'essentiel des ressources économiques de Lourmarin.

LE CHÂTEAU. L'édifice s'articule en deux corps de bâtiment étroitement imbriqués : château Vieux et château Neuf.

UNE ARCHITECTURE RENAISSANCE L'escalier à vis, pièce maîtresse du château de Lourmarin,

relie deux logis entre eux, dans une tour carrée joignant le château Neuf au château Vieux.

▲ MARSEILLE, VERS NOTRE-DAME-DE-LA-GARDE

🕐 2 à 3 jours

LE VIEUX-MARSEILLE
La ville du XVIIᵉ siècle occupait à peu près le même territoire que la cité phocéenne.

UN GRAND PORT COSMOPOLITE
Au XVIIIᵉ siècle, l'activité maritime de Marseille s'étend largement au-delà de la Méditerranée, vers les Antilles et les mers du Sud.

HISTOIRE

Marseille aurait été fondée en 600 av. J.-C. par des Grecs venus de Phocée, en Asie Mineure. En 49 av. J.-C., vaincue par les troupes de César, la ville voit son hégémonie brisée pour plusieurs siècles. Au IIIᵉ siècle, le christianisme s'organise autour de la future abbaye Saint-Victor. Dévastée par les Francs, les Sarrasins, puis les Aragonais, la ville bénéficie enfin, au XVᵉ siècle, de la renaissance des courants commerciaux en Méditerranée. Ville ligueuse, Marseille s'oppose à Henri IV puis provoque la colère de Louis XIV par ses velléités d'indépendance. Un quasi-monopole du commerce avec le Levant accordé par Colbert stimule alors le grand négoce, frappé de plein fouet par la peste de 1720 ● 52. La Révolution se traduit à Marseille par des oppositions violentes : son fédéralisme en 1793 lui vaut d'être durement réprimée et débaptisée en «Ville sans nom». La conquête de l'Algérie (1830) puis l'ouverture du canal de Suez (1869) donnent un élan décisif au commerce ; l'arrivée du chemin de fer et celle des eaux de la Durance favorisent les installations industrielles. Après guerre, la ville fait face à la lente disparition des industries anciennes et à l'arrivée massive d'immigrés et de rapatriés.

«JE SUIS RAVIE DE LA BEAUTÉ SINGULIÈRE
DE CETTE VILLE »

MME DE SÉVIGNÉ

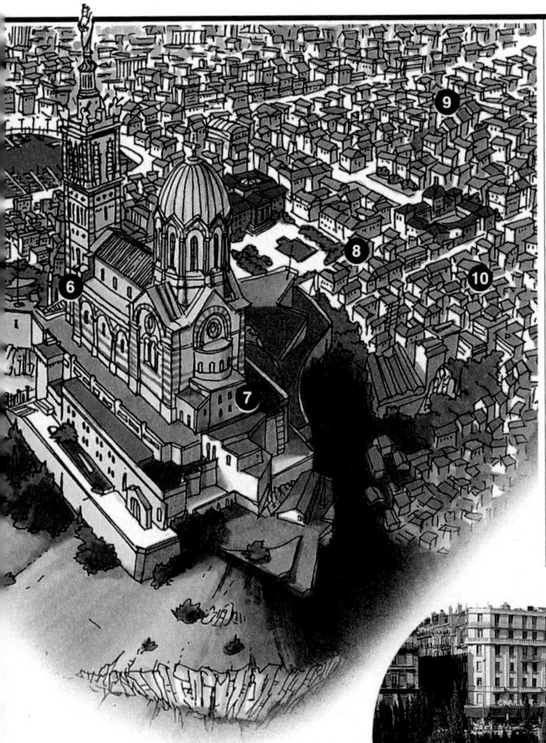

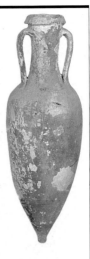

LE JARDIN DES VESTIGES

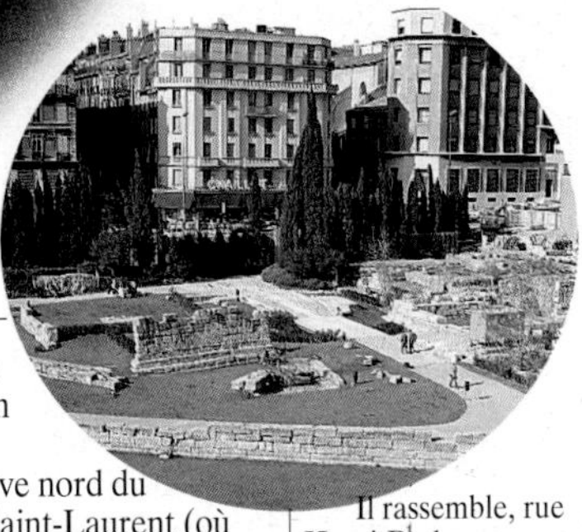

LE VIEUX MARSEILLE

DES LIMITES ÉTROITES. La ville ancienne a occupé les mêmes 60 ha depuis sa fondation jusqu'à la destruction des remparts par Louis XIV, en 1660 ; centrée autour de la rive nord du Vieux-Port, elle s'étageait entre les buttes Saint-Laurent (où s'élève aujourd'hui l'église du même nom), des Moulins et des Carmes. Elle s'était développée à l'ouest vers l'actuel fort Saint-Jean, au nord jusqu'à ce qui est aujourd'hui le boulevard des Dames ; quant à la frontière orientale de la ville, elle suivait le rivage rocheux. Le Vieux-Port matérialisait la limite sud : l'actuel quai de Rive-Neuve était dévolu au monde des morts. Cette superficie a donc vu se succéder plus de vingt-cinq siècles d'occupation. Sacs, incendies et reconstructions n'y ont cependant laissé que peu de traces monumentales, d'autant qu'en 1943 les bombardements allemands démolirent le quartier du Vieux-Port ; seuls quelques édifices, autour de l'hôtel de ville, furent épargnés.

LES MUSÉES. Un MUSÉE D'HISTOIRE, ouvert en 1983 dans le Centre-Bourse, retrace l'histoire antique de Marseille.Un navire du IIe siècle, découvert en 1974 dans le port romain et très bien conservé, y est exposé ainsi qu'une grande maquette de la ville grecque. Derrière l'hôtel de ville, le MUSÉE DES DOCKS (place Vivaux) ♥, inauguré en 1963 et rénové en 1985, présente *in situ* les découvertes archéologiques de docks romains du Ier siècle ap. J.-C., et une série d'amphores (ci-dessus). Ce type d'entrepôts destinés à conserver les denrées débarquées des bateaux devaient se trouver tout au long du rivage.

Il rassemble, rue Henri-Barbusse, les vestiges archéologiques qui furent mis au jour en 1967, lors de la construction du Centre-Bourse. On peut y découvrir la corne du port antique (2 000 m^2) creusé dans un marécage – l'état visible est celui du Ier siècle ap. J.-C. – et utilisé jusqu'au IIIe siècle, époque à laquelle il s'envasa. Les autres vestiges sont ceux d'un bassin d'eau douce et ce qui reste de la fortification orientale de la ville grecque, ainsi que de ses abords extérieurs (voies, nécropoles) d'époques grecque et romaine.

LE VIEUX-PORT
C'était autrefois
le cœur économique
de la ville : il en est
aujourd'hui le centre
le plus vivant et
résume à lui seul le
charme de Marseille.
Jusqu'au XIXe siècle,
toute l'activité
maritime s'y
concentrait ; les
pêcheurs, groupés
autour du quartier
Saint-Jean, en
partaient chaque
matin, gagnant en
barque les calanques
de Sormiou ou de
Niolon.

La silhouette
découpée de la
nouvelle Major.

L'HÔTEL DE VILLE (à droite). Un des premiers édifices baroques construits à Marseille, l'hôtel de ville, réalisé sur les plans des architectes officiels de la ville de 1665 à 1674, Gaspard Puget et Mathieu Portal, se divisait en un rez-de-chaussée réservé aux marchands, et un premier étage dévolu aux élus. L'arrière du bâtiment fut agrandi à la fin du XVIIIe siècle par l'architecte Brun.

LA MAISON DIAMANTÉE ♥. Situé derrière l'hôtel de ville, cet édifice doit son nom aux bossages, taillés en pointe de diamant, qui ornent sa façade. Elle fut construite à partir de 1570 pour un marchand d'origine espagnole. La magnifique décoration intérieure, dont l'escalier, avec ses décors rampants, d'inspiration antiquisante, est un des rares exemples marseillais de maniérisme. Elle abrite aujourd'hui le MUSÉE DU VIEUX-MARSEILLE (mobilier, costumes, crèches et santons).

LE VIEUX-PORT. Autrefois cœur économique de la ville, il vit aujourd'hui au rythme de la plaisance. Accusé d'être le repaire des résistants et des Juifs, tout le quartier fut évacué et détruit par les Allemands en janvier-février 1943. Après-guerre, on confia la reconstruction du QUAI DU PORT à Fernand Pouillon qui opta pour un style néo-provençal. Avant d'atteindre le fort Saint-Jean, le promeneur passe devant la CONSIGNE SANITAIRE ♥, ancien dock flottant édifié en dur en 1716 afin de contrôler l'état sanitaire des bateaux venus d'Orient, souvent porteurs de la peste.

LE FORT SAINT-JEAN ♥. Cet ensemble fortifié occuppe le promontoire rocheux qui domine le goulot du Vieux-Port. Les hospitaliers s'y étaient installés à la fin du XIIe siècle (des vestiges de leur église sont encore visibles dans la cour du fort) ; l'ensemble fut ensuite doté au XVe siècle de la tour du Roi-René et, en 1644, de la tour du Fanal. Mais en 1666 Louis XIV, désireux d'implanter des fortifications dominant le port, délogea les religieux et fit aménager une nouvelle citadelle, face au fort Saint-Nicolas. Huit ans plus tard, Vauban sépara l'ouvrage de la ville par un fossé (comblé en 1938).

LES MAJOR ♥. L'ANCIENNE MAJOR (port de la Joliette), l'un des plus beaux édifices romans de Provence, fut construite à partir de 381. Elle faisait partie d'un complexe religieux qui comprenait l'un des plus grands baptistères du monde chrétien. À l'intérieur de cette cathédrale d'un style très épuré, maintes fois remaniée, on remarquera un bas-relief de faïence représentant la Descente de Croix, attribué aux frères Della Robbia (fin du XVe siècle). LA NOUVELLE MAJOR, la plus vaste cathédrale française bâtie depuis le Moyen Âge, fut construite de 1852 à 1893, dans le style byzantin.

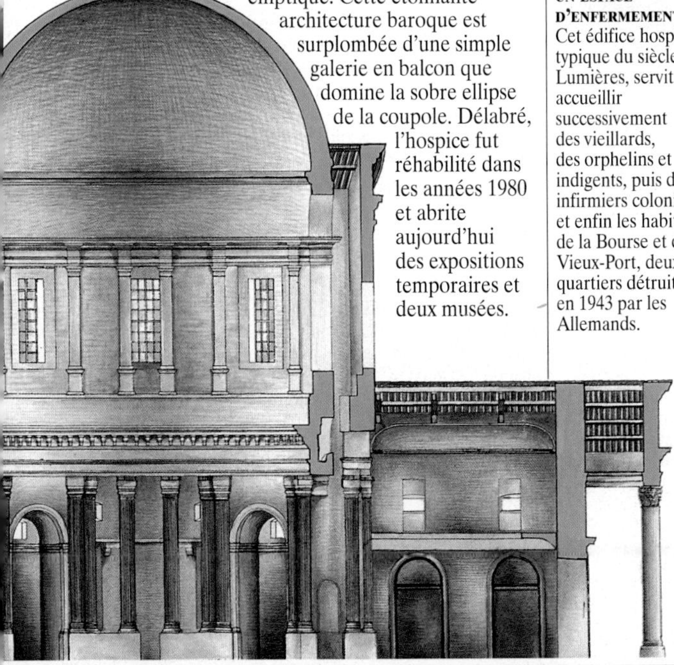

L'HÔTEL DAVIEL
(ci-dessous) Ancien palais de justice établi en ce lieu depuis le XIVe siècle, il sert aujourd'hui d'annexe à l'hôtel de ville. Le bâtiment actuel fut construit en 1743 par les frères Gérard ; la sculpture est due au Marseillais Jean-Michel Verdiguier. L'ordonnancement de la façade de ce très bel édifice n'est pas sans rappeler celui de l'hôtel de ville (ci-contre). La ferronnerie est caractéristique de l'art marseillais dit «à la marguerite».

LE PANIER ♥. Ce quartier populaire, juché sur la butte des Moulins, est le seul à avoir conserver un tissu médiéval : rues étroites et sinueuses tout en pente, maisons perchées sur plusieurs étages, etc. Le meilleur moyen de la découvrir est de se perdre dans les ruelles qui s'étagent depuis la MONTÉE DES ACCOULES ♥. On découvrira en passant, sur la PLACE DES MOULINS, deux tours enclavées dans les maisons, derniers vestiges archéologiques des quinze moulins à vent de la ville qui donnèrent leur nom à la butte.

LA VIEILLE CHARITÉ ♥. Cet ensemble est le seul édifice public réalisé par l'architecte Pierre Puget à Marseille ; il était destiné à accueillir les pauvres et les sans-logis. Commencé en 1671, le bâtiment, construit en calcaire rose, s'organise en un quadrilatère de trois étages s'ouvrant sur des galeries intérieures, entourant une étonnante chapelle à plan elliptique. Cette étonnante architecture baroque est surplombée d'une simple galerie en balcon que domine la sobre ellipse de la coupole. Délabré, l'hospice fut réhabilité dans les années 1980 et abrite aujourd'hui des expositions temporaires et deux musées.

UN ESPACE D'ENFERMEMENT
Cet édifice hospitalier, typique du siècle des Lumières, servit à accueillir successivement des vieillards, des orphelins et des indigents, puis des infirmiers coloniaux et enfin les habitants de la Bourse et du Vieux-Port, deux quartiers détruits en 1943 par les Allemands.

La Canebière, tracée sans doute au XVIᵉ siècle, doit son nom à son emplacement, occupé par des cordiers et des marchands de chanvre (en provençal *canebiero* : espace voué au chanvre).

LES GALÈRES DU ROI
L'arsenal fut creusé en 1488 mais ne prit de l'ampleur qu'en 1666, lorsque Nicolas Arnoul le fit rénover. Les arsenaux, véritable ville dans la ville, occupaient une superficie de 10 ha et abritèrent jusqu'à vingt mille personnes : la chiourme (Turcs, droits-communs et huguenots), mais également l'équipage libre et les officiers.

CRYPTES DE SAINT-VICTOR ♥
Les cryptes du XIIIᵉ siècle, englobant des ruines de l'édifice du Vᵉ siècle, forment une véritable église souterraine. Une succession de chapelles et de cavités, habillées de sculptures médiévales et baroques, aligne sarcophages païens et chrétiens (IVᵉ siècle) et pierres tombales des XIᵉ et XIIᵉ siècles. Au milieu trône une Vierge noire du XIIIᵉ siècle, qu'on remonte en procession pour la Chandeleur ● 68.

LE MUSÉE D'ARCHÉOLOGIE ♥ possède la deuxième collection égyptienne en France, après celle du musée du Louvre. L'exposition des vestiges du site de Roquepertuse (IIIᵉ siècle av. J.-C.), ensemble de pièces sculptées et peintes, unique en Gaule du Sud, constitue l'autre point fort du musée. Le département des antiquités classiques, enfin, comporte quelques très belles pièces chypriotes et étrusques.

LE MUSÉE DES ARTS AFRICAINS ET OCÉANIENS ♥, ouvert depuis 1992, a bénéficié de diverses donations : celle de la collection d'art d'Afrique de l'Ouest de Pierre Guerre et celle du professeur Henri Gastaut, centrée sur le thème du crâne, qu'est venue compléter l'acquisition des pièces des anciens musées coloniaux de la ville et d'objets rituels de Vanuhatu.

LA RIVE SUD

Le moyen le plus pittoresque de gagner cette rive est de monter à bord du ferry-boat qui traverse le port en moins de cinq minutes. Le quartier, récemment réhabilité, comprend nombre de restaurants, cafés, galeries et ateliers d'artistes. Le COURS ESTIENNE-D'ORVES, avec la création du complexe des Arsenaux (librairie, salon de thé, maison d'édition Jeanne Laffitte) est devenu l'un des pôles culturels de la cité.

LES ANCIENS ARSENAUX. Le quartier qui grimpe du quai de Rive-Neuve jusqu'aux premières pentes de la colline de la Garde fut urbanisé sous Louis XIV : après avoir fait édifier la citadelle Saint-Nicolas, le roi ordonna la modernisation de l'arsenal des galères et fit enclore les faubourgs méridionaux. En 1748, après le départ des galériens pour Toulon ▲ 270, l'arsenal fut désaffecté et finalement démoli dans les années 1780 (un seul pavillon, au 23, cours Estienne-d'Orves, échappa à la destruction). En 1784, le terrain quadrillé de vastes entrepôts articulés autour de cours fermées, conçus par l'architecte marseillais Joseph-Henri Sigaud. La rigueur des façades à bossages fait de cet ensemble un très bel exemple de l'architecture néo-classique marseillaise.

LA BASILIQUE SAINT-VICTOR. C'est l'un des principaux monuments de la ville tant pour l'histoire dont il est chargé que pour la beauté des vestiges qu'il recèle. Le site abrita d'abord une carrière, aménagée en nécropole vers le IIIᵉ siècle. Un premier monastère, dont subsistent des vestiges dans la crypte dédiée au martyr chrétien Victor, fut fondé au Vᵉ siècle par Jean Cassien. L'abbaye était alors l'un des centres religieux les plus célèbres de la Gaule. Au Xᵉ siècle, elle passa sous la règle bénédictine et connut au XIᵉ siècle, avec l'abbé Isarn, un véritable âge d'or. L'abbatiale fut très remaniée au XIIIᵉ siècle, puis au XIVᵉ siècle (chœur et fortifications).

EX-VOTO DE NOTRE-DAME ● 72
Sa collection est l'une
des plus importantes
des Bouches-du-Rhône avec celle
du musée de Martigues
et de l'église de
Saintes-Maries-de-la-Mer ▲ 169.

Au XVIIᵉ siècle, on fit percer les fenêtres hautes de
la nef et détruire le mur d'enceinte ; les bâtiments
conventuels furent rasés sous la Révolution.
L'intérieur abrite une Vierge de Michel
Serre et une table d'autel du Vᵉ siècle.
NOTRE-DAME-DE-LA-GARDE. La colline
de la Garde était un ancien poste de vigie
maritime, sur lequel fut élevée au début du
XIIIᵉ siècle une chapelle qui, devenue
prieuré des moines de Saint-Victor, fut reconstruite au
XVᵉ siècle. Cent ans plus tard, face à la menace d'une invasion
des armées de Charles Quint, le site fut fortifié. En 1852,
le ministère de la Guerre autorisa la construction d'une
basilique, sans déclasser pour autant le fortin. Le projet retenu
fut celui de Léon Vaudoyer, d'inspiration romano-byzantine.
La réalisation en fut confiée à Henri Espérandieu et les travaux
durèrent de 1853 à 1899. La Vierge dorée qui couronne l'édifice
fut exécutée dans les ateliers du célèbre Christofle.

LA BONNE MÈRE
La haute tour,
le pont-levis et
le bastion de l'ancien
fort, souvenirs
de l'architecture
défensive de la
basilique, contrastent
avec l'élégance
générale de ses
volumes, que souligne
la polychromie des
motifs. La richesse
des matériaux

AUTOUR DE LA CANEBIÈRE ♥

Cette grande artère légendaire doit son
nom à la présence jusqu'au XVIᵉ siècle
de marchands de chanvre (*canabe* en
provençal). Si elle a quelque peu perdu
de sa superbe, elle reste un lieu symbolique
qu'empruntent cortèges officiels et
manifestations. Il faut la parcourir à
l'approche de Noël, lorsque les
illuminations lui redonnent vie et que
la Foire aux santons ● 70, sur les allées
Gambetta, attire les curieux.
Les immeubles majestueux qui la bordent
soulignent la volonté des édiles du Second Empire de
dessiner un ensemble architectural cohérent, fait de maisons
en pierre de taille conformes à un modèle souvent imposé.
LA BOURSE. L'édifice (1860) représente, dans son classicisme,
un modèle du genre. Il abrite aujourd'hui le MUSÉE DE LA
MARINE qui possède une très belle collections d'affiches.

LE MUSÉE CANTINI (19, rue Grignan) ♥.
Il a pour cadre l'ancien hôtel de la
compagnie du Cap-Nègre (1694)
et offre un riche panorama de la
peinture du XXᵉ siècle :
Matisse, Derain, Dufy,
Kisling, Miró, Picabia,
Ernst, Kandinsky,
Giacometti,
ou encore
Balthus.

employés (marbre,
lapis-lazuli),
le raffinement des
décors de mosaïque
dus à Henri Révoil,
ont créé un
sanctuaire précieux
dédié
au culte
marial.

▲ MARSEILLE, LE QUARTIER SAINT-CHARLES

1 PORT DE LA JOLIETTE   **2** NOTRE-DAME-DE-LA-MAJOR   **3** HÔTEL-DIEU   **4** HÔTEL DE VILLE   **5** VIEUX-PORT   **6** PORTE D'AIX   **7** CANEBIÈRE   **8** GARE SAINT-CHARLES   **9** ÉGLISE DES RÉFORMÉS   **10** PALAIS LONGCHAMP   **11** ANCIEN JARDIN ZOOLOGIQUE

L'ÉGLISE DES RÉFORMÉS
Par manque de moyens financiers, la façade n'eut aucun autre ornement que sa grande rosace.

LA FONTAINE DES DANAÏDES (1907)
C'est au répertoire mythologique qu'emprunte ici le sculpteur marseillais Jean Hugues, pour exalter le thème de l'eau.

UNE ARCHITECTURE ÉCLECTIQUE
Synthèse de l'arc de triomphe romain, de la galerie du Bernin à Saint-Pierre de Rome et des palais italiens, ce musée-château d'eau traduit l'engouement du XIXᵉ siècle pour l'éclectisme où toutes les formes architecturales sont réinterprétées ou imitées.

LA VILLE DU XIXᵉ SIÈCLE

LES RÉFORMÉS (8, cours François-Roosevelt). Construite sur l'emplacement d'un ancien couvent d'augustins réformés, l'église, remarquable par son ampleur autant que par sa grande façade néo-gothique, fut conçue par l'architecte Reybaud en 1855.

LE BOULEVARD LONGCHAMP ♥. Ouvert en 1834, il constitue l'une des promenades les plus agréables de la ville. Certains hôtels portent la marque de l'éclectisme du siècle : médaillons Renaissance à la mode florentine alternent avec de sobres «trois fenêtres» qui caractérisent, depuis la fin du XVIIIᵉ siècle, l'architecture marseillaise.

LE MUSÉE GROBET-LABADIÉ ♥ (140, bd Longchamp). Ce bel hôtel particulier fut commandé par le négociant Alexandre Labadié à l'architecte Gabriel Clauzel. Il abrite des collections extrêmement variées, réunies par la fille du commanditaire : de somptueux meubles du XVIIIᵉ siècle, un très bel ensemble de sculptures médiévales et de peintures d'époques diverses et une collection d'instruments de musique.

LE PALAIS LONGCHAMP ♥

UNE SCÉNOGRAPHIE DE PIERRE ET D'EAU. En 1839, devant l'accroissement de la population et la pénurie en eau, la ville décida la construction d'un canal destiné à amener dans Marseille les eaux de la Durance. Dix ans plus tard, pour célébrer l'arrivée de l'eau, la ville souhaita faire édifier un château d'eau qui serait en même temps un véritable monument commémoratif : ce fut le palais Longchamp (1862-1869) dû à l'architecte nîmois Henri Espérandieu dont c'est là l'œuvre majeure.

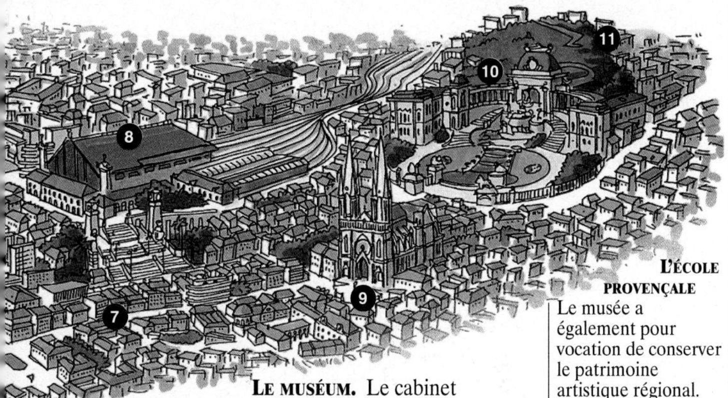

LE MUSÉUM. Le cabinet d'Histoire naturelle, installé dans l'aile droite du palais, comprend des collections de paléontologie, de minéralogie, des pièces de la préhistoire provençale et des espèces de la flore et de la faune de Provence.

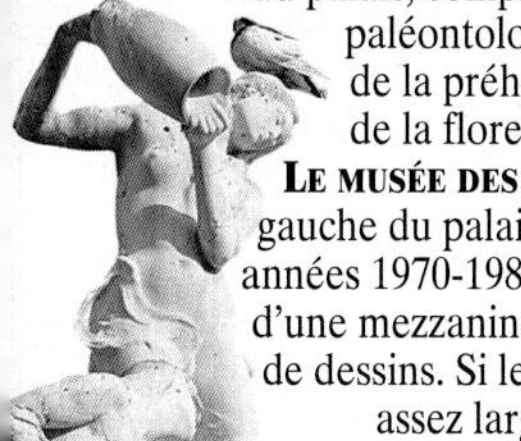

LE MUSÉE DES BEAUX-ARTS ♥. Situé dans l'aile gauche du palais, il a été réaménagé dans les années 1970-1980, avec notamment la création d'une mezzanine et l'implantation d'un cabinet de dessins. Si les salles du musée présentent assez largement l'histoire de la peinture et de la sculpture en Europe, du XVIe au XIXe siècle, la majeure partie des collections concerne l'école française des XVIIe et XVIIIe siècles.

DU PALAIS AU COURS

LA GARE SAINT-CHARLES. Son escalier est justement célèbre, à la fois par son ampleur et son décor : ses larges volées successives, les passerelles métalliques, le décor baroquisant forment une scénographie dans le goût 1900.

LA PORTE D'AIX. L'arc de triomphe de la porte d'Aix fut réalisé par l'architecte Michel-Robert Penchaud. Commencé en 1823, il ne fut inauguré qu'en 1839. La décoration fut confiée à David d'Angers et à Jules Ramey : à l'apologie des Bourbons initialement prévue, on préféra la commémoration des conquêtes napoléoniennes.

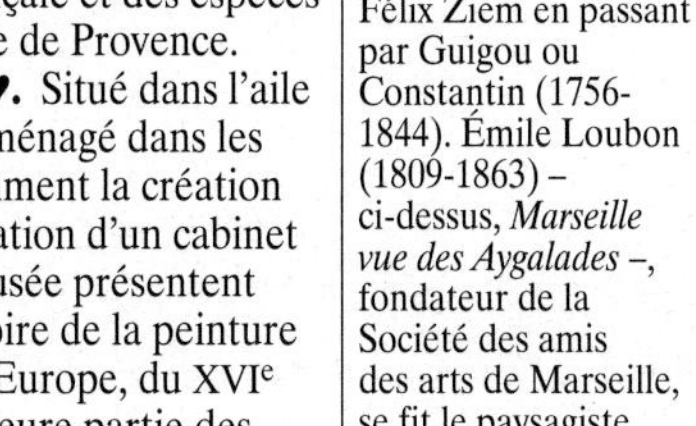

LE COURS BELSUNCE ● 98. Créé sous le règne de Louis XIV, il mène de la porte d'Aix à la Canebière. Le roi, voulant faire de Marseille une porte vers l'Orient, avait décidé la création d'une nouvelle ville susceptible d'attirer officiers et négociants. En 1666, les anciens remparts furent détruits et la superficie de Marseille, s'allongeant vers le sud et l'est, passa alors de 70 à 195 ha !

L'ÉCOLE PROVENÇALE
Le musée a également pour vocation de conserver le patrimoine artistique régional. L'école provençale y est représentée par ses meilleurs tenants, de Pierre Puget à Félix Ziem en passant par Guigou ou Constantin (1756-1844). Émile Loubon (1809-1863) – ci-dessus, *Marseille vue des Aygalades* –, fondateur de la Société des amis des arts de Marseille, se fit le paysagiste de la Provence.

LE COURS BELSUNCE
L'Alcazar, lieu mythique du music hall, où Raimu, Fernandel et Yves Montand se sont jadis produits, va céder la place dans les prochaines années à une grande bibliothèque régionale.

205

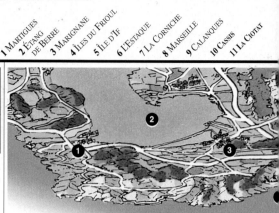

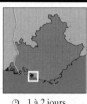

⏱ 1 à 2 jours
🚗 50 km

UNE PROMENADE AUX ÎLES ♥
À partir du quai des Belges, un service de bateaux assure la visite de l'archipel du Frioul (l'île d'If et les îles du Frioul : Pomègues et Ratonneau), à 2 km

LES NOUVEAUX PORTS

Le port de Marseille, le quatrième en Europe après Rotterdam, Anvers et Hambourg, s'est longtemps identifié au Lacydon. Une nouvelle ville surgit cependant au milieu du

XIXᵉ siècle, lorsqu'on ouvrit le BASSIN DE LA JOLIETTE, qui déplaça l'activité maritime au nord de la ville. Au fil des années, les nouvelles installations se sont étirées vers l'ÉTANG DE BERRE, sur plus de 18 km de quais. Le trafic de marchandises se fait cependant de plus en plus à Fos, les bassins marseillais proprement dits étant peu à peu délaissés.

du rivage. Ces îles ferment la rade de Marseille et ont joué un rôle stratégique important. Si l'île d'If, fortifiée à la fin du XVIᵉ siècle, a formé la première ligne de défense militaire des côtes françaises sur la Méditerranée, Pomègues, réservée aux navires en quarantaine, constitua longtemps sa première ligne de défense sanitaire.

LE BEAU SUD

LE CHÂTEAU BORÉLY ♥. Les bâtiments, d'un sobre classicisme, contrastent avec le décor intérieur, tout en stucs, gypseries et peintures somptueuses (notamment la galerie Parrocel, le salon Doré, la chapelle), conservé dans sa quasi-totalité. Son parc, ses bassins, ses vieux arbres, son lac et sa roseraie en font un lieu de détente apprécié des Marseillais.

LA CITÉ RADIEUSE ♥ (280, bd Michelet). Le Corbusier construisit cette cité-jardin en 1952. L'ensemble repose sur trente-huit pilotis, supportant chacun une charge de 2 000 t, et comprend trois cent soixante appartements sur dix-huit niveaux, avec des rues intérieures, des services de première nécessité, etc. Accueilli avec scepticisme – on parla lors de sa réalisation de la «maison du fada»–, ce prototype d'une vie sociale moderne est devenu le symbole d'un nouveau Marseille.

«Marseille est selon mon cœur, et j'aime que,
sise dans une des plus belles assiettes du rivage
de la Méditerranée, elle ait l'air de tourner le dos
à la mer, de la bouder [...]»
Blaise Cendrars

La Magalone
Les statues du jardin, symbolisant les saisons, sont de la fin du XVIIe siècle.

La Magalone ♥ (245, bd Michelet). En face de la cité Radieuse, la Magalone reste un des rares témoignages des cinq mille huit cents bastides ● *96* qui égayaient la banlieue de Marseille au XVIIIe siècle. Son originalité tient dans un hall de 200 m² occupant tout le rez-de-chaussée, un escalier fermant la perspective à chaque extrémité de la pièce.

La Corniche ♥

L'anse des Catalans ♥. L'anse, abritée du vent de nord-ouest, forme une plage de sable populaire depuis la fin du XIXe siècle. Elle est dominée au nord par les installations du célèbre Cercle des nageurs de Marseille.

La corniche Kennedy ♥. Au-delà des Catalans commence une route assez sinueuse, en surplomb des derniers contreforts du massif de la Garde qui dessinent un littoral découpé par de multiples petites anses : au fond de l'une d'elles se niche le pittoresque vallon des Auffes ♥. Cette crique étroite tire son nom du provençal *aufo*, l'alfa, plante qui servait à tresser des paniers, et qu'on y laissait sécher.

Endoume ♥. La promenade coupe à travers le promontoire du quartier d'Endoume, laissant au-dessus d'elle et en contrebas tout un lacis de petites rues parfois très abruptes, avec de brusques échappées sur un coin de mer ou de ciel bleu. Maisons riches et modestes, naïvement décorées, s'y succèdent.

Le château Borély
Le château fut édifié dans la seconde moitié du XVIIIe siècle, selon les plans de Marie-Joseph Peyre, directeur des Bâtiments du roi, et d'Esprit-Joseph Brun, pour le négociant Louis Borély et son fils. Sa décoration intérieure fut confiée au peintre d'Aubagne Louis Chaix.

Promenade dominicale des Marseillais, aujourd'hui comme hier, le village de l'Estaque peut être considéré comme un des lieux de naissance de l'art du XXᵉ siècle. Cézanne (1839-1906), fuyant la guerre, s'y installe en 1871 et fait de ce port tranquille le support de ses recherches sur la simplification des volumes picturaux. Il y revient plusieurs fois, jusqu'au milieu des années 1880, faisant à chaque fois avancer ses conceptions révolutionnaires de la perception et de la représentation. Il attirera sur les lieux son ami Renoir qui, à son tour, peint les paysages de l'Estaque sans pour autant abandonner sa manière impressionniste. Puis de jeunes peintres, les cubistes essentiellement, et surtout Georges Braque (1882-1963), découvrant Cézanne à partir de 1907, viennent mettre leurs pas dans ceux du vieux maître afin de prolonger son héritage.

«L'ESTAQUE, EFFET DU SOIR»
Les préoccupations synthétiques de Cézanne sont lisibles dans cette œuvre où le contre-jour accentue les masses colorées et les lignes de construction. Cézanne cherche le rendu plutôt que l'anecdote ; le contre-jour est pour lui avant tout un problème de peinture. Cette optique sera reprise par les peintres qui se réclameront de lui après sa mort.

«LA TERRASSE, L'ESTAQUE» (1918)
Albert Marquet, fasciné par Marseille au point d'y revenir pendant de nombreuses années, est un des derniers à peindre l'Estaque, après Braque, Dufy ou Matisse. Si Cézanne et le cubisme sont alors loin de ses préoccupations, la sérénité émanant de ce tableau qui multiplie pourtant les points de vue audacieux (plongées, perspectives gauchies) prouve que la leçon n'a pas été perdue.

«LE GOLFE DE MARSEILLE
VU DE L'ESTAQUE» (1883-1885)
Dans une lettre qu'il écrit en 1876
à Pissarro, Cézanne dépeint l'Estaque
«comme une carte à jouer.
Des toits rouges sur une mer
bleue» (ci-dessus).

L'ESTAQUE
DE BRAQUE
C'est autour
de Georges Braque
(1882-1963), dont
le fauvisme s'était
déjà nourri
des paysages
de La Ciotat,
que se cristallise
l'idée d'une Estaque
cubiste. Les couleurs
qu'emploie Braque
vont passer
des rouges
flamboyants
(ci-dessus *Paysage*
à l'Estaque, 1907)
aux ocres et au vert
végétal. La forme
va évoluer du coup
de pinceau ondulant
aux simplifications
géométriques
(à gauche, *Maisons*
à l'Estaque, 1908).
La leçon de Cézanne,
superposée
aux nouvelles
recherches que mène
alors Picasso,
est donc ici à l'œuvre.

▲ AIX-EN-PROVENCE ·

LE «BUISSON ARDENT»
L'œuvre, commandée en 1475 par le roi René à Nicolas Froment, resta jusqu'à la Révolution dans l'église du couvent des Carmes.

Le Buisson ardent, brûlant sans se consumer, symbolise la virginité de Marie. Sur les panneaux latéraux figurent les donateurs en prière.

Loin du tumulte marseillais, Aix offre le camaïeu subtil de ses toits roses et de sa pierre blonde et la douceur de ses cours ombragés. Cet urbanisme raffiné conjugue avec bonheur italianisme et rigueur du Grand Siècle : «un ordre sans raideur, une grâce sans mièvrerie » (Joseph d'Arbaud).

HISTORIQUE. Aix entre dans l'histoire en 122 av. J.-C., lorsque le proconsul Sextius assiège l'oppidum d'Entremont et fonde à ses pieds un poste militaire qui prend le nom d'*Aquae Sextiae* en raison de la proximité de sources chaudes. L'agrément de ses thermes fixa rapidement une importante population. Ravagée en 574 par les Lombards, la ville est mise à sac par les Sarrasins en 731. Dès la fin du XIIe siècle, la cité abrite la résidence des comtes de Provence. Mais c'est sous l'impulsion de Louis II d'Anjou, qui fonde l'université (1409), et sous celle de son fils, le roi René, qu'Aix devient un intense foyer artistique. À partir de 1501, la présence du parlement attire à Aix une société raffinée. Si la cité connaît depuis un certain isolement économique, sa vocation culturelle n'a cessé de s'affirmer.

LE BOURG SAINT-SAUVEUR

On est ici au cœur de la cité antique et médiévale. La ville romaine s'organisait autour du forum, enseveli désormais sous la cathédrale. L'agglomération se développa vers l'ouest,

11 Cours Mirabeau
12 Boulevard Aristide-Briand
13 Prison
14 Palais de justice
15 Fontaine des Quatre-Dauphins
16 Église de la Madeleine
17 Église Saint-Jean-de-Malte
18 Boulevard du Roi-René
19 Cours Saint-Louis

⏱ 1 à 2 jours

mais, aux premiers troubles, ces quartiers furent abandonnés par la population, qui se replia sur la colline. Au haut Moyen Âge, un nouveau bourg se dessine autour de l'actuel palais de justice ; au cours du XIIᵉ siècle, le tissu urbain se resserre entre les deux cités, régies par deux statuts différents : le bourg Saint-Sauveur, dépendant du pouvoir religieux, s'oppose au pouvoir laïque de la ville comtale. Si le Moyen Âge a largement marqué de son empreinte le tissu urbain du quartier, l'architecture médiévale et Renaissance a progressivement disparu au profit des riches hôtels particuliers des XVIIᵉ et XVIIIᵉ siècles ● 98. Face à la cathédrale, ombragée de platanes, la place de l'Université illustre la tradition intellectuelle de la ville.

LA CATHÉDRALE. La cathédrale, sans cesse remaniée du Vᵉ au XVIIIᵉ siècle, juxtapose plusieurs édifices. Au flanc septentrional de l'édifice s'accroche le clocher dont les travaux s'étalèrent de 1323 à 1425 (pinacles de 1880). À l'entrée, à droite, un petit musée lapidaire réunit différents fragments sculptés. Un peu plus loin s'élève le baptistère dont le plan initial date du début du Vᵉ siècle.

LA NEF ROMANE. La nef longeant le baptistère fut édifiée en 1180. Ses arcs-doubleaux et ses piliers à ressauts sont typiques du roman tardif provençal.

LA GRANDE NEF. Elle fut reconstruite de 1285 à 1515.

LE BAPTISTÈRE
Ses huit colonnes sont des remplois antiques. La coupole fut reconstruite en 1577.

LES FONTAINES D'AIX
Une quarantaine de fontaines publiques rafraîchissent
le paysage, crachant par des mufles
de pierre ou des tuyaux de bronze des eaux chaudes et
froides, tantôt adossées à de nobles façades ordonnancées,
tantôt ponctuant de leurs colonnes romaines ou de leurs
pyramides classiques les places et carrefours de la cité.

LE CLOÎTRE ♥
Édifié à la fin
du XIIᵉ siècle, il est
particulièrement
aérien et élégant.
Une grande variété
de colonnettes torses,

cannelées, droites,
à décor végétal ou
sculptées d'animaux
fabuleux, de statues-
colonnes ou statues-
piliers – tel saint
Pierre avec ses clefs –
supportent des
chapiteaux historiés –
de scènes de l'Ancien
et du Nouveau
Testament.

LE PALAIS ÉPISCOPAL
Le bâtiment actuel
date du début du
XVIIIᵉ siècle. Son
portail est attribué
au sculpteur Toro.

Une exceptionnelle série de tapisseries sur la vie de la Vierge,
réalisée en 1511, s'ordonne autour du chœur. Dans la seconde
travée, une élégante *Annonciation* en grisaille cache sous ses
volets le retable du *Buisson ardent* ♥. Ce chef-d'œuvre
de la peinture française fut commandé par le roi René en
1475 à Nicolas Froment, originaire d'Uzès ▲ *212*.
LA NEF NOTRE-DAME-DE-L'ESPÉRANCE. Édifiée entre 1694
et 1705 à partir de trois chapelles latérales gothiques,
elle rétablit une véritable symétrie pour la cathédrale.
On admirera dans la première travée un curieux retable
sculpté (1470), dédié à sainte Anne, la mère de la Vierge.
L'ARCHEVÊCHÉ ♥. La place des Martyrs-de-la-Résistance fut
agencée à partir de 1739 pour mettre en valeur le palais
épiscopal qui venait d'être rénové. La fontaine d'Espéluque
(1618) – du mot provençal *espeluco* qui signifie caverne –,
la borde au nord depuis 1756. L'imposante façade de style
Régence de l'archevêché – les prélats aixois se devaient en
effet de posséder une résidence fastueuse car ils jouaient un
rôle politique important et servaient d'intermédiaires entre
les états de la province et le roi – la ferme à l'est.
LE MUSÉE DES TAPISSERIES. Installé depuis 1910 au premier
étage de l'archevêché, il abrite une collection d'œuvres des
XVIIᵉ et XVIIIᵉ siècles, parmi lesquelles d'inestimables séries
de tapisseries de la manufacture de Beauvais : celle des
Grotesques, tissée à partir de 1689 ; celle de l'*Histoire de don
Quichotte*, exécutée en un exemplaire unique (1735-1744) ;
celle enfin des *Jeux russiens*, réalisée de 1769 à 1793.
Une section d'art textile contemporain est présentée en
alternance avec des expositions temporaires. Enfin, un musée
des Arts du spectacle, évoquant les décorateurs prestigieux
qui travaillèrent pour le Festival d'art lyrique et de musique
d'Aix, est en cours de constitution.
LE FESTIVAL INTERNATIONAL D'ART LYRIQUE ET DE MUSIQUE.
Il se déroule chaque année en juillet dans l'archevêché.
En 1948, la comtesse de Pastré et Gabriel Dussurget
décident de créer un festival de musique à Aix qui invite
à la fois à une nouvelle approche de l'œuvre mozartienne et
popularise la musique moderne et contemporaine, de Darius
Milhaud à Olivier Messiaen. Dès 1974, le
répertoire s'enrichit de l'apport du bel canto
servi par les plus grandes gloires du chant.
Le répertoire baroque a été remis
à l'honneur ces dernières années tandis que
la tradition mozartienne s'est étoffée, à côté
des sept grands opéras donnés régulièrement
depuis la création du festival, d'ouvrages
lyriques méconnus.

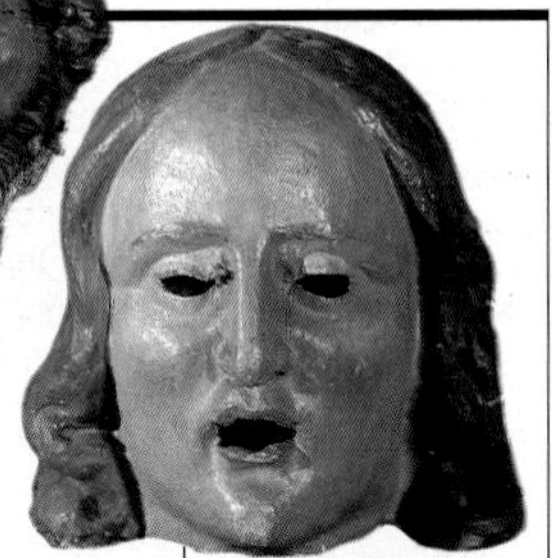

LA RUE GASTON-DE-SAPORTA♥.
Elle constitue l'un des ultimes vestiges
du plan orthogonal antique. Cet axe
principal du bourg Saint-Sauveur fut
colonisé, aux XVIIᵉ et XVIIIᵉ siècles,
par les grandes familles qui substituèrent
au parcellaire médiéval l'ordonnance de
larges hôtels donnant sur des cours ou des jardins.
Au n° 19, l'HÔTEL DE CHÂTEAURENARD abrite un
superbe escalier décoré en trompe l'œil ainsi que
des plafonds (ci-dessous) multipliant d'illusoires
reliefs, réalisés en 1654 par Jean Daret.
MUSÉE DU VIEIL-AIX ♥. Au n° 17, la façade de l'hôtel
d'Estienne-de-Saint-Jean (fin du XVIIᵉ siècle), due probablement
à Laurent Vallon, frappe par l'ordre colossal de ses hauts
pilastres cannelés surmontés de
chapiteaux corinthiens. Sa
sévérité tranche toutefois
avec la porte finement
sculptée qui ouvre sur
un vestibule spacieux.
L'hôtel, qui a conservé
une partie de son décor
(plafonds peints, frises
murales) et de son mobilier,
est aménagé depuis les années 1930
en musée des Arts et Traditions populaires du pays d'Aix.
Outre le paravent de la Fête-Dieu, deux ensembles du
XIXᵉ siècle sont particulièrement originaux : les marionnettes
de la Crèche parlante et celles de la Fête-Dieu.

**LE PARAVENT
DE LA FÊTE-DIEU**
Composé de dix
panneaux double face
peints sur toile,
ce paravent est
la plus ancienne
représentation que
nous possédions
des cérémonies
de la Fête-Dieu, qui
revêtaient à Aix
un éclat particulier.
Anonyme, cette
œuvre a été peinte
dans la première
moitié du XVIIIᵉ siècle,
à la demande
de Jean-François
de Galice, conseiller
au parlement
de Provence.

LA VILLE COMTALE

Passé le beffroi, on pénètre
dans l'ancienne ville comtale,
dont le noyau se concentrait
autour du palais des comtes
de Provence.
LA TOUR DE L'HORLOGE. Elle
s'appuie sur un mur romain
en gros appareil. Symbole des
franchises communales, elle
fermait au XIIᵉ siècle la ville
comtale et fut reconstruite dès
1510 pour abriter les archives ;
de l'horloge planétaire de
1555 ne subsistent que quatre
figures représentant les saisons.
L'HÔTEL DE VILLE. Mis en
valeur par une place créée
en 1750 et qu'orne au sud
la fontaine de Chastel (1756-
1758), l'hôtel de ville occupe
depuis le XIVᵉ siècle le même
emplacement. L'édifice actuel
fut construit entre 1655
et 1671. Après avoir franchi
la grille en arc surbaissé,
on découvre, sur la droite,

LA VOGUE DES ATLANTES
Ils tirent leur origine du géant Atlas portant sur son dos la voûte céleste. Le baroque aixois reprit ce thème antiquisant avec une extrême diversité ; témoin ces atlantes de l'hôtel d'Arbaud sculptés vers 1670.

L'*Annonciation* est le panneau central d'un triptyque attribué à Barthélemy d'Eyck, peintre et valet de chambre du roi René. Les volets se trouvent aux musées de Bruxelles et de Rotterdam.

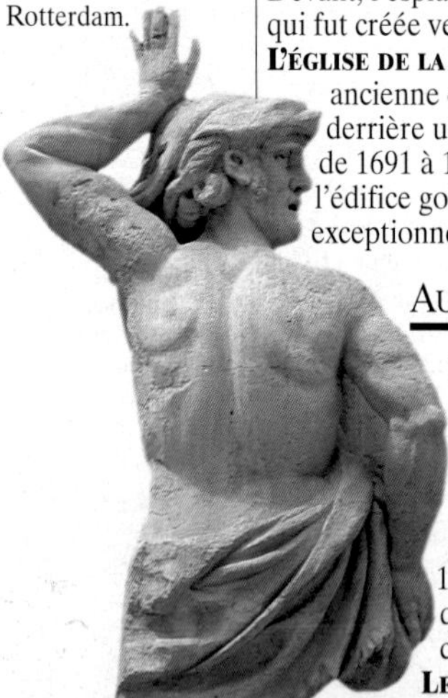

l'ancienne salle de l'arsenal, voûtée d'ogives, et l'escalier à double révolution (1655), première réalisation de ce type en France.

LA HALLE AUX GRAINS ♥ (place de l'Hôtel-de-Ville). Les taxes sur le blé étaient l'un des principaux revenus de la ville. On fit élever, au XVIIIᵉ siècle, une grande halle en dur à l'emplacement même où se tenait ce marché, sévèrement réglementé. Les travaux furent confiés à Vallon, qui réalisèrent successivement la moitié sud (1720) puis nord (1760).

LE PALAIS DE JUSTICE (place de Verdun). Le palais comtal, qui abritait le parlement, la Cour des comptes et la prison, fut démoli en

1786 en raison de son délabrement. Claude-Nicolas Ledoux conçut alors un nouveau palais mais son projet, dispendieux, fut ajourné. L'édifice actuel est le fruit du remaniement opéré sur ces plans par Michel Penchaud, qui le construisit de 1822 à 1832 et fit bâtir dans le même temps la prison, à l'arrière. Devant, l'esplanade se termine par la place des Prêcheurs, qui fut créée vers 1450 par le roi René.

L'ÉGLISE DE LA MADELEINE (place des Prêcheurs). Cette ancienne chapelle d'un couvent de dominicains cache, derrière une façade de Révoil (1855), un intérieur refait de 1691 à 1703 par Vallon et qui conserve le plan de l'édifice gothique antérieur. Elle abrite une œuvre exceptionnelle de 1444, l'*Annonciation* ♥ (ci-dessous).

AUTOUR DE LA PLACE D'ALBERTAS ♥

La famille d'Albertas est, au XVIIIᵉ siècle, l'une des grandes familles d'Aix. En 1724, Henri d'Albertas confie à Laurent Vallon la rénovation de son hôtel. Il achète, de 1735 à 1741, les maisons lui faisant face et les fait démolir. Son fils charge Georges Vallon, en 1742, de créer sur leur emplacement une place qui ne dépare pas sa demeure. L'espace fut conçu selon la mode des places royales.

LE MUSÉUM ♥ (6, rue Espariat). À quelques pas s'élève le splendide hôtel Boyer-d'Éguilles, construit entre 1672 et 1675 par Louis-Jaubert, en pierre de Bibémus, pour Magdeleine de Forbin d'Oppède. La magnifique façade baroque, aux colossaux pilastres cannelés, encadre une cour fermée par un monumental portail à carrosses. Si le Muséum abrite de traditionnelles collections de géologie et de paléontologie, sa réputation repose essentiellement sur

son ensemble d'œufs de dinosaure de la fin du crétacé (- 65 millions d'années), découverts au pied de la montagne Sainte-Victoire ▲ *220*.

Détails de façades et fontaine (1864), place Albertas.

LE PAVILLON DE VENDÔME ♥

(13, rue de la Molle) Jadis hors des remparts, le pavillon de Vendôme fut construit pour Louis de Mercœur, duc de Vendôme, en 1665.
À l'origine, le bâtiment ne comportait qu'un seul étage, une lourde frise supportant un toit à la Mansart. Remaniée au début du XVIIIe siècle, la folie, dans laquelle on n'habitait pas, fut transformée en pavillon. On l'exhaussa alors d'un étage que l'on couvrit d'une toiture provençale, et les ouvertures du rez-de-chaussée furent fermées.
L'intérieur a conservé de son ancien décor un plafond peint allégorique de la fin du XVIIe siècle et surtout son magnifique escalier à double révolution du début du XVIIIe siècle. Il abrite une commode signée Foullet, pièce d'une exceptionnelle qualité, que complète un ensemble de mobilier, de céramiques de Moustiers et de cuirs peints. Le vaste jardin à la française a été réaménagé d'après des documents gravés du XVIIe siècle.

LES VALLON
Laurent Vallon (1652-1734), architecte baroque majeur, marqua Aix de son empreinte et signa, avec l'hôtel d'Albertas, son dernier ouvrage. Son fils Georges (1688-1767) poursuivit son œuvre.

LE GRAND COURS ♥

Le Grand Cours ● *98*, ou cours Mirabeau, fut tracé en 1649 entre quartier neuf et vieille ville, sur les lisses extérieures de l'ancienne enceinte. Premier grand espace civil, le Grand Cours resta le décor fixe des représentations des classes dirigeantes en leurs hôtels particuliers, avant de devenir cette tranquille promenade urbaine qu'elle est aujourd'hui.
Si, sur la rive septentrionale, adossée à la vieille ville, les demeures durent s'adapter à un contexte urbain offrant peu d'ampleur, les architectes purent jouer, côté sud, avec un espace neuf de constructions. Le corps de logis, agrandi, gagna en profondeur : une face sur rue, l'autre sur jardin. Aux seules salles et chambres du XVIe siècle vinrent s'adjoindre vestibules, galeries et antichambres. L'espace le plus fastueux de l'hôtel aixois devint cependant l'escalier : associé au vestibule d'entrée, il occupe en rez-de-chaussée l'essentiel de la façade sur rue et s'accorde à l'ampleur du portail.
L'HÔTEL DE FORBIN (n° 20).
Construit en 1656 et réaménagé au XVIIIe siècle, c'est un des plus vastes hôtels du Cours, l'un des mieux

L'HÔTEL D'ALBERTAS
Vallon réinterprète ici les thèmes baroques : balcon soutenu par deux tritons, placage d'une légère ordonnance à refends et pilastres.

LA MONTAGNE SAINTE-VICTOIRE ♥

«LA SAINTE-VICTOIRE DEPUIS LE THOLONET» (1904)
Bien que la montagne Sainte-Victoire dresse ses crêtes violacées depuis des millions d'années, sa représentation picturale ne remonte guère qu'à un peu plus de trois siècles. Si les peintres la glissent dans leurs compositions aux XVIIe et XVIIIe siècles, c'est comme simple accessoire, perdu dans le lointain. Il faut attendre la fin du XVIIIe siècle et Jean-Antoine Constantin, puis son élève François-Marius Granet, pour que le thème de la montagne, plus de vingt fois peinte et repeinte, prenne une véritable dimension. Mais c'est le génie de Cézanne qui immortalisera véritablement la Sainte-Victoire ; on a recensé plus d'une soixantaine de toiles de Paul Cézanne (1839-1906) déclinant le motif de la Sainte-Victoire.

D'où que l'on vienne, la Sainte-Victoire impose au visiteur sa masse compacte, surgie de la campagne aixoise comme un vaisseau égaré. Sur son versant nord, le manteau de garrigue semble s'étendre jusqu'à son sommet en une débauche de verdure. Vue du sud, depuis la vallée de l'Arc, elle dresse sa barrière minérale comme pour faire barrage aux vignobles. Un sentier, au départ du plan d'eau du barrage de Bimont (1946), conduit au sommet de la montagne, où subsistent une chapelle et les ruines d'un couvent construit en 1657. Au-dessus s'élève une croix métallique haute de 19 m, la CROIX DE PROVENCE, placée là en 1871 en réalisation d'un vœu fait pendant la guerre de 1870. Au-dessous s'ouvre le gouffre dit LE GARAGAÏ, dont les voûtes sont tapissées de stalactites.

LA SAINTE-BAUME ♥

LE MASSIF. La Sainte-Baume dresse au-dessus de la basse Provence sa barre rocheuse de 12 km de long qui culmine à plus de 1 000 m d'altitude. Cette montagne, surgie à l'ère secondaire, se renversa sur elle-même à l'ère tertiaire, les couches géologiques les plus vieilles recouvrant alors les plus récentes. L'eau sourd de partout et fait du massif un véritable château d'eau pour les régions avoisinantes. Sur le plateau du Plan-d'Aups (750 m d'altitude), qui précède au nord la barre rocheuse, les grands froids de l'époque glaciaire ont oublié une forêt septentrionale, un bois sacré de 120 ha jamais profané par l'homme. C'est un lieu privilégié pour les randonneurs, qui peuvent suivre le GR 98.

🕐 3 jours
🚗 250 km

La Sainte-Baume, une montagne aride et pelée.

LE PARC DE SAINT-PONS ♥ (sur la D 42, 7 km après le village de Plan-d'Aups). On y découvre, dans la fraîcheur due à une abondante végétation, les vestiges de l'ABBAYE CISTERCIENNE FÉMININE DE SAINT-PONS (XIIIᵉ siècle), des ruines de moulins, de verreries et de papeteries. Par son ampleur, cette abbaye dépassait celle du Thoronet ▲ 225.

LA GROTTE DE MARIE MADELEINE. Cette cavité naturelle (*baume* en provençal) est creusée au milieu d'une falaise de plus de 100 m d'à-pic. Devant elle, une vaste esplanade domine la forêt et offre un panorama exceptionnel. Les dominicains, qui ont fait construire l'Hôtellerie, ont largement contribué à la réputation du lieu, où l'on a dressé un autel de marbre et transporté une statue provenant de la chartreuse de Montrieux. La Sainte-Baume est aussi la

dernière étape du tour de France des Compagnons, maître Jacques, le fondateur mythique du Compagnonnage du Devoir, s'étant retiré ici selon la légende. La promenade se prolonge jusqu'au SAINT-PILON, à près de 1 000 m d'altitude, d'où l'on peut apercevoir, par temps clair, le littoral.

NAISSANCE D'UN PÈLERINAGE
C'est la découverte, en 1279, d'une crypte où se trouvait un sarcophage contenant un crâne recouvert d'un lambeau de peau imputrescible qui permit au comte de Provence de détourner les pèlerins de Vézelay, où avaient été rapportées depuis le VIIIᵉ siècle les soit-disant reliques de Marie Madeleine. Dès 1296, le comte s'empressa de construire à ses frais une basilique et un couvent.

SAINT-MAXIMIN-LA-SAINTE-BAUME ♥

LE COUVENT ROYAL ♥. Commencé en même temps que la basilique (1296) ▲ 222 à laquelle il s'adosse, il fut en travaux jusqu'au XVIIIᵉ siècle. Les dominicains s'y installèrent en 1316 ;

ils vivaient ici des revenus procurés par le souverain et non d'aumônes, comme le veut la règle. L'actuelle mairie était l'Hôtellerie, bâtie au XVIIIᵉ siècle. Elle constituait le pan sud d'une cour en U dont l'autre aile était occupée par un collège de théologie.

Marie Madeleine
(André Boisson, 1797)

L'ORGUE
Œuvre du dominicain
Jean-Esprit Isnard et
de son neveu Joseph
(1774), sa conception
témoigne d'un sens
aigu de l'innovation
dans la distribution
des plans sonores (la
richesse des anches
est exceptionnelle)
comme dans le
mécanisme. D'une
manière générale, le
Var tient une place
importante dans la
facture d'orgues :
en témoignent ceux
de Solliès-Ville (1499),
Six-Fours (1656),
Brignoles (1826), etc.

LE CLOÎTRE
Il a été bâti au fur et
à mesure de l'avancée
de la basilique.
Il mesure 41 m
de côté et possède
des galeries voûtées
sur croisées d'ogives.
Selon le schéma
monastique habituel,
l'aile orientale du
couvent abritait
la salle capitulaire
et la sacristie – qui
communique avec la
basilique. Les cellules
et le réfectoire
se trouvent au nord.

La basilique royale de Saint-Maximin est une œuv
atypique pour la Provence, à la fois par l'ampleur
ses proportions, et parce qu'elle est de style gothiq
français, dans une région où le roman prédomine
– y subsistent néanmoins quelques réminiscences
romanes. Sa nef atteint près de 30 m pour une
longueur de 81,5 m. Il fallait en effet accueillir
et éblouir les foules drainées par le pèlerinage
de la Sainte-Baume, qui fut l'un des tout premier
de Provence. Ainsi la basilique outrepasse-t-elle
les règles architecturales de l'ordre mendiant des
Dominicains qui imposent modestie et dénuemer

La crypte est un caveau chrétien du
IV siècle, avec quatre sarcophages
(IVe-Ve siècles), où la tradition voit
les sépultures de saint Maximin,
saint Sidoine et sainte Marcelle (ci-
dessus), saintes Suzanne et Marie
Madeleine – cette dernière en
marbre d'un grain très fin, venant
des carrières de la mer de Marmara.

LE MOBILIER
Pour dire la gloire
de Marie Madeleine,
la basilique reçut
un fabuleux mobilier :
stalles du chœur
(1692), chaire en bois
sculpté par Louis
Gudet en 1756,
gloire de Liétaud
– XVIIIe siècle
(en haut) –, retable
du Crucifix montrant
en seize panneaux
la passion du Christ,
d'Antoine Ronzen
(1520), retable du
Rosaire (XVIIe siècle)
dans l'absidiole
sud. À gauche,
saint Dominique
(XVIIe siècle).

STYLE GOTHIQUE...
Saint-Maximin se rapproche des églises
du Nord par son plan à trois nefs.
Comme à Saint-Yved de Braine (près
de Soissons), l'axe des deux chapelles
polygonales terminant à l'est les
nefs latérales est incliné à 45 °.
L'absence de transept, le triple
étagement des voûtes
sur croisées
d'ogives,
évoquent
Bourges.

...SIMPLICITÉ ROMANE
La forme trapue
de la basilique, son
porche sommaire,
l'absence de couloir
de circulation
entre les arcades
et les fenêtres
hautes,
rappellent le
style roman.

L'ABBAYE, UN UNIVERS EN SOI
Autour du cloître, retraite librement
choisie qui enferme le corps pour mieux
libérer l'âme, l'architecture distribue
l'espace selon les temps forts de la vie
monastique : prière, travail, repos...

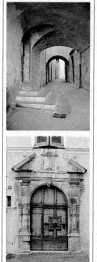

La rue Louis-Maître
et le porche d'un
majestueux hôtel
du XVIe siècle
où le duc d'Epernon
tenait ses quartiers.

«LES GRANDS
ESCALIERS
DE BRIGNOLES»,
Peints par Gabriel
Suzanne, peintre local
(1917-1966),
ils mènent de la place
Caramy au cœur
médiéval
du vieux Brignoles.

BRIGNOLES

HISTORIQUE. Située sur la voie romaine de Rome à Narbonne, Brignoles fut, à partir du XIIe siècle, une possession directe des comtes de Provence qui y bâtirent un premier château, dont il ne reste qu'une tour enclavée dans le presbytère. Charles Ier d'Anjou, frère de Saint Louis, devint comte de Provence en 1245 ; il abandonna le vieux palais comtal à sa belle-mère et entreprit, vers 1260, la construction du palais actuel, où se trouve aujourd'hui le musée. Au milieu du XIVe siècle, des troupes de mercenaires prirent et pillèrent Brignoles. La ville, vaincue par les troupes de Charles Quint, fut occupée en 1536. Brignoles adopta les principes de la Révolution mais sans en connaître les excès. Au XIXe siècle, elle devint une cité minière où l'on exploitait la bauxite et déborda du périmètre de ses trois remparts successifs.

L'HÔTEL DE CLAVIER ♥ (en haut de la rue du Palais). Construite entre le XIIIe siècle et la fin du XVIIIe siècle, cette demeure est remarquable pour son décor en gypserie, typique des XVIe et XVIIe siècles et particulièrement bien conservé. Constamment modifié, cet hôtel mêle avec goût des éléments d'époques diverses : caves voûtées du XIIIe siècle, patio Renaissance – autrefois à ciel ouvert –, grande pièce du premier étage au décor raffiné (plafond à la française, alcôve théâtrale et cheminée XVIIe sculptée de dauphins).

L'ÉGLISE SAINT-SAUVEUR ♥. Située au nord de la rue des Lanciers, c'est une église gothique à nef unique et large qui, lors d'un agrandissement à la fin du XVe siècle, a englobé les chapelles antérieures. On admirera la porte de la sacristie, de style gothique flamboyant, et une *Descente de Croix* de Barthélemy Parrocel. Cet artiste, originaire de Montbiron, vint s'établir à Brignoles en 1630 et donna naissance à une dynastie de quatorze peintres ; ils savait utiliser avec vigueur les contrastes entre lumière et obscurité, illustrant l'influence du caravagisme, qui s'était répandu en Provence jusque dans les petites villes.

LE CHÂTEAU COMTAL ET LE MUSÉE ♥. Ce bâtiment du XIIIe siècle a gardé bel aspect ; ses jardins, situés en contrebas et au sud, sont les anciens fossés de la seconde ligne de fortifications. Une grande salle voûtée située au rez-de-chaussée ainsi que des casemates proviennent de la construction primitive. Le reste a été édifié plus récemment, comme le plafond à la française du premier étage. La CHAPELLE SAINT-LOUIS est intégrée au palais ; les pénitents noirs, dont elle était le siège, en firent élever le portail vers 1600. Elle fait désormais partie du MUSÉE DU PAYS BRIGNOLAIS, qui renferme quelques pièces remarquables comme un autel-cippe du VIe siècle et le sarcophage de la Gayole ♥, exécuté dans les années 270-290 en marbre de Grèce.

LE THORONET

L'abbaye du Thoronet est directement issue du mouvement de retour aux sources du christianisme qui gagna l'Europe entière au XIᵉ siècle et aboutit à la réforme grégorienne du pape Grégoire VII ainsi qu'à la fondation de l'ordre monastique de Cîteaux, qui prônait une application stricte de la règle de saint Benoît. Saint Bernard entra à Cîteaux en 1112 : entre cette date et celle de sa mort, en 1153, il fonda cent soixante monastères. Les cisterciens s'implantèrent en 1146 sur le site actuel du Thoronet, dans un espace habité et cultivé depuis le XIᵉ siècle. Dès 1175, le monastère était achevé. Après l'ÉGLISE, le CELLIER et le DORTOIR DES CONVERS, le CLOÎTRE dessert principalement l'église (au nord) et, à l'est, la bibliothèque, la SALLE CAPITULAIRE, divisée en six travées par deux colonnes trapues, et le parloir. Le DORTOIR DES MOINES, vaste salle voûtée en berceau brisé éclairée par dix-huit baies en plein cintre, communique avec l'église.

L'ART CISTERCIEN À SON APOGÉE

L'architecture retrouve ici l'esprit du monachisme primitif : tout ornement est banni, il n'y a que la pierre – ajustée au millimètre – et la lumière. L'église, qui peut accueillir huit cents personnes, est

en forme de croix latine. Deux collatéraux, voûtés en demi-berceau, flanquent la nef de trois travées, elles-mêmes voûtées en berceau légèrement brisé. La quatrième travée, nettement plus haute, constitue le carré du transept. Ce dernier soutient le clocher, de plan rectangulaire, percé d'une baie en plein cintre sur chacune de ses faces, comme la flèche qui le surmonte. Une abside en cul-de-four, éclairée par trois petites baies, termine ce vaisseau aux lignes pures..

MOULIN à HUILE de la TOUR de l'HORLOGE HUILE d'OLIVE Tél. 67 13 50

DRAGUIGNAN

LA VILLE DU DRAGON
Les hypothèses concernant l'étymologie de Draguignan sont variées. Un Romain, Draconius, aurait-il donné son nom à la ville ? La tradition rapporte aussi que saint Hermentaire, évêque d'Antibes, délivra la région d'un

dragon monstrueux. Cette version dracenoise de l'histoire est toutefois contestée par le troubadour Féraud, qui attribue l'exploit à saint Honorat.

Draguignan au XIXe siècle.

HISTORIQUE. Si le rôle de capitale religieuse fut très tôt attribué à Fréjus, celui de capitale administrative revint à Draguignan. Dès 1235 fut élevé, sur le rocher qui domine le site, un donjon destiné à protéger mais surtout à surveiller la cité, qui s'était révoltée quelques années plus tôt contre l'autorité comtale. Des remparts furent également édifiés et Draguignan devint la sixième cité de Provence au milieu du XIIIe siècle. Deux cents ans plus tard, avec près de six mille habitants, Draguignan était la quatrième ville de Provence. À la veille de 1789, elle débordait depuis longtemps le corset de sa seconde enceinte. En 1797, la ville obtint la préfecture du Var, qu'on refusa à Toulon pour s'être livrée aux Anglais en 1793. Draguignan, avec le camp militaire de Canjuers, est aujourd'hui la plus grande garnison de France. En 1974, elle dut céder la préfecture à Toulon et accueillit en compensation la nouvelle École d'application de l'artillerie et l'arsenal de terre.

UNE VILLE DE MUSÉES. Draguignan possède trois institutions originales : le MUSÉE MUNICIPAL (9, rue de la République), aménagé dans la résidence d'été de l'évêque de Fréjus, qui possède, entre autres trésors, le manuscrit du *Roman de la Rose* et un tableau de Rubens, *Personnages du jardin d'amour* ; le MUSÉE DES ARTS ET TRADITIONS POPULAIRES (15, rue Jean-Roumanille) qui retrace l'histoire détaillée des industries et des coutumes provençales; le MUSÉE DE L'ARTILLERIE (École d'application de l'Artillerie, quartier Bonaparte), enfin, où sont exposés une centaine de canons de 1825 à nos jours. Sous les tentes d'un campement du Second Empire, les progrès de l'artillerie sont passés en revue. On appréciera par ailleurs le charme de la PLACE DU MARCHÉ, ombragée de platanes, ou, PLACE AUX HERBES, la présence insolite d'une porte de l'enceinte du XIVe siècle, qui a conservé les glissières de sa herse. En suivant la RUE DE L'OBSERVANCE ♥, qui constituait, avec la Grand'Rue, le quartier fortuné de Draguignan, et en prenant la deuxième rue sur la droite, on aboutit à une place où se tient la CHAPELLE DU COUVENT DES MINIMES (1707), de style classique, qui contient un retable et des peintures du XVIIIe siècle.

LA TOUR DE L'HORLOGE. Elle a remplacé en 1660 le donjon. La plate-forme de ce beffroi communal, haut de 18 m

«À CHAQUE DÉTOUR, L'IMPRESSION CHANGE. TANTÔT, VOUS VOUS
CROIRIEZ AUX PLUS OBSCURS MOMENTS DU MOYEN ÂGE [...] ;
TANTÔT VOUS DÉBOUCHEZ EN PLEIN XVIᵉ SIÈCLE ITALIEN»

FRANCIS DE MIOMANDRE

supporte un campanile en fer forgé (1723).

L'ÉGLISE SAINT-HERMENTAIRE.
L'édifice fut bâti, pour l'essentiel, au XIIIᵉ siècle, et son portail en accolade date du XVIᵉ siècle.

En revanche, ses élévations extérieures remontent à l'Antiquité tardive (VIᵉ siècle). Témoignage majeur de la christianisation des campagnes à cette période, il possédait un baptistère. À quelques dizaines de mètres de là, on dégagea au XIXᵉ siècle des thermes gallo-romains. Une bravade ▲ 66 avait lieu pour la fête du saint.

SOBRE ET DÉPOUILLÉ
L'édifice imposant de la cathédrale grassoise, caractéristique de l'art roman de la Provence orientale, est construit dans un calcaire blanc d'origine locale. L'absence de transept traduit l'influence artistique de la Ligurie voisine.

GRASSE

HISTORIQUE. Lors des raids sarrasins du IXᵉ siècle, les Grassois se réfugient sur cet énorme rocher de tuf, le Puy, site pratiquement inexpugnable. La situation de cette nouvelle bourgade, au carrefour de grands axes de communication, et le développement de la parfumerie au XVIᵉ siècle favoriseront son essor et en feront rapidement une capitale régionale. La plus grande partie du groupe épiscopal – une tour, un palais épiscopal et une cathédrale – fut édifiée vers 1244, date à laquelle le pape Innocent IV ordonna le transfert de l'évêché d'Antibes à Grasse.

LA CATHÉDRALE ♥. Elle se compose d'une nef de six travées flanquée de bas-côtés terminés par des absidioles en hémicycle. Le chœur, voûté, est moins élevé que le vaisseau central de la nef. Éclairée par de hautes fenêtres, celle-ci communique avec les bas-côtés par de grandes arcades qui retombent sur de massifs piliers cylindriques en calcaire.
Les tribunes, qui alourdissent l'aspect des bas-côtés, ont été ajoutées à la fin du XVIIᵉ siècle. L'exubérante chapelle du Saint-Sacrement, construite de 1738 à 1744, tranche avec l'extrême austérité de l'ensemble de l'édifice.

OBJETS DE CULTE, OBJETS D'ART
La châsse de saint Honorat, petit coffre de noyer du XVᵉ siècle, contenait les ossements du saint fondateur de l'abbaye de Lérins ▲ 272. Parois et couvercle sont ornés de scènes relatant sa vie. La polychromie est restée d'une extrême fraîcheur.

Les Rubens de Grasse furent commandés à l'artiste, encore inconnu en Italie, par l'archiduc Albert pour l'église Santa Croce di Gerusalemme à Rome. À l'origine, *Sainte Hélène* et l'*Exaltation de la Vraie Croix* (provisoirement exposée à la mairie) étaient entourées de la *Descente de Croix*, dont il ne reste qu'une copie, et du *Couronnement d'épines*. Le *Lavement des pieds* (1754), de Jean-Honoré Fragonard ▲ 229, est assez conventionnel et ne laisse pas encore entrevoir le peintre galant que deviendra plus tard l'artiste. On admirera enfin le retable attribué à Ludovic Bréa, consacré à saint Honorat et, au fond du chœur, l'*Assomption de la Vierge*.

LE PALAIS ÉPISCOPAL. Il abrite actuellement l'hôtel de ville. Bien que très remanié, il comporte encore quelques éléments médiévaux. Le bâtiment le plus

▲ Aix vers Digne
Manosque

1 Parc régional 2 Simiane-la-Rotonde 3 Manosque 4 Gréoux-les-Bains 5 Observatoire-de-Haute-Provence 6 Forcalquier 7 Montagne de Lure 8 Valensole 9 Prieuré de Ganac 10 Sisteron 11 Dig

🕐 4 jours

ARMOIRIES
L'origine des quatre
mains présentes
dans les armoiries
de la ville
de Manosque
n'est pas connue.
La main symboliserait
phonétiquement
Manosque
et leur nombre
les quatre quartiers
médiévaux de la ville.

UNE FAÇADE SOBRE
La façade de l'église
Saint-Sauveur, que
seuls trois oculi et
un portail gothique
décorent, s'ouvre sur
une agréable place
agrémentée d'une
fontaine. Si plusieurs
documents attestent
l'existence de cette
église dès 1235,
elle n'est cependant
consacrée qu'en 1372.
L'édifice d'origine
ne comportait
qu'une nef centrale,
un transept, une
coupole au-dessus de
la croisée du transept
et trois absides
pentagonales.
Les bas-côtés
ont été rajoutés
au XVIIᵉ siècle.
Au sud du transept,
une ouverture
donnait autrefois
accès à la chapelle
des pénitents bleus,
démolie en 1922.

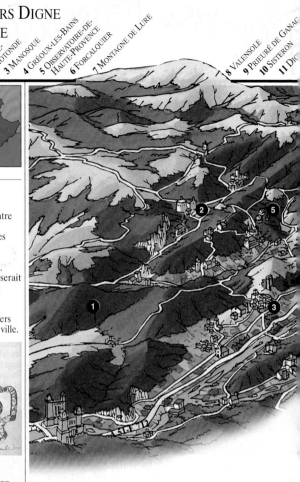

Manosque ♥

PORTE SAUNERIE ♥. Six portes donnaient accès à la ville
au XIVᵉ siècle ; seules subsistent aujourd'hui la porte Saunerie
et la PORTE SOUBEYRAN. «Saunerie» vient du mot provençal
saou, «sel» ; des entrepôts de sel étaient en effet installés
à cet endroit dès le Moyen Âge. *Soubeyran* signifie
«supérieur» ; elle est, géographiquement parlant,
la plus haute de la ville.
ÉGLISE SAINT-SAUVEUR ♥.
Elle renferme de belles
toiles du XVIIᵉ siècle
(l'*Ascension du Christ*,
*La Remise des clés à
saint Pierre*,

230

Jean giono

*La Pentecôte
sur Marie et les
apôtres* et *Sainte Catherine*)
et du XVIIIe siècle (le *Baptême
du Christ*, la *Sainte Famille*).
Les orgues, construites
en 1625 par les frères
Meyssonnier, furent
restaurées en 1826 et
déplacées, selon la tradition
italienne, au sommet de la tribune.
HÔTEL DE VILLE ♥. Sa belle façade
à deux étages, de style classique, est
caractéristique du XVIIIe siècle.
À l'intérieur, on admirera des masques de
gypserie dans la cage d'escalier et de très belles
portes en noyer. Au premier étage, les toiles d'un peintre
local, Denis Valvéranne, relatent l'histoire de la ville.
NOTRE-DAME-DE-ROMIGIER ♥. Cet édifice composite est le
monument le plus ancien de la ville et le plus cher au cœur
des Manosquins : elle abrite en temps normal une très
belle Vierge à l'enfant du XIIe siècle vénérée par la population.
De l'église romane, il ne subsiste qu'une nef à deux travées,
séparées par des pilastres flanqués de quarts de colonnes aux
chapiteaux finement décorés. Le reste de la nef, les bas-côtés
ainsi que le portail occidental furent ajoutés dans la seconde
moitié du XVIIe siècle. À signaler la voûte d'arêtes de l'abside
centrale dont les nervures rayonnent autour d'une clef
symbolisée par l'agneau pascal. La pièce maîtresse du mobilier
est un sarcophage paléochrétien qui sert de maître-autel.
HÔTEL D'HERBES (rue du Mont-d'Or). Il abrite les Archives
de Manosque. Ce fonds médiéval, un des plus riches de
France, renferme tous les registres des délibérations
communales depuis 1360 et près de quatre cents parchemins.
FONDATION CARZOU (79, bd Élémir-Bourgès). Entre 1985
et 1991, dans une ancienne chapelle, Jean Carzou, peintre
arménien, a réalisé un ensemble de peintures murales
intitulées *Mon apocalypse*, inspirées par sa peur des
moyens modernes de destruction.
CENTRE JEAN-GIONO (1, bd Élémir-Bourgès). Une
bibliothèque-vidéothèque, des photos, illustrations et
citations invitent le visiteur à pénétrer l'univers de
l'écrivain et à faire revivre son œuvre.
LOU PARAÏS ♥ (montée des Vraies-Richesses). Jean
Giono demeura dans cette maison de 1929 à 1970, date
de sa mort. Son agréable jardin domine la ville.

MYTHE ET RÉALITÉ
Selon la légende,
lorsque les Sarrasins
pillèrent la ville, une
âme pieuse ensevelit
cette statue en bois
polychrome de la
Vierge dans un
sarcophage en marbre
blanc de Carrare.
Celui-ci fut par la
suite retrouvé dans un
champ, devant un
buisson de ronces.
Or «ronce» se dit
roumi en provençal.
Aussi baptisa-t-on la
statue et son église
Notre-Dame-de-
Romigier. D'après
les méthodes de
datation actuelles,
il s'agit d'une
œuvre du
XIIe siècle.
Le sarcophage
date quant à
lui de la fin du
IVe siècle et
sort des
ateliers
d'Arles.

231

FORCALQUIER

HISTORIQUE. Perchée sur un rocher calcaire ayant servi d'oppidum avant l'occupation romaine, la ville de Forcalquier connut son heure de gloire au XIIᵉ siècle, lorsqu'une branche de la famille comtale de Provence en fit la capitale d'un petit état indépendant qui s'étendait des sources de la Durance aux portes d'Avignon. Par le jeu des alliances matrimoniales, Forcalquier tomba au XVᵉ siècle sous la tutelle de Louis XI qui dut soumettre la ville par la force ! Ce caractère rebelle se manifesta de nouveau avec violence en 1851, lors du coup d'État de Napoléon III et pendant la dernière guerre, durant laquelle Forcalquier fut un pôle actif de la Résistance.

NOTRE-DAME-DU-MARCHÉ. La cathédrale de Forcalquier fut achevée pour le gros œuvre en 1217. Elle prit le nom de concathédrale dès le XIᵉ siècle en raison de la situation très particulière de l'évêché de Sisteron : l'évêque, initialement installé dans cette ville, avait dû fuir après que les seigneurs locaux eurent saisi tous ses biens. Le droit canonique lui interdisant de transférer le siège de son diocèse, le prélat eut l'idée de prononcer la division des prérogatives et des biens épiscopaux entre les églises de Sisteron et de Forcalquier. Il put ainsi donner la quasi-totalité de ses possessions à Forcalquier. Le clocher, énorme pour l'époque, semble faire écho au clocher fortifié, encore partiellement debout, de l'ÉGLISE SAINT-MARI. La nef, vaisseau roman provençal classique avec son berceau brisé et ses travées séparées par un arc-doubleau, s'oppose au chœur et au transept gothiques, richement décorés mais dont les volumes restent romans. Cette synthèse originale préfigure le «gothique méridional». Du mobilier, il reste un beau tableau de forme circulaire, une statue de saint Pancrace et un grand Christ en bois du XVIIᵉ siècle.

LE MARCHÉ. L'un des plus importants marchés de Provence, il réunit, PLACE DU BOURGUET, environ trois cents exposants chaque lundi matin et plus encore lors des grandes foires de Pâques et de la Saint-Pancrace.

COUVENT DES VISITANDINES (place du Bourguet). En face de la cathédrale, une église baroque, décorée par le peintre

UNE PLACE D'ÉCHANGE
Les montagnes de Lure et du Luberon, la Durance et le Calavon ont croisé leurs crêtes et leurs lits pour dessiner le bassin de Forcalquier. Située au bord de l'ancienne voie romaine, la voie domitienne ● *237*, à la rencontre des haut et bas pays, des plaines agricoles et des plateaux voués à l'élevage, Forcalquier devint au Moyen Âge un lieu clé pour les échanges commerciaux.

italien Barrofi, signale l'existence d'un couvent construit pour les visitandines en 1630. Le dernier étage abrite aujourd'hui le Musée municipal (meubles et objets de la vie quotidienne).

Couvent des Cordeliers (bd des Martyrs). Témoignage de l'importance du mouvement franciscain en Provence – chargé par la papauté de l'Inquisition pour les comtés de Provence et de Forcalquier –, ce couvent est, comme la cathédrale, le fruit d'une synthèse habile entre roman et gothique.

Rue Saint-Mari. Son sol est revêtu de calades, très usitées en Provence, composées de pierres posées une à une, debout sur chant, et rendues solidaires par un liant composé de chaux et de sable. La rue, ponctuée par les oratoires du chemin de croix, conduit aux vestiges de la Citadelle, rasée en 1601, qui

dominait jadis la cité. Les ruines enfouies d'une tour ronde sont les seuls vestiges de ses quatorze tours. Il ne subsiste que quelques murs de l'église romane Saint-Mari, tandis qu'au bout de la rue, il est encore possible de voir une partie du donjon bâti au chevet de l'église qui était enclavée dans les remparts.

Église Notre-Dame-de-Provence. Élevée dans un style néo-byzantin (1875), elle couronne la colline de la Citadelle et se voulait le sanctuaire national de la Provence.

Couvent des Récollets. Il englobait l'église Saint-Pierre, à l'humble façade romane. Menaçant ruine, cet ensemble a été sauvé par une opération d'urbanisme ; au rez-de-chaussée, des gypseries du XVIIe siècle ornent la voûte de la sacristie.

LA VIEILLE VILLE
Les hôtels forcalquiérais du XVIIe siècle réunirent toujours trois éléments de base : le hall, la cour et le grand escalier à vis.

LES FONTAINES DE FORCALQUIER
La Bonne Fontaine, source déjà connue par les Romains, alimente un ensemble de fontaines et de lavoirs datés pour l'essentiel de la fin du XVe siècle : la fontaine Saint-Michel est la plus vieille de la région (1512). La fontaine Jeanne-d'Arc date de 1900.

CLOÎTRE DES CORDELIERS
La salle capitulaire, réservée aux moines, s'ouvre sur le cloître par une porte et deux fenêtres romanes.

233

Le prieuré de Ganagobie, qui couronne une haute colline dominant la vallée de la Durance, présente, par le site qu'il occupe, par sa qualité architecturale et son état de conservation, un intérêt exceptionnel. D'origine sans doute carolingienne, il ne subsiste que des bâtiments d'époque romane – église, cloître, bâtiments conventuels. Fondé vers le milieu du Xe siècle par l'évêque de Sisteron, Jean III, il fut très vite rattaché à la puissante abbaye de Cluny. Restauré depuis trente ans, il a aujourd'hui retrouvé sa splendeur et abrite une communauté monastique depuis 1992.

UNE ÉGLISE SOBRE (XIIe SIÈCLE)

Dédiée à Notre-Dame, elle est formée d'une nef de trois travées donnant à l'est sur un double transept ouvrant sur trois absides semi-circulaires. Entièrement parementée, tant à l'intérieur qu'à l'extérieur, en moyen appareil de calcaire à joints fins, elle retient l'attention par l'équilibre de ses volumes, la qualité de sa construction et l'ordonnance de sa façade occidentale. L'intérieur de la priorale se caractérise par un extrême dépouillement.

UN PORTAIL ORIGINAL

Profondément creusé dans le mur, il se compose d'une arcature à cinq voussures en arc brisé encadrant un tympan où trône le Christ en majesté, entouré des symboles des quatre évangélistes. Les douze apôtres, disposés sous huit arcatures, occupent le linteau. Les festons qui décorent voussures et piédroits résultent d'un montage effectué au XVIe siècle avec des éléments de colonnettes remployés.

UN CLOÎTRE AUSTÈRE

Ramassé, massif, de plan carré, il comporte quatre galeries couvertes d'une voûte en berceau rampant. Les baies sont ornées de colonnettes géminées couronnées de chapiteaux à feuilles stylisées.

MOSAÏQUES : DES COMPOSITIONS DISSYMÉTRIQUES ET ÉQUILIBRÉES

La priorale abrite dans le chœur monastique – abside et transept oriental – un ensemble de mosaïques de pavement, qui, par son étendue et sa richesse iconographique, est le plus important de France.

Récemment restauré, ce pavement aux couleurs éclatantes (blanc, rouge, noir), mis en place vers 1125, présente un décor somptueux où, à côté de preux et saints chevaliers combattant des monstres maléfiques, des animaux fabuleux se mêlent aux figurations géométriques.

Entre Provence et Dauphiné,
Sisteron est un seuil, une porte
entre deux pays, deux climats.
La ville, dominée par sa
citadelle, veille sur l'une des
clues les plus impressionnantes
de la Durance.

**NOTRE-DAME-
DES-POMMIERS**
Sa façade est

SISTERON

LA CITADELLE. Sisteron, de par son site, devint
dès le XIe siècle une place forte du comté
de Forcalquier puis des royaumes de
Naples (1246) et de France (1481).
Dès le XIIIe siècle, un ouvrage militaire
vint coiffer la cité. La physionomie de la
citadelle actuelle résulte de quatre
campagnes de travaux. Le rempart
supérieur, ou chemin de ronde, avec son
donjon du XIIIe siècle, est l'œuvre des
comtes de Provence ● 47. Après les
guerres de Religion, un étagement
d'ouvrages bastionnés, auxquels venait se
souder le rempart de la ville (XIVe siècle),
a été adapté au septentrion et au midi.
Ces ouvrages sont l'œuvre de Jehan
Sarrazin, ingénieur militaire d'Henri IV,
qui s'inspira des fortifications italiennes.
De l'ambitieux projet de Vauban (1693),
prévoyant pour Sisteron un vaste plan de
fortement marquée défense intéressant la forteresse et la ville, seuls la poudrière
par deux épais et un puits verront le jour. L'incroyable escalier souterrain
contreforts qui (trois cent cinquante marches) reliant la forteresse à la porte
correspondent aux nord de la ville fut creusé dans le rocher de 1842 à 1860.
divisions internes.

«SISTERON EST BIEN LA PERLE DE LA HAUTE PROVENCE,
UNE PERLE BAROQUE, BOURSOUFLÉE, TUMÉFIÉE,
NÉE DE LA PATIENTE COLÈRE D'UN TORRENT»

JEAN-LOUIS VAUDOYER

VISITE. La porte sud franchie, on accède à la première enceinte, faite de deux bastions du XIVᵉ siècle commandant l'entrée : à droite le bastion Notre-Dame, à gauche le bastion du Roi. Une porte étroite ouvre sur la deuxième enceinte (XIVᵉ siècle) : c'est le bastion du Gouvernement (XVIᵉ siècle), coupé de traverses à l'ouest. La vue sur la clue y est splendide. En gravissant les marches, on accède à la troisième enceinte où s'élevaient les casernes de la garnison. Enfin, une dernière volée d'escaliers monte jusqu'au rempart supérieur, étroit

chemin de ronde (XIIIᵉ siècle), bordé de murs jadis crénelés et que ponctuent le donjon et la chapelle Notre-Dame, datant de la fin du XIVᵉ siècle (elle sert de lieu d'exposition). Puis on atteint la terrasse supérieure par le raide escalier du donjon. La face nord ne comporte qu'un étroit réduit, dernier refuge des assiégés, et deux enceintes du XVIᵉ siècle en contrebas.

Un dernier escalier conduit à l'échauguette du Diable (XVIIᵉ siècle), arrimée au rocher et dominant l'abîme. En revenant sur ses pas, on découvre dans la première enceinte nord l'extraordinaire escalier souterrain. En regagnant la face sud, on laisse à droite le fort des Poudres de Vauban.

NOTRE-DAME-DES-POMMIERS (ci-contre). Édifiée au XIIᵉ siècle, selon un plan hérité du premier art roman, elle faisait partie d'un groupe épiscopal qui comprenait l'église Saint-Thyrse, un baptistère et un cloître. Dès le XVIᵉ siècle, l'épiscopat s'est attaché à égayer cet édifice austère en dotant ses chapelles de retables et de toiles (la *Sainte Famille,* 1643, par Nicolas Mignard, alors au sommet de son art) et en acquérant un mobilier liturgique précieux (stalles, maître-autel). C'est, avec les cathédrales de Senez, Digne, Embrun et Bayons, l'un des exemples – et sans doute le plus ancien – d'architecture alpestre d'influence lombarde.

LES TOURS. Ces cinq tours en forme de fer à cheval sont les seuls vestiges de l'enceinte élevée vers 1370. Placées à une distance qui ne dépassait pas la portée d'un arc, elles communiquaient par des galeries en bois adaptées aux remparts.

LE MUSÉE DU VIEUX-SISTERON (av. des Arcades ; visite sur demande). À travers les objets issus des fouilles menées à Sisteron et ses environs, des gravures et des dessins représentant la ville, on parcourt en quelques salles l'histoire de la cité.

LE ROCHER DE LA BAUME. Place du Dauphiné, on découvre de près le relief surprenant de ce rocher dont les barres verticales de calcaire tithonique, redressées par la reprise du plissement des Préalpes après le miocène, alternent avec des bancs de calcaire lithographique plus tendres attaqués par l'érosion. Une route bonne mais étroite, caillouteuse, sur le flanc sud du rocher de la Baume, mène à la grotte du «Trou de l'argent». Une randonnée sportive de 4 h 15 empruntant le GR 6 permet également d'y accéder.

UN PASSAGE OBLIGÉ
Avec la conquête romaine, l'oppidum celto-ligure sisteronais devint l'une des étapes principales de la voie domitienne qui reliait les Alpes occidentales aux Pyrénées orientales. Fondement de la puissance romaine, empruntée par les armées, les fonctionnaires, les commerçants et les voyageurs, utilisée par la poste impériale, cette route fut un moyen extraordinaire de développement pour les régions qu'elle traversait.

RUES SISTERONAISES
La vieille ville est sillonnée d'escaliers et d'andrônes, étroits passages voûtés. Des portes en beau bois travaillé, datant de la fin du XVIᵉ siècle au XIXᵉ siècle, jalonnent la rue Droite. La plus belle est celle de l'hôtel d'Ornano (fin du XVIᵉ siècle), à l'angle de la rue Droite.

«LE PRÉ DE FOIRE»
Cette toile d'Étienne Martin évoque une atmosphère
que les actuelles rues piétonnes ont su conserver.
Certains noms de rues rappellent l'intense activité
artisanale et commerciale qui animait la vieille cité
(rue des Tanneurs, des Chapeliers ou des Plâtriers).

POUR RÉSISTER AU VENT
Pour bâtir Saint-
Jérôme, on avait dû
détruire la tour
de l'Horloge.
Reconstruite, elle fut
ensuite intégrée à la
cathédrale en tant
que clocher. Celui-ci
fut surélevé puis
coiffé, en 1620, d'un
élégant campanile
en fer forgé.

DIGNE

HISTORIQUE. Entourée de montagnes,
au confluent de trois vallées (celles de la
Bléone, du Mardaric et du torrent des
Eaux-Chaudes), la préfecture des Alpes-
de-Haute-Provence bénéficie d'un cadre
enviable et d'un ensoleillement record.
Elle dut son essor à la création d'un
évêché, attesté dès 506. À la dislocation
de l'empire carolingien, les prélats,
devant l'insécurité croissante,
abandonnèrent le bourg primitif, situé
dans le vallon du Mardaric, et se
réfugièrent sur la butte. Une nouvelle
cité s'organisa tout autour de leur
château et, en 1490, on y édifia une
nouvelle cathédrale. Les guerres de
Religion puis une terrible épidémie de
peste, en 1630, interrompirent cet âge
d'or. Il faut attendre 1789 pour que Digne, chef-lieu
du département des Basses-Alpes, recouvre
un rôle administratif important.
Le développement du tourisme vert et
du thermalisme (soin de l'asthme et des
voies respiratoires) lui a donné ces
dernières années un sérieux coup de fouet.
CATHÉDRALE SAINT-JÉRÔME. Construite
en 1490, agrandie au XVIIe siècle, elle fut
très remaniée à partir de 1851. Un parti
pris de monumentalité ainsi qu'une
inspiration néogothique prévalurent
comme en témoignent le parvis et la
façade méridionale, au style inspiré par
la cathédrale de Chartres. Seul subsiste
du XVIIe siècle le petit retable (restauré
en 1989), œuvre du sculpteur dignois
Honoré Maïsse. Les vitraux du chœur
(1855) sont dus au peintre verrier
Alphonse Didron et représentent la
passion du Christ, la vie de la Vierge
et celle de saint Jérôme d'après la
Légende dorée.
LE MUSÉE DE DIGNE (64 bd Gassendi). À la fois
musée d'art et muséum d'histoire naturelle, il reflète bien les
passions éclectiques de ses fondateurs (début du XIXe siècle).
Dans une vaste galerie, dévolue au XIXe siècle et à
l'enseignement des sciences, l'œuvre de Pierre Gassendi est
mise à l'honneur. Au premier étage, la collection
entomologique se compose essentiellement de papillons. Au
second étage se côtoient
des œuvres de peintres
des écoles italienne et
flamande ainsi que celles
de quelques artistes
régionaux attachants, tels
Paul Martin et son fils
Étienne (1858-1945).
La collection rassemblée

**PIERRE GASSENDI
(1592-1655)**
Théologien,
philosophe, prévôt
du chapitre de Digne
(1634) et historien
de grand talent, mais
aussi naturaliste et
astronome passionné,
sa réflexion et ses
idées, connues pour
s'être démarquées de
celles de Descartes,
influencèrent des
hommes tels que
Charleton, Locke
et Newton.

permet de se faire une idée exacte de l'école paysagiste provençale du XIXᵉ siècle.

LE BOULEVARD GASSENDI. Sa longue perspective ombragée date du Premier Empire. En son milieu, une vaste place accueille une statue en bronze de Gassendi : la municipalité rendit ainsi hommage à ce penseur d'exception qui naquit en 1592 dans un village voisin, Thouard. L'HOTEL DE VILLE, ancien hospice, fut construit en 1720 ; laissé à l'abandon, il a été totalement rénové en 1987 et transformé en mairie. De l'autre côté de la place, la FONTAINE CENTRALE, en marbre, réalisée en 1989, est l'œuvre de Maria Szusza de Faykod. Au centre-ville sont exposées les œuvres des artistes qui participèrent au Symposium (concours) de sculptures contemporaines.

NOTRE-DAME-DU-BOURG ♥ (quartier du Bourg). Tout le XIIIᵉ siècle fut probablement nécessaire à la complète reconstruction de cette église qui fut ravagée par un incendie. Un premier édifice avait été construit au même emplacement pendant l'époque gallo-romaine : une mosaïque à décor géométrique, des caveaux et les structures anciennes de l'ensemble paléochrétien y ont notamment été mis au jour. Bien qu'elle soit de grande dimension, cette église romane présente une remarquable unité. La nef, composée de quatre grandes travées, est couverte d'une vaste voûte en berceau brisé, et le cœur rectangulaire est à chevet plat. Les fragments de peintures murales réalisées entre le XIVᵉ et le XVᵉ siècle y sont admirables : sur les murs latéraux, une *Annonciation*, au nord, et un *Jugement dernier*, au sud, accompagné d'une série des vices et des vertus et de leurs châtiments en enfer. Ces œuvres superbes, fort détériorées depuis un siècle, sont en cours de restauration.

FONDATION ALEXANDRA-DAVID-NEEL ♥ (27, av. du Maréchal-Juin. Pour s'y rendre, sortir de la ville en direction de Nice ; la maison se trouve juste après le garage Total). La célèbre orientaliste et exploratrice du Tibet écrivit nombre de ses ouvrages dans cette maison acquise en 1928. Elle y séjournait entre deux expéditions et ne s'y installa définitivement qu'en 1946 ; elle avait alors soixante dix-huit ans. La ville de Digne, légataire universelle de cette femme

La grande place, boulevard Gassendi.

LE MUSÉE DÉPARTEMENTAL D'ART RELIGIEUX ♥ Situé dans l'ancienne chapelle des pénitents bleus, place des Récollets, ce musée abrite de précieux objets d'art religieux déposés temporairement par les communes qui en sont les propriétaires depuis la loi de séparation de l'Église et de l'État : on y découvre d'émouvants bustes-reliquaires, des santons, des ornements sacerdotaux et des plats de quête, tel celui que l'on peut voir représenté ci-dessous, en cuivre, du XVIᵉ siècle.

d'exception, a créé la FONDATION en 1977 pour rénover la maison et aider les Tibétains en exil ; elle offre un nouveau lieu d'études pour l'accueil des chercheurs. Ouverte au public, la maison se visite au rythme d'un commentaire enregistré par l'ancienne secrétaire d'Alexandra David-Neel. Certaines pièces recèlent de très beaux objets d'art orientaux – bouddhas de l'époque Ming, horloges japonaises à poudre du XVIIIᵉ siècle, bannières peintes (que l'on désigne sous le nom de *tankas*), objets rituels tibétains, tels les *tsa-tsa* en poudre d'os de défunts –, offerts à l'exploratrice lors de ses expéditions. Un petit temple a été aménagé dans l'une des pièces de la maison pour les présenter. *Voyage d'une Parisienne à Lhassa* (son œuvre la plus connue) contient de nombreuses et passionnantes anecdotes sur quelques-uns de ces objets étonnants. D'autres vitrines exposent ses objets personnels ou ses effets de voyage.

LE MUSÉE DE GÉOLOGIE ET LA RÉSERVE GÉOLOGIQUE DE HAUTE PROVENCE

À 4 km de Digne, sur la route de Barles, on fera halte au MUSÉE DE GÉOLOGIE, juché sur un piton au-dessus d'une cascade pétrifiante, avant d'entreprendre la visite des dix-huit sites protégés, répartis à travers la réserve. Créée au début des années 1980, cette réserve est la plus vaste d'Europe et couvre 150 000 ha, situés exclusivement sur le département des Alpes-de-Haute-Provence. Elle a pour vocation l'étude, la protection et la mise en valeur de toutes les traces de l'histoire de la terre. Les fossiles sont extrêmement nombreux dans le sous-sol des Alpes du Sud : végétaux à l'ère primaire, ammonites, grands reptiles témoins d'une vie marine à l'ère secondaire, oiseaux de l'ère tertiaire. Le premier site d'accès libre est une DALLE AUX AMMONITES, située 1 km après le musée sur la route de Barles. Il s'agit d'une dalle de 200 m², spectaculaire par sa déclivité, où sont incrustés plus d'un millier de fossiles pris au piège d'une boue calcaire sur le fond d'une mer qui a disparu il y a deux millions d'années. Parmi eux, cinq cents ammonites. Les géologues expliquent ce phénomène par la présence d'un courant marin qui aurait rassemblé en ce lieu les coquilles d'animaux morts.

L'autre site spectaculaire est celui de l'ICHTYOSAURE, un grand poisson-lézard fossile que l'on a laissé sur son lieu d'origine, simplement protégé par un abri en plastique transparent. On y accède en voiture en prenant la direction du petit village de La Robine, à 7 km de Digne.

ALEXANDRA DAVID-NEEL (1868-1969)
Elle passa une grande partie de sa vie sur les routes d'Asie. À vingt-sept ans, une passion pour le chant et l'Orient l'amena à l'opéra de Hanoi. Puis elle se fit exploratrice, partit à pied à travers le Tibet pendant huit mois et fut la première Européenne à entrer dans la ville interdite de Lhassa. En 1946, ce fut l'adieu à l'Asie et le retour définitif à Digne. Elle finit ses jours avec son fils adoptif, le lama Yongden, puis avec sa secrétaire Marie-Madeleine Peyronnet.

La façade de N.-D.-du-Bourg tire sa beauté de la rose aux larges voussures toriques, d'influence gothique, et des statues du portail, marquées par le style lombard.

CANNES
ET SES ENVIRONS

▲ CANNES

1 LA CROIX-DES-GARDES   **2** MÉDIATHÈQUE   **3** VILLA ÉLÉONORE-LOUISE   **4** VILLA VICTORIA   **5** CHÂTEAU DES TOURS   **6** LE SUQUET   **7** HÔTEL DE VILLE   **8** VIEUX PORT   **9** PALAIS DES FESTIVALS   **10** NOTRE-DAME-DE-BON-VOYAGE

⏱ 2 journées

Statuette en bois
des îles Marquises.

C annes, mondialement connu pour son
Festival international du film, incarne avec ses palaces
l'image même de la Côte d'Azur. La station de villégiature
s'est cependant métamorphosée en l'une des villes de congrès
les plus actives de France. Mais, loin des strass et des plages
bondées, les rues du Suquet, les villas fantaisistes de la Croix-
des-Gardes ou de la Californie et les rivages
enchanteurs des îles de Lérins réservent
encore de très belles surprises.

HISTOIRE

Fondée par les ligures, au IIe siècle av. J.-C.,
sur la colline du Suquet, Cannes est
colonisée par les Romains en 154. Puis la ville entre dans une
longue période de troubles : incursions sarrasines jusqu'à
l'an 1000, sièges des troupes de Charles Quint en 1524-1536,
des Espagnols en 1635, du duc de Savoie en 1707 et enfin des
troupes impériales lors de la guerre de Succession d'Autriche.
L'ère de la villégiature s'ouvre en 1834, lorsqu'un Anglais,
lord Brougham, séduit par le site, décide de s'y installer. Dès
lors, villas et résidences de luxe se construisent et accueillent
l'aristocratie internationale pendant l'hiver. À partir de 1930,
Cannes se convertit en station d'été et s'étend vers l'ouest.
La pêche artisanale et la culture florale (mimosa) ont
désormais cédé la place aux activités liées au tourisme ● 58.

LE VIEUX PORT
Encombré de filets
de pêche jusqu'au
début du XXe siècle,
le quai Saint-Pierre,
au pied du Suquet,
offre aujourd'hui
le spectacle de
ses somptueux yachts.

1 La Malmaison **12** Carlton **13** Miramar **14** Martinez **15** La Californie **16** Château Louis XIII **17** Villa Fiesole-Domergue **18** Casino-Palm-Beach **19** Chapelle Saint-Georges **20** Villa des Lotus **21** Château Scott **22** Hôtel de la Californie

«Rue de la Boucherie», d'Ernest Buttura. Ce peintre paysagiste de l'école provençale a su recréer l'ambiance du vieux Cannes de la fin du XIXᵉ siècle.

Le Suquet ♥

Musée de la Castre ♥. Installé depuis 1922 dans l'ancien château de Cannes, le musée a été créé en 1877 grâce à la donation de la collection du baron Lycklama, érudit et humaniste hollandais. Son riche fonds ethnologique couvre les cinq continents.
Le musée possède également une collection exceptionnelle de trois cents instruments de musique du monde entier. Un parcours thématique propose une réflexion sur l'Homme : d'une part dans la chapelle Sainte-Anne (XIIᵉ siècle), réservée aux expositions temporaires ; d'autre part, dans des salles consacrées à l'Homme, à la religion et à la mythologie. La Provence est représentée à travers les œuvres de l'école provençale du XIXᵉ siècle.
Dans la cour centrale du musée se dresse, sur une hauteur de 22 m, une tour de guet (XIᵉ-XIVᵉ siècle), ultime réduit de défense en cas d'attaque. Place de la Castre, un passage voûté, élément de l'ancien rempart, permet d'accéder au parvis de Notre-Dame-de-l'Espérance, dont l'austérité est typique du gothique provençal tardif (1521-1648).
L'église renferme deux œuvres dignes d'intérêt : une Vierge en bois doré du XVIIIᵉ siècle (dans le chœur) et un Christ de la bonne mort du XVᵉ siècle.

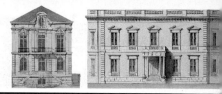

L'HÔTEL NOGA HILTON (50, bd de la Croisette). Le dernier-né de la Croisette fut inauguré en 1992. Avec ses deux cent vingt-cinq chambres et suites, il respecte la tradition. Deux édifices chers à la mémoire des Cannois occupaient avant lui le terrain : le Cercle nautique et l'ancien palais des Festivals dont les vingt marches furent pour nombre d'acteurs pendant plus de trente ans autant de degrés conduisant vers la gloire.

L'HÔTEL MARTINEZ ♥ (75, bd de la Croisette). Bien qu'il ait été rénové dans les années 1980, son architecture intérieure est restée fidèle au style Arts déco. La salle de restaurant est des plus caractéristiques, avec ses meubles des années 1930 : fauteuils laqués noirs et recouverts d'alcantara gris perle et bordeaux, sièges du salon-bar signés de la célèbre maison Warring and Gillow de Londres, argenterie et verres d'avant-guerre.

LA CROIX-DES-GARDES

LES DÉBUTS DE LA VILLÉGIATURE.
La colline de la Croix-des-Gardes, dite aussi quartier des Anglais, est le plus ancien quartier résidentiel de Cannes. L'origine de sa prospérité tient au coup de cœur de lord Brougham, qui acheta un vaste domaine situé à mi-hauteur, sur lequel il fit construire, entre 1835 et 1839, une première résidence de villégiature. Lors de ses séjours en Angleterre, il sut peu à peu convaincre certains de ses amis de le rejoindre. Sir Thomas Woolfield acheta plusieurs dizaines d'hectares à bas prix autour de sa demeure et les revendit en lots en 1860 ; plus de vingt villas y furent construites en bord de mer par ses compatriotes. Il se trouva ainsi à la tête d'un patrimoine considérable au bout d'une décennie. Il fut aidé en cela par son jardinier, John Taylor, un homme fort avisé en matière de transactions, et qui fonda la première agence immobilière de Cannes, toujours présente sur la Croisette. John Taylor devint, en 1884, vice-consul de Grande-Bretagne.

LE CHÂTEAU DES TOURS OU VILLA SAINTE-URSULE ♥
(parc Vallombrosa, 6, avenue Jean-de-Noailles). Construit entre 1852 et 1856 par deux architectes anglais, à la demande de sir Thomas Woolfield, ce château de style gothique, en gneiss rose, est l'archétype des demeures anglaises ● *100* de cette époque (porche d'entrée, fenêtres à meneaux ornées de vitraux, ouvertures en arc brisé). Acquis en 1858 par le duc de Vallombrosa, il fut revendu en 1893 à un hôtelier qui ajouta deux ailes à l'édifice.

LA VILLA ÉLÉONORE-LOUISE ♥
(24, avenue du Docteur-Picaud). Cette villa d'inspiration palladienne, fortement marquée par l'Antiquité, est l'ancêtre des villas cannoises ● *100*. Lord Brougham en fit la commande en 1835 et elle fut achevée quatre ans plus tard. De plan rectangulaire, la façade principale et ses trois niveaux s'ordonnent selon une symétrie parfaite. Une terrasse portée par une colonnade de porphyre précède l'étage et court sur toute la longueur du bâtiment. Elle abrite aujourd'hui la bibliothèque municipale.

LE QUARTIER DE LA CALIFORNIE ♥

LUXE, CALME ET FANTAISIE. Situé à l'est de Cannes, ce quartier résidentiel doit son nom à la culture du cassier qui s'y pratiquait à la fin du XIXᵉ siècle. Cette plante d'origine exotique, très prisée des parfumeurs de Grasse et de Cannes, enrichissait ses producteurs comme l'or que l'on trouvait à la même époque en Californie ! Tandis que la Croix-des-Gardes était le site d'élection de la colonie anglaise, la Californie était plutôt le domaine de la colonie russe. En 1850, le consul de France à Moscou, Eugène Tripet, acheta un vaste terrain où il fit bâtir la villa Alexandra, une demeure de style oriental aujourd'hui disparue. Ayant épousé une jeune fille de la haute société russe, il favorisa l'implantation de nombreux représentants de l'aristocratie tsariste. Les villas, pleines de fantaisie, ont un style et une architecture des plus variés.

LE CHÂTEAU SCOTT ♥ (151, avenue du Maréchal-Juin). Commandé par l'industriel Michel Hughes Scott, ce château de style gothique, construit entre 1868 et 1872, est caractéristique des folies «médiévales» ● *100* de l'époque. Il stimula l'imagination de cinéastes tels que Marcel L'Herbier, qui y réalisa, en 1931, une version du *Mystère de la chambre jaune*.

LA VILLA ROSE-LAWN ♥ (42, avenue du Roi-Albert). Elle fut édifiée en 1872 et s'appelait alors villa des Lotus. La brique, la pierre, le bois entrent dans la composition de cet ouvrage original dont les formes irrégulières, les façades animées de bow-windows et de colombages rappellent les cottages anglais.

LE CALIFORNIE ♥ (27, avenue du Roi-Albert). Construit en 1876 par l'architecte Vianey, c'est le palace le plus typique du style néo-classique.

E. Bellini

LA VILLA RAYRAMA ♥ (32, av. du Roi-Albert). Construite vers 1900, cette vaste demeure de style italien se distingue par son décor d'inspiration hellénique, telle une frise en relief qui court sur la partie haute de la façade.

VILLA LES MIMOSAS (10-12, av. de la Californie). De plan irrégulier, c'est l'une des plus grandes villas de la Californie.

DES VILLAS DE TOUS STYLES
L'agence immobilière de John Taylor avait pris l'habitude de faire dessiner et aquareller les villas qu'elle proposait à ses clients. Villas palladiennes, chalets suisses, cottages anglais, châteaux néo-gothiques ou villas mauresques : toutes les folies, tous les styles furent illustrés pendant la grande époque de la villégiature cannoise.

EMMANUEL BELLINI, LE PEINTRE DE CANNES
Né en 1904, il fut successivement affichiste, caricaturiste, créateur de maquettes de chars de carnaval, illustrateur de livres, décorateur de théâtre, créateur de bijoux, de sculptures en verre de Murano... Sa première exposition en tant que peintre eut lieu à Cannes en 1949. Avec ses calèches traversant le paysage du Suquet (ci-contre, *Cannes à la Belle Époque*), il restera l'ambassadeur de la ville dans le monde entier.

▲ CANNES VERS TOULON

1 TOULON **2** PRESQU'ÎLE DE GIENS **3** HYÈRES **4** ÎLE DE PORQUEROLLES **5** BORMES-LES-MIMOSAS **6** ÎLE DE PORT-CROS **7** ÎLE DU LEVANT **8** CHARTREUSE DE LA VERNE **9** CORNICHE DES MAURES **10** GRIMAUD

⏱ 4 à 5 jours
🚗 350 km

L'ESTÉREL

L'Estérel culmine à 616 m d'altitude, au mont Vinaigre. Le massif, d'une âpreté surprenante, était autrefois couvert de forêts où dominaient les chênes verts et les chênes-lièges, mais ceux-ci furent victimes d'incendies répétés. La douceur des températures permet aux plantes tropicales de prospérer : palmiers, eucalyptus, agaves américains, mimosas, robiniers voisinent ainsi avec les pins, châtaigniers, charmes, figuiers, oliviers, lauriers, bruyères arborescentes,

L'ESTÉREL
Il s'agit d'un massif primaire éruptif composé de porphyre, doublé le long des côtes par des bancs de grès, entre lesquels s'intercalent des couches d'argile d'où surgissent des sources dont l'eau viendrait du haut Var.

cistes et houx (ci-dessous).

HISTORIQUE. Depuis que saint Honorat, né à Trèves au Ve siècle, s'y retira, près du Cap-Roux, le massif a abrité une importante vie érémitique jusqu'au XVIIIe siècle. Il fut aussi le refuge de brigands et de prisonniers évadés du bagne de Toulon. L'exode rural l'a vidé, laissant des restanques ruinées, sur lesquelles on cultivait autrefois des oliviers.

PROMENADES À PIED OU À VÉLO. Avant l'entrée d'Agay, en venant de Valescure, il est possible de louer des vélos à la ferme de Grenouillet. La route monte à la maison forestière du Gratadis. Peu après, la voie de gauche conduit au vallon du Perthus et au Roussiveau, tandis que celle de droite mène au gué du Grenouillet, où l'on découvre un arboretum. Au carrefour suivant, la route de gauche monte vers la grotte de la Sainte-Baume, où se retira saint Honorat, et vers le pic d'Aurelle, d'où le panorama est spectaculaire.

LE VALLON DU PERTHUS ♥. Une importante formation de lauriers-roses, qui bordent le torrent sur près de 2 km, prospère dans cette réserve biologique domaniale.

LE VALLON DU MAL-INFERNET ♥. Une route mène au col de Belle-Barbe depuis la maison forestière du Gratadis. De là, une excursion pédestre (3 ou 4 heures) permet de découvrir le petit torrent du Mal-Infernet, profondément encaissé et ceinturé par les sommets environnants. Le cours d'eau est bordé de végétaux rares en Méditerranée : érables, houx, tilleuls, sorbiers et frênes. Les versants ensoleillés sont occupés par le maquis (cistes, lentisques, arbousiers, bruyères...).

SAINT-RAPHAËL

Cette station balnéaire s'étend du golfe de Fréjus aux Alpes-Maritimes et englobe une partie du massif de l'Estérel. C'était déjà à l'époque romaine une banlieue résidentielle de Fréjus et un lieu de cure. Son essor réel date de la seconde moitié du XIXᵉ siècle, époque à laquelle un arrêt sur la ligne du PLM fut aménagé.

L'ÉGLISE SAINT-PIERRE (place de la Vieille-Église). L'édifice roman, commencé vers 1150, fut achevé au XIIIᵉ siècle et flanqué d'une tour. L'ensemble était accolé à la maison seigneuriale, rebâtie au XVIIᵉ siècle, et formait avec cette dernière un ensemble fortifié, comme en témoigne leur crénelage.

BALADE DANS LE VIEUX SAINT-RAPHAËL. Une partie des remparts du XIVᵉ siècle est visible dans les jardins du Musée archéologique. Du Moyen Âge demeurent des ruelles anciennes, l'une des portes de l'enceinte située dans l'axe de l'avenue

UNE STATION BALNÉAIRE MODERNE

Banlieue résidentielle de Fréjus durant l'Empire romain, sous le nom d'*Epulias* (les Ripailles), la ville était un lieu de réjouissances. Mentionnée pour la première fois sous le nom de «Saint-Raphaël» au XIᵉ siècle, ce n'est véritablement qu'au XIXᵉ siècle que la station fut lancée, lorsque le chemin de fer s'y arrêta, dès 1864. D'illustres hôtes y séjournèrent, peintres, écrivains et même têtes couronnées !

ÉTÉ · LA CÔTE D'AZUR · HIVER
SAINT-RAPHAËL
VALESCURE · BOULOURIS · AGAY · ANTHÉOR · LE TRAYAS

LE PORT ET LA CATHÉDRALE EN 1907

On y embarquait alors la houille, les schistes bitumineux et le fer extraits dans l'Estérel. Une partie de la bauxite varoise transitait par le port. Lors du rattachement de la Corse à la France (1768), une liaison maritime fut établie entre l'île et Saint-Raphaël.

251

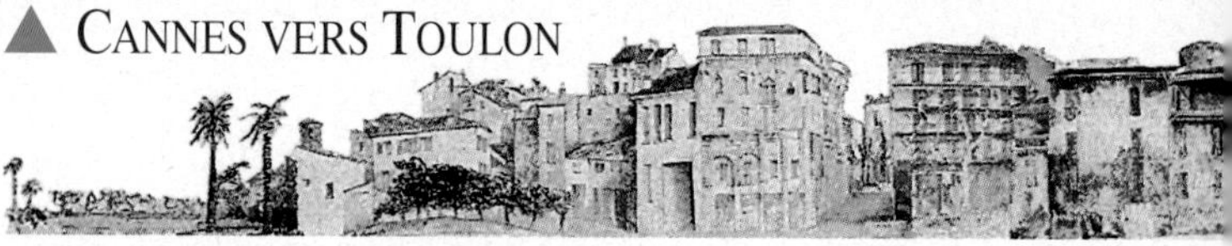

Jacques Douza.

ÉVÊQUES ET PAPE
L'évêché de Fréjus
était très recherché et
compte ainsi des
figures importantes
de l'histoire : citons,
entre autres, Jacques
d'Euze, le futur pape
Jean XXII
(ci-dessus), qui
fortifia le groupe
épiscopal, de 1300 à
1310 ; et André
Hercule de Fleury
(1653-1743), cardinal
et Premier ministre
de Louis XV.

Le premier étage
du clocher de la
cathédrale fut bâti
au XIIᵉ siècle, tandis
que le second,
octogonal, date du
XVIᵉ siècle, comme
les tuiles vernissées
de la flèche. La tour
carrée et crénelée
fut construite
au XVᵉ siècle.

conduisant à Fréjus, à l'est, et le vieux pont qui franchit le
Pédégal, appelé Garonne à son embouchure. La maison du
seigneur (1773) abrite un MUSÉE D'HISTOIRE LOCALE.
LE MUSÉE ARCHÉOLOGIQUE. Situé à côté de l'église Saint-
Pierre, il occupe l'ancien presbytère (1782). On peut y voir des
collections du paléolithique, du néolithique et de l'âge du
bronze. Il possède d'autre part une belle collection d'amphores
et deux bas-reliefs du XIIIᵉ siècle.
VALESCURE. En se dirigeant vers le nord, on découvre ce
quartier apprécié par de nombreux artistes à la Belle Époque.
Le golf est l'un des plus anciens de la région. Le Golf Hôtel,
inauguré en 1935, a été divisé en appartements.

FRÉJUS

Entre les Maures et l'Estérel, Fréjus, la «Pompéi provençale»,
surprendra le visiteur. Cet ancien port de guerre romain, tenu
par les vétérans de la VIIIᵉ légion, fidèle à ses débuts
militaires, devint pendant l'entre-deux-guerres un centre de
transition climatique des troupes coloniales. Ainsi, vestiges
antiques, groupe épiscopal médiéval, mosquée soudanaise et
pagodes bouddhiques composent-ils le patrimoine inattendu
de cette station balnéaire en pleine expansion.
HISTORIQUE. Fréjus devint le siège d'un évêché dès 374.
Au Xᵉ siècle, le comte Guilaume, qui avait libéré la Provence
des Sarrasins, donna la cité ruinée et ses environs aux prélats.
Profitant de sa situation rêvée entre l'Italie et la vallée du
Rhône, Fréjus créa au XIIᵉ siècle
une foire renommée, où les étrangers
venaient acheter le blé de la vallée
de l'Argens et le vin du terroir.
LE GROUPE ÉPISCOPAL ♥ (place
Formigé). Situé au centre de la ville
médiévale, il se compose d'un
baptistère, d'une cathédrale, d'un
cloître canonial, des maisons qui
en dépendent, tous bâtis dans le
grès brun-rouge de l'Estérel, et
du PALAIS ÉPISCOPAL qui abrite
aujourd'hui l'hôtel de ville.
Dans la cour de celui-ci, on
découvre le mur sud de la
cathédrale, ainsi qu'une
première tour, carrée et
crénelée, du XVᵉ siècle ;

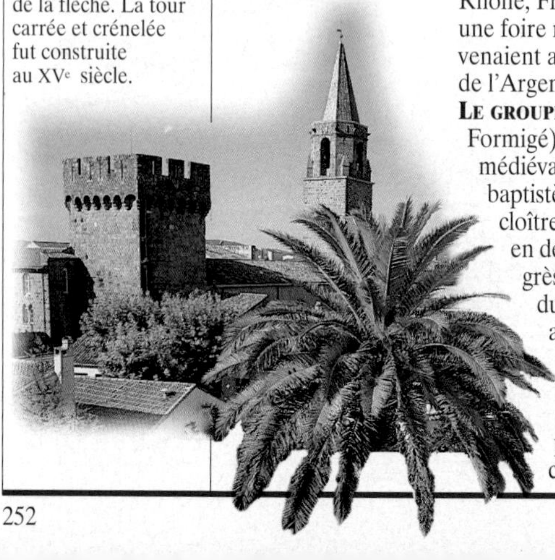

la seconde abrite l'ancienne CHAPELLE SAINT-ANDRÉ, qui possède de belles croisées d'ogives. Le reste de cet ensemble a été élevé, pour l'essentiel, entre le XIᵉ et XIVᵉ siècle. LA MAISON DU PRÉVÔT (le premier des douzes chanoines qui assistaient l'évêque) présente deux baies percées à l'étage sous des arcs en plein cintre sur lesquels on découvre des colonnettes de marbre et des chapiteaux ornés de têtes d'animaux ou de feuillage.

Situé à l'ouest de la cathédrale, le BAPTISTÈRE (Vᵉ siècle) se compose d'une salle octogonale : huit colonnes de granit noir, surmontées de chapiteaux romains en marbre blanc, supportent la coupole, qui était séparée du bas de l'édifice par un plafond. La CATHÉDRALE possède deux nefs. Au sud, la nef principale, dont les voûtes d'ogives reposent sur des piliers du XIIIᵉ siècle, est dédiée à Notre-Dame. Les stalles de l'abside, disposées en deux rangées de part et d'autre du trône épiscopal, datent du XVᵉ siècle. Au nord, la nef Saint-Étienne semble avoir été refaite en même temps que le narthex qui date du XIIᵉ siècle. On admirera au-dessus de la porte de la sacristie le retable de sainte Marguerite (XVᵉ siècle), peint par le Niçois Jacques Durandi, et dans la seconde travée une *Sainte Famille* (1561) signée Saturnus. LE CLOÎTRE, enfin, est un lieu de calme et de raffinement : les galeries, recouvertes d'une charpente à caissons décorée par trois cents panneaux peints (XVᵉ siècle) dont les dessins s'inspiraient de l'Apocalypse de saint Jean, s'ouvrent par des arcs brisés retombant sur huit doubles colonnettes de marbre qui viendraient de l'amphithéâtre romain. Leurs chapiteaux sont richement décorés.

DANS LA VIEILLE VILLE. La tour de la RUE GRISOLLE est l'un des rares vestiges de l'enceinte médiévale. Il existe deux autres tours carrées, englobées dans des bâtiments plus récents au nord et à l'ouest de la cathédrale. Les fortifications du XVIᵉ siècle, au rôle plus dissuasif que défensif contre les pirates barbaresques, sont visibles au nord de la vieille ville, après la rue Girardin.

RETABLE DE SAINTE MARGUERITE
Peint par le Niçois Jacques Durandi, il date du XVᵉ siècle. La couronne de perles de la sainte, patronne des femmes qui accouchent, symbolise son humilité et sa pureté. À gauche se tiennent saint Antoine et sainte Marie Madeleine à droite, saint Michel et sainte Catherine d'Alexandrie.

PORTE AUX ATLANTES
Au n° 53 de la rue Sieyès se dresse un hôtel particulier orné d'une magnifique porte aux Atlantes (XVIIᵉ siècle).

La chapelle des dominicaines (ci-dessous, à gauche) rappelle la floraison d'ordres religieux à Fréjus au XVIIᵉ siècle. L'hôtel des Quatre-Saisons (à droite) doit son nom aux quatre têtes d'applique du rez-de-chaussée qui symbolisent les saisons de l'année.

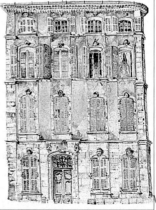

253

HERMÈS
DICÉPHALE
HAUT-EMPIRE ROMAIN
FRÉJUS
3,70
POSTES 1988
RÉPUBLIQUE
FRANÇAISE

L'AMPHITHÉÂTRE
Moitié moins grand que celui de Nîmes (114 m de long sur 82 m de large), il pouvait accueillir près de dix mille personnes, qui prenaient place sur trois séries de gradins. Au cœur des arènes, une fosse en forme de

croix permettait à un animal ou un combattant d'apparaître. Après l'époque romaine, il devint une carrière de pierre ; les murs rayonnants et concentriques, en moellons, qui soutenaient l'édifice et supportaient les gradins, sont les seuls vestiges des arènes, qui ont toutefois conservé un aspect impressionnant. Depuis 1907, des corridas, concerts et pièces de théâtre y sont organisés.

LA VILLE ROMAINE ♥ ● *80.* L'enceinte du Ier siècle av. J.-C., à la valeur plus symbolique que militaire, est encore visible au nord de la ville ; les vestiges les plus spectaculaires sont les portes, telle la PORTE DES GAULES (rue Henri-Vadon), défendue par deux tours rondes. Plusieurs arches de l'AQUEDUC, édifié au début du Ier siècle av. J.-C., se dressent encore à la sortie est de la ville sur un vaste terre-plein. L'ouvrage amenait les eaux de la Siagnole – dont la source se situe à 42 km de Fréjus et à 519 m d'altitude –, faisant alterner sections souterraines, semi-souterraines et aériennes. Un mortier de tuileaux assurait l'étanchéité de la conduite. Un parcours dans la campagne, en aval du barrage de Malpasset, permet de découvrir d'autres sections tout aussi bien conservées : arches du Gargalon, du vallon de Bouteillère, de l'Esquine. Des NÉCROPOLES qui entouraient la cité, subsistent deux tombeaux : rue de la Tourrache, le mausolée du même nom semble dater du Haut-Empire ; l'intérieur comporte quatre niches pour abriter les urnes funéraires et un espace pour loger le sarcophage. À l'angle de la rue Jean-Carrara et du bd Séverin-Detvers se dresse un enclos funéraire, extrêmement rare du début du Ier siècle. Il comporte un banc où prenait place la famille lors des banquets organisés à la mémoire du mort et un socle qui recevait la statue du défunt.

AUTRES CURIOSITÉS. L'amateur d'exotisme se rendra à la lisière du camp Gallieni pour visiter la PAGODE BOUDDHIQUE HONG-HIEU, construite en 1917-1918 par le contingent vietnamien. À la sortie de la zone industrielle du Capitou, le camp du IVe régiment réserve quelques surprises : une réplique de la MOSQUÉE Missiri de Djenné (Mali), érigée en 1928 et, en face, un ancien bâtiment de commandement décoré de fresques murales d'inspiration orientale.

SYMBOLE DE LA VILLE
Derrière le syndicat d'initiative, le clos
de la Tour était un quartier romain
où l'on a retrouvé dans une vaste demeure
un hermès bicéphale en marbre. Représentant
d'un côté Bacchus et de l'autre un faune, il est
devenu le symbole de Fréjus.

PORT-GRIMAUD

En 1966, il n'y avait là qu'un vaste marécage, à l'extrémité de la plaine de Grimaud et au bord de la mer, qu'infestaient les moustiques. Port-Grimaud, copropriété privée (170 000 m² bâtis sur 90 ha), est née cette année-là de l'imagination d'un architecte et promoteur, François Spoerry (né en 1912).

On pénètre dans la marina par des portes fortifiées. Des ponts vénitiens relient les îlots entre eux ; on y découvre des colonnades, des réverbères rétro, des trompe-l'œil, des arcades ; partout, François Spoerry a multiplié les pastiches, auxquels les années ont donné un air authentique. L'ÉGLISE SAINT-FRANÇOIS, avec ses contreforts latéraux et sa tour carrée, imite une église fortifiée : de sa terrasse, on découvre tout le port qui permet de loger mille bateaux de plaisance.

VENISE GRIMALDAISE
François Spoerry créa ici un ensemble de style provençal où le propriétaire plaisancier attache son bateau «cul à quai», juste sous ses fenêtres, devant son carré de verdure. Les villas, qui ont un petit air de maisons de pêcheurs, sont implantées au bord de canaux menant à la mer.

LES RUINES DU CHÂTEAU DE GRIMAUD
Le corps central, situé au sommet, est flanqué de trois grosses tours d'angle. Seule une salle voûtée est restée à peu près intacte.

GRIMAUD ♥

HISTORIQUE. À 6 km à l'intérieur des terres, Grimaud est l'un des plus anciens villages des Maures. Il fut au Moyen Âge le fief de Gibelin de Grimaldi. Ce dernier édifia un *castrum* qui devait assurer la défense du massif des Maures et empêcher le retour des pirates. Les templiers l'occupèrent à partir de 1119, y ajoutant des fortifications et un réseau de souterrains.

PLACE NEUVE. Une fontaine monumentale (1886), plantée de micocouliers, orne la place où se tient également un MUSÉE DES ARTS ET TRADITIONS POPULAIRES.

LE CHÂTEAU. Construit au début du XIe siècle, il comprenait trois enceintes, que l'on franchit successivement après la porte d'entrée (rue du Balladou). Il fut démantelé en 1655 sur ordre de Mazarin.

LE VILLAGE. La MAISON DES TEMPLIERS, de style Renaissance, est située en face de l'ÉGLISE SAINT-MICHEL, bâtie au XIe siècle. Le MOULIN DE GRIMAUD, voisin de la CHAPELLE SAINT-ROCH, daterait du XIIe siècle et a retrouvé ses ailes récemment.

L'ÉGLISE SAINT-MICHEL
Restaurée en 1964, elle a retrouvé sa grandeur et son austérité. Le clocher carré est surmonté d'une flèche. La nef à trois travées s'achève par une abside en cul-de-four dont le sommet s'orne d'une fresque en camaïeu gris (*Saint Michel terrassant le dragon*). Dans la chapelle, un bénitier en marbre du XIIe siècle serait un don du roi René.

LES BRAVADES
Nées au XIIᵉ siècle,
ce sont des processions
en l'honneur du saint
patron de la ville ● 66.
A Saint-Tropez, elles
sont particulièrement
spectaculaires. La
plus importante a lieu
les 17, 18 et 19 mai.
Un corps de
mousquetaires, de
«gardes saints» et de
marins encadre la
place de l'Hôtel-de-
Ville, puis escorte à
travers toute la cité le
buste de saint Tropez,
béni par le prêtre.
D'autres processions
se succèdent le 17.
Enfin, le 18, après

une messe et un
pique-nique à la
chapelle Sainte-Anne,
la fête se termine
place des Lices pour
un vin d'honneur.
Durant les trois jours,
la ville est pavoisée
de rouge et de blanc,
les couleurs corsaires.

**«TARTANES
PAVOISÉES»**
Ce tableau de Paul
Signac montre ces
embarcations, jadis
spécialisées dans le
cabotage des produits
locaux – liège, huile,
vin, châtaignes, sable,
bois. On peut
voir dans le port
une reconstitution
de l'une d'elles.

SAINT-TROPEZ ♥

«Saint-Trop», lancé dans les années 1950 par le Tout-
Saint-Germain, est devenu un lieu mythique de la Côte d'Azur.
Sur le port, stars de cinéma, gens du show-business et curieux
s'adonnent à un même plaisir : voir et être vu.
Mais cette foule ne saurait faire oublier les
trésors de l'Annonciade et la beauté des
plages. Mieux encore, il faut découvrir
l'ancienne cité corsaire hors saison,
lorsqu'elle retrouve la physionomie
d'un authentique bourg provençal.

HISTORIQUE. Comptoir grec fondé autour
du IIᵉ siècle av. J.-C., Saint-Tropez doit son
nom à un ancien dignitaire des armées de
Néron, décapité pour s'être converti au
christianisme. Son corps, placé dans une barque
entre un chien et un coq, aurait dérivé jusqu'à l'emplacement
de la ville actuelle. Pillée à de multiples reprises par les
Sarrasins à partir de 739, la cité souffre encore au
XIVᵉ siècle des discordes entre seigneurs provençaux.
La ville renaît en 1441, grâce au gouverneur de
Provence qui en confie la reconstruction à un
Gênois. Entourée de remparts, elle a pour mission
d'assurer la sécurité du golfe en échange d'un statut
de république autonome. Dès le XVIᵉ siècle, elle
devient un centre commercial important où se
côtoient pêcheurs et armateurs. Au XIXᵉ siècle, le rail ruine le
cabotage, mais l'arrivée, en 1894, du peintre Paul Signac attire
artistes et écrivains. Saint-Tropez est sauvée par le tourisme.
LE PORT ET LES QUAIS ♥. Le vieux port, miné par les
Allemands en 1944, a été reconstruit après guerre, dans le

C'est en arrivant à bord de son *Olympia* que Paul Signac a découvert le port de Saint-Tropez. Il y resta, s'installant dans un cabanon de la plage des Graniers.

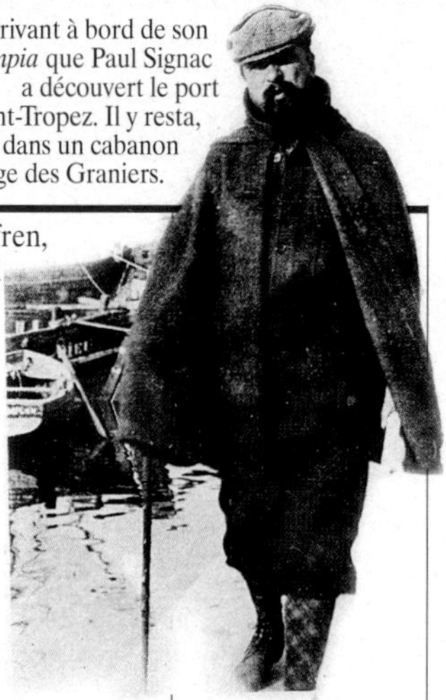

même style, par Guy Malenfant. Au 11, quai Suffren, la MAISON DU CORSAIRE possède un monumental escalier Renaissance. Plus loin, entre les cafés Le Gorille et Sénéquier, une arche ouvre sur le MARCHÉ AUX POISSONS. La PLACE AUX HERBES, lieu clé du Saint-Tropez matinal, avec ses éventaires de fruits, de légumes et de fleurs, se trouve derrière le marché. Si l'on rejoint le port, on découvre en continuant vers l'est la tour du CHÂTEAU SUFFREN, ou tour Grimaldi, symbole de l'indépendance tropézienne. Plus loin, la TOUR DU PORTALET (XVIe siècle) faisait partie des anciennes fortifications.

LE MUSÉE DE L'ANNONCIADE ♥ (place Grammont). Il occupe l'ancienne chapelle Notre-Dame-de-l'Annonciade (1568), désaffectée à la Révolution et transformée en musée par Louis Süe en 1955. Le réaménagement récent a respecté l'esprit des lieux. Au rez-de-chaussée, volumes et voûtes évoquent un édifice religieux, tandis que, à l'étage, la salle a été divisée en compartiments. Le noyau initial des collections a été constitué dès 1922, à partir des dons d'artistes travaillant à Saint-Tropez, à l'initiative d'Henri Person, inspiré par le peintre Paul Signac, véritable découvreur de la cité. Celui-ci y attira plusieurs générations de peintres : nabis, fauves, pointillistes et indépendants. Les peintres exposés ici ont en commun d'avoir mené une réflexion sur la couleur et la lumière, tout en restant fidèles à l'art figuratif, dans une période qui va de 1890 à l'entre-deux-guerres.

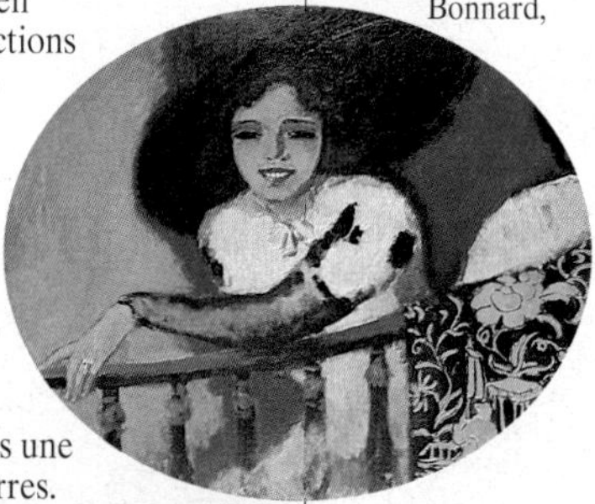

LES PEINTRES DE LA COULEUR ET LA LUMIÈRE
Le musée de l'Annonciade expose des œuvres de Pierre Bonnard, André Derain, Édouard Vuillard, Paul Signac, Georges Braque, Raoul Dufy, Henri Matisse, Georges Seurat, Maurice Utrillo, Kees Van Dongen (ci-dessus, *Femmes à la balustrade*), Maurice de Vlaminck, Georges Rouault, Albert Marquet, Henri Cross et du sculpteur Aristide Maillol.

«LA PLACE AUX HERBES»
Elle demeure un point central et animé du vieux Saint-Tropez. Cette peinture, exposée au musée de l'Annonciade, a été réalisée en 1905 par Charles Camoin.

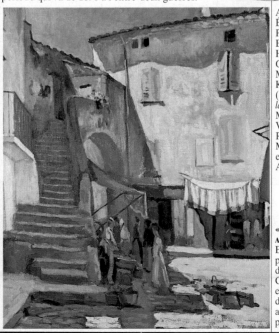

LES «PROPHÈTES» ET LA LUMIÈRE PROVENÇALE

Entre 1888 et 1900, Bonnard, Vuillard, Roussel, Vallotton et d'autres artistes fondent le groupe des nabis (prophètes, en hébreu). Héritiers de Paul Gauguin, ils s'inspirent des estampes orientales et de la photographie, rejetant la division scientifique de la touche colorée d'un Paul Signac, et proclament le caractère sacré de leur art. Le musée de l'Annonciade présente le *Nu à la cheminée* (ci-dessous), peint en 1919 par Bonnard, qui est l'une des dernières toiles nabis du peintre, installé dans le Midi à partir de 1925, et *Deux femmes sous la lampe* (1892), de Vuillard (ci-dessus).

«LUXE, CALME ET VOLUPTÉ»
Matisse (1869-1954) a peint cette toile en 1904 à Saint-Tropez. Inspiré d'un poème de Baudelaire, «L'invitation au voyage», il s'agit de l'une des dernières œuvres symbolistes de l'artiste (ancien élève de Gustave Moreau), exécutée sous l'influence de Signac.

UNE NOUVELLE VISION
Paul Signac (1853-1935) est l'inventeur du pointillisme, qui consiste à juxtaposer des teintes pures qui, par mélange optique, forment des couleurs plus lumineuses et plus vibrantes. Ci-contre *L'Orage*, de Signac.

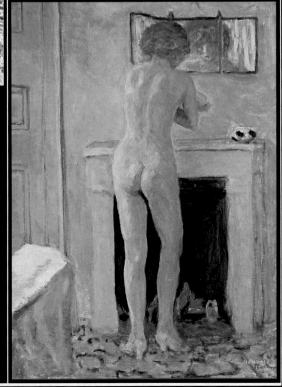

LES FAUVES
La Gitane (ci-dessus),
peinte en 1906 par
Matisse, est une œuvre
majeure du fauvisme.
Les rouges, les verts
marquent le corps du
modèle dont le cerne
des yeux, du bras et de
la poitrine évoque des
blessures. «Fauvisme»
vient de la phrase d'un
critique d'art, à propos
d'un bronze florentin
qui voisinait, au Salon
d'automne de 1905,
avec les toiles de
Matisse et ses amis :
«Donatello parmi
les fauves.» Georges
Braque, autre fauve,
a peint en 1906 ce
Paysage de l'Estaque.

Charles Camoin
(1879-1964)
a d'abord subi
l'influence de
Cézanne. Il
rencontra Signac en
1905, puis Matisse
qui le poussa vers le
fauvisme. Il a peint
cette vue du port de
Saint-Tropez dans
les années 1930
(ci-dessus).

LA TROISIÈME GÉNÉRATION
Après les pointillistes et les
fauves, Dunoyer de Segonzac
symbolise le retour à un
certain ordre d'où est gommé
tout excès, et se range sous
la bannière des artistes dits
indépendants. Refusant
les splendeurs du post-
impressionnisme, il se tourne vers
une palette austère héritée de
Courbet ou de Corot. Ci-dessous,
Saint-Tropez vu de la citadelle (1950).

Dunoyer de
Segonzac
(1884-
1974).

LA PLACE DES LICES
Haut lieu de la vie tropézienne, marins, retraités et personnalités du monde du spectacle s'y retrouvent pour des parties de pétanque sous les platanes. À l'angle de la place, la salle Jean-Despas et le Lavoir (1862) abritent, surtout l'été, des expositions.

«LE CLOCHER DE SAINT-TROPEZ», DE PAUL SIGNAC (1896)
L'église au célèbre clocher possède un fronton classique. Au-dessus de la porte, une niche encadrée de colonnes abrite la statue de saint Tropez.

Ci-contre, l'un des nombreux plagistes de «Saint-Trop».

ANSE DE LA GLAYE ET PORT DE LA PONCHE. Après la tour du Portalet, on débouche sur l'ANSE DE LA GLAYE, dont les vieilles maisons, aujourd'hui restaurées, ont gardé un charme italien. La PONCHE, après la TOUR VIEILLE, qui date du XVᵉ siècle, est l'ancien port de pêche. C'est aujourd'hui un agréable lieu de baignade.

LA CITADELLE ♥. À la demande des Tropéziens, Henri IV autorisa la destruction de la citadelle, bâtie en 1589. Elle sera néanmoins rebâtie en 1652, malgré l'opposition de la population. Le donjon abrite aujourd'hui un musé naval.

ÉGLISE SAINT-TROPEZ ♥. Construite au XVIIIᵉ siècle et retouchée au XIXᵉ siècle, elle possède un intérieur clair et coloré. Le buste reliquaire de saint Tropez (à gauche de l'abside), que l'on porte en procession lors de la bravade, est du XVIIIᵉ siècle. Le *Martyre de saint Tropez* et l'*Assomption* sont des toiles classées.

LE CHARME DU SAINT-TROPEZ MODERNE. On se promènera avec bonheur dans les rues secrètes et paisibles qui relient la rue du Général-Allard et la place des Lices. Avenue du Général-Leclerc, se dresse la gendarmerie immortalisée par la série des *Gendarmes de Saint-Tropez*, réalisée par Jean Giraud. Sur la même avenue, vers Sainte-Maxime, l'immeuble Latitude 43, réalisé par Georges-Henri Pingusson, illustre le style paquebot en vogue dans les années 1930. C'était à l'origine une résidence estivale conçue pour que ses habitants, des artistes, puissent mener une vie communautaire.

LES PLAGES. La PLAGE DE LA BOUILLABAISSE (à l'entrée de la cité en venant de Sainte-Maxime) est le paradis de la planche à voile quand souffle le mistral. En direction de l'est, la PLAGE DES CANEBIERS doit son nom aux cannisses, ou bambous, qui y poussent. Contourner le cap Saint-Pierre par le sentier littoral (mais il est possible de prendre la route) pour accéder à la PLAGE DES SALINS, où une nature encore sauvage se reflète dans la mer. Au nord se trouvent la PLAGE DE LA MOUTTE et, au sud, la plage de Ramatuelle (PAMPELONNE).

RAMATUELLE ♥

HISTOIRE. Ramatuelle, propriété de grandes familles, eut à souffrir des incursions des pirates jusqu'au XVIIIᵉ siècle. Le village bénéficia dès l'entre-deux-guerres de la

«Tropéziennes» ● *78*,
sandales typiques
et désormais célèbres.

proximité de Saint-Tropez, ce qui lui valut
d'être découvert par de nombreux artistes.
Gérard Philipe y résida dès 1945 ; il repose au
petit cimetière du village depuis 1959.

À TRAVERS LE VILLAGE. Ramatuelle a peu bougé : les maisons
respectent le tracé de l'ancien rempart, un dédale de ruelles
sillonne le village et deux fours communaux subsistent en parfait
état, place Gabriel et rue Clemenceau. L'ÉGLISE NOTRE-DAME
(XVIe siècle), avec son portail en serpentine
de 1620, était adossée aux anciens remparts, dont le chemin de
ronde court encore sur la toiture, et son clocher était sans doute
une tour de guet. À L'intérieur, on découvre deux statuettes en
bois doré du XVIe
siècle (saint Joseph
et la Vierge) et deux
retables du
XVIIe siècle.

LES ANCIENNES
PRISONS, situées dans
la rue qui démarre
après le clocher et
contourne le vieux
village par le bas,

furent bâties sous Napoléon III dans un style arabisant.
La PORTE SARRASINE a conservé son aspect d'origine.

GASSIN ♥

La presqu'île située au sud de Saint-Tropez est dominée
par le village de Gassin, perché à 201 m d'altitude au-dessus
des vignobles et des forêts. Ce village fortifié jouait le rôle
de vigie contre les incursions des pirates et prévenait
du danger les localités plus reculées.

L'ÉGLISE ♥. Mentionnée dans les archives municipales dès
le XVIe siècle, souvent remaniée, elle a été restaurée en 1981.
La tour du clocher, probablement antérieure à l'ensemble,
a été rehaussée et comportait à l'origine des créneaux.

À TRAVERS LES RUES. Après l'entrelacs des ruelles qui
communiquent par des portiques et des escaliers, la TERRASSE
FORTIFIÉE DES BARRI permet de découvrir un
merveilleux panorama, des îles d'Hyères
jusqu'aux Alpes.

UN VILLAGE FORTIFIÉ
Ramatuelle était
jadis ceint par
une muraille dont
les maisons
de la périphérie
ont conservé le tracé.
Elle fut abattue
à l'issue du siège
de 1592, lors des
guerres de Religion.
Ce sont
les villages voisins
qui assiégèrent

Ramatuelle, occupé
par les ligueurs
contre la volonté
des habitants.

**MICOCOULIERS
LÉGENDAIRES**
L'arbre fétiche, dans
Mireille, de Frédéric
Mistral, orne la
terrasse des Barri,
à Gassin. Ses fruits,
petites drupes
ovoïdes d'abord
vertes et acides,
puis brun-rouge
et sucrées, servent
à faire des confitures.

«BAIGNEUSE À CAVALAIRE», DE MANGUIN (1905)
Cette commune, créée en 1929, doit sa fortune à sa baie très abritée et à sa plage de sable fin, longue de 3 km.

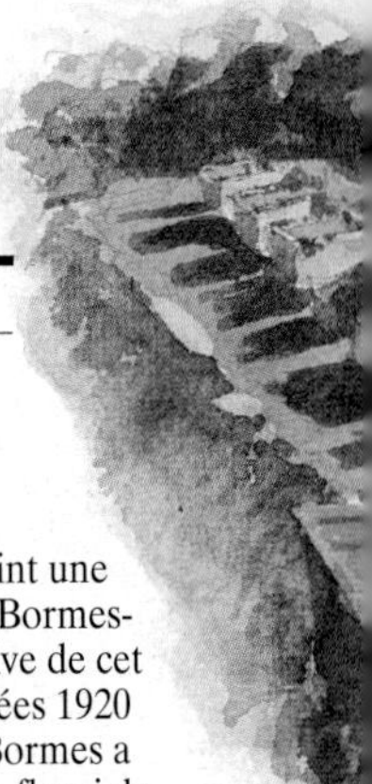

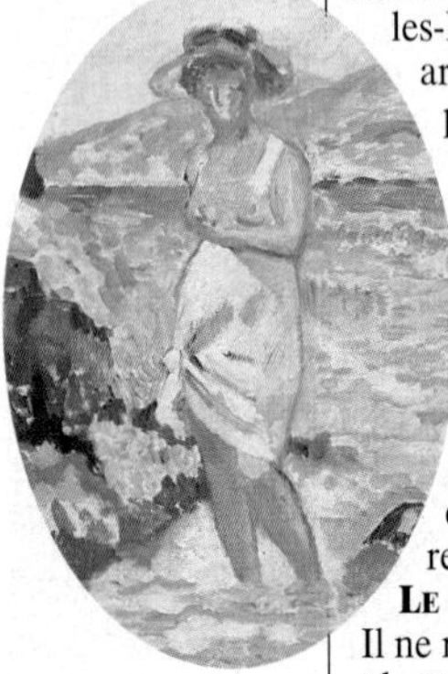

BORMES-LES-MIMOSAS ♥

HISTORIQUE. Ce village, bâti en amphithéâtre et d'où l'on voit la mer, est dominé par les ruines du château des seigneurs de Fos. À partir de 1890, la commune s'ouvrit au tourisme et devint une station balnéaire. La dénomination de Bormes-les-Mimosas, due à la culture intensive de cet arbuste, se généralisa dans les années 1920 pour devenir officielle en 1968. Bormes a obtenu le prix de premier village fleuri de France ; un corso fleuri s'y déroule en février.

PATRIMOINE RELIGIEUX. La CHAPELLE-SAINT-FRANÇOIS -DE-PAULE (XVIe siècle) fut construite en hommage au moine calabrais censé avoir délivré le village de la peste en 1481, lorsqu'il se rendait au chevet de Louis XI. On y découvre un beau retable du XVIIIe siècle. L'ÉGLISE SAINTE-TROPHIME, d'inspiration romane, abrite quant à elle deux retables des XVIIe et XVIIIe siècles.

LE CHÂTEAU DE BORMES (ne se visite pas). Il ne reste du château, édifié entre le XIIIe et le XIVe siècle, que les vestiges des logis et de la courtine. C'était à la fois une demeure de plaisance et une place forte réputée. Incendié en 1589, puis abandonné, il servit de couvent aux minimes qui s'y établirent en 1654, puis fut vendu comme bien national sous la Révolution.

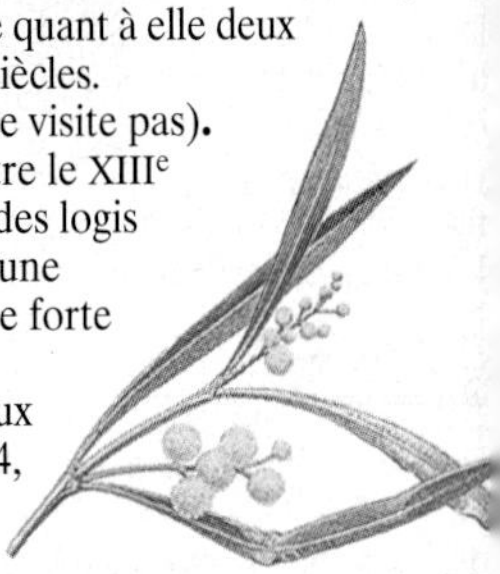

DANS LES RUES ♥. Du château, on peut retourner au village par la montée du Paradis jusqu'à la TOUR DE L'HORLOGE (1790). De nombreux *cuberts* (passages couverts) permettent de passer sous les maisons ; abritant du soleil et du vent, ils servaient également de lieu de réunion pour les veillées. Au n° 103 de la rue Carnot, le MUSÉE D'ART ET D'HISTOIRE fut fondé en 1926 par le peintre Benezit, auteur du célèbre dictionnaire de la peinture ; il abrite des œuvres des XIXe et XXe siècles, une belle collection d'art sacré et retrace l'histoire de Bormes. Descendre ensuite la ruelle ROMPI-CUOU, 150 m d'escaliers pavés de pierres lisses et rondes où une rigole centrale recevait les eaux usées.

BORMES ET LES PIRATES
Bormes aurait été fondée vers 400 av. J.-C. par les Bormani, tribu ligure venue d'Italie, qui vivait de la piraterie, avant que Rome ne pacifie la région.
Les habitants s'installèrent au IXe siècle sur la colline actuelle, mais cette fois-ci pour se protéger des pirates.

Bormes par Baptistin Perzilla (1874-1919).

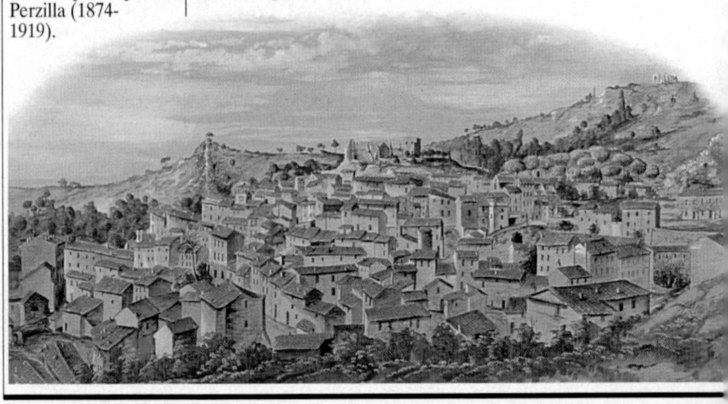

LA CHARTREUSE
DE LA VERNE ♥

HISTORIQUE. La chartreuse, aujourd'hui monastère, est née en 1170 de la volonté de Pierre Isnard, évêque de Toulon, de Fredol, évêque de Fréjus, et des seigneurs locaux, qui cédèrent leurs terres et se firent moines. Ceux-ci suivaient la règle de saint Bruno. Le monastère fut saccagé lors des guerres de Religion, détruit à quatre reprises par les incendies de forêt, mais s'étendit cependant considérablement, au gré des donations et grâce à la gestion des moines, jusqu'à couvrir 3 000 ha au XVIIIe siècle. La Révolution surprit les religieux dans d'importants travaux de construction et les dispersa. La chartreuse – en fait jamais achevée – fut vendue comme bien national et les bâtiments tombèrent en ruine. Classée monument historique en 1921, elle est en cours de restauration. Les sœurs de Bethléem occupent les lieux depuis 1982.

LA VISITE. La construction des bâtiments actuels s'est échelonnée du XIIe au XVIIIe siècle, mais les édifices médiévaux ont pratiquement disparu. La chartreuse est bâtie sur des terrasses successives. Après le portail monumental du XVIIe siècle se tient la vaste cour des obédiences, formée par les deux premiers corps de bâtiments. Il s'agissait de l'unité économique de la chartreuse où se situaient l'écurie, la forge, la boulangerie, la menuiserie et le pressoir à olives. Les bâtiments claustraux – l'ex-hostellerie –, où vivent les sœurs de Bethléem, se trouvent en face de l'entrée. Au rez-de-chaussée s'étend la grande cuisine avec ses annexes. L'espace vide situé derrière correspond à l'emplacement du petit cloître, le *domus inferior*, réservé à la dizaine de frères dévolus au service des moines. Il y avait là les bâtiments communautaires : la chapelle romane (au nord), dont il reste des ruines ; le réfectoire (au sud), qui ouvrait sur le cloître par une baie à six cintres. La nouvelle chapelle, merveilleusement restaurée, est à l'ouest. Le grand cloître, ou *domus superior*, partie réservée aux seuls pères, est au bout de l'éperon. Les cellules étaient disposées autour du grand cloître ; chacune d'elles, dotée de l'eau courante, reproduisait l'organisation du monastère, à la fois oratoire, cloître, *scriptorium*, réfectoire, cuisine, dortoir, atelier et potager.

À PIED, AUTOUR DE LA CHARTREUSE
Il est possible de réaliser une promenade sublime aux environs de la chartreuse : à Collobrières, prendre la D 14, bifurquer sur la petite route qui conduit au monastère et laisser sa voiture au parc de la Croix-d'Anselme. Suivre pendant 5 h le sentier «Feuilles de chêne» de l'ONF. Après le col de Boulin, la route forestière conduit à la chartreuse ; de là, le sentier repart à droite et monte à la crête de l'Ermitage ; revenir par le vallon du Bousquet et la crête de la Verne.

INTERDIT AUX FEMMES
On accède aux bâtiments par un portail monumental en serpentine, pierre vert sombre extraite

de la montagne toute proche. La chapelle Saint-Bruno s'ouvre sous le porche. Elle était le seul endroit où étaient admises les femmes, à l'exception des princesses de sang royal, qui pouvaient franchir la clôture.

Les premières graines
de palmier parvinrent
à Hyères en 1867.
Très vite, la ville
s'affirma comme
la capitale française
du palmier, dont
la culture atteignit
son apogée dans les
années 1920.
Les palmiers qui
ornaient les rues
d'Hyères ont gelé
il y a une dizaine
d'années, mais ils ont
été remplacés par dix
mille jeunes plants.

HYÈRES

Hyères possède trois visages : celui d'une cité provençale
cernée de remparts ; celui d'une station Belle Époque où la
végétation luxuriante et l'architecture cosmopolite rivalisent
d'audace ; et enfin le visage banal d'une ville aménagée dans
les années 1950 en bord de mer.

Si Catherine de Médicis appréciait déjà le
climat hyèrois, la cité ne se transforme en
une station de villégiature qu'à partir de
1813, sous l'impulsion de Pauline
Bonaparte. Victor Hugo, Tolstoï,
Maupassant et la reine Victoria y
séjourneront régulièrement.

LE CHÂTEAU ♥. Les ruines du château
fort, démantelé lors des guerres de Religion,
dominent la ville au nord. On y accède par une
porte qui s'ouvre entre deux tours rondes. Une rampe étroite
mène à la terrasse sommitale, où ne subsistent que les
vestiges d'une ancienne citerne. Plus bas, du côté
nord, se trouve une poterne dominée par une plate-
forme défendue par deux autres tours.

LA COLLÉGIALE SAINT-PAUL ♥ (1562). Un escalier
monumental mène à l'entrée actuelle, ouverte en
1789. Le narthex, qui correspond à la partie
romane de l'édifice, renferme quatre cents ex-
voto qui viennent de Notre-Dame-de-Consolation,
détruite en 1944. La nef, gothique, abrite deux
superbes tableaux et un Christ du XVIIe siècle.

LA VILLA NOAILLES (château Saint-Bernard,
montée de Noailles). «Je cherche une maison
infiniment pratique et simple où chaque chose
serait combinée au seul point de vue de
l'utilité», écrit Charles de Noailles à Mallet-
Stevens, en 1925, lorsqu'il lui commande sa
villa de Hyères, située en contrebas des
ruines du château. Charles et Marie-Laure
de Noailles, richissimes amateurs d'art

HYÈRES
ET SES ÎLES *(PORQUEROLLES ET PORT-GROS)*
La station la plus au sud de la Côte d'Azur

ORCHIDÉES ET FLAMANTS ROSES
La presqu'île, où croissent également vingt
espèces d'orchidées sauvages, est une étape
pour les oiseaux migrateurs. C'est au total
deux cent soixante-dix espèces d'oiseaux qui
se croisent sur la presqu'île chaque année.

moderne, choisissent délibérément cet architecte influencé
par le cubisme et font appel pour la décoration au Hollandais
Van Ravestyne, inspiré par Piet Mondrian (chambre d'amis),
à Van Doesburg et Pierre Chareau (panneaux coulissants de
la chambre de plein air) et à Louis Barillet (plafond en verre
du bureau-atelier). Le plan initial était d'une simplicité
rigoureuse : séjours au rez-de-chaussée, chambres sur trois
niveaux. Mais le vicomte, trouvant sa villa trop modeste, n'eut
de cesse de rajouter des pièces... On multiplia ainsi les blocs
d'habitation qui épousent les courbes de niveau. Le jardin,
tout en terrasses, s'ouvre sur le paysage par de larges baies
qui rappellent des encadrements de tableaux. Un jardin
cubiste triangulaire forme la proue de cet étrange paquebot.

PRESQU'ÎLE DE GIENS ♥

UN SITE NATUREL EXCEPTIONNEL. L'ancienne île de Giens a
été reliée au continent par deux cordons sableux édifiés par
les courants marins et deux fleuves, le Gapeau et la Roubaud.
Ainsi s'est peu à peu formé ce phénomène naturel rarissime
qu'est un double tombolo. À l'intérieur se sont créées de
vastes lagunes, les étangs des Pesquiers. Les salines,
aménagées en 1848, ont puissamment modifié le milieu
naturel. Mais les extraordinaires ressources biologiques de la
zone et un ensoleillement de 2 650 h par an ont permis à la
faune et à la flore de continuer à y prospérer.
LA PARFAITE TRANSITION. Après la plage de
sable fin de l'AYGUADE et le PORT DES SALINS,
on découvre un site superbe qui, encore vierge
de toute construction, présente une succession
ininterrompue de milieux vivants : dans la
mer un herbier de posidonies ; puis une plage
où les lys de mer fleurissent aux mois de
juillet et d'août ; les marais salants, où se
promènent paisiblement quelques hérons ;
et, enfin, la vigne et le maquis.
LE TOUR DE LA PRESQU'ÎLE. Du sommet du
village, où se dressait le château, on découvre
l'ensemble de la presqu'île. Le PORT DU NIEL,
plus au sud, est un endroit paradisiaque.
Le petit PORT DE LA MADRAGUE est au nord-
ouest du village de Giens. De là, une piste
mène à la plage de Darboussière, d'où part
un pittoresque sentier littoral (compter 2 h aller-retour). Sur
le tombolo ouest, la PLAGE DE L'ALMANARRE mérite une halte.

LES ÎLES D'HYÈRES ♥

UN MONDE À PART. Il y a trente à quarante millions d'années,
la Corse et la Sardaigne, qui reliaient l'extrémité des Pyrénées
orientales au sud de la Provence, ont basculé dans leur
position actuelle, abandonnant sur la côte les îles d'Hyères.
Porquerolles, Port-Cros et l'île du Levant, et les quelques îlots
inhabités qui les côtoient, alignés d'est en ouest sur 22 km,
constituent la partie émergée d'un chaînon de collines
parallèles au massif des Maures, dont ils font géologiquement
partie. La montée du niveau de la mer, après la fonte des
glaciers, les a progressivement isolés du continent au cours
des dix mille dernières années.

**GODILLOTS
POUR HYÈRES ?**
Alexis Godillot, qui
possédait un quart
de la ville, avait fait
fortune en fournissant
des chaussures

aux armées
de Napoléon III
(les godillots).
L'architecte Pierre
Chapoulard réalisa
pour lui de splendides
villas, comme celle,
de style composite,
située avenue Riondet.
Ci-dessus, la Tour-

Fondue, batterie des
XVIIᵉ-XVIIIᵉ siècles,
et le port d'Hyères.

Genévrier rouge.

HISTOIRE. Connues dès la préhistoire par les navigateurs lancés à la conquête de la Méditerranée, les îles d'Hyères devinrent, après l'occupation romaine, le refuge des ermites, avant d'être la proie des pirates et des Barbaresques. Les îles, désertées par la population, ne se repeupleront qu'au XVIIIᵉ siècle. À partir de 1530, Porquerolles devient un site stratégique et, devant la menace espagnole, François Iᵉʳ puis Richelieu hérissent l'île de forts rendus vite désuets par les progrès de l'artillerie. Le même scénario se reproduit au XIXᵉ siècle : les fortins construits entre 1841 et 1861 le long des côtes s'avèrent inutiles avec l'apparition du canon rayé à très longue portée et de la torpille. Après 1914, un ingénieur belge, Fournier, qui avait fait fortune au Mexique, où il avait découvert des mines d'or et d'argent, racheta l'île de Porquerolles et l'exploita en autarcie quasi totale à la façon d'une hacienda jusqu'en 1935. Dans les années 1960, l'île du Levant fut convertie par la marine en centre d'essais de la Marine nationale.

PORQUEROLLES ♥. Le fort SAINTE-AGATHE, bâti au XVIᵉ siècle, détruit en 1793 par les Anglais, a été reconstruit en 1812 et agrandi en 1830. Un passage mène, après la première enceinte, dans la cour supérieure, située au cœur du fort. De là, on accède à la TOUR D'ARTILLERIE (1531), au-dessus de laquelle une terrasse permet de découvrir toute l'île. Une exposition présente en période estivale le parc national et les découvertes archéologiques sous-marines réalisées dans la rade. On visitera également avec plaisir les vergers du CONSERVATOIRE BOTANIQUE qui a pour mission de sauvegarder la diversité biologique ; une banque de graines stocke ainsi plus de mille variétés menacées de nos régions. La bicyclette est le meilleur moyen pour découvrir l'île. Oliviers, lentisques et genévriers rouges poussent contre le rocher tandis que les plages de sable fin s'étirent entre une mer turquoise et une forêt de pins d'Alep. En l'absence de prédateurs, lapins, perdrix et faisans abondent sur l'île où vivent également les timides cerfs sikas, introduits il y a vingt ans.

Costume des îles d'Hyères en 1853.

SENTIER SOUS-MARIN
Équipé d'un masque et de palmes, il suffit de suivre les balises disposées dans l'eau pour découvrir sous le fond bleuté et mouvant des vagues une oasis sous-marine tapissée de posidonies, d'algues vertes, brunes et rouges où flânent parfois des mérous.

PORT-CROS ♥. L'île, mise en valeur par le comte de Noblet dans les années 1870-1880 puis par le marquis de Beauregard jusqu'en 1909, fut rachetée par Marceline et Marcel Henry qui y accueillirent de nombreux écrivains (Paul Valéry, Saint-John Perse, Supervielle). Les époux Henry firent don de Port-Cros à l'État en 1963, à condition qu'il y crée un parc naturel.

LE SENTIER LITTORAL atteint le FORT DE L'ESTISSAC qui abrite en été des expositions. On peut rejoindre ensuite le SENTIER BOTANIQUE situé en contrebas du fort de l'Estissac. Le long du chemin poussent l'euphorbe dendroïde, curieux arbuste rougeâtre, le myrte, à l'odeur tenace, le ciste de Montpellier, buisson aux belles fleurs blanches qui jaunit en été, ou l'herbe-aux-chats, sœur du thym, ainsi dénommée parce qu'elle enivre les félins. Le sentier aboutit à la PLAGE DE LA PALUD, où a été créé un SENTIER SOUS-MARIN ; la baie abrite en effet un vaste herbier de posidonies, élément essentiel des écosystèmes méditerranéens. Dans cette forêt sous-marine vit tout un monde d'oursins, de poissons et de crustacés. La BAIE DE PORT-MAN, lieu de mouillage recherché par les plaisanciers, est aussi l'une des baignades les plus agréables de l'île.

ÎLE DU LEVANT ♥. Napoléon y fit bâtir un fort en 1812. En 1892, l'État acquit 90 % de l'île. Ils sont aujourd'hui occupés par une base d'essais de la Marine nationale. Les 10 % restants, rachetés en 1931 par les docteurs André et Gaston Durville, abritent le village naturiste d'Héliopolis. Le cœur du village, invisible de la mer, est perché sur le flanc verdoyant de la colline. Lauriers-roses, palmiers, mimosas, néfliers, citronniers, bambous et orangers poussent à profusion dans les jardins. Du centre du village part un SENTIER NATURE qui descend vers la CRIQUE DE LA GALÈRE. De là, on peut rejoindre le village par le maquis ou longer la mer jusqu'au port.

FALAISES AU NORD
Longue de 8 km et large de 1,5 km, l'île du Levant, contrairement aux autres îles, expose vers le continent sa côte la plus escarpée.

Toulon en 1850, par A. Guesdon.

TOULON

HISTORIQUE. La ville entre dans l'histoire en 1481 quand la Provence devient française : les rois de France vont en faire le grand port militaire du royaume. Une première darse est aménagée sous Henri IV et une seconde sous Colbert, en 1680. Sans cesse agrandi, l'arsenal bénéficie de la main-d'œuvre du bagne qui s'installe à Toulon en 1748. Pendant la Révolution, les erreurs des Jacobins permirent aux républicains modérés et aux royalistes de livrer la ville aux Anglais en 1793. Le port fut repris après de durs combats qui virent Bonaparte devenir général. Après 1940, toutes les forces navales se replièrent à Toulon. En 1942, malgré leur parole, les Allemands tentèrent de s'emparer de la flotte, qui se saborda. Seuls quatre sous-marins rallièrent la France libre. Aujourd'hui, le transfert de la flotte à Brest pose à la ville un problème économique majeur.

LE PORT. Le QUAI CRONSTADT est un lieu idéal pour paresser au soleil, aux terrasses de cafés et de restaurants. Il est possible d'y embarquer pour La Seyne, Les Sablettes et la presqu'île de Saint-Mandrier ou pour un tour de la rade. Quai Stalingrad, les ATLANTES DE PUGET ♥ (1656) ornent l'entrée de la mairie d'honneur. Ce peintre, sculpteur et architecte marseillais de génie, fut chargé de réaliser un

MUSÉE DE LA MARINE
La porte de ce musée est l'ancienne porte de l'arsenal : quatre colonnes y supportent les statues de Mars et de Minerve. Félix Brun, maître sculpteur de l'arsenal de Toulon, qui avait regroupé les plus belles sculptures décorant navires et galères, est à l'origine de ce musée, ouvert en 1814. Maquettes, planches et vidéos retracent plus de deux siècles d'histoire maritime de la France ou de Toulon et évoquent le bagne et les arsenaux.

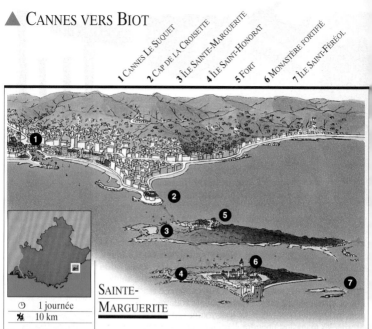

⊕ 1 journée
✕ 10 km

SAINTE-MARGUERITE

UN MOUILLAGE RÉPUTÉ
L'abondance du matériel archéologique mis au jour sur l'île Sainte-Marguerite illustre l'âge d'or de ce mouillage millénaire situé au centre des anciens échanges entre l'Italie, la Gaule, l'Espagne, l'Afrique du Nord et le bassin de la Méditerranée orientale.

LES EUCALYPTUS
Originaires d'Australie, ils furent introduits en France en 1792 par Labillardière. Son bois, dur et imputrescible, sert pour la production de bois d'œuvre, de charpente, de contre-plaqué ou de papier. L'eucalyptus entre également dans la composition de produits industriels ou pharmaceutiques.

Le Fort de l'île Sainte-Marguerite,

LE FORT ROYAL ♥. Situé dans le nord de l'île, cet ensemble de fortifications porte les traces des différents occupants de Sainte-Marguerite : les Espagnols, les armées d'Autriche et celles de l'État du Piémont. Construit entre 1624 et 1627 par Jean de Bellon, le château initial fut transformé par les Espagnols et devint prison d'État en 1685. Mais c'est à Vauban que l'on doit son aspect définitif. De l'entrée principale, on accède à la terrasse Bazaine, qui offre un panorama superbe sur la baie de Cannes. En longeant par l'est un chantier de fouilles où ont été mis au jour un habitat urbanisé du Iᵉʳ siècle et un complexe monumental probablement lié au sanctuaire, on débouche sur la cour principale, bordée de maisons basses (anciens casernements). La partie la plus ancienne du bâtiment est occupée par le MUSÉE DE LA MER, créé en 1975 et divisé en deux sections : une partie historique, avec les prisons d'État, et des collections d'archéologie exposées dans les anciennes citernes romaines. De l'autre côté de la cour, le puits des Espagnols, construit en 1635, précède l'allée centrale.

UN SITE ENCHANTEUR ♥. Un chemin prend naissance à la sortie du fort et permet de faire le tour de l'île, dont la nature a été intégralement préservée. Après avoir traversé le jardin botanique et longé le cimetière, on s'engage dans une très belle forêt de pins d'Alep. Au centre de l'île, une allée d'eucalyptus géants mène au seul domaine privé de Sainte-Marguerite, le GRAND JARDIN, dissimulé par une muraille derrière laquelle s'élève une tour fortifiée (1637). Peu avant la pointe du Batéguier, le sentier bifurque, bordant plages et petites criques.

SAINT-HONORAT ♥

Plus petite et plus éloignée de la côte que Sainte-Marguerite, l'île Saint-Honorat appartient à une communauté monastique.

HONORAT ET LA SPIRITUALITÉ D'OCCIDENT. C'est en l'an 410 qu'Honorat s'installe sur l'île après avoir mené une vie érémitique dans l'Estérel. Sa renommée attire très vite de nombreux disciples. Au VIe siècle, Lérins est le monastère le plus illustre de la Chrétienté. Dissoute en 1791 par les révolutionnaires, la communauté est dispersée et l'île vendue aux enchères. En 1869, Saint-Honorat accueille à nouveau des moines mais qui appartiennent cette fois à l'ordre cistercien. Si, aujourd'hui, l'abbaye de Lérins attire de nombreux visiteurs, la vie monastique se déroule toujours selon la règle de saint Benoît.

L'ABBAYE DE LÉRINS. Le cloître, la salle capitulaire et le réfectoire sont les seuls éléments médiévaux de l'ensemble, reconstruit en 1869. La salle capitulaire – ainsi dénommée car on y lit chaque jour un chapitre de la règle de saint Benoît – abrite toutes les cérémonies de la vie monacale. Des différents bâtiments utilisés par les moines, seuls le monastère fortifié, le musée et l'église sont accessibles au public. L'ÉGLISE fut construite sur des plans de Viollet-le-Duc à l'emplacement de l'ancienne église, dont il ne reste que la chapelle des morts (Xe siècle), visible dans la partie gauche de l'édifice. Le MUSÉE évoque le passé de l'île avant l'arrivée de saint Honorat (stèles et sarcophages païens) et contient des vestiges lapidaires et une émouvante statuaire en bois polychrome provenant de l'abbatiale disparue.

LE MONASTÈRE FORTIFIÉ ♥. Construit par Aldebert II en 1073 et achevé en 1215, ce donjon où se réfugiaient les moines lors de raids dévastateurs se dresse au sud de la clôture monacale. Au début du XVe siècle, lors de l'occupation de l'île par les Génois, les moines s'y installèrent à demeure : la tour possède donc en réduction tous les éléments constitutifs d'une abbaye, distribués verticalement. Le rez-de-chaussée est dépourvu de toute ouverture afin de n'offrir aucune prise à l'assaillant. Au premier niveau, l'escalier qui relie les deux galeries du cloître compte soixante-douze marches, ce qui, selon la tradition, rappelle les soixante-douze articles de la règle monastique de saint Benoît ; il débouche sur la chapelle Sainte-Croix, couverte d'une voûte d'origine, où étaient conservées les reliques de saint Honorat.

L'ÎLE DES SAINTS
Saint-Honorat fut jusqu'au XIXe siècle une nécropole très renommée : on y amenait en barque les corps de défunts désireux de reposer près de leurs saints prédécesseurs. L'île fut aussi un haut lieu de pèlerinage. Les fidèles devaient faire le tour des sept chapelles.

LE CLOÎTRE
Le premier niveau du monastère est formé d'une cour centrale entourée d'un cloître gothique à deux niveaux et de pièces comme la salle du chapitre, la cuisine, le dortoir et le réfectoire.

1 VALLAURIS 2 GOLFE-JUAN 3 BIOT 4 MARINA BAIE DES ANGES 5 JUAN-LES-PINS 6 ANTIBES

LES SEPT CHAPELLES.

Élevés à l'emplacement d'anciens ermitages, ces modestes bâtiments à nef unique sont disséminés sur le pourtour de l'île. La chapelle de la Trinité, construite selon un plan en trèfle, daterait de la fin du Xe siècle.

VALLAURIS

UNE VILLE PHÉNIX. Une première cité, dont on peut visiter les ruines sur 3 ha, occupa le piton boisé des Encourdoules. Désertée au Ve siècle, pendant les invasions, il faut attendre 1138 pour qu'un nouveau village voie le jour autour de la demeure du grand prieur de l'abbaye de Lérins. Le XIVe siècle, avec son terrible cortège de pestes, de guerres et de famines, anéantit tout. En 1500, grâce à l'initiative de Rainier de Lascaris, soixante-dix familles italiennes viennent repeupler le site et les moines font construire un village à la romaine, protégé par des fortifications, aujourd'hui disparues.

LE CHÂTEAU. Cet édifice Renaissance fut bâti sur les ruines de la première demeure du prieur qui y résida jusqu'en 1787. Seule la chapelle Sainte-Anne date du XIIe siècle. L'ensemble devint un musée national en 1955 lorsque Picasso fit don à la commune de Vallauris de sa composition *La Guerre et la Paix*,

LINOGRAVURE DE PABLO PICASSO, 1959
C'est une gravure en relief à l'outil, sur linoléum, caoutchouc ou plastique, dont la technique s'apparente à celle de la gravure sur bois de fil.

LA VILLE DES POTIERS
Les magasins de la rue Hoche rappellent que c'est l'excellente qualité de la terre (argile siliceuse) qui fit de la poterie l'activité traditionnelle de Vallauris.

deux grands panneaux peints à l'huile sur des plaques
d'Isorel (sorte d'aggloméré) en 1952-1953, placés dans la
chapelle. Le reste du musée est consacré à la poterie : à côté
de pièces réalisées par le maître dans les ateliers Madura, à
Vallauris, on découvre deux collections. D'une part, un
ensemble rare de poteries précolombiennes et précortésiennes
d'autre part, un choix de céramiques à lustre métallique
conçues à Vallauris et Golfe-Juan de 1870 à 1930.
Le deuxième étage abrite des toiles
d'Alberto Magnelli (1888-1971).

⏱ 2 journées
🚗 30 km

LA POTERIE, UNE TRADITION.
Encouragé dès le
XIᵉ siècle par les
moines de
Lérins,

cet
artisanat reprit
en 1501, avec la venue
de potiers italiens. L'essentiel
de la production était orienté vers les ustensiles de cuisine
jusqu'à ce que Vallauris, à la fin du XVIIIᵉ siècle, se lance
dans la belle vaisselle Louis XV. En 1946, Pablo Picasso y
sculpte le *Petit Faune* et entraîne à sa suite d'autres artistes
tels que Cocteau, Miró, Léger, Lurçat... Depuis 1966, une
Biennale internationale fait connaître les créateurs du
monde entier. Pour comprendre les techniques de fabrication,
visiter, rue Sicard, le MUSÉE PRIVÉ.

JUAN-LES-PINS

UNE STATION BALNÉAIRE DANS LA PINÈDE. Juan-les-Pins,
luxueux quartier d'Antibes, est appelé à un développement
encore plus important que le reste de la ville. La municipalité
a en effet décidé de réaliser un ensemble touristique à
l'emplacement du Lauvert (lac Vert). Cette vaste étendue
d'eau alimentée par deux ruisseaux fut vraisemblablement
l'ancien port ligure puis romain qui fut envahi par les
marécages au Moyen Âge, ce qui lui valut son nom
provençal de *Gou Jouan Pourri*, dont dérive Juan-les-Pins.
La station balnéaire fut créée en 1882. Sa réputation était
établie avant la guerre de 1939-1945, au moment des
grandes heures de Juan, grâce à l'évocation qu'en firent
Frank Jay Gould et Scott Fitzgerald. Depuis cette
époque, elle a connu un développement constant qui a
fait disparaître l'espace non bâti entre Juan et Antibes.
LE FESTIVAL INTERNATIONAL DE JAZZ. La pinède
Frank-Jay-Gould et son ciel étoilé forment l'une
des plus célèbres salles de concert ; chaque année,
au mois de juillet, les amateurs du monde entier
s'y retrouvent en grand nombre. Ce festival, fondé
en 1960 par Jacques Hebey et Jacques Souplet, est
le premier du genre. Les artistes de jazz les plus
célèbres sont passés par Juan : Armstrong, Hampton,
Gillespie, Coltrane, Ray Charles... Sidney Bechet, déjà

**NAPOLÉON Iᵉʳ
À GOLFE-JUAN**
Napoléon abdique
à Fontainebleau,
le 6 avril 1814.
L'année suivante,
à son retour de l'île
d'Elbe,

il débarque
à Golfe-Juan
le 1ᵉʳ mars, pour
tenter de renverser
la monarchie
constitutionnelle
de Louis XVIII.
Afin d'éviter les
troupes de Marseille,
il rejoint Grenoble en
passant par Grasse,
Digne et Sisteron.

JUAN les PINS
ANTIBES

275

Musique à Juan
Le célèbre «sax-ténor» Sonny Rollins,

en concert à la «Pinède de Juan», en 1990, lors du XXXe Festival international de jazz d'Antibes-Juan-les-Pins. La fameuse parade du jazz défilait sur les remparts ; c'est sans doute de là que vient le titre du célèbre morceau *Dans les rues d'Antibes*.

Le Cap, un rendez-vous américain
La villa Fiamma, située entre le chemin de Mougins et le chemin des Nielles, se souvient de ses anciens hôtes, les écrivains de la *lost generation* : Hemingway, Scott et Zelda Fitzgerald, Gertrude Stein et Alice Toklas, Dorothy Parker, Dos Passos et bien d'autres. Mais, vers 1926, les Fitzgerald s'installèrent à la villa Saint-Louis (l'actuel hôtel Belles-Rives), vaste demeure dotée d'une plage privée près du casino de Juan-les-Pins.

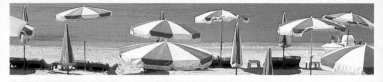

Antibois de cœur, se maria à Antibes en 1951 avec Elizabeth Ziegler. Son buste, sculpté par l'artiste Abel Chrétien, se trouve aujourd'hui dans la Pinède.

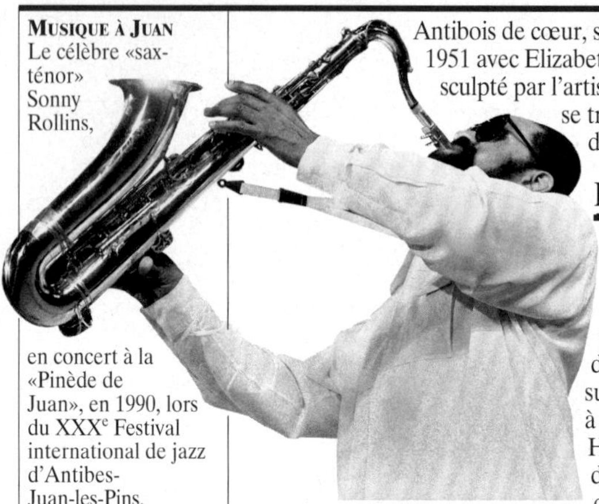

Le cap d'Antibes

Lieu de culte depuis des millénaires, le Cap d'Antibes fut également un formidable poste de ralliement et de surveillance : comme à Antibes et à Saint-Honorat, une tour d'observation y fut construite au XIe siècle.

La route du bord de mer. À pied ou en voiture, cette route du littoral est l'une des plus belles de la région. Si Juan-les-Pins est ombragée par de magnifiques spécimens de pins parasols, au Cap ce sont les palmiers et les pins d'Alep qui prédominent autour des villas et en bord de mer. Un très beau sentier a été aménagé le long d'une côte sauvage battue par les flots. Pour s'y rendre, rejoindre le fond de la baie de la Garoupe, à côté de la plage Michel : le sentier Tirepoil ♥ est fléché (compter une bonne demi-heure).

Le Musée naval et napoléonien (bd John-Kennedy)**.** L'ancienne tour de garde du Graillon, qui abrita longtemps une batterie remise en état par Bonaparte, entourée d'un parc de 5 ha, est aujourd'hui occupée par la collection de l'ancien directeur du Grand Hôtel du Cap, enrichie depuis 1965 par des prêts saisonniers du Musée national de la marine. Plans aquarellés d'Antibes, gravures humoristiques sur le débarquement de Napoléon, soldats de plomb et maquettes de navires font ainsi bon ménage.

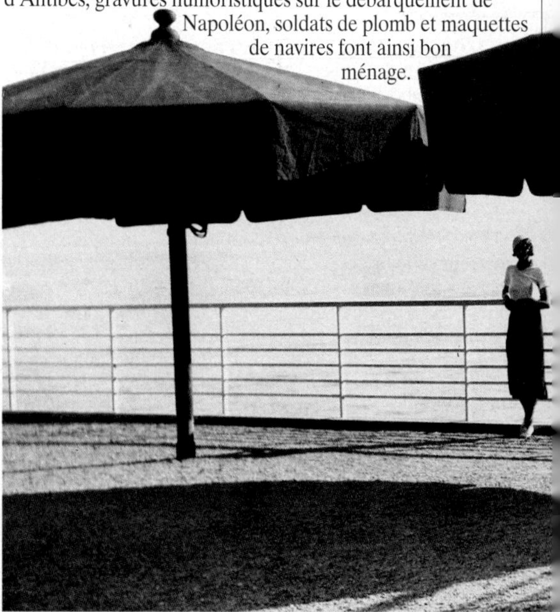

EDEN ROC. L'établissement phare du Cap, célébré par Scott Fitzgerald dans *Tendre est la nuit,* avait été conçu à l'origine comme un asile pour artistes. Transformé dès 1870 en palace de luxe, son véritable créateur est l'hôtelier Antoine Sella qui lui redonna vie en 1889. Hommes politiques, stars de cinéma, musiciens et peintres, tous y sont venus.

EILEN ROC (avenue Helen-Beaumont). Cette superbe villa de style palladien commandée à l'architecte Charles Garnier se dresse au milieu d'un parc luxuriant. Son nom, Eilen Roc, est l'anagramme de Cornélie, le prénom de la compagne du maître des lieux, ancien gouverneur des Indes néerlandaises. Le parc fut entièrement redessiné en 1927. La dernière propriétaire, Helen Beaumont, une riche Américaine, offrit la villa à la municipalité d'Antibes, qui l'ouvre aujourd'hui au public certains jours.

NOTRE-DAME-DE-LA-GAROUPE. Les deux chapelles contiguës appartenaient à un ensemble édifié au XVIe siècle par les cordeliers. Dans celle de gauche, on vénère deux statues en bois : Notre-Dame de la Garde, Vierge noire, et Notre-Dame de Bon-Port, protectrice des marins. De nombreux ex-voto du XVIe au XXe siècle tapissent ses murs. Á côté se dresse un grand phare, l'un des plus puissants de France : sa portée dépasse 70 km. De son sommet, on découvre tout le littoral, de l'Italie jusqu'à l'Estérel.

DES ROSES PAR MILLIERS
Jusqu'en 1993, le célèbre rosiériste Meilland était installé au Cap d'Antibes. Les roses Baccara et Madame Meilland, découvertes par cet établissement, figurent parmi les variétés les plus vendues ou les plus recherchées.

Ci-dessus et ci-contre, photograhies de Jacques-Henri Lartigue qui fréquenta assidûment Eden Roc dès 1920. Pureté des lignes, jeu d'ombre et de lumière : ces documents traduisent à merveille l'oisiveté et l'élégance d'une élite à jamais disparue.

LE JARDIN THURET (62, bd du Cap). L'éminent algologue et botaniste Gustave Thuret s'installa au Cap en 1857 et acquit un domaine de 4 ha où il introduisit des espèces végétales exotiques qui modifièrent tout le paysage de la Côte d'Azur et préparèrent l'essor de l'horticulture méditerranéenne. À sa mort, la propriété fut léguée à l'État pour permettre la poursuite de ses essais d'acclimatation (environ 80 000 espèces végétales) ; la gestion du jardin fut confiée au ministère de l'Agriculture puis à l'INRA (Institut national de la recherche agronomique).

ANTIBES

De nombreuses et savoureuses affiches ont vanté Antibes, station d'été et d'hiver, son cap et sa plage de sable à Juan-les-Pins.

HISTORIQUE. Après avoir fondé *Massalia* (Marseille), vers 600 av. J.-C, les Grecs implantèrent des comptoirs commerciaux sur toute la côte méditerranéenne, dont *Antipolis* (Antibes). En 43 av. J.-C., Antipolis fut annexée par Rome : un municipe romain fut créé et la ville totalement transformée. Au IVe siècle, le christianisme apparut et, en 442, un premier évêque s'installa dans la cité. Dès le haut Moyen Âge, la ville est administrée par les prélats. Au IXe siècle, devant l'insécurité croissante, la population abandonne Antiboul et et se réfugie dans l'arrière-pays. La vie reprit un siècle plus tard, après que les Sarrasins eurent été chassés. Mais Antibes perd son évêché, dont le transfert à Grasse s'effectue en 1244. La reddition de Nice, qui passe à la Savoie en 1388, lui donne un nouveau et important rôle stratégique : elle se retrouve aux limites du royaume de France. Henri II puis Henri IV la transforment en une place forte pourvue de remparts et d'un fort. Avec le rattachement de Nice à la France en 1860, Antibes perd ses fonctions militaire et portuaire. L'horticulture et le tourisme deviennent ses deux activités principales. La création du technopôle de Sofia-Antipolis en 1972 a indéniablement donné une nouvelle impulsion à la ville.

L'ESSOR D'ANTIBES
Au XIVe siècle, la ville n'était qu'une modeste cité et ne comptait que 500 âmes. À partir de 1482, elle profita de la reprise économique : les reconstructions commencèrent sous François Ier.
Cette grande place forte regroupait à peu près 5 000 habitants en 1789. Grâce au tourisme, le petit port est de nos jours une cité de 100 000 habitants.

LA RADE D'ANTIBES
En frise, *Vue de la rade d'Antibes*, peinte par Janet (1714-1789). Ci-dessous, le port naturel d'Antibes et les remparts de la vieille ville en 1876, par Ernest Buttura.

LE CHÂTEAU GRIMALDI-MUSÉE PICASSO ♥ (place Mariejol). Les bâtiments actuels datent des XVe et XVIe siècles. Jadis, la petite place était entièrement entourée de bâtiments fortifiés. La tour, haute de 26 m, fut érigée au XIe siècle. Elle servait de tour de guet au château et s'intégrait dans un vaste dispositif de surveillance mis en place pour lutter contre les Sarrasins. La forteresse fut abandonnée à la Révolution, puis servit d'hôpital, de caserne, de musée. Sa destinée fut bouleversée en 1946, lorsque le conservateur du château invita Pablo Picasso à venir y travailler : il y exécuta vingt-six peintures, quarante-trois dessins et essaya de nombreuses variétés de supports. Le musée présente aujourd'hui des œuvres que l'artiste effectua lors de son séjour à Antibes, et d'autres qui furent achetées ou acquises par donation : cent cinquante céramiques, réalisées chez les potiers de Vallauris entre 1947 et 1949 ;

des œuvres comme la *Chèvre*,
le *Nu couché au lit blanc*,
la *Femme dans un fauteuil*,
le *Gobeur d'oursins*, ou
encore *La Suite d'Antipolis*,
également nommée *La Joie
de vivre*. S'y ajoutent de
nombreuses œuvres d'artistes
contemporains : Fernand Léger, Atlan,
Nicolas de Staël ● 106, Modigliani, Picabia, Magnelli, Max
Ernst ou Hartung... Le rez-de-chaussée est entièrement
consacré à des souvenirs du passé d'Antipolis.

LA CATHÉDRALE. La cathédrale initiale fut construite au
Xe siècle. Détruite en 1124, elle fut reconstruite dès 1125 ;
le chœur et le transept datent de cette époque. La façade,
offerte à Antibes par Louis XV en 1751, vient d'être récemment
restaurée. Elle remplaça l'ancienne façade du XIIe siècle,
écrasée sous les bombes lors de la guerre de Succession
d'Autriche. À l'entrée, la superbe porte en chêne (1710)
représente saint Sébastien, patron d'Antibes, et saint Roch,
grand protecteur lors des épidémies de peste. Elle fut exécutée
en 1710 par l'artiste antibois Jacques Dolle, qui réalisa aussi la
chaire et la plupart des autels en bois doré des chapelles
latérales. Dans le transept, un bel autel baroque à colonnes
torses encadre une grande Nativité. Dans la chapelle du
Corpus-Domini, au-dessus de l'autel, on peut admirer l'un des
derniers tableaux de Ludovic Bréa ♥, daté de 1517, *La Vierge
de Miséricorde* qui représente, d'un côté, l'Eglise, pape en tête,
de l'autre, le peuple chrétien, derrière l'empereur d'Allemagne.
Le panneau central est entouré par la représentation des quinze
mystères du Rosaire. Les petits tableaux situés au niveau
de l'autel représentent des miracles de la Vierge. Le buffet
des grandes orgues, du XVIIIe siècle, abrite un magnifique
instrument, célèbre pour
ses quarante jeux disposés
sur trois claviers.

LES REMPARTS. Dans la ville
haute, les maisons de la RUE
DU BATEAU ont conservé leurs
fondations grecques ou romaines.
Sur la droite, la RUELLE
LAPORTE débouche sur une
ouverture dans la muraille
romaine, la porte du Trou. Juste
avant, au fond d'une petite
cour, on peut apercevoir le seuil
d'un très vieil immeuble, sans
doute un fragment du linteau

qui surmontait le portail du théâtre romain. on y lit : ...OPUS
THEA... À l'extrémité de la rue, on aboutit à une porte
romaine, remaniée au Moyen Âge, le PORTAIL DE L'ORME ♥.
Il a conservé ses fortifications intérieures, ses murs massifs et
son passage de herse. À l'intérieur des murs, dans la tour, un
petit MUSÉE DES ARTS ET TRADITIONS POPULAIRES, consacré à la
région d'Antibes, a été installé depuis peu. C'est dans cette
partie sud de la citadelle qu'on trouve les murailles romaines
les mieux préservées : la TOURRAQUE, grosse tour ronde qui
occupe l'angle sud et soutient le rempart, lui-même protégé
par la barbacane (quartier fortifié situé en contrebas).

**LES CHRISTS
DE LA CATHÉDRALE**
La chapelle du
Corpus-Domini abrite
un autel paléochrétien
du Ve siècle et ce
superbe christ gisant,
grandeur nature,
taillé dans un bloc
de tilleul. Caché
durant la Révolution,
redécouvert en 1938,
il vient d'être restauré.
Un autre christ en
bois de 1,40 m orne
le chœur juste au-
dessus de l'autel. Sur
l'un de ses pieds est
gravée la date 1447.

Le fort Carré sous toutes ses faces
Il fallut fortifier la frontière orientale du royaume lors du rattachement, en 1481, de la Provence à la France. Henri II fit construire la tour Saint-Laurent vers 1550, complétée en 1565 par quatre bastions. C'est, avec la citadelle Saint-Elme de Villefranche, le prototype des premières fortifications conçues en fonction de l'artillerie : bastions très effilés, flancs et courtines courts afin d'éviter les angles morts.

Le port de plaisance. La plage de la Gravette s'étend jusqu'à la limite de la vieille ville. La maison où vécut et mourut Nicolas de Staël (1914-1955) ● *106* se trouve à l'angle du front de mer et de la rampe des Saleurs. En marchant le long des remparts, on arrive devant la **Porte Marine**, construite par Vauban, et qui permet d'accéder au port de plaisance. Transformé et agrandi en 1970, le port Vauban est devenu l'un des premiers ports plaisanciers de Méditerranée.

Le fort Carré (il est possible d'en faire le tour par le bord de mer). Il est situé sur le rocher où se dressait le temple de Mercure, qui fut remplacé par la chapelle Saint-Laurent, elle-même transformée en tour de défense vers 1550. On ajouta quatre bastions à cet édifice en 1565. Ils portent le nom des lieux qu'ils devaient protéger : Corse, France, Antibes, Nice. Le «bonnet carré» fut achevé quinze années plus tard. Au XVIIe siècle, Vauban projeta d'en faire une île, puis d'étendre les fortifications à la ville tout entière. Mais, à peine amorcé, le manque de moyens eut raison de ce projet. Le fort, déclassé en 1870, dut attendre 1967 pour être restauré.

Le musée Peynet (23, place Nationale). Raymond Peynet, citoyen d'Antibes depuis 1978, a légué à la ville nombre de ses dessins et aquarelles. C'est en 1942 qu'il imagina pour la première fois son couple d'amoureux assis devant le kiosque à musique de Valence ; la chanson de Georges Brassens, *Les Bancs publics*, leur rend hommage.

Le bastion Saint-André (près du square Albert-Ier). Construit en 1682 par l'ingénieur Niquet, il fermait la ville sur le front de mer et était à moitié entouré d'eau. Son rôle était si important

qu'une petite garnison y séjournait en permanence et gardait la poudrière édifiée sur la colline proche. Son énorme toiture de pierre recueillait la pluie et la dirigeait jusqu'à une superbe citerne souterraine. Boulangerie et four à boulets sont encore en place. Depuis 1963, le MUSÉE D'ARCHÉOLOGIE y a élu domicile.

LE QUARTIER SAFRANIER ♥. On accède au faubourg médiéval (gagné sur les marais et dominé par le rocher du Castellet) par la rue du Bas-Castellet, tout en petits escaliers. Le visiteur ne pourra rester insensible au charme fleuri et coquet de ce quartier qui s'est érigé en commune libre en 1966. Le Safranier s'est alors doté d'une mairie, d'un conseil, ainsi que d'un garde champêtre coiffé d'un bicorne.

Antibes, promenade à cheval de l'artiste avec son fils, J.-L.-E. Messonier, 1868.

BIOT ♥

Comme son voisin Vallauris, Biot eut à souffrir des invasions : les habitants fuirent dans l'arrière-pays et ne revinrent fonder un nouveau village qu'au début du XIᵉ siècle. La peste et les guerres provoquèrent un nouvel abandon : en 1367, le site fut déserté et les habitants se réfugièrent à Villeneuve-Loubet. En 1470, le roi René regroupa sur place une cinquantaine de familles italiennes qui purent reconstruire le village grâce aux importantes franchises et aux privilèges qu'on leur

avait accordés. Les Liguriens, spécialisés dans la fabrication de jarres et d'ustensiles de cuisine en argile vernissée, introduisirent cet artisanat à Biot. Cette activité deviendra primordiale après la guerre de Succession d'Espagne qui ruina l'agriculture. Le village abritait alors trente-deux fabriques qui lui conférèrent une grande influence jusqu'à Gênes. Le déclin survint peu de temps avant la Révolution et s'accéléra au XIXᵉ siècle : en 1918, il ne subsistait plus qu'une seule fabrique. L'engouement pour une décoration à caractère rustique a aujourd'hui ranimé cette industrie.

LE MUSÉE FERNAND-LÉGER. Surnommé la «cathédrale de l'art moderne», il fut conçu pour y exposer l'œuvre de Fernand Léger (1881-1955) et fut inauguré en 1960. En 1967, sa femme fait don à la France de trois cent quarante-huit œuvres originales et le musée devient musée national. La présentation est grandiose, conditionnée par deux œuvres majeures : une énorme mosaïque de près de 500 m² aux couleurs violentes, chères à l'artiste, sur la façade sud, et un vitrail de 50 m², étonnant par son épaisseur. Dessins, études, huiles (*Le 14 Juillet 1914, Les Acrobates, Les Constructeurs...*) permettent de retracer son cheminement artistique.

L'ÉGLISE. Elle est accessible depuis la place des Arcades (aux arcs en plein cintre et aux belles ogives dissemblables des XIIIᵉ et XIVᵉ siècles). Le portail de 1638 représente sainte Marie Madeleine, la patronne du lieu. Cette nouvelle église a été bâtie avec les matériaux de l'église des Templiers, détruite en 1367, et les grosses colonnes de la nef centrale sont celles de l'ancien édifice. La décoration baroque du maître-autel

LE VIEUX SAFRANIER
Pélargoniums, bougainvilliers et plumbagos montent à l'assaut des murs de ce quartier coquet et fleuri du vieil Antibes.

SOPHIA-ANTIPOLIS
La place Sophia-Laffite est le centre de ce parc d'activités (2 400 ha) créé en avril 1972, où se sont regroupés organismes de recherche, sièges sociaux d'entreprises à technologie avancée et instituts de formation supérieure. La majeure partie des installations se trouvent sur la commune de Valbonne, entourées par une forêt où a été aménagé le parc de la Valmasque (427 ha).

1 **IMMEUBLE DE LA COURONNE**   2 **VILLA HUOVILA**   3 **PALAIS DE L'AGRICULTURE**   4 **MUSÉE CHÉRET**   5 **CENTRE UNIVERSITAIRE MÉDITERRANÉEN**   6 **IMMEUBLE GLORIA-MANSIONS**   7 **HÔTEL NEGRESCO**   8 **MUSÉE MASSÉNA**   9 **PALAIS DE LA MÉDITERRANÉE**   10 **PROMENADE DES ANGLAIS**

◷ 2 jours

GIUSEPPE GARIBALDI (1807-1882)
Né à Nice d'un père génois et d'une mère qui lui inculque l'amour de l'Italie, Giuseppe participe

au soulèvement des Carbonari. Condamné à mort, il fuit en Uruguay. En 1849, il proclame à Rome la république. Assiégé par les Autrichiens, il bat retraite et rentre à Nice. En 1859, il reprend les armes pour l'unité italienne et en 1871 il répond à l'appel de Gambetta.

Nice, capitale de la Côte d'Azur, doit à la beauté de sa baie et à un climat exceptionnellement doux un développement spectaculaire. La cinquième ville de France, dont les couleurs chatoyantes rappellent le passé piémontais, offre au visiteur tout à la fois la splendeur de son architecture baroque, les folles silhouettes de ses palaces de la Belle Époque et le charme coloré de ses marchés.

HISTOIRE

NICE ANTIQUE. Le campement de Terra Amata et la grotte du Lazaret attestent la présence d'humains sur les rivages du pays niçois dès 400 000 ans av. J.-C. Les populations ligures qui leur succèdent sont colonisées au Ve siècle av. J.-C. par les Phocéens de Marseille, soucieux d'établir un comptoir, Nikaïa. Appelés à plusieurs reprises à l'aide par Massalia, les Romains soumettent définitivement les populations locales vers l'an 14 av. J.-C. et se fixent à Cemenelum (Cimiez). Les débuts du christianisme sont mal connus : deux évêchés voisinaient, l'un à Nikaïa, l'autre à Cemenelum.

UNE PROIE DISPUTÉE. La cité survit péniblement aux raids sarrasins jusqu'à ce que Guillaume le Libérateur, comte de Provence, mette fin à leurs exactions, en 974. Au XIIe siècle, la cité, république urbaine autonome administrée par des consuls élus annuellement, est convoitée par Gênes et les comtes de Provence. Le Provençal Raimond Bérenger V l'emporte en 1229, ouvrant une ère de paix qui durera un siècle. Survient une période d'épreuves : troubles politiques, peste noire, dévastations par des bandes de routiers.
Le 28 septembre 1388, après diverses péripéties, Amédée VII de Savoie fait signer aux Niçois un accord par lequel la cité se trouve pour cinq siècles sous la dépendance directe de ce qui va être le royaume de Piémont-Sardaigne. Unique débouché sur la mer du comté, Nice devient une place forte prospère, au centre des échanges transalpins. Au XVIIe siècle, la ville se couvre d'édifices religieux où se lit l'influence baroque.

LES TROUBLES RÉVOLUTIONNAIRES.

En septembre 1792, la ville est envahie par les troupes françaises qui contrôlent le comté l'année suivante. La bourgeoisie niçoise soutient les Français, mais les paysans, las des réquisitions et de la conscription, résistent. La restitution du comté au roi de Sardaigne, en 1814, soulage la population, épuisée par les guerres incessantes. L'essor touristique démarre, grâce à la présence d'Anglais venant se reposer sur la Côte.

NICE FRANÇAISE. En 1860, la ville est l'objet d'un échange entre le roi de Piémont-Sardaigne et Napoléon III, le premier remerciant ainsi le second de son aide dans la réalisation de l'unité italienne. 84% des Niçois votent le rattachement à la France. La population croît dès la fin du XIXe siècle, augmentée encore par l'émigration italienne. Aujourd'hui, son port de croisière est le premier de France, tandis que l'aéroport Nice-Côte d'Azur s'affirme comme la porte d'entrée majeure de l'Europe du Sud.

CÉLÉBRITÉS
La cité a ses héros : Catherine Ségurane, une lavandière qui en 1538 repoussa Français et Turcs et le maréchal d'Empire Masséna, baptisé l'«enfant chéri de la victoire».

LE VIEUX NICE

Dissimulés dans les dédales des escaliers et des ruelles, une dizaine d'édifices religieux antérieurs au XVIIIe siècle témoignent d'un fort renouveau spirituel, marqué par la multiplication des couvents et l'accroissement des confréries laïques. Importante cité des ducs de Savoie, Nice bénéficia longtemps de leur prodigalité. Aussi l'architecture est-elle très imprégnée d'influences artistiques transalpines : romaines puis piémontaises pour l'architecture religieuse, génoises pour l'architecture civile.

LE COURS SALEYA. Ses origines remontent à la reconstruction au XVIe siècle des remparts «de la Marine» qui, repoussés vers le rivage, libérèrent un vaste espace urbain. Chaque matin, sauf le lundi, s'y tient un incroyable marché aux fleurs,

LE COURS SALEYA
Vaste artère, c'est un lieu de rendez-vous et le théâtre des premiers corsos carnavalesques.

285

UNE DÉCORATION IMPOSANTE
La chapelle du Saint-Sacrement, située dans le transept nord de la cathédrale Sainte-Réparate, constitue le fleuron de l'édifice. Elle fut décorée vers 1707 ; ses colonnes torses en marbre dominent l'autel du grand retable, d'inspiration berninienne.

qui lui donne un petit air de paradis.
LE PALAIS DE LA PRÉFECTURE (place Pierre-Gauthier), achevé en 1613, fut la demeure des ducs de Savoie et des rois de Sardaigne jusqu'au XVIIe siècle. Des travaux d'embellissement qu'entreprit Charles-Félix en 1825, il ne reste plus que l'escalier d'honneur. La façade sur le cours Saleya, réalisée en 1907, présente une double colonnade harmonieuse et élégante. Le décor intérieur est digne des fastes ostentatoires de la Belle Époque.
La CHAPELLE DE LA MISÉRICORDE ♥ (7, cours Saleya) est l'œuvre de Vittone, architecte italien du XVIIIe siècle, dernier représentant du baroque piémontais. L'architecture intérieure est spectaculaire : le vaisseau central ellipsoïdal est entouré de six absidioles de plan circulaire surmontées de tribunes. Le jeu des courbes et des volumes est souligné par une décoration abondante (dorures, frises, polychromie des matériaux). Des œuvres d'art majeures sont conservées dans la sacristie : deux *Vierge de Miséricorde*, l'une signée par Jean Miralhet (1430), l'autre attribuée à Louis Bréa.
L'ÉGLISE DE L'ANNONCIATION (1, rue de la Poissonnerie). Plus connue sous l'appellation de Sainte-Rita, c'est l'une des plus anciennes églises de Nice : le bâtiment primitif, un prieuré bénédictin, remonterait à 900. Les carmes leur succédèrent en 1555 et agrandirent l'édifice un siècle plus tard. Grâce à une restauration récente, la chapelle a retrouvé toute la magnificence de son décor baroque : fenêtres-loggias de l'abside, décoration élégante des voûtes et des corniches.

LA CATHÉDRALE SAINTE-RÉPARATE ♥ (place Rossetti). Elle est l'un des principaux témoignages de l'influence du premier art baroque romain à Nice au XVIIᵉ siècle. Dédiée à une jeune martyre de Palestine dont le corps serait miraculeusement parvenu en terre niçoise par la mer, cette église appartenait à l'abbaye de Saint-Pons avant d'être agrandie et transformée en cathédrale cinq cents ans plus tard. Si les plans furent confiés à l'architecte niçois André Guibert dès 1650, le clocher ne fut achevé qu'en 1757 et la façade au siècle dernier. L'ensemble de l'édifice a conservé ses décorations d'origine : les stucs du Lombard Pietro Riva ornent les arcs, l'entablement de la nef, ainsi que les pendentifs de la coupole et le chœur.

LE PALAIS LASCARIS ♥ (15, rue Droite). Construite pour Jean-Baptiste Lascaris-Vintimille, maréchal de camp du duc de

Le Palais communal.

Savoie, cette demeure aristocratique a été habitée par les comtes de Peille, occupée par des militaires sous la Révolution, avant d'être mise en vente en tant que bien d'émigré en 1802. La ville l'a rachetée en 1942 pour la sauver d'une lente

L'ÉGLISE DU JÉSUS (1607-1650)
La nef rectangulaire, proche du modèle romain de Vignole, est un peu écrasée sous une riche décoration : faux marbres, médaillons, cartouches et angelots.

dégradation. Le palais se présente aujourd'hui comme une résidence de notable. Les appartements sont constitués de trois salons à plafonds peints et les portes ont la particularité d'être fixées par des paumelles dissymétriques. Les décorations de la chambre de parade, chargées d'atlantes, cariatides et putti, furent réalisées vers 1700. À l'étage, trois salles sont consacrées à l'ethnographie régionale tandis qu'on a reconstitué au rez-de-chaussée une pharmacie du XVIIIᵉ siècle.

PLACE SAINT-FRANÇOIS ♥. Célèbre pour son marché aux poissons, la place ne prit de l'importance qu'en 1580, lorsque le PALAIS COMMUNAL fut édifié contre l'église. L'architecture du bâtiment reprend la structure massive et compacte des palais génois du XVIᵉ siècle ; seule sa façade fut redessinée en 1758 par un élève de Juvara.

LA PLACE GARIBALDI. À la frontière de la ville médiévale et des nouveaux quartiers, cette place royale, chef-d'œuvre urbanistique, prit forme entre 1782 et 1792. De plan

irrégulier, elle est bordée d'immeubles sur portiques. L'ensemble était précédé de la monumentale porte de Turin, dans l'axe de laquelle s'inscrit la façade à loggia, aujourd'hui édulcorée, de la CHAPELLE DU SAINT-SÉPULCRE. Cette dernière, œuvre d'Antoine Spinelli (vers 1784), recèle un remarquable tableau de Louis Van Loo : l'*Assomption de la Vierge*.

La façade du palais Lascaris (ci-dessus) est rythmée de balcons en saillie portés par des consoles sculptées. De tradition niçoise, l'escalier (ci-contre) est ouvert sur les cours du bâtiment et décoré de statues de marbre qu'abritent des niches ornées de stucs de style rocaille.

L'HÔTEL ATLANTIQUE
(12, bd Victor-Hugo)
Son architecte,
Dalmas, s'est inspiré
de l'Opéra-Garnier.
Son immense verrière
a été conservée, ainsi
que le décor du hall et
de la salle à manger.

**UN PETIT FLEUVE
LÉGENDAIRE**
Le Paillon –
représenté ci-dessous
près du Pont-Neuf,
avant qu'il ne soit
recouvert en 1882 –
était autrefois sujet
à des crues
dévastatrices.
Lorsque le débit
devenait inquiétant
à l'amont, un cavalier
galopait à bride
abattue jusqu'à Nice
en criant «Paioun
ven» (le Paillon
arrive). De nos jours,
il n'est plus visible
qu'au-delà du palais
des Expositions.
«C'est une rivière
où les Niçoises font
sécher leur linge et où
de mémoire d'homme,
on n'a jamais vu un
poisson», écrivait
Nietzsche.

LE PAILLON

Cette longue succession de promenades porte le nom d'un petit fleuve côtier capricieux, que l'on a recouvert. Fermée au sud-ouest par la place Masséna, à portiques, elle est encadrée de deux grands immeubles ornés de pilastres d'ordre composite.
NOTRE-DAME-AUXILIATRICE ♥ (17, place Dom-Bosco). Caractéristique de l'art religieux des années 1930, sans doute inspirée du style d'Auguste Perret, elle a été conçue par J. Fèbvre et M. Deporta et entièrement réalisée en ciment armé. L'intérieur, peint à fresque dans des tons à dominantes bleue et jaune, comporte un plafond de nef en forme de croix.
ACROPOLIS (bd Risso). Le mot «vaisseau» s'impose pour cet édifice inauguré en 1984. Sa dalle de béton repose sur les arches du Paillon. Ses architectes étaient surnommés les trois B (Georges Buzzi, Pierre Bernasconi et Pierre Baptiste). L'ensemble se décompose en deux blocs, séparés par l'AGORA : le PALAIS DES CONGRÈS et l'AUDITORIUM. Des œuvres d'art rythment les différents étages de l'Agora : *Le Pouce* de César, *Le Vainqueur* de Paul Belmondo, pour la sculpture ; *Gestalt,* de Vasarely, *Rétro Nostalgie* de Lenzi, pour la peinture, et des tapisseries de Raymond Moretti.
MUSÉE D'ART MODERNE ET D'ART CONTEMPORAIN ♥ (promenades des Arts). Inauguré en 1990, ce musée est dû au talent de l'architecte Yves Bayard, qui a su donner un aspect à la fois aérien et massif à ces quatre tours reliées entre elles par des passerelles et où alternent murs aveugles et parois transparentes. Un niveau est réservé aux collections permanentes et un autre aux expositions temporaires.
Les toiles les plus anciennes datent des années 1950.
Un parallèle est établi entre les nouveaux réalistes (tendance européenne), tels Yves Klein, Martial Raysse (page de droite, *Portrait de France*), Jean Tinguely ou Niki de Saint-Phalle, et le pop art (tendance américaine), représenté par Roy Lichtenstein, Andy Warhol et George Segal.
Sont également exposés les représentants d'une certaine abstraction, comme Morris Louis ou Frank Stella, ainsi que les minimalistes Sol Le Witt ou Richard Stella. Le mouvement niçois Supports-Surfaces est aussi mis en valeur. De forme octogonale, inséré dans le bâtiment du musée, le nouveau théâtre de Nice est lui aussi recouvert de plaques de marbre de Carrare gris-bleu s'éclaircissant vers le haut.

APOLLINAIRE AU LYCÉE MASSÉNA
Installé à Monaco avec sa mère en 1885,
le poète y fut d'abord élève au collège
Saint-Charles, puis à Cannes, avant
d'arriver à Nice, où il étudie la rhétorique,
réussit l'écrit et échoue à l'oral.

ENCLAVES RUSSES

L'ÉGLISE RUSSE ♥
(6, rue de
Longchamp).
L'impératrice
Alexandra
Feodorovna, veuve
de Nicolas Ier, lança
durant son séjour à
Nice en 1857 une
souscription pour
l'ouverture d'une
église orthodoxe, les
Russes ne disposant
toujours pas de lieu
de culte en dépit de
l'importance de la
colonie. Le projet,
proposé par un architecte russe, fut remanié par le Niçois
Barraya, qui imposa un dôme en métal fort discret afin de ne
pas choquer les Niçois par une façade trop slave. La chapelle
est située au premier étage, auquel on accède directement par
un escalier. On y admirera l'iconostase en bois de chêne
massif et de nombreuses icônes, entre autres une Vierge de
Vladimir (début du XVIIe siècle). Le rez-de-chaussée est
occupé par une bibliothèque russe.

LA CATHÉDRALE SAINT-NICOLAS ♥● *101*. C'est le plus bel
édifice orthodoxe russe construit hors de Russie. L'église de la
rue de Lonchamp étant devenue trop petite pour les fidèles,
toujours plus nombreux, l'impératrice Maria Feodorovna,
veuve du tsar Alexandre II, offrit le parc de la villa Bermond,
où était mort en 1863 son fils aîné, et de l'argent pour mener à
bien la construction d'un nouvel édifice. La pose de la première
pierre eut lieu en 1903. L'architecte Preobrajensky s'inspira
de la cathédrale Basile-le-Bienheureux, à Moscou,
et apporta la plus grande attention au choix des
matériaux : briques de Rhénanie, majoliques
et tuiles de Florence et de Blois, etc.
Des feuilles d'or recouvrent les dômes
surmontés de croix. À l'intérieur,
l'iconostase à trois étages, en métal
repoussé et ciselé, puis doré à la feuille,
est particulièrement magnifique. Les icônes
sont inspirées de l'école de Siméon Ouchakoff
(seconde moitié du XVIIe siècle) et presque toutes
de la main de Glazounoff.

LA COLLINE DE CIMIEZ

LE BOULEVARD CARABACEL. Dès la fin du XVIIIe siècle, cette
ancienne carrière de pierres, nichée au pied de la colline de
Cimiez, devient un lieu de résidence pour les notables niçois.
À partir de 1840, les Britanniques suivent leur exemple et s'y
installent, loin de la foule et du bord de mer. De somptueux
hôtels et immeubles de rapport témoignent de cet âge d'or,
tels l'hôtel Impérial (n° 8), de style Second Empire, et la
Chambre de commerce (n° 20), palais néo-classique dont
l'intérieur illustre l'éclectisme de l'architecture niçoise.

SAINT-NICOLAS
Le modèle d'une
coupole centrale
entourée de quatre
autres plus petites est
inspiré du style vieux-
russien (fin du
XVIe siècle).

LE PALLADIUM (1928)
Cet immeuble de
rapport impressionne
par sa silhouette
massive et élégante.
Des balcons aux
formes arrondies et
répétitives renforcent
l'effet de grandeur.

LA PLACE MASSÉNA
La grande fontaine
aux sculptures de
bronze fut déplacée
en 1976 et privée de
la statue d'Apollon.
Le projet
d'aménagement,
d'après une maquette
de Roger Seassel
et des sculptures
de Jeanniot,
date de 1935
mais l'inauguration
n'eut lieu qu'en 1956.

▲ NICE, COLLINE DE CIMIEZ

«ABRAHAM ET LES TROIS ANGES»
Une série de dix-sept peintures de grand format, inspirées par la Genèse, l'Exode et le Cantique des Cantiques, constitue le plus important ensemble d'œuvres de Chagall exposées en un même endroit de façon permanente. L'architecte André Hermant a imaginé un bâtiment d'une grande sobriété, construit en pierres blondes de La Turbie et inséré dans un parc planté d'essences méditerranéennes. Le peintre a créé les vitraux de la salle de concert illustrant la création du monde, ainsi que la mosaïque surmontant la pièce d'eau.

«DÉPOSITION DE CROIX»
Vers 1515-1520, Ludovic Bréa adopte la forme du retable unifié de la Renaissance : les bandes latérales sont remplacées par deux pilastres, l'ensemble est surmonté par un entablement important. L'artiste exprime ici avec dignité et retenue l'intensité du drame sacré, cher aux franciscains, et invite à la méditation.

LE BOULEVARD DE CIMIEZ. La plus célèbre artère de Nice, qui prolonge Carabacel, doit son nom à l'ancienne ville romaine, la Cemenelum antique (Ier-Ve siècle), chef-lieu de la province augustéenne des Alpes-Maritimes, restée jusqu'au XIXe siècle une colline plantée d'oliviers. Son urbanisation rapide est due à Henri Germain qui achète, dès 1880, des terrains et fait percer le boulevard de Cimiez sur une largeur de 20 m. Une fois viabilisés, les lots sont revendus à des sociétés et à des particuliers. Neuf palaces seront construits, témoignant du faste de la vie mondaine de la Belle Époque. Après la Première Guerre mondiale et l'appauvrissement de l'aristocratie, les hôtels furent divisés en appartements.

LE MUSÉE CHAGALL ♥ (av. du Docteur-Ménard). Ce musée ultramoderne a été conçu par André Hernaut pour abriter la donation faite aux musées nationaux par Marc et Valentina Chagall. Dix-sept grandes compositions, peintes de 1955 à 1958, forment le *Message biblique*, que l'artiste a entrepris afin de rappeler à ses contemporains l'enseignement de l'Ancien Testament. Trente-sept gouaches exécutées à la suite d'un voyage en Palestine et des eaux-fortes commandées par

Vollard pour une bible, parue en 1956, complètent le fonds. Chagall a par ailleurs spécialement conçu la mosaïque de la pièce d'eau (réalisée par Lino Melano, de l'école de Ravenne) et les vitraux illustrant la création du monde (dont le maître verrier est Charles Marq). Le musée accueille également des concerts.

L'HÉRITAGE ANTIQUE (160, av. des Arènes-de-Cimiez). Près des ARÈNES (voir en légende, page de droite), on découvre les traces d'un ENSEMBLE THERMAL ROMAIN datant du IIIe siècle, comprenant deux bains (bains des hommes à l'est, des femmes à l'ouest) qui s'étendent sur un front de plus de 100 m de longueur et dont l'aménagement hydraulique révèle déjà un haut niveau

technique. Un groupe épiscopal paléochrétien (baptistère et basilique) s'imbrique dans les salles des bains de l'ouest. Le Musée archéologique, un bâtiment contemporain implanté au cœur de la ville antique du Ier-Ve siècle ap. J.-C., présente essentiellement le résultat des fouilles de Cimiez et des fouilles sous-marines de Golfe-Juan.

Musée Matisse ♥ (164, av. des Arènes-de-Cimiez). La villa génoise Garin de Coconato (XVIIe siècle), aux façades rouges peintes en trompe l'œil, lui sert d'écrin. La collection personnelle du peintre, qui s'installa à Nice en 1917 et y mourut en 1954, a trouvé place dans une aile nouvellement édifiée. Des œuvres de toutes les époques y sont réunies, depuis les premiers tableaux des années 1890 comme la *Nature morte aux livres*, jusqu'aux gouaches découpées de la fin de sa carrière, *La Vague* ou *Fleurs et fruits*.

S'y trouvent également les œuvres préparatoires à la *Danse de Merion* et à la décoration de la chapelle de Vence ▲ 309.

Le monastère de Cimiez (place du Monastère). La chapelle ♥, construite à l'origine par des moines bénédictins et remplacée en 1450 par un édifice à nef unique, échut en 1546 aux franciscains qui y ajoutèrent un cloître. L'endroit devint un lieu de pèlerinage. De magnifiques retables, dont la célèbre *Pietà* de Louis Bréa (1475) – première œuvre connue de l'artiste –, une *Crucifixion* et une *Déposition de croix* du même peintre, peut-être aidé par son frère Antoine, rehaussent ce lieu de culte. Le Musée franciscain ♥, didactique et attrayant, présente une excellente reconstitution de l'histoire de saint François, de l'ordre et du couvent. Le jardin du monastère, redessiné en 1927 au cœur du cloître, est un lieu de recueillement d'où l'on découvre une belle vue sur Nice et son château. Un jardin à l'italienne, avec quelques pergolas et des allées de briques et de galets, jouxte les carrés rectilignes de l'ancien potager des moines.

Les arènes
Monument le plus ancien de Nice, l'amphithéâtre fut aménagé au début du Ier siècle av. J.-C. Il était destiné aux troupes stationnées à Cemenelum. La *cavea* primitive pouvait contenir cinq cents personnes. Deux siècles plus tard, lors de la période monumentale de Cimiez, un second anneau de murs rayonnants fut ajouté, élargissant le nombre de places. Au XVIIIe siècle, on y planta du blé et des maisons furent élevées sur les gradins. Le parc sert aujourd'hui de cadre, en juillet, à la grande parade de jazz.

Excelsior Regina Palace (1895)
Ce véritable caravansérail cachait, derrière sa façade de 200 m, quatre cents chambres, deux cent trente-trois salles de bains et trente-trois pièces pour le service.

291

Des Anglais, attirés par la douceur des hivers à Nice, y séjournent dès 1730. Mais le rivage caillouteux n'est fréquenté que par les pêcheurs niçois. La nécessité d'un lieu de promenade au bord de l'eau s'impose. Le révérend Lewis Way réunit des fonds auprès de la colonie anglaise et fait construire en 1823 un chemin de 2 m de large, donnant du travail aux paysans locaux, réduits à la misère en hiver. Surnommé par les Niçois «camin dei Anglès», il est appelé officiellement promenade des Anglais en 1844.

LE QUARTIER DU VIEUX PORT

Les travaux d'aménagement du port commencèrent en 1749, sous la direction de Devinanti : trois cents forçats creusèrent le bassin et aménagèrent un chemin vers les Ponchettes, puis la route de Turin. C'est un peu avant 1880 que le bassin atteignit ses dimensions actuelles avec la destruction des dernières maisons le séparant de la place Île-de-Beauté. Pour avoir une vue d'ensemble du port, LA JETÉE, chère à Tchekhov qui aimait à s'y promener, est l'endroit privilégié. On y aperçoit le MONUMENT AUX MORTS (1928), dû à l'architecte niçois Roger Seassol et au sculpteur Jeanniot.

LE MUSÉE TERRA-AMATA (25, bd Carnot). Ce musée a été créé à la suite de la découverte inopinée, en 1966, des restes d'un campement de chasseurs d'éléphants qui vivaient là il y a 400 000 ans. Henry de Lumley y a effectué des fouilles qui ont mis au jour la plage quaternaire fossile de Terra Amata ; le musée présente une reconstitution du campement.

LE QUARTIER DU CHÂTEAU

Édifié au Xe siècle puis fortifié par les comtes de Provence puis les ducs de Savoie, le *castrum* se voit adjoindre, en 1520, une plate-forme dotée de trois bastions. Le nord restant vulnérable du fait de la faible déclivité de la colline, une citadelle est érigée. Mais Louis XIV, méfiant vis-à-vis de cette redoutable forteresse, la fait détruire.

LA TERRASSE FRÉDÉRIC-NIETZSCHE ♥. Elle offre le plus beau panorama sur la ville et ses environs. Des fouilles ont permis d'y dégager des vestiges grecs et ligures, ainsi que les anciennes fondations de la cathédrale Sainte-Marie.

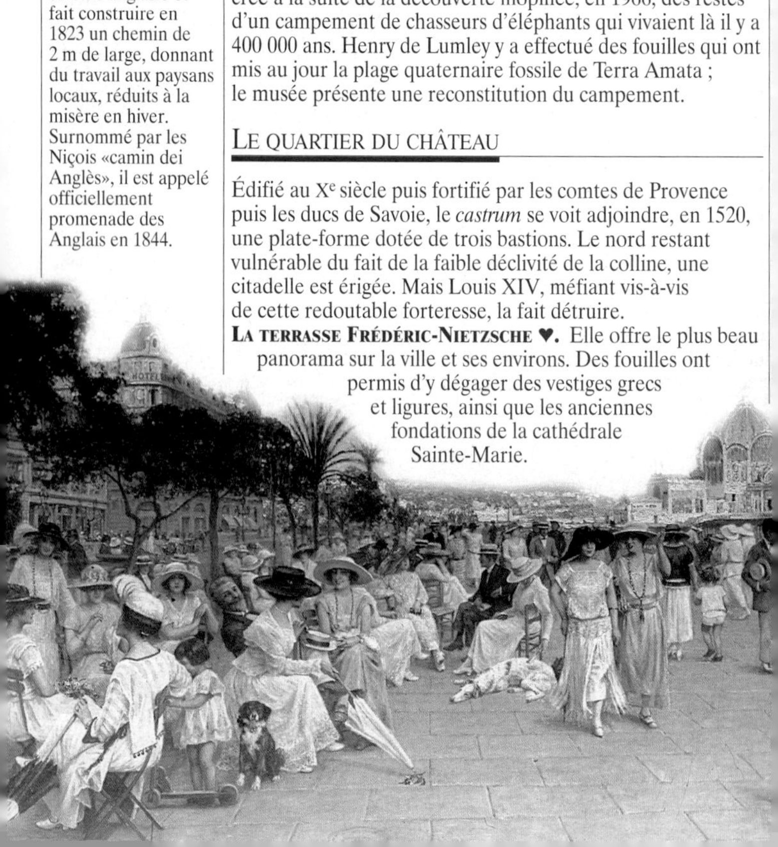

LE QUAI DES ÉTATS-UNIS

LES PONCHETTES ♥. Cette appellation désigne la partie du rivage qui précède les maisons basses aux toits en terrasse. Une seconde rangée de maisons identiques, parallèle à celle-ci, se situe en arrière. Construites de 1750 à 1790, elles occupent l'emplacement des anciennes fortifications, alors que les maisons face à la mer datent du XIXe siècle.

LES GALERIES-MUSÉES ♥ (77, quai des États-Unis). Les structures de l'ancien arsenal maritime sont encore perceptibles dans les murs de ces deux galeries. La première regroupe des peintures de Raoul Dufy (1877-1953), tandis que la seconde présente l'œuvre de Gustav-Adolf Mossa (1883-1991), artiste niçois qui occupa également le poste de conservateur au musée des Beaux-Arts.

L'OPÉRA. Si, dès 1816, des artistes lyriques italiens se produisent à Nice, l'Opéra actuel ne date que de 1885 ; ses plans furent corrigés par Charles Garnier. À côté, la PÂTISSERIE AUER (7, rue Saint-François-de-Paule), tenue de père en fils depuis 1820, vaut un détour pour son amusant décor rococo et les vitraux de son salon de thé.

LA PROMENADE DES ANGLAIS

L'aspect actuel de la Promenade, avec sa double chaussée et son large trottoir au midi, remonte à 1931. Face à la vieille ville resserrée et colorée, la Promenade représente la ville neuve et blanche. Les premières villas, entourées de parcs, furent remplacées à partir de 1840 par des hôtels ; les immeubles résidentiels s'imposèrent dès 1930.

LE PALAIS DE LA MÉDITERRANÉE. Fermé depuis 1977, ce somptueux casino financé par l'Américain Frank Jay Gould sera remplacé par un complexe de congrès et de loisirs. Seule la façade, classée, est conservée. Bâti sur les plans de Charles et Marcel Dalmas, il fut inauguré en 1929 et constituait un ensemble Arts déco de première importance.

MUSÉE CHÉRET ♥ (33, av. des Baumettes). Installé dans un hôtel particulier de style Second Empire, construit en 1878 pour la princesse ukrainienne Kotschoubey, ce musée regroupe des collections qui s'étendent du XVIIe siècle, surtout italien, à l'école de Paris. Le XVIIIe siècle est représenté par la dynastie des Van Loo, Natoire, Fragonard et Hubert Robert. Un vaste panorama du XXe siècle français court du néo-classicisme à l'impressionnisme. On y découvre également l'œuvre de Jules Chéret, un des inventeurs de l'affiche publicitaire, et des sculptures de Carpeaux et de Rodin.

LE NEGRESCO
Il est né de la rencontre entre le Roumain Henri Negresco, venu de Bucarest, futur directeur du restaurant du Casino municipal de Nice, et du constructeur automobile Darracq, qui en finança la construction, confiée en 1913 à l'architecte spécialiste des hôtels et des restaurants, Édouard Niermans. Perpétuant la tradition des établissements de prestige du début du siècle, il présente une façade colossale sur la mer, flanquée de deux grosses tours.

MUSÉE D'ART ET D'HISTOIRE ♥ (65, rue de France) Installé dans le palais Masséna (1898-1901), il accueille la bibliothèque du chevalier de Cessole et diverses collections, dont celle, superbe, des primitifs niçois et italiens.

⊙ 3 jours
🚗 50 km

HISTOIRE
En 1388, Villefranche
se donne à la Savoie.
Le duc Emmanuel-
Philibert, conscient
de l'importance
stratégique de la
rade, entreprend dès
1557 la construction
d'un redoutable
système de
fortifications
constitué par
la citadelle, le mont
Alban et le bassin
de la Darse. De 1945
à 1962, c'est l'escadre
américaine de
Méditerranée qui y
prendra ses quartiers.

**LE PARADIS
DES PÊCHEURS**
En décorant la
chapelle, Cocteau a
multiplié les allusions
au monde marin : les
murs sont recouverts
par le maillage d'un
filet stylisé, les deux
candélabres à visage
humain sont
surmontés d'une
fourche qui rappelle
la foëne des pêcheurs.

VILLEFRANCHE-SUR-MER ♥

LA CITADELLE SAINT-ELME.
Remarquablement rénovée,
la citadelle (3 ha) offre un très bel
exemple de fortification bastionnée
● *84* de la seconde moitié du
XVIᵉ siècle. Pour parer aux dégâts
occasionnés par les boulets de
fonte, les murailles médiévales
furent remplacées par des fronts
bastionnés qui permettaient
d'amortir les tirs. Cette
trouvaille fut complétée par
l'adoption d'un tracé
géométrique, sans angles
morts, faisant alterner
courtines et bastions,
autorisant les tirs croisés. 
La citadelle abrite aujourd'hui l'hôtel de ville,
un auditorium et un musée. Un théâtre de verdure et des
jardins sont aménagés entre les courtines. Trois entités
composent le MUSÉE D'ART ET D'HISTOIRE : la FONDATION
VOLTI, la plus importante, comprend bronzes, cuivres
martelés, terres cuites et sanguines originales qui retracent
le cheminement de cet enfant du pays, héritier de Maillol ;
la COLLECTION GOETZ-BOUMEESTER permet de découvrir le
travail de ce couple
d'artistes, amis de
Picasso, Picabia,
Miró, Hartung,
qui se fixa à
Villefranche ; enfin,
la COLLECTION ROUX
est riche de figurines
en céramique
vernissée

LE VIEUX VILLEFRANCHE
Rénovées avec goût, calades et placettes en font un lieu de flânerie délicieux.

reconstituant certaines scènes de la vie quotidienne du XIe au XVe siècle.

LA CHAPELLE SAINT-PIERRE ♥. Située face à l'hôtel Welcome, où séjourna Jean Cocteau, cette chapelle du XIVe siècle fut décorée en 1964 par l'artiste et offerte à la prud'homie des pêcheurs. Tout rappelle ici le monde marin.

LE MONT ALBAN ♥. La FORÊT du mont Boron, reboisée massivement à partir de 1860, offre un agréable cadre de promenade. Le FORT, élégant, est l'un des plus beaux vestiges de l'architecture militaire de la Renaissance. Il fut transformé en «bastille» niçoise au XVIIIe siècle et, malgré ses faiblesses, conserva un rôle militaire jusqu'en 1914. À proximité du fort se développe une forme de garrigue originale, la brousse à caroubiers.

BEAULIEU-SUR-MER ♥

Blottie au pied d'une ceinture de collines, entre le cap Ferrat et le cap Roux, Beaulieu devint dès 1962 le lieu de prédilection de riches hivernants et de nombreuses têtes couronnées attirées par son microclimat.

LA VILLA KERYLOS ♥. La rue Gustave-Eiffel – l'architecte y passa l'hiver à partir de 1895, s'y adonnant à l'un de ses hobbies, la météorologie – conduit à cette villa antique ▲ *298*, reconstituée entre 1902 et 1908. Ce projet fou est né de la rencontre d'un helléniste fervent, Théodore Reinach (1860-1928), et d'un jeune architecte familier des relevés archéologiques, Emmanuel Pontremoli (1865-1956). Ils s'efforcèrent tout à la fois de construire une résidence d'apparat disposant du confort exigé à la Belle Époque et une maison témoignant de la vie quotidienne de la Grèce antique.

Escaliers et ruelles dévalent vers le port dans des trouées de lumière. La rue Obscure, entièrement couverte, n'a pas changé depuis le XIIIe siècle ; la population s'y réfugiait pendant les périodes d'insécurité.

HÔTEL MÉTROPOLE

DE CRIQUE EN CRIQUE
Fait rarissime sur la Côte d'Azur, le tour de la presqu'île du cap-Ferrat peut se faire à pied (11 km). La promenade de la pointe Saint-Hospice (une boucle de 45 min) débute à l'ombre de très beaux pins d'Alep torturés par les vents.

Un autre sentier permet de relier l'anse Lilong à la pointe de Passable (1 h). Les falaises calcaires, battues par les flots, offrent par endroits un paysage lunaire. Au-delà du phare, de petites criques tenteront les nageurs expérimentés. Pour regagner le port de Saint-Jean, il est conseillé de remonter par le chemin du Roy, le long de la villa des Cèdres, ancienne propriété du roi Léopold II de Belgique, qui abrite aujourd'hui un des plus beaux jardins botaniques privés d'Europe (douze mille espèces de plantes exotiques). Les animaux du parc zoologique proche vivent à l'ombre des pins et des eucalyptus.

La pinède de Saint-Hospice par Renoir.

À l'extérieur, Kerylos se présente comme une imposante construction blanche, rehaussée par des terrasses garnies de pergolas colorées. À l'intérieur, ordonnance, décor et objets de collection (tanagras, vases, lampes à huile, bronzes, figures rouge et noire) évoquent la Grèce classique…

PROMENADE. Il est conseillé de gagner Saint-Jean par le chemin côtier Maurice-Rouvier (20 min). À faire le matin en hiver et l'après-midi en été pour bénéficier de l'ombre.

SAINT-JEAN-CAP-FERRAT ♥

HISTOIRE. Jusqu'en 1880, Saint-Jean n'est qu'un simple hameau de pêcheurs. Deux financiers, Bloch et Peretmere, créent en 1896 les premiers lotissements et une vingtaine de villas voient le jour en 1900. Léopold II devient vite le principal propriétaire foncier du Cap. L'entre-deux-guerres amène d'autres personnalités : le duc de Connaught, la princesse Hélène de Serbie, etc. La guerre interrompt ce climat d'insouciance : le 26 février 1944, la population est évacuée et la presqu'île minée par les Allemands. L'escadre française la libérera en août 1944.

LA VILLA EPHRUSSI-ROTHSCHILD ♥ ▲ *298.* Béatrice de Rothschild acheta ce domaine en 1905. Aron Messiah fut chargé de la conception de ce «petit palais d'inspiration vénitienne» où furent incorporés divers morceaux d'architecture rapportés du monde entier. Quant aux jardins, aussi nombreux que variés, «à la française», Jardin espagnol, Jardin italien, Jardin lapidaire, Jardin japonais, Jardin exotique, roseraie en hémicycle récemment replantée, on peut penser que Béatrice de Rothschild les fit composer selon son gré. Ils ont été magnifiquement restaurés.

CURIOSITÉS DU CAP.

Si le Cap recèle de magnifiques villas
malheureusement invisibles pour le simple passant, il offre
aussi quatre plages de sable fin, de nombreuses criques,
un petit port pittoresque, 11 km de sentiers côtiers,
un charmant parc zoologique et une végétation luxuriante. La
chapelle Saint-Hospice, restaurée par le duc de Savoie en
1655, fut agrandie en 1778 et 1826. La tour voisine (1750) fut
érigée pour lutter contre les pirates après la destruction du fort.

Ci-dessus, le port
de Saint-Jean au
XIXᵉ siècle, avant
l'ère du tourisme.

ÈZE ♥

Le village a succédé à une
première agglomération
ligure, implantée à l'ouest,
sur l'oppidum du Bastide.
Ses habitants commerçaient
avec les Grecs dès le
IVᵉ siècle av. J.-C., comme en
témoigne une magnifique patère d'argent conservée au British
Museum. La population, pour des raisons de sécurité,
se réfugia sur le piton rocheux au début du Moyen Âge et
s'entoura au XIIᵉ siècle de remparts qui furent démantelés en
1706 sur l'ordre de Louis XIV. Si, jusque dans les années 1970,
la petite bourgade a vécu de la culture des agrumes
et des œillets, le tourisme est désormais la principale activité.

LE JARDIN EXOTIQUE. Créé en 1950, ce jardin tout en
terrasses renferme des essences rares et une belle collection
de succulentes (cactus, aloès, agaves, céréus, opuntias).
Depuis les ruines du château, la vue est superbe. Les plus
courageux emprunteront le CHEMIN FRÉDÉRIC-NIETZSCHE
(1 h), fort raide, pour redescendre vers Èze-sur-Mer. Ce
chemin vicinal était une des ascensions préférées du philosophe.

**UN VILLAGE
HAUT PERCHÉ**
Véritable nid d'aigle,
Èze semble suspendu
à 390 m au-dessus
de la mer. S'étageant
sur les trois
corniches, c'est l'un
des villages les plus
visités
de la Côte d'Azur.
La cité,
soigneusement
restaurée, a conservé
son lacis de ses
ruelles médiévales
et, place du Planet,
quelques maisons
nobles à tourelle.
Le promeneur doit
avant tout flâner et
rêver sur les terrasses
des restaurants
aménagés sur les
anciens remparts.

HISTOIRE DE LA PRINCIPAUTÉ DE MONACO

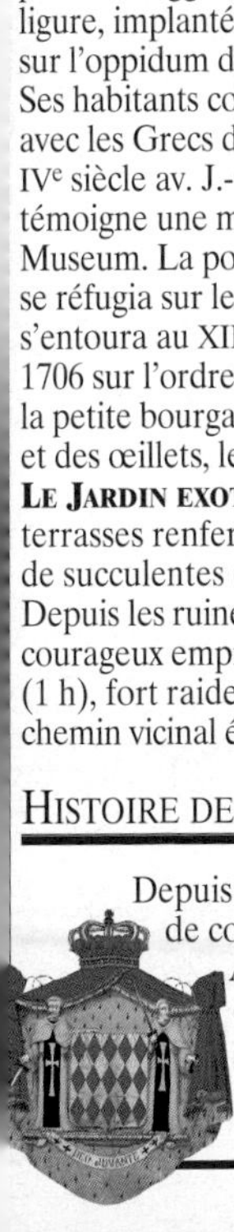

Depuis l'Antiquité, Monaco se trouve au point
de contact des influences italienne et française.
À la lisière de la Gaule, le rocher fait partie
de l'Empire romain, puis, aux Xᵉ et XIᵉ siècles,
entre dans le royaume de Bourgogne-Provence.
Au début du XIIIᵉ siècle, l'intérêt stratégique
de ce lieu, longtemps inhabité, finit par attirer

Beaulieu et Saint-Jean-Cap-Ferrat possèdent deux villas fastueuses et admirablement situées, témoins d'une époque où de riches mécènes pouvaient donner libre cours à leurs rêves. Kerylos est le fruit des recherches d'un fervent helléniste et la villa Ephrussi-Rothschild le caprice d'une collectionneuse de génie. Léguées à l'institut de France, ces deux «folies» sont aujourd'hui ouvertes au public et l'on peut admirer le raffinement et le faste de leurs décors ou de leurs jardins.

THÉODORE REINACH

Issu d'une famille de banquiers installés à Mayence depuis la monarchie de Juillet, il consacra sa vie à la Grèce antique. Archéologue, papyrologue, philologue, épigraphiste, numismate, il avait de multiples talents.

FRESQUES À L'ANTIQUE

Au rez-de-chaussée, des fresques couvrent les murs du péristyle. Leurs sujets sont empruntés à la mythologie : légende de Pélops, fondateur des jeux Olympiques, expédition des Argonautes après la conquête de la Toison d'or, etc. Elles furent réalisées selon les procédés anciens de l'encaustique et de la détrempe sur le mortier frais et sur enduit de poudre de marbre.
Les appartements des maîtres de maison occupent le premier étage.

Lors des fouilles de Delphes, en 1893, il déchiffre et retranscrit les hymnes à Apollon, qui seront harmonisés, à sa demande, par Gabriel Fauré.

Les meubles ont été exécutés par l'ébéniste Bettenfeld d'après les plans de l'architecte : chaises, tabourets, lits de repos tendus de cuir, tables à trois pieds sont en bois fruitiers, chevillés et marquetés d'ivoire, de buis et d'ébène.

UN ESPACE MÉDITERRANÉEN

Le rez-de-chaussée est organisé autour d'une cour intérieure, le péristyle, qui permet la distribution des pièces de réception : le grand salon (*andron*), la salle à manger (*triklinos*), un petit salon (*oïkos*), et la bibliothèque.

UN TOUR DE FORCE

La villa Ephrussi occupe 7 ha sur la partie la plus étroite de la presqu'île. D'énormes travaux de terrassement furent nécessaires. Le palais est entouré de sept jardins à thèmes. Le parterre à la française fut conçu comme le prolongement du salon, tandis que les jardins étrangers permettaient aux invités de se disperser.

BÉATRICE EPHRUSSI Son père, Alphonse de Rothschild, était régent de la Banque de France.

 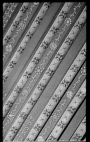

UNE VILLA-MUSÉE

Béatrice Ephrussi désirait regrouper ses acquisitions en un musée qui conserverait l'atmosphère d'une demeure habitée. Son souhait ne fut réalisé qu'après sa mort.

Son goût pour le XVIIIe siècle français lui fit réunir un très bel ensemble de porcelaines de Sèvres et de Vincennes, des boiseries de style pompéien et des tapisseries des Gobelins.

LE VRAI ET LE FAUX

Le *triklinos*, où l'on prend ses repas allongé, possède une superbe mosaïque en marbre polychrome. Dallages et plafonds à caissons de teck enrichi à la feuille d'or sont des copies d'œuvres conservées à Délos et Herculanum.

299

l'attention des Génois : son sort est désormais lié aux guerres civiles génoises. En 1342, Charles Grimaldi s'intitule seigneur de Monaco et achète les seigneuries de Roquebrune et de Menton en 1346. Au XVIe siècle, Monaco devient la protégée de grandes puissances qui reconnaissent son indépendance sans aucune clause de vassalité. Après le protectorat espagnol (1525-1641), la principauté connaîtra un long protectorat français (1641-1814) puis sarde, jusqu'en 1860. Trois éléments majeurs vont alors permettre une véritable métamorphose de la cité : la création des jeux publics (interdits dans les pays voisins) en 1863 ; la suppression des contributions foncières et des patentes en 1869 et l'arrivée de la voie ferrée venant de Nice en 1868. À partir de 1949 (début du règne du prince Rainier III), les avantages fiscaux exercent une réelle attraction sur les milieux d'affaires français et étrangers. Les Monégasques connaissent, depuis 1962, une monarchie héréditaire et constitutionnelle mais non parlementaire. État souverain, la principauté de Monaco a néanmoins des liens particuliers avec la France : ainsi la langue française est-elle la langue officielle de l'État et le franc monégasque a-t-il la même valeur que le franc français.

«MONACO VILLE»
Cette huile de Joseph Bressan, peinte en 1732, est exposée dans le salon des Officiers du palais princier. Ce dernier fut successivement une forteresse, un château médiéval et enfin une demeure digne de la Renaissance italienne.

MONACO BICÉPHALE
La principauté constitue le plus petit État souverain du monde (151 ha), Vatican excepté, et celui qui concentre le plus d'habitants au mètre carré. Elle a une double image : celle d'une cité des fleurs, du jeu, des millionnaires et du luxe, mais aussi celle d'une métropole financière et industrielle.

LE ROCHER ♥

LE PALAIS PRINCIER. De la forteresse édifiée au XIIIe siècle ne subsistent que trois tours crénelées. Bombardé au début du XVIe siècle, le château fut renforcé, plus tard, par la tour de Tous-les-Saints et le bastion de Serravalle. La Renaissance italienne marqua elle aussi le château qui devint alors palais. L'aile méridionale, dite des Grands Appartements, fut enrichie de la galerie d'Hercule par le Milanais

Domenico Gallo. On doit à Honoré II la suite de salons, la chapelle palatine édifiée au fond de la cour d'honneur et la porte monumentale ouvrant sur la place du Palais. C'est le prince Albert Ier qui décida de reconstruire le pavillon de l'Horloge, tandis que l'actuel souverain fit installer les nouveaux appartements privés à l'emplacement de l'aile sud-ouest, détruite après la révolution de 1789.

PARCOURS. Seuls les Grands Appartements sont ouverts au public, l'été. On découvre d'abord la superbe cour d'honneur et ses galeries peintes. La galerie d'Hercule est décorée de fresques attribuées à Francesco Mazzuchelli (1573-1626) qui proviennent de la villa Trivulce, près de Milan, et représentent quatre personnages mythologiques ou légendaires. Sur les lunettes de la voûte sont figurés la naissance, les travaux et la mort d'Hercule, décor attribué à un Génois du XVIIe siècle, Orazio de Ferrari. Par la petite galerie des Glaces, on accède aux Grands Appartements, auxquels de nombreux lambris, des plafonds peints, des portraits d'ancêtres et quelques beaux meubles confèrent beaucoup de charme. La chambre Louis XV, la chambre d'York et le salon Jaune forment le Quartier royal, aménagé par Honoré II pour ses hôtes. Dans la salle du Trône, où se déroulent toujours les prestations de serment et les mariages, des fresques d'Orazio de Ferrari ornent le plafond.

LE MUSÉE NAPOLÉONIEN. Aménagé dans la nouvelle aile du palais, au rez-de-chaussée, il abrite la collection rassemblée par le grand-père du prince Rainier : le chapeau porté par Bonaparte à Marengo, des jouets et des chaussons du roi de Rome. Tableaux, plans, gravures, timbres monégasques offrent un rapide aperçu des archives de la principauté.

LE VIEUX MONACO. Le Rocher comptait cinq cents habitants à l'époque médiévale. Ils occupaient un petit quadrilatère, à l'est de la place, que parcouraient trois rues parallèles : la rue Basse, la rue du Milieu, la rue des Briques. Les maisons, certaines agrémentées d'un linteau décoré, suivent le plan primitif qui fut importé de Gênes : rez-de-chaussée voûté avec escalier latéral droit. À la fin du Moyen Âge, la zone habitée se terminait à l'est par l'église Saint-Nicolas et son cimetière. Plus loin s'étendaient des jardins qui furent peu à peu.aménagés à partir du XVIe siècle.

À l'extrémité de la rue Basse fut édifiée, en 1646, l'église de la Miséricorde, affectée aux pénitents noirs.

LA CATHÉDRALE DE L'IMMACULÉE-CONCEPTION ♥. L'architecte Lenormand adopta un plan romano-auvergnat et l'enrichit de la décoration somptueuse des églises provençales. Tous les membres de la famille princière y sont inhumés. Une visite s'impose pour la collection de retables attribués à l'école de Bréa, répartis dans les transepts et le déambulatoire. Il s'agit de deux Pietà, l'une dite «des pénitents blancs», car elle ornait primitivement la chapelle du même nom, et l'autre dite «du curé Teste», où le réalisme commence atténue le mysticisme et l'aspect dramatique de la scène ; trois panneaux représentent respectivement saint Roch, saint Jacques le Majeur, saint Laurent et trois polyptyques sont dédiés à saint Nicolas, à sainte Dévote et à Notre-Dame du Rosaire.

LE MUSÉE OCÉANOGRAPHIQUE ♥. C'est à Albert Ier que l'on doit ce véritable temple de la mer, construit de 1899 à 1910. Dès son ouverture, le prince explorateur en fit une annexe de l'Institut océanographique de Paris, dont il était également

Squelette d'une baleine de 20 m harponnée en Méditerranée par le prince Albert Ier.

LES CACTÉES
Ces végétaux, souvent originaires de zones désertiques, accumulent à la saison des pluies les réserves de sucs aqueux nécessaires à leur survie en période de sécheresse ; les roches restituent la nuit la chaleur solaire accumulée dans la journée.

SAINTE-DÉVOTE
Ludovic Bréa et son atelier ont exercé leur art dans le comté de Nice, à Monaco et en Ligurie, durant la seconde moitié du XVe siècle. D'origine niçoise, Ludovic Bréa partage avec les artistes lombards un style solennel, que rehaussent les ors, la douceur des modelés, le goût des coloris intenses et des gammes de gris-blanc. Aux Flamands, il emprunte une technique lisse et lumineuse et un penchant pour le naturalisme.

le fondateur. Expositions temporaires, fonds permanent et projections de films sont proposés au visiteur. La très belle salle d'océanographie appliquée a conservé son caractère suranné : plus de dix mille espèces de coquillages, perles, nacres, écailles, coraux sont exposées dans des vitrines anciennes au bois lustré, en compagnie d'animaux naturalisés et sur fond d'instruments de pêche. L'aquarium est très spectaculaire, avec près de cinq mille poissons répartis dans quatre-vingt-dix bassins.

LA CONDAMINE

Cette petite plaine semi-circulaire occupant le fond du port dans toute sa largeur n'était avant 1860 que jardins et vergers. La partie la plus touristique est son ouverture sur le port par le large espace du quai Albert-Ier. Les spectateurs s'y pressent aujourd'hui pour l'arrivée du Rallye de Monte-Carlo ou pour assister au Grand Prix automobile de Monaco.

LE JARDIN EXOTIQUE ♥. Cet étonnant jardin de plantes grasses ▲ *301*, réalisé à partir de 1913, fut inauguré en 1933. L'assemblage de roches naturelles forme une falaise où sont aménagés des emplacements pour les plantes. Grâce à un réseau de rampes, d'escaliers et de tunnels, on peut parcourir

LA SALLE GARNIER

Ses ors et ses carmins rappellent ceux de l'Opéra parisien, mais ses dimensions sont beaucoup plus modestes. L'Opéra de Monte-Carlo fut associé aux plus grands spectacles du XXe siècle grâce à la présence d'un homme de talent, Raoul Gunsbourg, ancien directeur du théâtre du Tsar-Nicolas-II, qui le dirigea de 1892 à 1945. En 1911, il invite les célèbres Ballets russes de Serge de Diaghilev, qui deviendront en 1926 les Ballets de Monte-Carlo.

LE CASINO ● 68
Témoignage magnifiquement restauré de l'architecture Belle Époque, véritable musée de l'amour du jeu, le casino séduit et fait rêver les visiteurs autant que les joueurs. Rien n'a bougé dans la salle Renaissance, dans le salon Europe (illuminé par huit lustres monumentaux en cristal de Bohême), ni dans les salons privés aux boiseries d'acajou ciselées d'or. On y joue donc toujours à la roulette française, anglaise et américaine, au baccara, au trente-et-quarante, au black jack... et, depuis 1991, au punto banco et au pai gow poker.

cette spectaculaire rocaille. Protégé des vents froids par le pic de la Tête-de-Chien, le jardin convient parfaitement aux cactées. **LA GROTTE DE L'OBSERVATOIRE ♥** (en contrebas du Jardin exotique). On y a mis au jour des outils en pierre taillée, des fossiles, ainsi que les restes d'animaux de régions glaciaires et tropicales ! Ils sont les témoins des changements radicaux du climat de la terre lors des périodes glaciaires et interglaciaires. Mais la grotte offre surtout la féerie étrange de ces formes que l'eau a façonnées dans le calcaire : concrétions, draperies, colonnes et stalagmites. **LE MUSÉE D'ANTHROPOLOGIE PRÉHISTORIQUE.** Il fut fondé sur le Rocher par Albert Iᵉʳ en 1902. Vite devenu trop petit pour contenir le produit des recherches, Rainier III le fit transférer dans un bâtiment moderne situé tout près du Jardin exotique. Il sert aux fouilles de terrain. La présentation des collections reste vieillotte et ardue pour le néophyte.

L'*Hirondelle*, une goélette de 200 tonneaux, fut le premier navire d'étude du prince Albert Iᵉʳ.

ROQUEBRUNE
Tuiles rouges, vieilles pierres et cyprès accentuent le caractère provençal du village. Le château et l'église à façade ocre sont les deux éléments marquants.

MONTE-CARLO

LE CASINO ♥. Principal témoin de la Belle Époque avec l'hôtel de Paris et l'Hermitage, il appartient à la Société des bains de mer. Le luxueux casino, terminé en 1863, fut embelli par un administrateur de génie, le milliardaire François Blanc, qui acquit l'exploitation exclusive de la Société des bains de mer en 1863 pour cinquante ans. Le casino fut doté en 1879 d'un théâtre conçu par Charles Garnier, auteur de l'Opéra de Paris.
L'HÔTEL DE PARIS. Construit sur le modèle du Grand Hôtel du boulevard des Capucines, à Paris, l'établissement sera inauguré en janvier 1864. Son immense succès amène François Blanc à décider le premier des sept agrandissements que connaîtra l'hôtel. Ses fameuses caves, édifiées dans le roc, recèlent vingt-cinq mille bouteilles des meilleures cuvées (1 km de casiers).

L'HÔTEL HERMITAGE. Grâce au charme intimiste de son décor et à une politique de restauration rigoureuse, il s'est développé tout au long du siècle malgré la présence imposante de son grand frère, l'hôtel de Paris. La décoration de sa façade et certains plans sont inspirés du palais princier. De style néo-classique, cette résidence luxueuse est signée des meilleurs artistes, comme Gustave Eiffel pour la verrière du jardin d'hiver, réaménagé autour d'un palmier centenaire.
LE MUSÉE NATIONAL DE MONACO. Ses collections d'automates et de poupées anciennes, réunies par Madeleine de Galéa (1874-1956), raviront le visiteur. Il convient aussi de mentionner une très belle crèche de plus de deux cents santons ● *70*, qui témoignent de l'habileté des artistes napolitains.

LE TROPHÉE DE LA TURBIE (6-7 AV. J.-C.)
Il commémore la victoire de l'empereur Auguste sur les peuplades ligures. Cet édifice fut dégradé dès la fin de l'Empire romain, transformé en forteresse au Moyen Âge et démantelé en 1705. Un monument de 32 m devait s'élever à l'origine sur la base carrée de l'édifice. Le second étage, en retrait, supportait un péristyle circulaire. Une statue de l'empereur Auguste devait le couronner.

LA VILLA CYRNOS
Elle fut construite
en 1893 pour l'ex-
impératrice Eugénie,
friande de pastiches
historiques. Sa loggia-
galerie est ornée
de mosaïques
et de peintures
inspirées de
la Renaissance
italienne.

**PROMENADE DANS
LE VIEUX MENTON**
Menton offre au
visiteur ses façades
aux tons chatoyants.
Pourtant, jusqu'au
XIXᵉ siècle, les murs
des maisons n'étaient
ni crépis ni peints. Ils
laissaient alors voir
leurs matériaux de
construction : pierres,
briques, galets,
terraille, ou amalgame
soudé par un mortier
de chaux. Jugeant les
murs lépreux, les
habitants adoptèrent
la mode italienne et
peignirent les façades,
déclinant toutes les
nuances
du jaune pâle jusqu'à
l'ocre foncé.

CAP-MARTIN

Oasis de verdure ayant échappé à la frénésie
immobilière, Cap-Martin est à découvrir à pied,
les voitures étant interdites dans la résidence.
Sous l'Ancien Régime, Antoine Iᵉʳ Grimaldi
chassait parfois sur ce promontoire rocheux.
En 1889, le Cap s'ouvre à la vie mondaine :
une société anglaise trace trois routes et construit
le Grand Hôtel. Toute l'Europe y vient en villégiature.
Entre l'avenue de France et celle de l'Impératrice-Eugénie,
on partira à la découverte des villas de Hans Georg Tersling,
un architecte danois qui construisit le Métropole à Monte-
Carlo et le palais Massena à Nice : Serena, Speranza et Les
Hirondelles (av. du Sémaphore), Trianon, Cynthia et Del Mar.
En bord de mer, la promenade Le Corbusier (parking av.
Winston-Churchill) est l'un des plus beaux sentiers côtiers
du département et longe le cabanon où l'architecte se retirait
l'été, modèle d'un nouvel habitat de loisirs.

MENTON

Menton fut fondée sur le domaine de seigneurs italiens (placés
sous la suzeraineté de la république de Gênes). En 1346,
Menton devint propriété des Grimaldi et le resta jusqu'en 1848,
date à laquelle la ville s'insurgea contre Monaco. Napoléon III
acheta ses droits au prince et, le 2 février 1861, la population
plébiscita son rattachement à la France. L'arrivée des premiers
chemins de fer, en 1869,
attira de nombreux
touristes ● *58*, anglais
et russes
principalement, venus
soigner leur tuberculose.
Un tremblement de
terre, le 23 février 1887,
la guerre de 1914-1918
puis la révolution russe
freinèrent cet essor.
Mais les Anglais
revinrent et formèrent
entre les deux guerres
une véritable colonie.

Après avoir cultivé l'olivier et les agrumes, Menton cultive les fleurs à parfum pour les expédier aux parfumeries de Grasse ▲ 228. Mais ce sont les superbes jardins créés au siècle dernier, célèbres pour leurs plantes tropicales, qui constituent le patrimoine le plus original de Menton.

LE QUARTIER BAROQUE ♥ Le PARVIS SAINT-MICHEL ♥ sert d'écrin, tous les étés, au Festival de musique de chambre de Menton. Le sol de cette ravissante place, mosaïque de galets blancs et noirs décorée de H stylisés et aux formes arrondies, rappelle les armes des Grimaldi et les initiales du prince Honoré III, créateur du parvis au XVIIIᵉ siècle.

L'ÉGLISE SAINT-MICHEL ♥. L'église fut consacrée dès 1675, mais le campanile ne fut construit qu'en 1701 ; la façade fut refaite en 1819 dans le style baroque. Des peintures en trompe l'œil décorent la voûte centrale, œuvres de Cerrutti-Maori d'après Murillo (*Immaculée Conception*) et Raphaël (*Saint Michel terrassant le démon*). Jadis, des tentures soulignaient le caractère baroque de l'église du XVIIᵉ siècle. Seul subsiste un damas de Gênes du XVIIIᵉ siècle de couleur amarante (dressé tous les cinq ans). Les voûtes des chapelles latérales sont également peintes. Dans le chœur, dominé par le buffet d'orgue (1666), la pièce maîtresse est le retable de saint Michel (1565) peint par Antoine Manchello, de Monaco.

CHAPELLE DE L'IMMACULÉE-CONCEPTION. Construite en 1687 par la plus ancienne confrérie de pénitents de Menton, la confrérie des Battuti, la chapelle fut, elle aussi, restaurée en 1887 après le tremblement de terre. Ce fut également Cerrutti-Maori qui peignit les fresques du chœur. De nombreuses lanternes vénitiennes, portées en procession, y sont conservées.

LE CENTRE-VILLE. Les JARDINS BIOVES forment un bel espace, agrémenté de palmiers, de cycas et de parterres fleuris, qui séparent les avenues de Verdun et Boyer. Depuis 1934, ils accueillent chaque année, au mois de février les fêtes du Citron. Celles-ci nécessitent l'emploi de 120 t d'agrumes (pamplemousses, oranges, citrons, bigarades, kumquats)… Un défilé de chars couverts de fruits complète cette manifestation. Le PALAIS DE L'EUROPE, situé sur la promenade, fut le premier grand casino de Menton. Construit de 1908 à 1909 par l'architecte danois Georg Hans Tersling, dans le style de Charles Garnier, il héberge aujourd'hui l'Office du tourisme et la bibliothèque ; le théâtre a rouvert ses portes en 1974 et a accueilli, de 1952 à 1980, la célèbre Biennale de peinture où ont exposé Picasso, Dufy, Braque, Dali, Matisse et Rouaul.

LA MAIRIE DE MENTON (17, rue de la République). Construite au milieu du XIXᵉ siècle par le baron Ardoïno, la mairie était alors un cercle de jeu. Témoignage d'un passé frivole : la façade italianisante et la salle du Conseil, toujours décorée des gypseries peintes et dorées de l'ancien théâtre. La salle

des mariages, unique en son genre, fut décorée par Jean Cocteau dans le style revisité des anciens palais crétois.

Le MUSÉE DE PRÉHISTOIRE RÉGIONALE (rue Lorédan-Larchey). De conception résolument moderne, la section préhistoire retrace les grandes étapes

de l'aventure humaine sur le littoral méditerranéen. Le sous-sol est réservé aux arts et traditions populaires.

LE QUARTIER DU PETIT-PORT. LA PROMENADE DU SOLEIL, longue avenue côtière, rappelle l'âge d'or de Menton et du tourisme d'hiver. Si les hôtels Vendôme, Balmoral et Westminster ont été transformés depuis en hôtels mutualistes, ils donnent une idée des immenses palaces qui accueillaient les têtes couronnées et les personnalités de l'époque.

Le casino du Soleil, plus récent puisqu'il fut édifié sur le lit couvert du Careï en 1953, comble les amateurs de jeux et accueille de nombreux galas et concerts.

LE BASTION (MUSÉE JEAN-COCTEAU) ♥. Honoré II le fit construire en 1636 pour défendre la ville. Grenier à sel au XIXe siècle, prison pendant la dernière guerre, l'édifice est devenu en 1967 le musée Jean-Cocteau. Décor et mise en scène ont été conçus par l'artiste lui-même.

LE MARCHÉ ♥. La halle fut construite en 1898 sur la grève qui servait de port. Son décor de grotesques et d'étranges masques grimaçants en céramique vernissée témoigne de cet artisanat d'art, né à Menton dans les années 1880. On y découvre toutes les spécialités du pays : pichade, socca, fougasse et barbajuan (gros raviolis fourrés aux blettes).

À côté, sur la petite PLACE AUX HERBES se tient chaque vendredi une foire à la brocante , tandis que la RUE SAINT-MICHEL, la rue commerçante de la ville, est le passage obligé de tous les touristes.

LE QUARTIER DE CARNOLÈS. Le palais Carnolès ♥ (3, av. de la Madone) fut construit en 1717 par le prince de Monaco, Antoine Ier, d'après les plans d'architectes parisiens. L'édifice était orné de somptueuses peintures et comprenait cinquante chambres, plus les pièces de service. En 1863, le palais fut vendu et devint un casino, qui fut exploité jusqu'en 1868. En 1896, le bâtiment doubla en largeur, côté ouest, s'enrichit de deux petits avant-corps, se dota d'une façade très XVIIIe siècle et d'un décor intérieur de style Premier Empire. Ouvert en 1977, le musée présente à l'étage les écoles italiennes des XIVe, XVe et XXe siècles : fleuron des collections, la Vierge à l'Enfant, de la fin du XIIIe siècle. Le rez-de-chaussée, consacré à l'art contemporain (Saura, Poliakoff, Terechkovitch, Delvaux, Tal Coat...), abrite des expositions temporaires et un cabinet d'estampes. Le parc est le plus ancien jardin de Menton (1725) ; on y découvre une tour hexagonale du XVIIe siècle, vestige fort curieux de l'ancien couvent, et un jardin d'agrumes. Depuis 1998, il appartient au Conservatoire du littoral.

LA SERRE DE LA MADONE ♥ (74, route de Gorbio). Au fond de la petite vallée du Gorbio, c'est l'un des jardins (6 ha) les plus dépaysants de la région. Grâce à sir Lawrence Johnston, créateur du jardin, les plantes subtropicales s'y sont bien acclimatées. L'accès au jardin, en contrebas de la colline, souligne l'étagement spectaculaire des plantes.

LES CÉRAMIQUES DE MENTON
Vers 1870, Françoise Blanc créa à Monaco une usine de céramique. Elle fit appel aux meilleurs céramistes : Pierre Adrien Dalpayrat, créateur du rouge Dalpayrat, Félix Tardieu, brillant spécialiste du type Bernard Palissy, ou Léopold Magnat. En 1880, ils vinrent s'établir à Menton. Aujourd'hui, seule la famille Perret-Gentil continue à produire ses services décorés d'oranges, de citrons ou d'olives.

LA CAPITALE DU CITRON
Le microclimat et le degré d'hygrométrie permirent la culture de l'olivier et des agrumes dès le XVe siècle. Ces deux activités se développèrent au point de constituer la base de l'économie de la ville jusqu'au début du XIXe siècle. Mais ces cultures déclinèrent, victimes des intempéries et des lois du marché international : seuls deux grands agrumiculteurs subsistent aujourd'hui, Mazet et Capra.

> «L'ART DES JARDINS EST PROBABLEMENT
> LE PLUS AMBIGU, LE PLUS DIFFICILE EN MÊME TEMPS
> QUE LE MOINS SAISISSABLE DE TOUS»
>
> ROGER CAILLOIS

LE QUARTIER DE GARAVAN. Conçu sur plusieurs niveaux, le JARDIN BOTANIQUE EXOTIQUE DU VAL-RAHMEH (av. Saint-Jacques) fut créé en 1925 par lord Percy Radcliffe, gouverneur de l'île de Malte ; son orientation botanique ne lui fut donnée que dans les années 1950 par miss Campbell. On y a multiplié les plantes tropicales et subtropicales, avec une prédilection pour les plantes comestibles. Les floraisons d'automne y sont somptueuses, du rouge orangé des hibiscus au jaune pâle des daturas.

LA VILLA FONTANA ROSA (6, av. Blasco-Ibáñez). Le célèbre écrivain espagnol Vicente Blasco-Ibáñez (1867-1928) l'acheta dans les années 1920. La maison étant en trop mauvais état, il fallut la raser en 1985. Cependant, l'univers d'Ibáñez est surtout rendu par les aménagements qu'il apporta à son jardin. À l'instar de certains parcs de Séville, le jardin offre beaucoup d'endroits destinés à la lecture, tel l'hémicycle dédié à Cervantès, dont le dossier courbe est décoré de cent vues émaillées relatant les aventures de Don Quichotte.

LA VILLA MARIA SERENA (21, promenade de la Reine-Astrid). Dessinée par Charles Garnier vers 1880, cette villa aux très nombreuses terrasses est conçue pour bénéficier du panorama. Les espèces exotiques et tropicales y sont légion : collections de cycas, palmiers, strelitzias, bougainvilliers, dracenas, tupidentis, dragos et dorianthes.

LE DOMAINE DES COLOMBIÈRES ♥ (bd Garavan). C'est le chef-d'œuvre de Ferdinand Bac (1859-1952), dessinateur, illustrateur et paysagiste qui refit les jardins du Midi. Il réalisa les Colombières en 1918-1919 pour des amis, les Ladan-Bockairy, et en poursuivit l'aménagement intérieur jusqu'en 1927. La villa, peinte en ocre rouge, est un bijou : les matériaux, les coloris, le dessin moderniste du mobilier traduisent bien l'originalité du maître. Au domaine des Colombières, son œuvre maîtresse, il composa un véritable jardin-itinéraire, multipliant fontaines, statues, colonnades et miroirs d'eau.

PALAIS CARNOLÈS
Le décor du plafond du salon (premier étage) est bordé d'une frise aux lions et H du prince Honoré V. Le salon est rythmé de pilastres sculptés de rosaces et de rinceaux.

ŒUVRE INTÉRIEURE
Aux Colombières, les murs sont recouverts de superbes fresques néo-classiques faisant référence aux thèmes de la mythologie. La fresque de la salle à manger représente le Péloponnèse. Le salon, ci-dessus, évoque les Muses.

SERRE DE LA MADONE
Du jardin d'eau, on peut apprécier la composition italienne des escaliers symétriques qui encadrent de petites fontaines jusqu'à la maison.

1 ENTREVAUX   2 SAINT-PAUL   3 VENCE   4 VILLENEUVE-LOUBET   5 CAGNES-SUR-MER   6 NICE

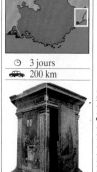

⏱ 3 jours
🚗 200 km

CIBORIUM (détail)
Sur les panneaux de ce tabernacle mobile en bois (1595), formé de deux prismes hexagonaux, sont peintes des scènes bibliques.

LA COLOMBE D'OR
Construite après la guerre de 1914-1918, remaniée en 1949, cette auberge est vite devenue le séjour préféré d'écrivains, de poètes et d'acteurs de cinéma (Simone Signoret, Yves Montand, Gérard Philipe...). Chagall, Lurçat, Léger, Braque, Bonnard, Miró y ont laissé des œuvres qui ont transformé les lieux en musée.

SAINT-PAUL-DE-VENCE ♥

HISTOIRE. C'est au XVIᵉ siècle, lors des conflits entre Charles Quint et François Iᵉʳ, que la petite ville, située sur un éperon rocheux, devient une place forte importante. François de Mandon de Saint-Rémy, ingénieur militaire du roi en Provence, fait construire une enceinte qui remplace les fortifications du XIIᵉ siècle ; les travaux dureront de 1537 à 1547. La place forte ne sera déclassée qu'en 1868.

L'ENCEINTE ET LE CHEMIN DE RONDE. La RUE GRANDE relie l'étroite PORTE DE VENCE (dite PORTE ROYALE), au nord, à la porte sud, ou PORTE DE NICE ; mais on peut faire le tour de l'enceinte en suivant le chemin de ronde. Une TOUR couronnée de mâchicoulis forme avec le DONJON central les vestiges les plus remarquables de l'ancienne fortification médiévale.

LA COLLÉGIALE. Le chœur roman en constitue la partie la plus ancienne. La nef unique (XIIIᵉ siècle) fut complétée au XVᵉ siècle par des collatéraux gothiques, ce qui donna à l'ensemble une forme carrée assez massive. L'église est dominée par un clocher reconstruit en 1740 et renferme l'un des plus beaux TRÉSORS des Alpes-Maritimes, dont la pièce maîtresse est un ciborium de 1595.

LA FONDATION MAEGHT ♥. Cet ensemble architectural, fait de béton et de briques roses, a été conçu par l'architecte barcelonais José Luis Sert de telle sorte que toutes les œuvres reçoivent la lumière du jour. Pour intégrer le musée au maquis, l'architecte a conservé les déclivités du sol et entrecoupé les salles de patios et de bassins. Peintres et sculpteurs ont été associés à l'architecture en créant des œuvres intimement liées aux bâtiment : mosaïque murale de Chagall, vitraux de Braque, sculptures de Giacometti, labyrinthe de Miró animé de sculptures et de céramiques, «mobiles» et «stabiles» de Calder. Dans les salles, la collection est présentée par roulement : Kandinsky, Matisse, Hartung, Picasso, Klee.

LE CHÂTEAU DE NOTRE-DAME-DES-FLEURS. Près de Vence, les Nahon ont, dans le sillage des Maeght, converti ce château du XIXe siècle en un espace culturel et commercial ; ils y accueillent les œuvres des artistes de renommée internationale : Arman, César, Dado, Niki de Saint-Phalle, Tinguely, Wols…

CATHÉDRALE DE VENCE
La chapelle des Saints-et-de-l'Ange-Gardien est ornée d'un grandiose retable baroque.

AIMÉ MAEGHT
(1906-1981) Il ouvrit une première galerie d'art contemporain à Cannes en 1937, une autre à Paris en 1945.

En 1964, il eut l'idée, avec sa femme Marguerite, de créer et d'intégrer en pleine nature un centre de rencontres,

sous la forme d'une fondation, pour faire connaître les œuvres d'une nouvelle génération d'artistes. Conçue par José Luis Sert, architecte catalan, elle se trouve un peu à l'écart de Saint-Paul.

VENCE ♥

Cette ancienne cité romaine, au territoire agricole prospère, vit son rôle s'affaiblir au Moyen Âge au profit de Grasse. Mais le maintien jusqu'à la Révolution d'un évêché, où exercèrent des prélats fort célèbres (saint Véran, saint Lambert, Antoine Godeau, le future pape Paul III), lui conféra un grand prestige.

LA CATHÉDRALE DE LA NATIVITÉ-DE-LA-VIERGE. Cet édifice roman, construit sur une église antérieure, a été remanié : au XVIIe siècle, la nef fut dotée de tribunes et, au XIXe siècle, une nouvelle façade fut plaquée sur le bâtiment et le chœur totalement refait. LE MOBILIER est d'une grande richesse : les stalles ♥ de style gothique, dans les tribunes, ont été sculptées entre 1463 et 1467 par l'ébéniste grassois Jacques Bellot. Dans les tribunes, un petit musée présente les objets les plus anciens, telle une châsse du XVIe siècle, offerte par le pape Paul III. Le baptistère a été décoré en 1979 par Marc Chagall d'une mosaïque, *Moïse sauvé des eaux.*

L'ENCEINTE ET LES PORTES ♥. Des cinq portes des anciens remparts, il ne subsiste que le PORTAIL-LEVIS, du XIIIe siècle, et le PORTAIL DU SIGNADOUR, du XIVe siècle : dans le premier,

COLMARS
Ville frontière et ville close
jusqu'au XVIIIᵉ siècle, son
charme demeure intact
grâce à ses remparts.

LA CITADELLE D'ENTREVAUX
Magnifiquement situé et bâti en amphithéâtre sur un promontoire que contourne le Var, ceint de montagnes, le village a conservé intact son caractère ancien avec ses toits de tuiles canal et son fort vers lequel court la ligne sinueuse d'une muraille à créneaux, système de défense mis en place sous l'autorité de Vauban entre 1693 et 1705.

PORTE PRINCIPALE D'ENTREVAUX
Le pont, construit en 1655-1658, est original : sa culée nord a été évidée pour créer un fossé sous le pont-levis. Pour défendre son accès, deux tours arrondies furent réalisées par la communauté villageoise en 1690.

des rainures qui permettaient d'actionner la herse sont encore visibles. Le second passe sous une tour tronquée.

LA CHAPELLE DU ROSAIRE (CHAPELLE MATISSE).
Matisse, installé à Nice dès 1917 puis à Vence en 1943, se fit soigner par des sœurs dominicaines. Afin de les remercier, il offrit une chapelle pour leur nouvelle maison. L'édifice est reconnaissable à sa haute croix de 13 m en fer forgé et à son toit de tuiles blanches et bleues. L'architecture, confiée à Auguste Perret (1874-1954), est entièrement conçue en fonction de la décoration. Le cactus à palmettes garnies a été choisi par Matisse pour le décor des vitraux ▲ *309* ; cette plante illustre de façon originale le thème symbolique de l'Arbre de vie. Faits de briques peintes puis émaillées, les décors ont été réalisés à l'encre et au pinceau. Les panneaux muraux, extérieurs et intérieurs, reprennent les thèmes de la Vierge et de saint Dominique.

ENTREVAUX ♥

UNE CITADELLE. À l'époque romaine, la ville était située dans la vallée et portait le nom de *Glanate* ou Glandèves. Ravagée en maintes occasions et menacée par les crues du Var, Glandèves fut abandonnée à la fin du XIVᵉ siècle et ses habitants vinrent se fixer sur le rocher dominant le Var où se trouvait depuis le XIᵉ siècle le hameau d'Entrevaux. Considérée comme une des clés de la haute Provence, Entrevaux fut attaquée et prise par Charles Quint en 1536. Une révolte des habitants parvint à mettre en fuite les occupants en 1542 ; les villageois se placèrent alors sous la protection du roi de France. La ville est encore ceinturée dans son corset de pierres, conçu par Vauban dès 1693 et réalisé entre 1697 et 1835.

LE CHÂTEAU ♥. C'est Vauban qui donna un accès direct du château à la ville grâce à une série de rampes qui exigèrent des prouesses pour les implanter à flanc de rocher. On s'y rend en franchissant, au niveau de la poudrière, l'enceinte de l'Orbitelle, seul vestige de l'enceinte médiévale.

Parvenu à la neuvième rampe, on aboutit à l'entrée principale. Le PETIT CHÂTELET, précédé d'un fossé et d'un pont-levis à flèche unique, fut construit en 1697. À droite, la première enveloppe est encombrée de chambres et de mitards ajoutés entre 1914 et 1922. Les dixième et onzième rampes permettent d'accéder au château proprement dit. L'édifice actuel fut bâti entre 1691 et 1724 sur les restes du fort médiéval. L'entrée s'ouvre sur un vestibule créé par la démolition d'une vieille chapelle en 1700. Les grandes salles voûtées à droite et à gauche, cave et magasin à poudre, sont séparées par un bel escalier qui mène au premier terre-plein. Au-delà, la COUR abritait les deux canons, dirigés vers la montagne, et une citerne. Au-dessus du vestibule logeait le personnel permanent du château. À côté, une galerie à arcades précède la GRANDE SALLE, d'origine médiévale mais dont les fenêtres et les cheminées datent de 1724. Un escalier monte ensuite à la plate-forme du donjon, puis à la MAISON DU COMMANDANT, rebâtie en 1697 sur le point culminant du rocher, d'où l'on découvre un superbe panorama.

LA CATHÉDRALE ♥. Intégrée au rempart, elle fut consacrée en 1627. Le clocher crénelé, terminé vers 1660, accentue l'allure défensive de cet édifice extérieurement austère mais dont la nef et plus encore le chœur (ci-contre) surprennent par leur somptueux décor (retables, toiles du XVIIe siècle). La porte principale représente un très bel ouvrage de menuiserie, réalisé en 1667 (à droite). Les stalles et les boiseries en noyer (1657) ont conservé leurs miséricordes au décor raffiné.

UNE VILLE FORTE MINIATURE
Ville frontière jusqu'au XVIIIe siècle, Colmars doit son charme à ses remparts.
À l'intérieur de l'enceinte, deux chapelles et une église dressent leur clocher et leur campanile.

COLMARS ♥

Lorsque, à la suite de l'assassinat de la reine Jeanne, Allos et Barcelonnette se donnent en 1388 à la Savoie, Colmars devient une ville stratégique ; elle le restera jusqu'en 1713, quand le rattachement d'Allos et de l'Ubaye à la France lui ôtera son intérêt défensif. L'essentiel des fortifications actuelles date du XVIIe siècle et de Vauban ; des remparts de 1391, il ne subsiste que quelques vestiges.

LE FORT DE FRANCE (à l'entrée de la ville). Ce n'était qu'une simple redoute de plan carré, avec deux échauguettes à ses angles et quatre embrasures d'artillerie permettant de couvrir le pont, la ville et les deux versants de la vallée.

LE FORT DE SAVOIE ♥. De plan sophistiqué, il présente une partie faible, tournée vers la France, et une partie forte, orientée vers la Savoie et le Piémont. Les murs de la partie faible sont moins épais et ne comprennent que des meurtrières pour les armes légères, une échauguette en briques et un petit chemin de ronde.

Dans le chœur de la cathédrale d'Entrevaux, on admirera une très belle Assomption peinte en 1630 par François Mimaut, un artiste qui travailla surtout à Aix.

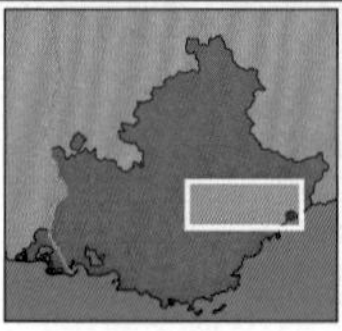

🕐 1 à 2 jours
🚗 50 km

LA VIEILLE VILLE
Les maisons en
pierres ou enduites
de chaux sont
caractéristiques de
l'habitat ancien
de Haute-Provence :
bâtisses étroites et
hautes de trois ou
quatre étages. Sur la
rue, l'ancienne écurie
ou remise s'ouvre par
une large porte. Un
escalier étroit conduit
à l'étage.

Les combles
comportent souvent
greniers et séchoirs
pour les pruneaux
et les figues.

**LES EX-VOTO
DE NOTRE-DAME-
DU-ROC**
Ce sanctuaire fut
longtemps le but de
pèlerinages
fervent, comme
en témoignent les
innombrables ex-voto
● *72* qui tapissent les
murs. Le plus ancien,
(1757) est un vœu
rendu à Notre-Dame
de Grâce, les deux
plus intéressants
montrent des
processions de
pénitents en tenue.
Cet ex-voto représente
la procession des
pénitents blancs et
bleus depuis la ville
jusqu'au Roc en 1835
pour la «délivrance
du choléra».

CASTELLANE

HISTORIQUE. Les Romains
aménagèrent ce petit bassin du Verdon
et donnèrent à la ville le nom de *Salinae* en
raison de la présence de sources salées. Lors
des invasions sarrasines ● *47*, la population
trouva refuge sur le Roc, crête escarpée qui offrait un
abri plus sûr. C'est l'origine de Petra Castellana, l'agglomération
du haut Moyen Âge, dont on distingue encore les ruines près de
Notre-Dame-du-Roc. Trop à l'étroit, confrontée au manque
d'eau, la population commença au XIᵉ siècle à descendre dans la
vallée naquit alors un nouveau quartier, le bourg, qui se
développa dans des proportions telles qu'on décida d'y édifier
une église, Saint-Victor. Les troubles reprenant dans la
première moitié du XIVᵉ siècle, on fortifia la ville basse en 1359.
Lorsque Castellane passa sous la couronne de France, la
forteresse du Roc fut démolie sur l'ordre de Louis XI, en 1483.

Castellane est avec Moustiers l'une des deux portes des gorges du Verdon. Randonneurs et touristes de passage y feront une halte fort agréable.

SAINT-VICTOR
En 1445, d'après Laurensi, on édifia contre le flanc nord de la nef le clocher actuel «avec les pierres qu'on enleva aux remparts de l'ancienne ville». Le couronnement était assuré à l'origine par une flèche pyramidale. Décapité, il a été remplacé au début du XVIIIe siècle par une modeste toiture à deux pentes.

LES REMPARTS.
Les éléments les plus remarquables sont la TOUR PENTAGONALE au nord, bien conservée, et les portes de la ville : la porte de la TOUR DE L'HORLOGE, surmontée d'un beffroi avec son campanile ● *102* en fer forgé, et la PORTE DE L'ANNONCIADE, au pied du Roc. La meilleure façon de suivre l'ancien tracé des remparts est d'emprunter de petits escaliers fleuris à l'entrée de la RUE DU MITAN, puis un sentier fort étroit qui surplombe la ville le long de jardinets ♥. En poursuivant, il est possible de rejoindre le sentier qui mène à Notre-Dame-du-Roc.

L'ÉGLISE NOTRE-DAME-DU-ROC ♥. On y accède à pied, depuis l'église paroissiale, par le chemin de croix (compter un quart d'heure de montée, pas trop rude). L'édifice tire son origine de l'église construite à côté du château, sur la plate-forme du Roc, au XIe siècle. Rebâtie à la suite des dommages causés par les guerres de Religion, l'église tomba à nouveau en ruine en 1703. Relevée et remaniée à l'initiative du curé Laurensi en 1775, il ne subsiste plus que quelques fragments de murs en bel appareil du XIIe siècle. La statue de la Vierge qui la couronne a été ajoutée au XIXe siècle.

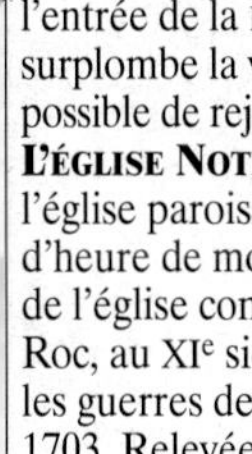

L'ÉGLISE SAINT-VICTOR ♥ (demander les clés à l'Office du tourisme). Bâtie au début du XIIIe siècle, l'église reçut au XVe siècle un premier bas-côté de deux travées qui devint au XVIIe siècle la nef du Rosaire. En 1780, le dynamique curé Laurensi procéda à l'agrandissement de Saint-Victor par un second bas-côté septentrional. Le décor du chœur en noyer (boiseries, stalles, chaire, lutrin) date de cette époque. Outre le retable du Rosaire, l'église renferme quelques toiles du XVIIe siècle récemment restaurées, des bustes reliquaires en bois peint (ci-dessus) et deux stèles funéraires d'époque gallo-romaine. Saint-Victor fut abandonnée au XIXe siècle.

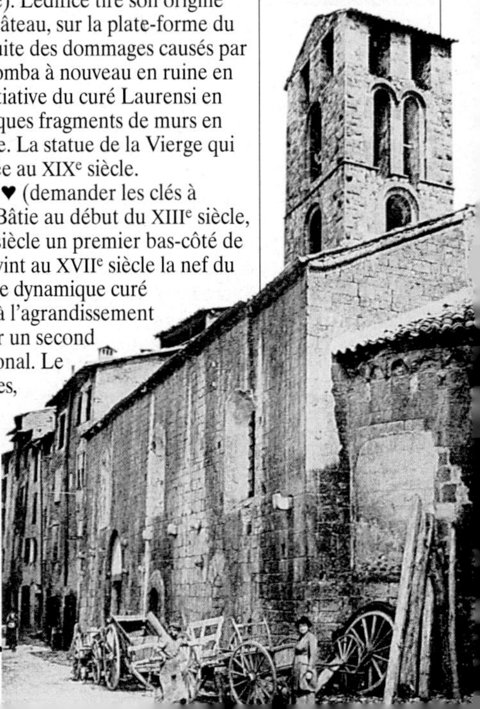

UN FANTASTIQUE TRAVAIL D'ÉROSION

Cette faille spectaculaire, dix-sept fois plus petite que le Colorado et dont la profondeur varie entre 250 et 700 m, fait figure de frontière naturelle entre le Var et les Alpes-de-Haute-Provence ; elle résulte du fantastique travail d'érosion du Verdon dans les calcaires jurassiques des plans de Provence.
Le phénomène eut lieu au quaternaire lorsque, avec les bouleversements engendrés par le soulèvement des Alpes, le torrent déborda de son lit.

ÉDOUARD ALFRED MARTEL
(1859-1938)
Spéléologue français, il explora notamment les gouffres de Dargilan et de Padirac. Il fut le premier, en août 1905, à explorer complètement, au prix de plus de trois jours de périlleux efforts, les 21 km de gorges. Le sentier Martel parcourt aujourd'hui le fond des gorges, de la Maline au point Sublime.

LES GORGES DU VERDON ♥

UNE EXPLORATION TARDIVE. Jusqu'au début du siècle, on estimait que les plus profondes de ces gorges étaient d'accès impossible. Seuls quelques coupeurs de buis les connaissaient car ils s'y aventuraient, arrimés à des cordes, pour quérir dans les profondeurs des souches de buis servant à la confection de jeux de boules. Janet fut le premier à en tenter l'exploration en 1896 avec un canot mais, face à la violence des courants, il dut renoncer. Devant la nécessité d'accroître les ressources en eau potable de la région, le ministre de l'Agriculture s'intéressa au Verdon et, en 1905, confia à Édouard Alfred Martel une étude géologique qui déboucha sur la reconnaissance des gorges. C'est ainsi que fut menée en août 1905 la première exploration complète.

DÉCOUVERTE À LA CARTE. Pour une première découverte, nombre de visiteurs préfèrent effectuer un tour complet des gorges en voiture, d'une rive à l'autre. Ce circuit routier d'environ 130 km nécessite une journée et emprunte le réseau départemental. On y découvre, depuis les belvédères, quelques panoramas superbes et les cinq villages sentinelles, perchés au bord de la faille. D'autres possibilités s'offrent ensuite aux amateurs. Moins fréquentée par la foule, la ROUTE DES CRÊTES ♥ est sans conteste la plus belle et la plus sauvage, offrant des escarpements fantastiques et de très beaux points de vue ; la prendre au village de La Palud et compter deux à trois heures de voiture pour revenir au point de départ. Sans faire l'exploration complète par le chemin d'eau, qui nécessite depuis Rougon deux jours de marche, le promeneur peut choisir entre dix SENTIERS DE RANDONNÉE ♥ bien fléchés, de deux à huit heures et de difficulté variable. Consulter à cet effet le *Guide des sentiers du Verdon*. Le sentier Martel, rive droite, et le sentier de l'Imbut, rive gauche, sont les plus connus et furent tracés par le Touring Club de France.

AU FIL DE L'EAU. La longueur du parcours, sa durée (6 à 8 h), sa difficulté et l'absence de sorties de secours feront que seuls les kayakistes expérimentés s'y aventureront. Le niveau d'eau peut en effet varier brusquement selon les retenues ou les lâchers d'eau des

barrages de Chaudanne et de Castillon, en amont. La mise à l'eau s'effectue après le pont de Caréjuan et la sortie au pont d'Aiguines. Raft, flottage et hydrospeed connaissent un succès grandissant.

LES PRÉGORGES ET ROUGON. Après Castellane, la route longe le Verdon, qui offre de multiples possibilités de détente (baignade, pêche), notamment à l'embranchement de la piste de Taloire et dans le petit bassin de Chasteuil. Au confluent avec le Jabron, au PONT DE CARÉJUAN, un premier étranglement sur 4 km de long constitue en quelque sorte le vestibule des gorges. Le GRAND CANYON débute au confluent du Baou, au pont de Tusset, et court sur 21 km jusqu'au Galetas, au débouché du lac de Sainte-Croix. Entre des escarpements et les découpures fantastiques des gradins supérieurs, le Verdon descend de 153 m avec une pente moyenne de plus de 8 m et une vitesse qui n'est jamais inférieure à 2 m par seconde. Une fois arrivé à Rougon, véritable porte du canyon, le visiteur peut soit monter jusqu'au village (vue remarquable sur le Verdon), soit se diriger vers le point Sublime et gagner à pied, par le COULOIR SAMSON ♥, le fond des gorges. Deux randonnées possibles pour le promeneur : d'une part le SENTIER MARTEL ♥ (8 h aller pour 14 km) ; c'est le plus célèbre et le plus spectaculaire, mais il est conseillé de le prendre dans le sens inverse, à partir du chalet de la Maline (La Palud) ; d'autre part le SENTIER ENCASTEL-RANCOUMAS ♥ (5 h pour 12 km), ombragé sur une grande partie du parcours, et qui offre de larges panoramas sur les falaises de l'Escalès, le défilé des Baumes-Frères, le couloir Samson et la plaine d'Irouelle.

LA PALUD. Ce village, où l'on a retrouvé des traces d'habitat gallo-romain, est la porte d'entrée de la route des Crêtes. Refaite en 1870, l'ÉGLISE a néanmoins conservé son clocher roman, bâti en tuf de Saint-Maurin sur plan carré. Récemment restauré, le CHÂTEAU ♥, quant à lui, fut reconstruit en 1744 à l'emplacement d'une demeure du XVe siècle. Cet édifice massif a fière allure avec son toit de tuiles romaines à quatre pentes. Il domine sans ostentation les maisons de sa masse quadrangulaire flanquée de tourelles.

UNE RICHESSE BIOLOGIQUE EXCEPTIONNELLE
L'emplacement géographique des gorges et leur configuration en entaille ont généré plusieurs phénomènes originaux : une inversion des étages de végétation (on trouve au fond des gorges des espèces végétales d'altitude et vice versa), ou encore un brassage d'influences climatiques méditerranéenne et alpine.

UNE FLORE VARIÉE
Du rebord des gorges, abrité et ensoleillé, au fond du canyon où règne un microclimat froid et humide, le chêne vert et le pistachier térébinthe précèdent le chêne blanc et son compagnon le buis, auxquels succède le hêtre. Plus près du Verdon prospèrent tilleuls, sorbiers et plusieurs espèces d'érables.

UN PARC NATUREL RÉGIONAL
Flore et richesse biologique ont valu au Verdon la création d'un parc naturel régional le 3 mars 1997.

> «RIEN DE PLUS ROMANTIQUE QUE LE MÉLANGE DE CES ROCHERS
> ET DE CES ABÎMES, DE CES EAUX VERTES ET DE CES OMBRES
> POURPRES, DE CE CIEL SEMBLABLE À LA MER HOMÉRIQUE ET DE
> CE VENT QUI PARLE AVEC LA VOIX DES DIEUX MORTS»
> JEAN GIONO

NOTRE-DAME
Son très beau clocher carré à trois étages de hauteur décroissante est une réalisation de style lombard du XIIᵉ siècle. Il abrite une cloche de 1447, l'une des plus anciennes des Alpes-de-Haute-Provence.

VUE PLONGEANTE SUR MOUSTIERS
Il faut rassembler son courage et grimper par le chemin de croix escarpé jusqu'au sanctuaire qui domine le village.

Moustiers offre un bel ensemble architectural avec ses ruelles, ses maisons en moellons de calcaire, ses jambages de portes en tuf, et les couvertures de tuiles aux tons clairs. Beaucoup de maisons datent du XVIIIᵉ siècle.

LA ROUTE DES CRÊTES. La succession des belvédères qui jalonnent cet itinéraire permet une étonnante variété de points de vue vertigineux. Mais attention, elle peut être dangereuse en hiver. C'est le souffle coupé, au milieu d'une végétation méditerranéenne parsemée de lavandes, que l'on accède aux belvédères de la BARRE DE L'ESCALÈS. Avec un peu de chance, on peut y observer aujourd'hui les grimpeurs qui défient la pesanteur sur les parois lisses et verticales.
LES BELVÉDÈRES DE LA CARELLE, de TRESCAIRE ou de la DENT-D'AIRE sont également devenus des sites d'escalade : initiation tous niveaux, mur d'escalade, désescalade en rappel le long des ravins et cascades. En fin de parcours, le débouché sur les gorges du Verdon offre un spectacle féerique où toutes les nuances de l'émeraude au turquoise marquent le passage des eaux du torrent dans le lac artificiel de Sainte-Croix, mis en eau en 1972.

MOUSTIERS-SAINTE-MARIE ♥

Le village, bâti en amphithéâtre sur une masse de tuf, à l'entrée d'une crevasse ouverte dans une immense falaise calcaire aux tons fauves, se fond merveilleusement au site. En dehors de la saison touristique et des grosses chaleurs, sa visite est un ravissement.

HISTORIQUE. Cette petite bourgade doit sa prospérité à certains miracles qui s'y déroulèrent au IXᵉ siècle et transformèrent Moustiers en un lieu de pèlerinage. Les moines de l'abbaye de Lérins ▲ *272*, présents depuis le Vᵉ siècle à la demande de l'évêque, eurent ainsi les moyens d'élever de nombreuses constructions de qualité. Au XVIIᵉ siècle, Moustiers se lança dans la production de faïences et devint, un siècle durant, l'un des grands centres de production en France avec Rouen, Nevers et Marseille. Cette activité déclina

peu avant la Révolution et reprit en 1927.
L'ÉGLISE NOTRE-DAME ♥. C'est l'ancienne église du prieuré. L'édifice actuel remonte pour une bonne part au XIIᵉ siècle. La nef romane en tuf calcaire s'impose par sa puissance et sa sobriété. Elle est couverte d'une voûte en berceau brisé. Décalé par rapport à l'axe de la nef, le vaste chœur gothique à trois travées, doublé de collatéraux et terminé par un mur plat, est une reconstruction du XIVᵉ siècle. Des chapelles latérales ont été accolées sans doute au XVIIᵉ siècle. L'église de Moustiers est aussi remarquable par son MOBILIER (panneaux peints du XVIᵉ siècle, sarcophage du Vᵉ siècle avec un bas-relief représentant le *Passage de la mer Rouge* au maître-autel) et son TRÉSOR (faïences de Moustiers du XVIIIᵉ siècle, croix de procession, plats de quête du XVIᵉ siècle, ex-voto ● *72* provenant de Notre-Dame-de-Beauvoir).
MUSÉE DE LA FAÏENCE. Installé depuis 1978 dans une salle médiévale souterraine de l'ancien monastère, il possède

EX-VOTO DE NOTRE-DAME-DE-BEAUVOIR
Conservés dans
la sacristie de l'église,
ils rappellent que
Moustiers
a été un lieu
de dévotion mariale
et de pèlerinage.
Au XVIIe siècle,
les interventions
de la Vierge prirent
une forme
particulière qu'on a
appelée «suscitation
d'enfants» ; amenés
dans le sanctuaire,
les enfants mort-nés
revenaient à la vie,
pensait-on, le temps
de leur baptême.

des pièces caractéristiques des différents ateliers de
fabrication des XVIIe et XVIIIe siècles ● 74 : Clérissy
(plats et assiettes en camaïeu bleu), Olérys et Laugier
(avec essentiellement des décors de grotesques polychromes),
Ferrat (assiettes, corbeille ajourée), et des pièces plus
tardives dont un beau christ en croix. Un hommage à son
créateur, Marcel Provence, à qui l'on doit la renaissance de la
faïence de Moustiers – en 1927, il fit construire un four et
créa, en 1929, l'Académie et le musée –, est également rendu
à travers une collection de documents photographiques.
LE VILLAGE. On flânera avec plaisir à travers les ruelles bordées
de jolies maisons du XVIIe siècle. La plus ancienne, près de la
porte nord de l'église, présente un double encorbellement avec
des traces d'anciennes croisées à meneaux.
CHAPELLE NOTRE-DAME-DE-BEAUVOIR ♥. Un chemin
escarpé, jalonné par les stations d'un chemin de croix,
mène à l'étroit ressaut où, entre les deux hautes parois
rocheuses, se dresse la chapelle, déjà citée en 1052. L'édifice à
nef unique comporte une partie romane du XIIe siècle de
deux travées avec une voûte en berceau légèrement brisé et
un ajout de deux travées gothiques, réalisé au XVIe siècle. Le
clocher en tuf coiffé d'une pyramide date de la même époque.
Le portail principal se signale par de beaux vantaux sculptés
du XVIe siècle. À l'intérieur, un grand retable de bois sculpté
et doré du XVIIe siècle occupe tout le chœur.

Le plus fameux de ces
ex-voto est la chaîne
de l'étoile, longue de
277 m, qui
surplomble la faille,
et dont l'origine serait
un vœu du baron des
Blacas fait prisonnier
à Damiette, lors de la
croisade de 1249.

«LA VIERGE IMMACULÉE»

Ce retable de l'église Saint-Michel fut vraisemblablement peint vers 1530 par François Bréa. Le panneau central est occupé par une Vierge immaculée, que seule l'inscription

du phylactère permet d'identifier car elle ne porte plus le grand manteau bleu traditionnel. Elle est entourée de deux saintes : sans doute sainte Suzanne et sainte Marthe. Le culte de l'Immaculée Conception, fortement attaqué par les protestants, fut très souvent représenté par les artistes de la Contre-Réforme, bien avant que l'Église ne l'érige en dogme.

SOSPEL

Cette deuxième ville du comté de Nice occupa de tout temps une position stratégique.

LE PONT VIEUX. Sa silhouette familière est l'emblème de Sospel. Dès le XVIᵉ siècle, il permit de relier la ville médiévale à un nouveau quartier et servait alors de tour à péage pour la route du sel. Il fut entièrement restauré par les Beaux-Arts en 1953, grâce aux pierres qui furent tirées du lit de la Bévéra.

LE FAUBOURG SAINT-NICOLAS. À l'extrémité du pont Vieux, l'ancien Palais communal à arcades du XVᵉ siècle forme un bel ensemble avec une fontaine du XVIIIᵉ siècle. Dans la rue de la République subsistent quelques belles portes et, au n° 14, un ancien chapiteau, orné d'un chien courant. Plus au nord, la CHAPELLE SAINTE-CROIX (XVIIᵉ siècle), qui abrite la confrérie des pénitents blancs, contient un beau christ en bois du XVIIᵉ siècle et une statue du XIVᵉ siècle de saint Nicolas.

LA VILLE MÉDIÉVALE. Sur l'autre rive, l'une des façades de la rue du Vieux-Pont a conservé ses portes en arc roman et une fenêtre Renaissance. RUE SAINT-PIERRE, l'entrée du n° 29 est agrémentée d'un superbe linteau. Plus loin, une maison de la fin du Moyen Âge compte de nombreuses pierres sculptées : peut-être le palais du Viguier, le représentant du comte de Savoie.

LA CATHÉDRALE SAINT-MICHEL. Sa façade classique se détache admirablement sur le pavage de galets de la place, bordée de maisons à arcades du Moyen Âge. Il ne subsiste de l'église primitive que le clocher roman du XIIᵉ siècle. La cathédrale actuelle fut édifiée dans la première moitié du XVIIᵉ siècle. Si ses dimensions et son décor peint lui confèrent un charme baroque indéniable, c'est surtout devant les deux triptyques du XVIᵉ siècle, conservés dans la chapelle du Chevet, qu'il faut s'arrêter. Sur le retable de la Pietà, dont les panneaux latéraux figurent sainte Catherine d'Alexandrie et saint Nicolas, on distingue les donateurs, revêtus de la cagoule des pénitents blancs. Le triptyque *La Vierge immaculée*, longtemps attribué à Ludovic Bréa, est plus vraisemblablement l'œuvre de son neveu François.

PLAN COLORÉ DE SOSPEL
Ces ouvrages (1742-1748) étaient destinés à en assurer la sécurité.

L'OUVRAGE SAINT-ROCH. Construit entre 1930 et 1934, il avait pour mission de surveiller le tunnel ferroviaire du Grazian par lequel pouvaient arriver les Italiens. Il fut conçu pour que deux cent quarante hommes et cinq officiers puissent vivre en temps de guerre comme dans un sous-marin, sans voir le jour pendant trois mois.

RANDONNÉES. L'Office du tourisme recense plus de vingt-cinq parcours autour de Sospel. Le circuit du fort de Castès (1 h 45, 5 km), à l'est, emprunte la route forestière. L'ascension vers le mont Barbonnet (3 h 30, 8 km) commence derrière la cathédrale Saint-Michel et finit certains jours par la visite du fort.

BREIL-SUR-ROYA

LA VIEILLE VILLE. Ses ruelles pittoresques suivent les pentes de la montagne. La place de Brancion, où se dresse l'ÉGLISE SANCTA-MARIA-IN-ALBIS ♥, exhale un parfum d'Italie avec son palais rose à arcades, le décor en trompe l'œil des fenêtres et son clocher recouvert de tuiles vernissées. L'église baroque (XVIIe siècle) adopte un plan centré, en forme de croix grecque, prolongée latéralement par des chapelles. À l'intérieur, les voûtes peintes représentent l'Assomption de la Vierge. Parmi le riche mobilier se distinguent un exceptionnel trésor d'orfèvrerie, un triptyque (vers 1500) consacré à saint Pierre, œuvre d'un artiste ligure anonyme, un groupe sculpté de la Passion et un très beau buffet d'orgue du XVIIe siècle. À proximité, les chapelles de la Miséricorde et des pénitents blancs renferment de fabuleux décors peints et sculptés (à restaurer).

RIVE DROITE. Derrière la gare, le CLOCHER SAINT-JEAN, de style roman, est un vestige d'une ancienne église, détruite en 1707. Le chemin qui le longe monte jusqu'à l'église NOTRE-DAME-DU-MONT, située sur le site primitif du village, aujourd'hui en pleine oliveraie. Remaniée à maintes reprises, elle a conservé quelques témoignages du premier art roman : un chevet à bandes lombardes du XIe siècle et une absidiole au sud.

SUR LES DEUX RIVES DE LA ROYA, BREIL
Au carrefour des routes venant de Nice et de Vintimille, Breil s'étend sur les deux rives de la Roya, élargie ici par un petit barrage et un lac artificiel. Le bourg vivait autrefois du commerce et de l'industrie oléicole ; il survit aujourd'hui grâce au tourisme.

UN RÔLE STRATÉGIQUE
Les premières forteresses de la ligne Maginot, qui s'étendait de la mer du Nord à la Méditerranée, furent creusées dans les Alpes-Maritimes. Quatre ouvrages protégeaient Sospel : ceux de l'Agaisen, de Saint-Roch, de Castillon et du Barbonnet. On peut à présent découvrir le fort Saint-Roch.

Prédelle du retable de sainte Marthe,
conservé dans la collégiale Saint-Martin.

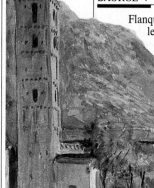

SAORGE ♥

Flanqué de deux châteaux, un sur chaque versant,
le village contrôlait la route entre Nice et Turin.

L'ÉGLISE PAROISSIALE SAINT-SAUVEUR.
Reconstruite en 1500 après l'incendie
de 1465 qui dévasta tout le village,
et revoûtée au début du XVIIIe siècle,
elle possède un beau décor baroque
(peintures en trompe l'œil, motifs
stuqués et peints). Elle a conservé
des fonts baptismaux du XVe siècle,
un tabernacle en marbre blanc (1539)
provenant de l'ancien maître-autel,
l'ensemble de ses retables
des XVIIe et XVIIIe siècles et un orgue
italiens de 1847, œuvre des frères
Lingiardi. Le clocher à bulbe date de 1812.

La Madone-
del-Poggio possède
un très beau clocher
roman de style
lombard de six étages,
accolé à l'édifice.

**LE VILLAGE PERCHÉ
DE SAORGE**
Accroché en
amphithéâtre
au-dessus des gorges
où la Roya se fraie
un passage, Saorge
est un des plus beaux
exemples de village
perché des Alpes-
Maritimes, avec
ses hautes maisons
– certaines atteignent
dix niveaux –
couvertes de lauzes
violettes ou vertes,
s'étageant sur près de
100 m de dénivelée. Le
vieux village, dédale
de ruelles voûtées,
recèle de nombreuses
maisons du XVe siècle
aux portes et linteaux
sculptés.

Judas pendu
de Notre-Dame-
des-Fontaines.

LA MADONE-DEL-POGGIO. De la chapelle du XIe siècle ne
demeure que le chevet à trois absides décoré d'arcatures. On
distingue, au-dessus du porche, les fragments d'une peinture
murale illustrant le Couronnement de la Vierge. Dans l'abside
subsistent des fresques attribuées à Jean Baleison (vers 1480)
figurant des scènes de la vie de la Vierge.

COUVENT DES FRANCISCAINS (XVIIe siècle).
Il est situé au bout du village ; sa façade
baroque fraîchement restaurée est
précédée d'un porche-préau surmonté de
balustres et d'un clocher à bulbe. L'église
renferme un beau retable en bois sculpté
du XVIIe siècle ; le cloître est décoré de
peintures relatant la vie de saint François
tandis que de nombreux cadrans solaires
sont disposés sur les murs bordant la cour.

RANDONNÉE ♥. Un circuit de 2 h permet
de découvrir le canyon de la Bendola et ses cascades, ainsi
que la chapelle Sainte-Croix. Départ derrière le couvent
des Franciscains.

LA BRIGUE ♥

Après le spectacle féerique des gorges de Bergue
et de Paganin, taillées dans un schiste mauve, on parvient
à cette ancienne possession des Lascaris de Tende,
dont il reste quelques vestiges du château médiéval.

LA COLLÉGIALE SAINT-MARTIN ♥. Construite de la fin
du XVe au début du XVIe siècle, Saint-Martin est de style
roman lombard à nettes influences gothiques ; la richesse
de son décor intérieur est due aux nombreuses peintures
primitives sur bois qu'elle recèle : une *Crucifixion* (1510) d'un
peintre ligure influencé par Bréa, un triptyque, *Sainte Marthe*
(1530), un retable, *Notre-Dame des Neiges* (1507), de Sébastien
Fuseri, un autre, le *Martyre de saint Érasme* (vers 1530), œuvre
d'un artiste lombard anonyme, d'un très grand réalisme, et un
panneau, l'*Assomption de la Vierge,* de l'école de Bréa. Le retable
de la Nativité (1514) est attribué à Ludovic Bréa : son thème,
peu fréquent dans la région niçoise, était courant en Ligurie.

LA CHAPELLE DE L'ANNONCIATION (à gauche de l'église). Son
plan ellipsoïdal surprend. Elle abrite une belle collection

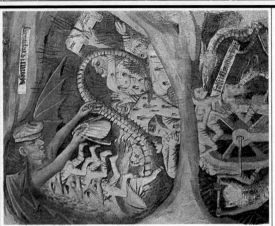

d'objets et vêtements sacerdotaux. Alors que sa façade est baroque, celle de la CHAPELLE DE L'ASSOMPTION, à droite sur la grand-place, offre un décor Renaissance.

NOTRE-DAME-DES-FONTAINES ♥. Situé près de sept sources réputées pour leurs vertus curatives, ce sanctuaire possède de remarquables fresques de la seconde moitié du XVᵉ siècle, œuvre de Jean Canavesio, peintre originaire du Piémont et dont le style traduit la violence et l'angoisse d'une fin de siècle fort troublée. Seules les peintures de la voûte du chœur et de l'arc-doubleau sont de son disciple, Jean Baleison, au style plus précieux, proche de celui des enlumineurs.

RANDONNÉE ♥. Un circuit de 4 h, balisé par le parc du Mercantour, mène jusqu'à la cascade des Fraches et au hameau abandonné du même nom.

LE JUGEMENT DERNIER

L'ensemble des fresques de Notre-Dame-des-Fontaines, inspiré des Évangiles apocryphes, constitue un merveilleux catéchisme. Les peintures de la nef illustrent la Passion du Christ, celles du mur occidental le Jugement dernier et celles du chœur la vie de la Vierge Marie. Ce cycle, par son sujet, sa composition et son style, dénonce les puissants et annonce le pardon du Christ ; ainsi, même la terrible représentation de Judas pendu semble insidieusement contredire la damnation officielle : n'est-il pas accroché à un olivier, arbre de réconciliation et de paix ?

LE COL DE TENDE

(1 870 m) Six forts y furent construits par les Italiens après 1882.

VALLÉE DES MERVEILLES
ET DE FONTANALBA ♥

Le mont Bégo, qui culmine à 2 872 m, forme une barrière dressée au milieu d'un vaste territoire parsemé de milliers de gravures rupestres. De part et d'autre du massif se trouvent deux zones, dont la plus connue est la vallée des Merveilles, qui couvre environ 600 ha, tandis que le val de Fontanalba, moins fréquenté, s'étend sur à peu près 400 ha. Ces deux vallées situées dans le parc national du Mercantour ont été classées monuments historiques en 1989. Elles se découvrent à pied, librement ou en visites guidées.

UNE HISTOIRE MILLÉNAIRE. Ces hautes vallées montagnardes ont été largement occupées par les glaciers pendant la dernière glaciation du quaternaire, le würm ; il est probable que le fleuve de glace descendait jusqu'au site de Saint-Dalmas-de-Tende.
Sa lente progression lissa alors d'immenses falaises – donnant des formes moutonnées ou striant profondément les roches–, charria des blocs erratiques, surcreusa, à l'amont de verrous

Ces vallées recèlent la plus forte concentration de plans d'eau des Alpes-Maritimes.

JEAN CANAVESIO
Prêtre et peintre
originaire du Piémont,
il travailla dans le
comté de Nice à partir
de 1480, où il s'affirma
rapidement comme le
plus grand artiste en
matière de peinture
murale. Il y réalisa
principalement les
fresques de Notre-
Dame-des-Fontaines
à La Brigue
(ci-contre).

Sa technique est celle
de la détrempe, qui
permet les repentirs
et laisse aux couleurs
leur brillance. Son
style, très personnel,
est réaliste et
dramatique.

JEAN BALEISON
Son style, raffiné, fait de lui
le meilleur représentant
du gothique international dans
les Alpes Maritimes. Sa
technique est celle de la fresque qui
ne permet pas d'utiliser
toutes les couleurs
à l'enduit.

Les couleurs
Les couleurs de base sont les ocres jaune et rouge (oxydes de fer), le gris-bleu (schiste naturel) et le blanc d'argent (carbonate de plomb). S'y ajoutent le vert (acétate de cuivre) et le violet (garance). Le bleu (de cobalt, d'outremer), couleur chère, est réservé aux œuvres raffinées jusqu'en 1450, date à laquelle apparaît la lazulite, importée de Perse. On recense alors, au plus, quatorze matières colorantes.

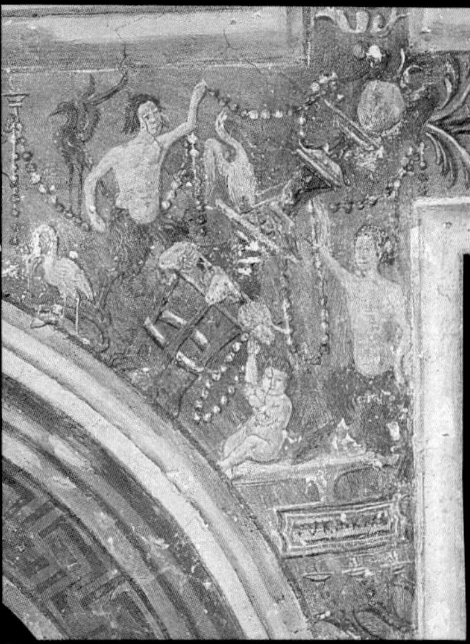

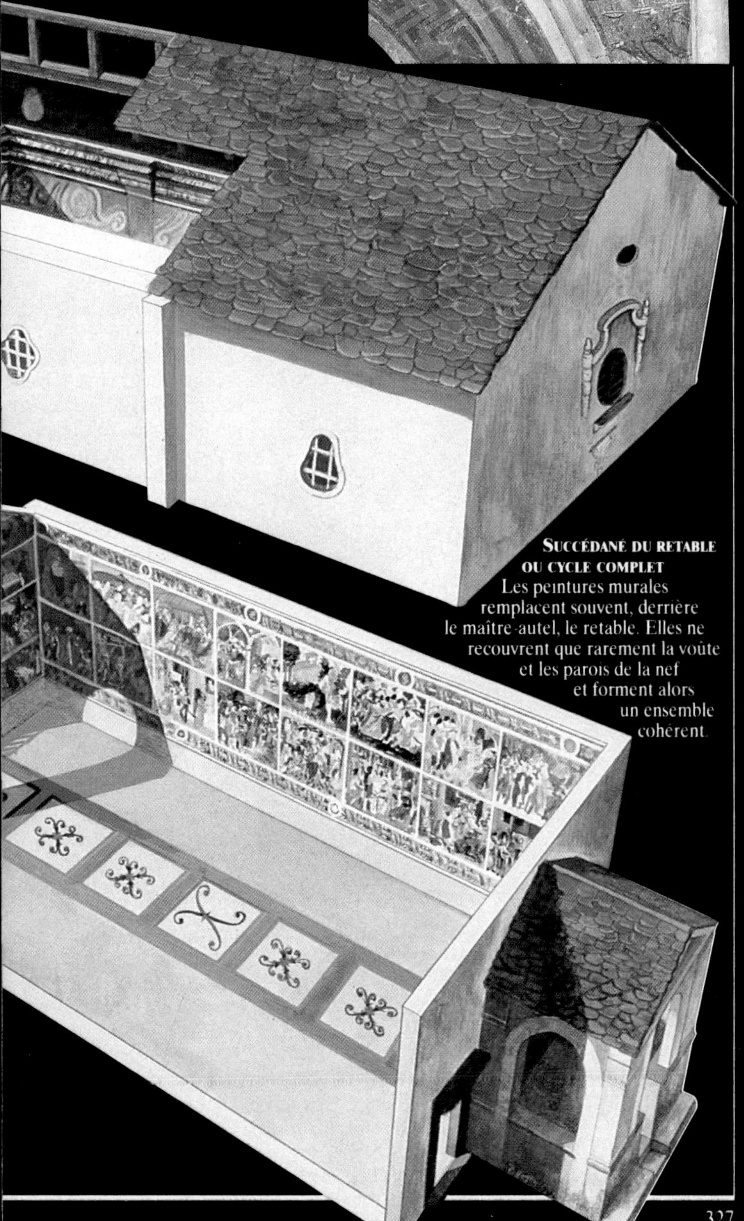

Succédané du retable ou cycle complet
Les peintures murales remplacent souvent, derrière le maître-autel, le retable. Elles ne recouvrent que rarement la voûte et les parois de la nef et forment alors un ensemble cohérent.

UNE SIGNIFICATION ÉNIGMATIQUE
Si l'ensemble des archéologues s'accordent à penser que ces gravures sont bien l'expression d'un sentiment religieux, peu nombreux sont ceux qui avancent une interprétation.
On peut regrouper les quelque trente mille gravures actuellement répertoriées en quatre catégories : des représentations stylisées de bovidés, des armes et des outils, des figures anthropomorphes et des figures géométriques. Ces différentes catégories sont souvent associées pour former des compositions plus complexes.

de roche plus dure, des cuvettes qui abritent aujourd'hui lacs et tourbières. Celles-là se formèrent, au cours de milliers d'années, sous un climat humide et froid, dans un terrain gorgé d'eau, où s'accumulèrent des mousses. Il y a 15 000 ans, le climat commença à se réchauffer, le glacier régressa inexorablement et la cuvette du lac Long-Supérieur émergea de la glace. Petit à petit, le glacier abandonna des moraines frontales successives, qui contribuèrent à retenir les eaux des lacs.

UN PAYSAGE DÉNUDÉ. Il y a 6 000 ans, sous un climat plus humide que celui d'aujourd'hui, une belle sapinière s'était épanouie, puis a fait place aux mélèzes et à la pelouse alpine. Celle-ci, discontinue, se couvre, au début de l'été, après la fonte des neiges, d'une grande variété de plantes, joncs, laîches, épilobes, pensées, saxifrages ou *Linaria alpina*. Antérieur aux glaciations de l'aire quaternaire, le mugho, pin nain, frugal et résistant, leur a survécu en s'accrochant à la falaise, libre de glace.

DES PARCOURS BALISÉS. Ils ont été conçus de façon à présenter aux visiteurs qui désirent découvrir le site sans accompagnateur une succession de gravures parmi les plus significatives de la zone considérée. Chaque roche du parcours est signalée par un panneau sérigraphié reprenant les gravures qui la recouvrent, accompagnées d'une analyse descriptive des motifs. Le parcours de la vallée des Merveilles, qui se superpose au GR 52 dans le bas de la vallée, ne présente aucune difficulté et se compose de cinq roches. Le val de Fontanalba n'est plus accessible aujourd'hui qu'en petits groupes et avec un accompagnateur agréé (durant la période estivale, contacter l'association Destination Merveilles) ; son parcours emprunte la Voie sacrée et passe par la table d'orientation.

LES GRAVURES RUPESTRES. Elles ont été exécutées sur de grandes dalles plates de couleur orangée ou verte grâce à des incisions

Ci-dessus : *Le Sorcier, Le Chef de tribu, Le Christ.*

obtenues par de petits coups qui ont fait éclater la couche superficielle de la patine des roches. La grande majorité de ces gravures datent du bronze ancien (1800-1500 av. J.-C.), bien que l'homme fût présent dès le néolithique sur le mont Bégo.

Informations pratiques
et annexes

◆ SÉLECTION D'ADRESSES
INFORMATIONS GÉNÉRALES

→ COMITÉ RÉGIONAL DE TOURISME
12, place Joliette
13002 Marseille
Tél. 04 91 56 47 00

→ COMITÉS DÉPARTEMENTAUX DE TOURISME
ALPES DE HAUTE-PROVENCE
19, rue du Docteur-Honorat
BP 170
04005 Digne-les-Bains Cedex
Tél. 04 92 31 57 29
Fax 04 92 32 24 94

BOUCHES-DU-RHÔNE
13, rue Roux-de-Brignoles
13001 Marseille
Tél. 04 91 13 84 13
Fax 04 91 33 01 82

VAR
1, bd Foch
BP 99
83003 Draguignan Cedex
Tél. 04 94 50 55 50
Fax 04 94 50 55 51

VAUCLUSE
12, rue Collège-de-la-Croix BP 147
84008 Avignon Cedex 1
Tél. 04 90 80 47 00
Fax 04 90 86 86 08

→ HÉBERGEMENT
AUBERGES DE JEUNESSE
Centre information jeunesse Provence-Alpes
96, la Canebière
13001 Marseille
Tél. 04 91 24 33 50
Fax 04 91 47 74 89

Centre information jeunesse Côte-d'Azur
19, rue Gioffredo
06000 Nice
Tél. 04 93 80 93 93
Fax 04 93 80 30 33

GÎTES RURAUX
Gîtes de France
59, rue Saint-Lazare
75009 Paris
Tél. 01 49 70 75 75
www.gites-de-france.fr

LOGIS DE FRANCE
Ils offrent, en pleine nature, une restauration et une hôtellerie traditionnelles, avec un rapport qualité-prix intéressant
83, av. d'Italie
75013 Paris
Tél. 01 45 84 83 84

RELAIS DU SILENCE
Cette chaîne met en avant les hôtels situés dans un environnement paisible.
17, rue d'Ouessant
75015 Paris
Tél. 01 44 49 90 00
www.relais-du-silence.com

RELAIS ET CHÂTEAUX
Ces hôtels situés dans des châteaux, manoirs ou autres bâtiments privilégient l'environnement et la qualité du site.
15, rue Galvani
75017 Paris
Tél. 01 45 72 90 00
08 25 32 32 32

→ COMITÉS ET FÉDÉRATIONS SPORTIVES
CLUB ALPIN FRANÇAIS
24, av. Laumière
75019 Paris
Tél. 01 53 72 88 00

ESCALADE DANS LES BOUCHES-DU-RHÔNE

COMITÉ DÉPARTEMENTAL D'AÉRONAUTIQUE
56, aéroport
13728 Marignane
Tél. 04 42 14 14 14

FÉDÉRATION FRANÇAISE DE CANOË-KAYAK
Tél. 01 45 11 08 50

FÉDÉRATION FRANÇAISE D'ÉTUDES ET DE SPORTS SOUS-MARINS
24, quai Rive-Neuve
13007 Marseille
Tél. 04 91 33 99 31
Fax 04 91 54 77 43

FÉDÉRATION FRANÇAISE DE PÊCHE
Alpes de Haute-Provence
Tél. 04 92 32 25 40
Alpes-Maritimes
Tél. 04 93 72 06 04
Bouches-du-Rhône
Tél. 04 42 26 59 15
Var
Tél. 04 94 69 05 56
Vaucluse
Tél. 04 90 86 62 68

FÉDÉRATION FRANÇAISE DE PÉTANQUE ET DE JEU PROVENÇAL
13, rue Trignace
13002 Marseille
Tél. 04 91 91 85 17

FÉDÉRATION DE VOILE
Ligue Provence-Alpes
46, bd Kraemer
13014 Marseille
Tél. 04 91 11 61 78
Ligue Côte d'Azur
(à Saint-Raphaël)
Fax 04 94 19 09 02

FÉDÉRATION FRANÇAISE DE SPÉLÉOLOGIE
130, rue Saint-Maur
75011 Paris
Tél. 01 43 57 56 54

FÉDÉRATION FRANÇAISE DE VOL LIBRE
4, rue de Suisse
06000 Nice
Tél. 04 97 03 82 82

→ PARCS NATURELS RÉGIONAUX
CAMARGUE
Maison du parc
Pont-de-Gau
13460 Les Saintes-Maries-de-la-Mer
Tél. 04 90 97 86 32

LUBERON
Maison du parc
60, place Jean-Jaurès
BP 122
84404 Apt Cedex
Tél. 04 90 04 42 00

VERDON
Maison du parc
Quartier Saint-Jean
04360 Moustiers-Sainte-Marie
Tél. 04 92 74 63 95

→ PARCS NATIONAUX
MERCANTOUR
Direction du parc
23, rue d'Italie
06000 Nice
Tél. 04 93 16 78 88

Maison du parc
Quartier de l'Ardon
06660 Saint-Étienne-de-Tinée
Tél. 04 93 02 42 27

PORT-CROS
(ÎLE DE)
Parc national et conservatoire botanique
Castel Sainte-Claire
rue Sainte-Claire
83418 Hyères cedex
Tél. 04 94 12 82 30

Centre d'accueil
«Pointe Nord»
(sur le port)
83400 Port-Cros
Tél. 04 94 05 90 17

→ VINS
CHÂTEAUNEUF-DU-PAPE
Fédération des syndicats des producteurs de châteauneuf-du-pape
12, av. Pasteur
84230 Châteauneuf-du-Pape
Tél. 04 90 83 72 21

CÔTES-DE-PROVENCE
Comité interprofessionnel côtes-de-provence
RN 7
83460 Les Arcs
Tél. 04 94 99 50 10

CÔTES-DU-RHÔNE
Inter Rhône
Comité interprofessionnel des vins d'AOC côtes-du-rhône et vallée-du-rhône
6, rue des Trois-Faucons
84000 Avignon
Tél. 04 90 27 24 00

Les adresses sont classées par ordre alphabétique de communes. Sous chacune d'elles figurent leur code postal et leurs coordonnées, qui renvoient aux cartes placées en début et en fin d'ouvrage. La liste des logos se trouve à l'intérieur des rabats.

AIX-EN-PROVENCE

13100   D7

→ RESTAURANTS

LA BROCHERIE
5, rue Fernand-Dol
Tél. 04 42 38 33 21
Fermé sam.-dim.
Poissons grillés au feu de bois
■

□ L'AIX QUI
22, rue Victor-Leydet
Tél. 04 42 27 76 16
Fermé dim., 3 sem.
août et 1 sem. jan.
■ P ✕ ■

□ LE PAGODON
25, rue Lisse-des-Cordeliers
Tél. 04 42 26 47 88
Fermé dim. soir
et lun. midi
Restaurant asiatique
■

□ TRATTORIA CHEZ ANTOINE
3, rue Clemenceau
Tél. 04 42 38 27 10
Service jusqu'à
0 h 30
Fermé dim. et lun.
midi
P ↑ ✕ ■

→ HÉBERGEMENT

AUBERGE DE JEUNESSE
3, avenue Marcel-Pagnol
Tél. 04 42 20 15 99
Fermé 20 déc.-31 jan.
■

□ BASTIDE DU ROI RENÉ *
Chemin des Infirmeries
Tél. 04 42 37 83 00
Ouvert toute l'année
✕ P ✕ ■

GÎTE D'ÉTAPE AMIS DE LA NATURE
Pont-de-Géraud
Route de Vauvenargues
Réservation :
Amis de la nature,
1175, chemin de Beauregard, 13100
Aix-en-Provence

HÔTEL SAINT-CHRISTOPHE *
2, av.
Victor-Hugo

Tél. 04 42 26 01 24
Fax 04 42 38 53 17
Ouvert toute l'année
✕ ↑ ■

LE MOZART *
49 *ter*, cours Gambetta
Tél. 04 42 21 62 86
Fax 04 42 96 17 36
Ouvert toute l'année
■ P ■

□ NÈGRE COSTE **
33, cours Mirabeau
Tél. 04 42 27 74 22
Fax 04 42 26 80 93
Ouvert toute l'année
✕ P ■

□ VILLA GALLICI ***
18bis, av. Violette
Tél. 04 42 23 29 23
Fax 04 42 96 30 45
Ouvert toute l'année
✕ ✕ P ↑ ■

→ DIVERTISSEMENT

LES DEUX GARÇONS
53, cours Mirabeau
Tél. 04 42 26 00 51
Ouvert juin-août : tlj.
6 h-4 h 30 ;
sep.-mai : 6 h-2 h
Café

→ MAGASINS

LES CALISSONS DU ROY RENÉ
Tél. 04 42 26 67 86
(vente par corresp.)

SANTONS FOUQUE
65, cours Gambetta
Tél. 04 42 26 33 38

ANTIBES / JUAN-LES-PINS

Antibes 06600   I7
Juan-les-Pins 06160   I7

→ RESTAURANT

□ RESTAURANT DE BACON
Bd de Bacon
Tél. 04 93 61 50 02
Fax 04 93 61 65 19
Fermé lun. et nov.-jan.
Spécialités de poissons
P ■ ↑ ↑ ■

→ HÔTEL-RESTAURANT

LES BELLES RIVES **
33, bd Edouard-Beaudoin
Tél. 04 93 61 02 79
Fax 04 93 67 43 51
Fermé 20 oct.-

15 mars
✕ ✕ ■ ↑ ↑ ■
✕ ■ ■ ■

→ HÉBERGEMENT

BEACHOTEL *
6, av. Alexandre-III
Tél. 04 92 93 67 67
Fax 04 93 61 51 97
Fermé nov.-mars
✕ ■ P ■ ■

BLEU MARINE*
614, chemin des Quatre-Chemins
Tél. 04 93 71 84 84
Fax 04 93 95 90 26
■ P ✕ ✕ ■ ↑ ✕ ■

GAROUPE AXA *
959, bd Garoupe
Tél. 04 93 61 36 51
Fax 04 93 67 74 88
Fermé 3 nov.-8 mars
✕ ✕ ✕ P ↑ ■ ■ ■

APT

84400   D6

→ RESTAURANT

RESTAURANT BERNARD MATHYS
RN 100 - Le Chêne
Tél. 04 90 04 84 64
Fermé mar.-mer.
et mi-jan.-mi-fév.
Cuisine gastronomique
■ ↑ ↑ P ■

→ HÔTEL-RESTAURANT

AUBERGE DU LUBERON *
17, quai Léon-Sagy

Tél. 04 90 74 12 50
Fax 04 90 04 79 49
Fermé 1er-15 jan.
Restaurant fermé
dim. soir-lun.
Cuisine gastronomique
■ ✕ ■ ↑ P ✕ ■

ARLES

13200   B7

→ RESTAURANTS

□ LA GIRAUDIÈRE
53-55, rue Condorcet

Tél. 04 90 93 27 52
Fermé mar.
✕ ■

L'OLIVIER
1 *bis*, rue Réattu
Tél. 04 90 49 64 88
Fermé lun. midi et
dim., nov. et 2 sem.
fév.
✕ ✕ ↑ ■ ■

LOU MARQUÈS
Bd des Lices
Hôtel *Jules-César*
Tél. 04 90 93 43 20
Fermé nov.-23 déc.
✕ ✕ ↑ ↑ P ■

→ HÉBERGEMENT

ARLATAN *
26, rue du Sauvage
Tél. 04 90 93 56 66
Fax 04 90 49 68 45
Ouvert toute l'année
✕ P ↑

AUBERGE DE JEUNESSE
20, avenue Foch
Tél. 04 90 96 18 25
Fermé fin déc.-début fév.
■

HÔTEL DU MUSÉE *
11, rue du Grand-Prieuré
Tél. 04 90 93 88 88
Fax 04 90 49 98 15
Fermé 15 jan.-15 fév.
✕ ↑ P ■

FABRIQUE DE SANTONS

□ NORD PINUS **
14, place du Forum
Tél. 04 90 93 44 44
Fax 04 90 93 34 00
Ouvert toute l'année
✕ ↑ P ■

AVIGNON

84000   C6

→ RESTAURANTS

□ LE BAIN-MARIE
5, rue Pétramale
Tél. 04 90 85 21 37
Fermé sam. midi-dim.

◆ SÉLECTION D'ADRESSES
HÔTELS, RESTAURANTS, DIVERTISSEMENTS ET MAGASINS

C'est un vrai plaisir de dîner dans le charmant jardin intérieur du Bain-marie. Les tables sont bien mises et le menu est rafraîchissant et généreux. Cuisine originale à base de produits frais.
🛏️🍴◻️C P◻️

📺 CHRISTIAN ÉTIENNE
10-12, rue de Mons
Tél. 04 90 86 16 50
Fermé sam. midi et dim.
Sur sa terrasse suspendue à côté du palais des Papes, Christian Étienne régale les gourmets. Sa cuisine du terroir aux parfums de Provence, particulièrement savoureuse, l'a hissé au plus haut niveau.
C🍴🛏️◻️◻️

📺 LES DOMAINES
28, place de l'Horloge
Tél. 04 90 82 58 86
Ouvert tlj. (sauf dim. en hiver)
Une cuisine d'inspiration classique pour ce restaurant tenu de main de maître par les frères Tassan. C'est le rendez-vous avignonnais des amis, des familles et, l'été, des artistes et des festivaliers. Cuisine classique. Grande carte des vins.
C🛏️🍴🛏️◻️

📺 WOOLLOOMOOLOO
16, rue des Teinturiers
Tél. 04 90 85 28 44
Lieu de rencontre et de spectacle. Des gens d'ici et d'ailleurs se retrouvent dans cette ancienne imprimerie. Ambiance insolite et cuisines du monde (africaine, libanaise, indienne, antillaise...). Restaurant éclairé aux bougies.
🍴🛏️🛏️◻️◻️◻️

→ HÔTEL-RESTAURANT
📺 HÔTEL DE LA MIRANDE ★★★★
4, place de l'Amirande
Tél. 04 90 85 93 93
Fax 04 90 86 26 85
Ouvert toute l'année
Situé au pied du palais des Papes, c'est le plus bel hôtel de la ville. Les chambres sont raffinées, les salons exquis. Jardin privé, patio et terrasses.
🛏️🏔️🛏️◻️◻️◻️

📺 HÔTEL DE L'EUROPE ★★★★
12, place Crillon
Tél. 04 90 14 76 76
Fax 04 90 85 43 66
Ouvert toute l'année
Restaurant fermé mar.-mer. en hiver
Une institution. La demeure des Crillons est un hôtel depuis le XVIIIe siècle. Meubles anciens et tapisseries. Les dîners dans la cour, près du murmure de la fontaine, sont un vrai dépaysement. Grand confort. Centre-ville.
🛏️🛏️◻️◻️◻️

→ HÉBERGEMENT
HÔTEL GARLANDE ★★
20, rue Galante
Tél. 04 90 80 08 85
Fax 04 90 27 16 58
Ouvert toute l'année
À deux pas de la place de l'Horloge. Bon confort.
🍴🛏️◻️C🛏️◻️

CAMPING
LES DEUX RHÔNES
Chemin de Bellegarde
Île de la Barthelasse
Tél. 04 90 85 49 70
Ouvert toute l'année
Tennis
🛏️🛏️◻️

CAMPING
MUNICIPAL
Île de la Barthelasse
Tél. 04 90 82 63 50
Fermé nov.-fév.
Proche du

centre-ville. Tennis.
🛏️🍴🛏️◻️

→ MAGASINS
SOULÉIADO
TISSUS
3-5, rue Joseph-Vernet
Tél. 04 90 86 47 67

LES OLIVADES
28, rue des Marchands
Tél. 04 90 86 13 42

→ RESTAURANTS
LA RIBOTO DE TAVEN
Val d'Enfer
Tél. 04 90 54 34 23
Fermé mar., mer. soir et 2 mois en début d'année
🍴P🛏️◻️

LE BAUTEZAR
Rue Frédéric-Mistral
Tél. 04 90 54 32 09
Fermé jan.-mi-mars
🍴🛏️◻️

L'OUSTAU DE BAUMANIÈRE
Val d'Enfer
Tél. 04 90 54 33 07
Fermé mer.-jeu. midi hors saison et mi-janv.-début mars
🍴🛏️◻️

→ HÉBERGEMENT
HOSTELLERIE LA REINE JEANNE ★★
Grand-Rue
Tél. 04 90 54 32 06
Fax 04 90 54 32 33
Fermé 6 jan.-10 fév.
🍴🛏️🛏️

LA CABRO D'OR ★★★
Carita Route d'Arles
Tél. 04 90 54 33 21
Fax 04 90 54 45 98
Fermé lun.-mar. midi hors saison ;
mi-nov.-mi-déc.
🍴🍴P🛏️

→ HÔTEL-RESTAURANT
LE ROBINSON ★★★
Route de Remoulins
Tél. 04 66 59 21 32
Fermé fév.
Calme et verdure en pleine campagne. Tennis.
🛏️P◻️🍴🍴🛏️◻️

→ RESTAURANT
LE MÉTROPOLE
15, bd du Maréchal-Leclerc
Tél. 04 93 01 00 08
Fermé 20 oct.-20 déc.
🛏️◻️P🛏️◻️

→ HÔTEL-RESTAURANT
LA RÉSERVE DE BEAULIEU ★★★★
5, bd du Maréchal-Leclerc
Fermé 16 jan.-3 mars et 15 nov.-20 déc.
Tél. 04 93 01 00 01
Fax 04 93 01 28 99
🍴🛏️🛏️◻️◻️P C🛏️
🛏️🏔️

→ HÉBERGEMENT
LE HAVRE BLEU ★★
29, bd du Maréchal-Joffre
Tél. 04 93 01 01 40
Fax 04 93 01 29 92
Fermé 8-23 jan.
🛏️🛏️P🛏️◻️

MÉTROPOLE ★★★★
15, bd du Maréchal-Leclerc
Tél. 04 93 01 00 08
Fax 04 93 01 18 51
Fermé 20 oct.-20 déc.
Hôtel de la chaîne Relais & Châteaux
🍴🍴🛏️◻️◻️🏔️

→ RESTAURANT
AUBERGE DU JARRIER ★
30, passage de la Bourgade
Tél. 04 93 65 11 68
Fax 04 93 65 50 03
Fermé lun. soir-mar. et 15 jan.-début avr.
🍴🛏️◻️◻️

LES TERRAILLIERS ★
11, route du Chemin Neuf
Tél. 04 93 65 01 59
Fermé mer. en hiver ; mer.-jeu. midi en été ; nov.
🛏️🍴🛏️P🛏️◻️

→ HÔTEL-RESTAURANT
LES ARCADES
16, place des Arcades
Tél. 04 93 65 01 04
Fermé dim. soir-lun.

et 15 nov.-15 déc.
*Bâtiment
du XVe siècle*
🗙◻◻◆⦿

→ **HÉBERGEMENT**
**AUBERGE DE
LA VALLÉE VERTE ****
3400, route
de Valbonne
Tél. 04 93 65 10 93
Fax 04 92 94 04 91
Ouvert toute l'année
🗙⧓⧉◻⦿

BONNIEUX

84480   zone D6
→ **RESTAURANT**
LE FOURNIL
5, place Carnot
Tél. 04 90 75 83 62
Fermé lun.-mar. midi
et 9 jan.-9 fév.
Spécialités locales
🗙⧉◻◻◻P

→ **HÉBERGEMENT**
HOSTELLERIE DU PRIEURÉ
Tél. 04 90 75 80 78
Fermé nov.-fév.
*Réservation
conseillée*
⧖🗙⧉P

BORMES-
LES-MIMOSAS

83230   G8-9
→ **HÉBERGEMENT**
LE MIRAGE ***
38, rue Vue-des-Îles
Tél. 04 94 71 09 83
Fax 04 94 64 93 03
Fermé oct.-mars
🗙⧓⧉⊞

PALMIERS ***
Hameau de
Cabasson
240, chemin Petit-
Font
Tél. 04 94 64 81 94
Fax 04 94 64 93 61
Ouvert toute l'année
🗙P⦿

PARADIS **
62, impasse Castellan
Tél. 04 94 71 06 85
Ouvert avr.-sep.
*Cartes de crédit
refusées.*
⧖P⊞

BREIL-SUR-ROYA

06540   zone I6-7
→ **HÉBERGEMENT**
LE ROYA **
Place Biancheri
Tél. 04 93 04 48 10
Fax 04 93 04 92 70
🗙⧉◻◻⧉⦿

BRIGNOLES

83170   F8
→ **RESTAURANT**
LOU CIGALOUN
14, rue de la
République
Tél. 04 94 59 00 76
◻

→ **HÉBERGEMENT**
GÎTE D'ÉTAPE ÉQUESTRE
Chemin de Bourganel
Les Censies
Tél. 04 94 69 48 02
*Sur rdv. par tél. le
soir. Le gîte accueille
aussi randonneurs
pédestres
et cyclistes à VTT.*
⦿

BRIGNOLES, PORTE DE L'HOSPICE SAINT-JEAN

BRIGUE (LA)

06430   zone H7
→ **HÉBERGEMENT**
**AUBERGE
SAINT-MARTIN ***
Place Saint-Martin
Tél./fax
04 93 04 62 17
Fermé nov.-fév.
🗙⧉⦿

MIRVAL **
3, rue Vincent-Ferrier
Tél. 04 93 04 70 58
Fax 04 93 04 79 81
Fermé nov.-avr.
🗙⧉◻P⦿

CANNES

06400   H7
→ **RESTAURANTS**
LA COQUILLE
65, rue Félix-Faure
Tél. 04 93 39 26 33
Fax 04 93 39 00 88
Ouvert toute l'année
*Bon rapport
qualité-prix*
⧉◻🗙⦿

L'ONDINE
La Croisette,
sur la plage
Tél. 04 93 94 23 15
Fax 04 93 94 10 71
Ouvert tlj. 12 h-16 h

Fermé 15 nov.-
20 déc.
◻⧓⧖⦿

→ **HÔTELS-RESTAURANTS**
CARLTON ****
58, la Croisette
Tél. 04 93 06 40 06
Fax 04 93 06 40 25
◻P◻⧉⊞⧖

♡ **CRISTAL******
13-15 rond-point
Duboys-d'Angers
Tél. 04 93 39 45 45
Fax 04 93 38 64 66
Fermé 19 nov.-28 déc.
◻🗙⧉P⊞◻

→ **HÉBERGEMENT**
HÔTEL CHANTECLAIR
12, rue Forville
Tél. et fax
04 93 39 68 88
Fermé Nov.-10 déc.
⧉◻C⧉⦿

♡ **LE MARTINEZ ******
73, la Croisette
Tél. 04 92 98 73 00
Fax 04 93 39 67 82
*Le plus calme
des palaces. Tennis
et plage privée.*
🗙⧉◻⧓⧉
◻⊞

→ **DIVERTISSEMENT**
**CANNES PALACE CLUB-
DANCING**
Hôtel *Cannes Palace*
14, av. de Madrid
Tél. 04 93 43 25 72
Ouvert ven.-sam.
22 h à l'aube ;
dim. 15 h à l'aube

BERLINGOTS

CARPENTRAS

84200   C5
→ **RESTAURANTS**
**LA GARRIGUE-
CHEZ SERGE**
90, rue Cottier
Tél. 04 90 63 21 24
Ouvert tlj.
(sauf dim. en hiver)
*Spécialités
arméniennes jeu. midi.
Réservation
conseillée.*
🗙C◻⧉◻

RIVES D'AUZON
47, bd du Nord
Tél. 04 90 60 62 62
Fermé mer.
et sam. midi, août
et mi-déc.-mi-jan.
*Vue sur l'Auzon.
Cuisine inventive.*
⧖🗙◻⦿

LE VERT GALANT
12, rue Clapies
Tél. 04 90 67 15 50
Fermé en été : sam.
midi et dim. ;
en hiver : sam. midi,
dim. soir-lun. midi
*Cuisine du marché
alliant classicisme
et fraîcheur.
Réservation
conseillée.*
C◻⦿

→ **HÉBERGEMENT**
LE FIACRE **
153, rue Vigne
Tél. 04 90 63 03 15
Fax 04 90 60 49 73
Ouvert toute l'année
*Bel hôtel
du XVIIIe siècle*
C⧉◻P⦿

HÔTEL FORUM **
24, rue du Forum
Ouvert toute l'année
Tél. 04 90 60 57 00
Fax 04 90 63 52 65
◻🗙P⧉⦿

→ **MAGASIN**
**CONFISERIE DU MONT-
VENTOUX**
288, av. Notre-Dame-
de-Santé

84200 Carpentras
Tél. 04 90 63 05 25
*Spécialiste de
berlingots*

CASSIS

13260   E8
→ **RESTAURANT**
**LE CLOS
DES ARÔMES**
10, rue Paul-Mouton
Tél. 04 42 01 71 84
Fermé nov.-fév.
P⧉◻

◆ SÉLECTION D'ADRESSES
HÔTELS, RESTAURANTS, DIVERTISSEMENTS ET MAGASINS

→ **HÔTEL-RESTAURANT**
LE JARDIN D'ÉMILE
Plage du Bestouan
Tél. 04 42 01 80 55
Fermé 4-20 janv.
et 11-30 nov.

→ **HÉBERGEMENT**
AUBERGE DE JEUNESSE
Les Calanques
La Fontasse
Tél. 04 42 01 02 72
□

🛏 **LE BESTOUAN ****
Plage du Bestouan
Tél. 04 42 01 05 70
Ouvert mars-oct.
Court de tennis
❎ 🍴 🔼 🔳

🛏 **ROCHES BLANCHES ******
Route des Calanques
Tél. 04 42 01 09 30
Fax 04 42 01 94 23
Ouvert toute l'année
❎ ❄ P 🔼 🔳

CASTELLANE
04120   G6
→ **HÉBERGEMENT**
CAMPING
CHASTEUIL-PROVENCE
Route de Moustiers
Tél. 04 92 83 61 21
Fax 04 92 83 75 62
Ouvert début
mai-fin sep.
❎ ❄ P □

CAMPING
DU VERDON
Domaine de la
Salaou
Route de Moustiers
Tél. 04 92 83 61 29
Ouvert 15 mai-
15 sep.
Gardé
❎ ❄ 🍴 □

CAMPING
FRÉDÉRIC-MISTRAL
Route de Moustiers
Tél. 04 92 83 62 27
Ouvert toute l'année
Gardé
❎ ❄ 🍴 □

CAMPING
GORGES DU VERDON
Route de Moustiers
par D 952
Tél. 04 92 83 63 64
Ouvert début avr.-
fin sep.
❄ 🍴 □

GÎTE D'ÉTAPE
AU SOLEIL GOURMAND
La Baume

Tél. 04 92 83 70 82
Fermé jan.
□

GÎTE D'ÉTAPE L'OUSTAOU
Chemin des Listes
Tél. 04 92 83 77 27
Fermé jan.
□

GÎTE DE CHASTEUIL
Route D 952
Direction
gorges du Verdon
Tél. 04 9283 72 45
Ouvert toute l'année
*Chambres
et tables d'hôtes*
□

HÔTEL DU LEVANT **
Place Marcel
Sauvaire
Tél. 04 92 83 60 05
Fax 04 92 83 72 14
Fermé oct.-mars
❎ □

COLMARS-LES-ALPES
04370   G5
→ **HÉBERGEMENT**
LE CHAMOIS **
Tél. 04 92 83 43 29
Fermé mi-nov.-mi-
déc.
❎ □ P 🔼 🔳 □

DIGNE-LES-BAINS
04000   F5
→ **HÔTEL-RESTAURANT**
🛏 **LE GRAND PARIS**
19, bd Thiers
Tél. 04 92 31 11 15
Fax 04 92 32 32 82
Service jusqu'à
21 h 30
Fermé oct.-juin : dim.
soir-lun. ;
20 déc.-fév.
*Dans un ancien
couvent du
XVIIe siècle, la cuisine
raffinée de Jean-
Jacques Ricaud :
sandre aux pommes
safranées, rouget
à l'antiboise,
langoustines
et escargots aux
légumes d'antan....
L'été, demandez à
être servi à l'ombre
des platanes.*
❎ □ 🔼 🔳 □

→ **HÉBERGEMENT**
CAMPING
LES EAUX CHAUDES
Route des Thermes

Tél. 04 92 32 31 04
Surveillé
❎ □

🛏 **VILLA GAÏA**
Le Péage
Route de Nice
Tél. 04 92 31 21 60
Fax 04 92 31 20 12
Fermé déc.-Pâques
*Au cœur d'une vaste
propriété plantée
d'arbres centenaires,
c'est une confortable
maison de famille
où l'on cultive avec
raffinement un art de
vivre à la campagne.
De la serre au
potager jusqu'à votre
table, la nature et les
traditions sont à
l'honneur.*
❎ P 🔼 🔼 🔳

DRAGUIGNAN
83300   G7
→ **HÔTELS-RESTAURANTS**
🛏 **HOSTELLERIE**
DU MOULIN DE LA FOUX **
Chemin Saint-Jean
Tél. 04 94 68 55 33
Fax 04 94 68 70 10
Ouvert toute l'année
Accès handicapés
❎ P 🔺 🔳 □

LES ÉTOILES
DE L'ANGE ***
1308, av. Tuttluigen
Col de l'Ange
Tél. 04 94 68 23 01
Fax 04 94 68 13 30
Fermé 15 jan.-
15 mars
❎ ❄ 🔺 P 🔳 🔳

TOITS DE DRAGUIGNAN

→ **HÉBERGEMENT**
VICTORIA ***
52, av. Lazare-
Carnot
Tél. 04 94 47 24 12
Fax 04 94 68 31 69
Ouvert toute l'année
Climatisation
❎ P 🔺 🔳

ENTREVAUX
04320   H6
→ **HÉBERGEMENT**
VAUBAN
4, place Moreau
Tél. 04 93 05 42 40
Fax 04 93 05 48 38
Fermé jan.
🅲 ❎ 🔳 □

ÈZE
06360   zone I6
→ **RESTAURANTS**
AUBERGE
DU TROUBADOUR
4, rue du Brec
Tél. 04 93 41 19 03
Fermé dim.-lun. ,
20 nov.-18 déc.,
fin fév.-début-mars
et 1 sem. en juil.
□ 🔼 🔳

AU NID D'AIGLE
1, rue du Château
Tél. 04 93 41 19 08
Fermé mar. soir-mer.
en hiver
□ 🔼 □

→ **HÔTELS-RESTAURANTS**
CAP ESTEL ****
Èze bord de mer
Av. Raymond-
Poincaré
Tél. 04 93 01 50 44
Fax 04 93 01 55 20
Fermé oct.-mars
Restaurant. Sauna.
□ ❄ 🔼 P 🔳 🔳

CHÂTEAU ÈZA
Dans le village
Tél. 04 93 41 12 24
Fax 04 93 41 16 64
Ouvert tlj. 12 h-13 h
et 19 h 30-22 h
Fermé nov.-mars
Restaurant fermé
nov.-Noël
□ 🔼 🔳 🔳

LES TERRASSES
D'ÈZE ****
1138, avenue

de La-Turbie
Tél. 04 92 41 55 55
Fax 04 93 41 55 10
Ouvert toute l'année
🔲🔀⛺🅿🎿
🔳🔶

FONTAINE-DE-VAUCLUSE

84800 C6
→ **RESTAURANT**
**HOSTELLERIE
LE CHÂTEAU**
Quartier
du Château-Vieux
Tél. 04 90 20 31 54
Fermé mar. soir
et mer. soir
(sauf juil.-août)
*Repas au bord
de l'eau sur une
agréable terrasse.
Cuisine traditionnelle.*
🔲🔲🔳🔶

→ **HÔTEL-RESTAURANT**
HÔTEL DU PARC *
Les Bourgades
Tél. 04 90 20 31 57
Fax 04 90 20 27 03
Hôtel : fermé
début nov.-mi-fév.
Restaurant : fermé
mer. et 2 jan.-15 fév.
*Une hôtellerie de
charme et une bonne
table au bord de la
rivière.*
🔲🔳🅿🔳🔶🔳

FONTVIEILLE

13990 zone B7
→ **HÔTEL-RESTAURANT**
LE RÉGALIDO
Rue Frédéric-Mistral
Tél. 04 90 54 60 22
Fax 04 90 54 64 29
Hôtel fermé jan.
Restaurant fermé
lun.-mar. midi
et déc.-janv.
Ouvert lun. soir
en saison
🅿🔳🔲🔳🔳

→ **HÉBERGEMENT**
SAINT-VICTOR *
Chemin des
Fourques
Tél. 04 90 54 66 00
Fax 04 90 54 67 88
🔀🅿🔳🔳🔳

FORCALQUIER

04300 E6
→ **RESTAURANTS**
💟 **FERME-AUBERGE**
LES BAS-CHALUS
Quartier Les Bas-Chalus

Tél. 04 92 75 05 67
Ouvert Pâques-Toussaint : tous les
soirs et dim. midi ;
Toussaint-Pâques :
w.-e. uniquement
Fermé fév.
*Fromages
de vache maison.
Au menu, viande
de cerf, pâtes
fraîches ou salades
de la ferme. Cartes
de crédit refusées.*
🔳🔲

💟 **HOSTELLERIE
DES DEUX LIONS**
11, place du
Bourguet
Tél. 04 92 75 25 30
Fermé dim. soir-lun.,
sep.-juin. et jan.-fév.
*Un plateau
de fromages
exceptionnel digne
d'une cuisine
de terroir inventive*
🔲🔳🔳

→ **HÉBERGEMENT**
💟 **AUBERGE
DE CHAREMBEAU ***
Route de Niozelle
Tél. 04 92 70 91 70
Fax 04 92 70 91 83
Fermé déc.-jan.
*Ferme bas-alpine
du XVIIIe siècle
entourée de 7 ha
de prés. Tennis.
Propose avec
l'association «Vélo
Loisir en Luberon»
une escapade
de Cavaillon à
Forcalquier, le long
d'un circuit au cœur
du parc naturel
régional, avec une
douzaine d'étapes
nature dans des
établissements
associés.*
🔲🔀🅿🔳🔳

**CAMPING
MUNICIPAL
SAINT-PROMASSE**
Route de Sigonce
Tél. 04 92 75 27 94
Ouvert avr.-oct.
Surveillé

**HÔTELLERIE
LE COLOMBIER**
Mas des Dragons
Tél. 04 92 75 03 71
Fax 04 92 75 14 30
Fermé jan.
🔀🅿🔳🔳

FRÉJUS

83600 H7
→ **RESTAURANTS**
LA TOQUE BLANCHE
385, av. Victor-Hugo
Tél. 04 94 52 06 14
Fermé lun.
et fin juin-mi-juil.
🔲🔳

LES POTIERS
135, rue des Potiers
Tél. 04 94 51 33 74
Fermé jan.
🔲🔳

→ **HÉBERGEMENT**
AUBERGE DE JEUNESSE
Chemin du Counillier
Tél. 04 94 53 18 75
Fax 04 94 53 25 86
Ouvert toute l'année
Fermeture à 22 h
*Possibilité
de camper*
🔳🔳

LE COLOMBIER *
139, route de
Bagnols
Tél. 04 94 51 45 92
Fax 04 94 53 82 85
Fermé 20 nov.-
20 déc. et 2 jan.-
début fév.
🔀🔳

→ **HÔTEL-RESTAURANT**
HÔTEL ARÉNA *
139, rue De-Gaulle
Tél. 04 94 17 09 40
Fax 04 94 52 01 52
Ouvert tlj.
🔲🔳🔀🔳🔳

GASSIN

83580 zone G8
→ **HÉBERGEMENT**
BELLO VISTO *
Place Barrys
Tél. 04 94 56 17 30
Fax 04 94 43 45 36
Ouvert toute l'année
🔳🔳

GORDES

84220 D6
→ **RESTAURANTS**
**COMPTOIR
DU VICTUAILLER**
Place du Château
Tél. 04 90 72 01 31
Fermé mar. soir-
mer. et nov.-Pâques
*Belle cave.
Réservation
conseillée.*
🔳🔳🔲🔳

💟 **MAS DE TOURTERON**
Les Imberts

Tél. 04 90 72 00 16
Fermé lun.-mar.
et 15 nov.-10 fév.
*Servie dans
un ravissant jardin
de curé, la cuisine
d'Élisabeth
Bourgeois
est excellente
et accompagnée par
les meilleurs vins.
Un rendez-vous
exceptionnel en
Luberon. Réservation
obligatoire.*
🔳🔳🔳🔳🅿🔳

→ **HÔTEL-
RESTAURANT**
LA GACHOLLE
Route de Murs
Tél. 04 90 72 01 36
Fax 04 90 72 01 81
Fermé 3 jan.-15 mars
*Belle vue sur
le Luberon.
Piscine chauffée
à l'extérieur.*
🔳🔳🔀🅿🔳🔳

→ **HÉBERGEMENT**
LES BORIES **
Route de l'Abbaye-
de-Sénanque
Tél. 04 90 72 00 51
Fax 04 90 72 01 22
Fermé nov.-15 mars
*Chambres dans
d'authentiques bories
ou dans un mas.
Tennis.*
🎿🔀🅿🔳🔳

**FERME
DE LA HUPPE**
D156
Les Pourquiers
Tél. 04 90 72 12 25
Fax 04 90 72 01 83
Fermé 20 déc.-mars
*Vieille ferme
restaurée.
Réservation
conseillée.*
🔳🔳🔀🅿🔳🔳

GRASSE

06130 H7
→ **HÔTELS-RESTAURANTS**
**LA BASTIDE
SAINT-ANTOINE**
48, av. Henri-Dunant
Tél. 04 93 70 94 94
Fax 04 93 70 94 95
Ouvert t.l.j.
*Jacques Chibois
a fait de cette bastide
du XVIIIe siècle
une des meilleures
tables de la région.*
🔀🔳🔲🔳🔳

335

◆ SÉLECTION D'ADRESSES
HÔTELS, RESTAURANTS, DIVERTISSEMENTS ET MAGASINS

HÔTEL DU PATTI ✱✱
Place Patti
Tél. 04 93 36 01 00
Fax 04 93 36 36 40
Ouvert toute l'année
Restaurant fermé dim.
Hôtel situé au cœur de la cité médiévale. Décor agréable. Gratuit pour les enfants de moins de 12 ans partageant la chambre de leurs parents.
🛇🍴▢▢●🅿

→ MAGASINS
PARFUMERIE FRAGONARD
2, rue Jean Ossela
Tél. 04 93 36 44 65

PARFUMERIE GALIMARD
73, route de Cannes
Tél. 04 93 09 20 00

PARFUMERIE MOLINARD
60, bd Victor-Hugo
Tél. 04 93 36 01 62

GRIMAUD
83310   zone G8
→ RESTAURANT
LA BOULANGERIE
Route de Collobrières
Tél. 04 94 43 23 16
Ouvert Pâques-10 oct.
🛇🍴▢

HYÈRES
83400   F9
→ RESTAURANT
LES JARDINS DE BACCHUS
32, av. Gambetta
Tél. 04 94 65 77 63
Fermé sam. soir, lun.,
1ᵉ sem. jan.
et 2ᵉ quinzaine juin
🛇▢

→ HÉBERGEMENT
HOSTELLERIE PROVENÇALE «LA QUÉBÉCOISE» ✱✱
20, av. Costebelle
Tél. 04 94 57 69 24
Fax 04 94 38 78 27
Demi-pension

obligatoire en saison, pension complète possible le reste de l'année.
🛇🍴▢▢

LE PROVENÇAL ✱✱✱
Giens
Place Saint-Pierre
Tél. 04 94 58 20 09
Fax 04 94 58 95 44
Fermé en hiver
jusqu'à mi-avril
🛇🍴

LORGUES
83510   zone G7
→ RESTAURANT
CHEZ BRUNO
Campagne Mariette
Route des Arcs
Quartier le Plan
Tél. 04 94 73 92 19
Fermé dim. soir-lun.

Produits du terroir
🛇🅿▢●▢

LOURMARIN
84160   D6
→ RESTAURANT
LA FENIÈRE
Route de Cadenet
BP 18
Tél. 04 90 68 11 79
Fax 04 90 68 18 60
Fermé lun.,
15-30 nov. et 10 jan.-
10 fév.
Cuisine gastronomique
🛇▢▢

→ HÔTEL-RESTAURANT
LE MOULIN DE LOURMARIN ✱✱✱✱
Rue du Temple
Tél. 04 90 68 06 69
Fax 04 90 68 31 76
Fermé hors saison :
mar.-mer. midi,
29 nov.-10 déc.
et 10 jan.-fév.
Ancien moulin à huile restauré. Excellente table. Cuisine à base

de produits locaux.
🌀🍴▢▢▢🅿🍴▢
▢

→ HÉBERGEMENT
HÔTEL DE GUILLES ✱✱✱
Route de Vaugines
Tél. 04 90 68 30 55
Fermé nov.-mars
*Vieux mas restauré.
Tennis.*
▢🅿🍴▢▢

CAMPING DES HAUTES-PRAIRIES
Route de Vaugines
Tél. 04 90 68 02 89
Fax 04 90 68 23 83
Fermé nov.-mars
Équipements sportifs
🍴▢

MANOSQUE
04100   E6
→ RESTAURANTS
LA RÔTISSERIE
(Dominique Bucaille)
43, bd des Tilleuls
Tél. 04 92 72 32 38
Fermé mer. soir et dim.
Cuisine gastronomique
▢

LA SOURCE
Route de Dauphin
Tél. 04 92 72 12 79
Fermé lun., sam. midi
et nov.
🛇▢▢▢

LE LUBERON
21 *bis*, place du
Terreau
Tél. 04 92 72 03 09
Fermé dim. soir
et lun.
*Cuisine provençale
et produits du terroir*

→ HÉBERGEMENT
**AUBERGE DE JEUNESSE
LA ROCHETTE**
Avenue Argile
Tél. 04 92 87 57 44
Ouvert toute l'année
🍴🅿▢▢

LE PROVENCE ✱✱
Route de la Durance
Tél. 04 92 72 39 38
Fax 04 92 87 55 13
Fermé dim. soir
en hiver
▢▢🅿▢▢

PRÉ-SAINT-MICHEL ✱✱
Route de Dauphin
Tél. 04 92 72 14 27
Fax 04 92 72 53 04

Ouvert
toute l'année
🍴▢🅿▢▢

MARSEILLE
13001 à 13016   D8
→ RESTAURANTS
💟 **LA BAIE DES SINGES**
Cap Croisette (VIIIᵉ)
Tél. 04 91 73 68 87
Ouvert mai-sep.
Restaurant en plein air, typiquement marseillais
▢

💟 **LE PANIER DES ARTS**
3, rue du Petit-Puits
(IIᵉ)
Tél. 04 91 56 02 32
Ouvert toute l'année
Fermé sam. midi
et dim.
🛇▢

💟 **LES CAPRICES DE MARIANNE**
23, rue Francis-Davso (Iᵉʳ)
Tél. 04 91 55 67 71
Ouvert 8 h-18 h
Fermé dim.-lun.
Charme raffiné d'un salon de thé aux couleurs provençales
▢

💟 **LES MENUS PLAISIRS**
1, rue Haxo (Iᵉʳ)
Tél. 04 91 54 94 38
Ouvert à midi
Fermé sam.-dim.
À chaque jour son menu. Très frais
▢

→ HÉBERGEMENT
AUBERGE DE JEUNESSE
Château de Bois-Luzy
Allée des Primevères
(XIIᵉ)
Tél. 04 91 49 06 18
▢

ESTÉREL ✱✱
124, rue Paradis (VIᵉ)
Tél. 04 91 37 13 90
Fax 04 91 81 47 01
Ouvert toute l'année
🅿▢🛇▢

💟 **MERCURE-BEAUVAU-VIEUX PORT ✱✱✱✱**
4, rue Beauvau (Iᵉʳ)
Tél. 04 91 54 91 00
Fax 04 91 54 15 76
Ouvert toute l'année
Vue sur le vieux port
🛇▢

MIMOSAS

💟 **NEW HOTEL**
BOMPARD ***
2, rue des Flots-Bleus
Corniche Kennedy
(VIIe)
Tél. 04 91 52 10 93
Fax 04 91 31 02 14
Ouvert toute l'année
🏖 P 🏠 📺 🔲

💟 **SAINT-FERRÉOL *****
9, rue Pisançon (Ier)
Tél. 04 91 33 12 21
Fax 04 91 54 29 97
Fermé 1er-21 août
Jacuzzi
🏖 ⊞

→ **DIVERTISSEMENT**
BAR DE LA MARINE
15, quai
de Rive-Neuve (VIIe)
Tél. 04 91 54 95 47
Ouvert lun.-sam.
7 h-2 h

LE NEWPORT
18, quai
de Rive-Neuve (Ier)
Tél. 04 91 54 23 83
Ouvert lun.-sam.
8 h-3 h
Bar

💟 **LE PELLE-MÊLE**
45, rue d'Estienne-
d'Orves (Ier)
Place aux Huiles
Tél. 04 91 54 85 26
Ouvert lun.-sam.
17 h-2 h
Bar musical. Jazz.

→ **MAGASINS**
FAÏENCERIE FIGUÈRES
12, av. Lauzier
Tél. 04 91 73 06 79

**LA SAVONNERIE
LE SÉRAIL**
50, bd Anatole-de-la-
Forge
Tél. 04 91 98 28 25

**LE FOUR
DES NAVETTES**
136, rue Sainte
Tél. 04 91 33 32 12

SAVONNERIE DU MIDI
72, rue Augustin-Roux
Tél. 04 91 60 54 04

MENTON
06500   J6
→ **RESTAURANT**
💟 **LA VÉRANDA**
*Hôtel des
Ambassadeurs*
2, rue du Louvre
Tél. 04 93 28 75 75

Fax 04 93 35 62 32
Fermé dim. soir
hors saison
🔲 💻 🏠 🏖 🔲

→ **HÔTEL-RESTAURANT**
HÔTEL AIGLON ***
7, av. de la Madone
Tél. 04 93 57 55 55

LE BAR DE LA MARINE À MARSEILLE

Fax 04 93 35 92 39
Fermé 8 nov.-20 déc.
🔲 🏖 🏠 P 🔲 🍴 📺 🔲
🔲 ♿ 🔲

→ **HÉBERGEMENT**
AUBERGE DE JEUNESSE
Plateau Saint-Michel
Tél. 04 93 35 93 14
Fax 04 93 35 93 07
Fermé 15 nov.-jan.
♿ 🔲

**HÔTEL
DES AMBASSADEURS ******
3, rue Partouneaux
Tél. 04 93 28 75 75
Fax 04 93 35 62 32
Ouvert mi-fév.-nov.
🏖 🏠 ⊞

→ **DIVERTISSEMENT**
**DISCOTHÈQUE
DU CASINO
LUCIEN-BARRIÈRE**
2 bis, av. Félix-Faure
Tél. 04 92 10 16 16

**MOUSTIERS-
SAINTE-MARIE**
04360   F6
→ **RESTAURANT**
💟 **LES SANTONS**
Place de l'Église
Tél. 04 92 74 66 48
Fermé lun. soir-mar.
*Maison bourgeoise
typiquement
provençale,*

*avec une terrasse
qui surplombe la
source de Moustiers.
Dégustez le poulet
au miel et aux
épices ou le fois gras
poêlé.
Belle cave du Midi.*
P 🏠 🔲

→ **HÉBERGEMENT**
**AUBERGE
DE LA FERME ROSE ****
Route de Sainte-
Croix-de-Verdon
Tél. 04 92 74 69 47
Fax 04 92 74 63 80
Ouvert 15 mars-nov.
📺 🔲

**GÎTE D'ÉTAPE LES
CAVALIERS DU VERDON**
GR 4 - Melen
Tél. 04 92 74 60 10
Ouvert mars-nov.
Le reste de l'année
sur réservation
🔲

LA BONNE AUBERGE **
Route de Castellane
Tél. 04 92 74 66 18
Fax 04 92 74 65 11
Fermé mi-nov.-mi-fév.
🔲

LE COLOMBIER **
Quartier Saint-Michel
Tél. 04 92 74 66 02
Fax 04 92 74 66 70
Fermé déc.-jan.
🏖 🔲 P 🏠 🔲 🔲

NANS-LES-PINS
83860   zone F8
→ **HÔTEL-RESTAURANT**
**DOMAINE
DE CHÂTEAUNEUF ******
RN 560

Tél. 04 94 78 90 06
Fax 04 94 78 63 30
Réouverture
en avr. 2000
Fermé 15 jan.-fév.
*Sur le golf
de la Sainte-Baume.
Jardin, tennis,
équitation à proximité*
🔲 ♿ P 🏠 🏠 🌊 📺
🔲 🔲

NICE
06000   I6-7
→ **RESTAURANTS**
BOCCACCIO
7, rue Masséna
Tél. 04 93 87 71 76
Fax 04 93 82 09 06
*Fruits de mer
et poisson*
🔲 🏠 🔲

L'ACCHIARDO
38, rue droite
Tél. 04 93 85 51 16
Fermé sam. soir,
dim., j. fér. et août
*Spécialités niçoises.
Cuisine pittoresque
et simple.*
🔲

LE CHANTECLER
Hôtel *Negresco*
37, promenade
des Anglais
Tél. 04 93 16 64 00
Fermé 16 nov.-15 déc.
*Restaurant
gastronomique tenu
par le chef Alain
Llorca*
🔲 ♿

LE POT D'ÉTAIN
12, rue Meyerbeer
Tél. 04 93 88 25 95
Fermé dim.-lun. midi
🏖 🏠 🔲 🔲

💟 **LE VENDÔME**
1, place Grimaldi
Tél. 04 93 16 18 28
Fermé dim.
Cuisine traditionnelle
🔲 🏠 🏠 🔲

→ **HÔTELS-RESTAURANTS**
💟 **LA PÉROUSE ******
11, quai Rauba-
Capeu
Tél. 04 93 62 34 63
Fax 04 93 62 59 41
Fermé dim. soir
*Palace de charme.
Sauna et Jacuzzi.*
🔲 🏠 🏠 ⊞

LE NEGRESCO *****
37, promenade

◆ SÉLECTION D'ADRESSES
HÔTELS, RESTAURANTS, DIVERTISSEMENTS ET MAGASINS

des Anglais
Tél. 04 93 16 64 00
Fax 04 93 88 35 68
negresco@nicematin.fr
Ouvert toute l'année
Plage privée
🚗❓🅿️▦

L'EXCELSIOR **
19, av. Durante
Tél. 04 93 88 18 05
Fax 04 93 88 69
Ouvert toute l'année
*Restaurant.
Salle
de conférences.*
🚗❓🔼❓▦🔽🔲

WINDSOR ***
11, rue Dalpozzo
Tél. 04 93 88 59 35
Fax 04 93 88 94 57
www.webstore.fr/windsor
windsor@webstore.fr
Restaurant fermé
sam. midi et dim.
*Cet hôtel propose
des chambres
décorées
par des artistes
contemporains
(unique sur la côte).
Hammam, sauna,
salle de massage.*
❓❓🔼🅿️🔲❓🔽🔲

→ HÉBERGEMENT
AUBERGE DE JEUNESSE
Route forestière
du Mont-Alban
Tél. 04 93 89 23 64
Fax 04 93 04 03 10
Ouvert toute l'année
7 h-10 h et 17 h-23 h
🔲

💟 **FLORIDE** **
52, bd Cimiez
Tél. 04 93 53 11 02
Fax 04 93 81 57 46
Ouvert toute l'année
*Beau point de vue,
bon rapport
qualité-prix.*
❓🚗🔼🅿️🔲❓

→ DIVERTISSEMENT
CHEZ WAYNE PUB
15, rue de la
Préfecture
Tél. 04 93 13 46 99
Ouvert 9 h-00 h
Pub anglais

**DISCOTHÈQUE
DU CASINO RUHL**
1, promenade
des Anglais
Tél. 04 93 87 95 87

PUB L'ESCALIER
10, rue de la
Terrasse
Vieux Nice
Tél. 04 93 92 64 39
*Il apporte au monde
des pubs niçois
une touche
de classe.*

→ MAGASINS
ALZIARI
14, rue Saint-
François-de-Paul
Tél. 04 93 85 76 92
Huile d'olive

CONFISERIE AUER
7, rue Saint-François-
de-Paul
Tél. 04 93 85 77 98
*Connu pour ses fruits
confits et ses glaces
à l'italienne.*

84100   C5
→ RESTAURANT
LE PARVIS
3, cours Pourtoule
Tél. 04 90 34 82 00
Fermé dim. soir-lun.
et nov.
*Près du théâtre
antique. Spécialités
régionales.*
❓🔼🔲❓🔽

→ HÔTELS-RESTAURANTS
HÔTEL ARÈNE ***
Place de Langes
Accès rue Victor-
Hugo
Tél. 04 90 11 40 40
Fax 04 90 11 40 45
Fermé 8-30 nov.
Chaîne Relais du
Silence
🚗❓🔼🅿️🔲🔼❓🔽

MAS DES AIGRAS
Chemin des Aigras
Tél. 04 90 34 81 01
Fax 04 90 34 05 66

ORANGE, IMPASSE BOISSEL

Fermé 5-20 jan.
Restaurant fermé
mar. soir-mer.
*Chambres d'hôtes,
dans les vignes.
Repas le soir pour
les résidents,
sur réservation.*
🚗❓🅿️🔼❓
🔲🔽

04120   zone F5-6
→ HÉBERGEMENT
AUBERGE DES CRÊTES **
Route de Castellane
Tél. 04 92 77 38 47
Fax 04 92 77 30 40
Ouvert avr.-10 oct.
❓🅿️🔲❓

**GÎTE D'ÉTAPE
L'ARC-EN-CIEL**
Place de l'Église
Tél. 04 92 77 37 40
Ouvert avr.-mi-nov.

**GÎTE D'ÉTAPE
LE WAPITI**
Route de Moustiers
Tél. 04 92 77 30 02
Ouvert avr.-15 nov.

PROVENCE **
Route de la Maline
Tél. 04 92 77 38 61
Fax 04 92 77 36 50
Ouvert fin mars-mi-
nov.
❓❓🅿️🔼🔽

06440   zone I6-7
→ RESTAURANT
L'AUTHENTIQUE
*Auberge de la
Madone*
3, place Auguste-
Arnulf
Tél. 04 93 79 91 17
Fermé mer. ; 20 oct.-
20 déc. et 8-24 jan.
*Gastronomie
de terroir. Accueil
charmant.*
🔼🔽❓🅿️❓🔽

→ HÉBERGEMENT
💟 **AUBERGE
DE LA MADONE** ***
3, place Auguste-
Arnulf
Tél. 04 93 79 91 17
Fax 04 93 79 99 36
Fermé mer.,
7-31 jan. et 20 oct.-
20 déc.
*Auberge de tradition.
Tennis.*
❓🔼🅿️❓🔽

83400   F9
→ HÉBERGEMENT
💟 **LES GLYCINES** **
Place d'Armes
Tél. 04 94 58 30 36
Fax 04 94 58 35 22
Ouvert toute l'année
Demi-pension
obligatoire 10 fév.-
déc.
❓▦

💟 **L'OUSTAU** ***
Place d'Armes
Tél. 04 94 58 30 36
Fax 04 94 58 34 93
Ouvert toute l'année
❓▦

MAS DU LANGOUSTIER ***
Tél. 04 94 58 30 09
Fax 04 94 58 36 02
Fermé 25 nov.-
25 déc. et 5-25 janv.
Demi-pension
(hors saison
uniquement). Pension
complète obligatoire
mai-15 oct.
2 courts de tennis.
🔼❓🎾▦

SAINTE-ANNE **
Place d'Armes
Tél. 04 94 58 30 04
Fax 04 94 58 32 26
Fermé 7 jan.-12 fév.
et 15 nov.-25 déc.
Demi-pension
obligatoire juil.-août
❓🚗▦

83400   G9
→ HÉBERGEMENT
LE MANOIR **
Tél. 04 94 05 90 52
Fax 04 94 05 90 89
Ouvert mi-mai-
fin sep.
Demi-pension
obligatoire
15 mai-22 sep.
❓❓🔼▦

83350   G8
→ HÔTEL-RESTAURANT
LE BAOU ***
Dans le village
Tél. 04 94 79 20 48
Fax 04 94 79 28 36
Ouvert 27 mars-oct.
❓🅿️🔲▦

→ HÉBERGEMENT
DEI MARRES ***
Route de

338

Saint-Tropez
Tél. 04 94 97 26 68
Fax 04 94 97 62 76
Ouvert 15 mars-oct.
Court de tennis.
Cadre agréable.
🏖🎾🏠⊞

LA FERME D'AUGUSTIN *
Route Tahiti
Tél. 04 94 97 23 83
Fax 04 94 97 40 30
Ouvert 20 mars-
20 oct.
Climatisation
🏖☀️P⬜🏠⊞

LA FIGUIÈRE *
Route Tahiti
Tél. 04 94 56 21 04
Fax 04 94 97 68 48
Fermé 10 oct.-mars
🏖P🏠🎿⊞

LA FIGUIÈRE, RAMATUELLE

SAINTES-MARIES-DE-LA-MER (LES)
13460   B8
→ RESTAURANTS
LE DELTA
Place Mireille
Tél. 04 90 97 81 12
Fermé 10 jan.-10 fév.
🏖🅿

LE SAUVAGEON
Route du Bac
Tél. 04 90 97 89 43
Fermé lun.
Bonne cuisine
traditionnelle.
Soirées gitanes.
P🏠🅿

L'IMPÉRIAL
1, place des Impériaux
Tél. 04 90 97 81 84
Fermé début nov.-
fin mars
Réserver
🅿

→ HÔTEL-RESTAURANT
🛏 **MAS**
DU CLAROUSSET *
Route de Cacharel

Tél. 04 90 97 81 66
Fax 04 90 97 88 59
Ouvert toute l'année
Cadre agréable
🏖🏠☀️P🏠⊞🅿

→ HÉBERGEMENT
AUBERGE DE JEUNESSE
École communale
Lieu-dit
de Pioch Badet
Tél. 04 90 97 51 72
🅿

🛏 **HÔTEL**
DE CACHAREL *
Route de Cacharel
Tél. 04 90 97 95 44
Fax 04 90 97 87 97
Ouvert toute l'année
Cadre agréable
et promenades
à cheval. Assiettes
campagnardes
de 12 h à 20 h.
🏠☀️P🏠⊞

LOU MARQUÈS *
Rue du Vibre
Tél. 04 90 97 82 89
Fax 04 90 97 72 24
Fermé nov.-mars
🏖🏠🅿

🛏 **MAS DE LA FOUQUE ****
Route d'Aigues-
Mortes
Tél. 04 90 97 81 02
Fax 04 90 97 96 84
Fermé déc.-mi-mars
Cadre agréable.
Tennis
🏠🏖☀️P🏠⊞

SAINT-JEAN-CAP-FERRAT
06230   zone I6
→ RESTAURANT
LE SLOOP
Port de Plaisance
Tél. 04 93 01 48 63
Fermé hiver :
mar.-mer. ;
été : mer. midi

---

et jeu. midi ;
15 nov.-20 déc.
🏠🅿🅿

→ HÔTELS-RESTAURANTS
GRAND HÔTEL
DU CAP-FERRAT ***
Bd du Général-
De-Gaulle
Tél. 04 93 76 50 50
Fax 04 93 76 04 52
Fermé 3 jan.-3 mars
Piscine olympique
d'eau de mer
chauffée, tennis,
salle de gym. Parc
de 7 ha de pinède.
Restaurant
gastronomique.
🏖🍽☀️🏠P🏠⊞🅿

LA FRÉGATE *
Av. Denis-Seméria
(sur le port)
Tél. 04 93 76 04 51
Fax 04 93 76 14 93
Restaurant fermé
15 nov.-15 jan.
🏠🏠🅿🅿

→ HÉBERGEMENT
BRISE MARINE *
58, av. Jean-Mermoz
Tél. 04 93 76 04 36
Fax 04 93 76 11 49
Fermé début
nov.-fév.
🏖🏠🏠🅿⊞

SAINT-MAXIMIN-LA-SAINTE-BAUME
83470   E7
→ RESTAURANT
CHEZ NOUS *
3-5, bd Jean-Jaurès
Tél. 04 94 78 02 57
ou 04 94 78 13 04
Fermé 15 déc.-
15 jan.
🏠🏖🅲🅿

→ HÉBERGEMENT
HÔTEL DE FRANCE *
Av. Albert-Ier
Tél. 04 94 78 00 14
Fax 04 94 59 83 80
Ouvert toute l'année
Chèques-vacances
acceptés.
🏖🅲P🏠🏖🏠🅿

SAINT-PAUL-DE-VENCE
06570   zone I6
→ RESTAURANTS
LA BROUETTE
830, route de Cagnes
Tél. 04 93 58 67 16
Fermé dim.-lun.
Spécialités

---

scandinaves.
Vue sur Saint-Paul.
🏠P🏠🏖🅲🅿

LE SAINT-PAUL
86, rue Grande
Tél. 04 93 32 65 25
Fax 04 93 32 52 94
Fermé mer.-jeu. midi
en hiver ;
mi-déc.-mi-jan.
Bâtiment
du XVIe siècle

→ HÉBERGEMENT
LA COLOMBE D'OR *
Place De Gaulle
Tél. 04 93 32 80 02
Fax 04 93 32 77 78
Fermé 2 nov.-
20 déc.
🅲🏖☀️P🏠🏖🏠
🅿⊞

🛏 **LES ORANGERS ***
Chemin des
Sumerates
Tél. 04 93 32 80 95
Fax 04 93 32 00 32
Ouvert toute l'année
🏠🅿🅿⊞

LES VERGERS
DE SAINT-PAUL *
940, route de la Colle
Tél. 04 93 32 94 24
Fax 04 93 32 91 07
Ouvert toute l'année
🏠🏖☀️P🅿🅿

SAINT-RAPHAËL
83700   H8
→ RESTAURANTS
L'ARBOUSIER
6, av. de Valescure
Tél. 04 94 95 25 00
Fermé mar. soir
et mer. hors saison
🏠🅿

🛏 **PASTOREL**
54, rue de la Liberté
Tél. 04 94 95 02 36
Ouvert mar.-dim.
Fermé à midi en août
Cuisine provençale
🏖🅿

→ HÔTEL-RESTAURANT
LE SAN PEDRO
Av. du Colonel-Brooke
Tél. 04 94 19 90 20
Fax 04 94 19 90 21
Fermé 2 sem. en nov.
Restaurant *Les*
jardins du San Pedro
fermé mar., mer. midi
et sam. midi en
basse saison.
🏠🏖🏠🅿⊞

◆ SÉLECTION D'ADRESSES
HÔTELS, RESTAURANTS, DIVERTISSEMENTS ET MAGASINS

→ HÉBERGEMENT
HÔTEL DE L'ESTÉREL *
Cap Estérel
Tél. 04 94 82 51 00
Fax 04 94 82 51 68
Un village provençal sans voiture.
Accès handicapés.
▣🛏❄📶

LA POTINIÈRE *
Bd des Plaines
Tél. 04 94 19 81 71
Fax 04 94 19 81 72
Ouvert toute l'année
▣✖❄📶🛏▣

SOL E MAR *
Le Dramont, RN 98
Tél. 04 94 95 25 60
Fax 04 94 83 83 61
Fermé 15 oct.-
Pâques
Demi-pension obligatoire en été
▣✖❄🛏▣

SAINT-RÉMY-DE-PROVENCE
13210   C6

→ RESTAURANTS
💚 **LE JARDIN DE FRÉDÉRIC**
8 *bis*, bd Gambetta
Tél. 04 90 92 27 76
Fermé mer. et vac. de fév.
✖📶▣

LE VALLON DE VALRUGUES
Chemin Canto-Cigalo
Tél. 04 90 92 04 40
Fax 04 90 92 41 01
Ouvert tlj.
✖📶📶▣

→ HÔTEL-RESTAURANT
DOMAINE DE VALMOURIANE
Petite route des Baux, 5 km par la N 99 et D 27
Tél. 04 90 92 44 62
✖❄📶▣▣

→ HÉBERGEMENT
CASTELET DES ALPILLES *
6, place Mireille
Tél. 04 90 92 07 21
Fax 04 90 92 52 03
Fermé nov.-avr.
📶📶✖▣

💚 **CHÂTEAU DES ALPILLES ****
Route du Rougadou
D 31
Tél. 04 90 92 03 33

Fax 04 90 92 45 17
Fermé jan.-mi-mars
▣✖📶📶▣

💚 **VILLA GLANUM ***
46, av. Vincent-Van-Gogh
Tél. 04 90 92 03 59
Fax 04 90 92 00 08
Fermé nov.-mi-mars
▣✖❄📶📶▣

→ DIVERTISSEMENT
LE CAFÉ DES ARTS
30, bd Victor-Hugo

FAÇADES DE SOSPEL

RÉSIDENCE DE LA PINÈDE, SAINT-TROPEZ

Tél. 04 90 92 13 41
Ouvert tlj. jusqu'à 0 h 30
Fermé 2-17 nov. et fév.

SAINT-TROPEZ
83990   G8

→ RESTAURANT
💚 **LEÏ MOUSCARDINS**
Quai F. Mistral,
Le Portelet
Tél. 04 94 97 46 10
Fermé jan.
Laurent Tarridec, l'ancien chef du Bistrot des Lices, a installé son restaurant au bord de la mer, avec une double vue, côté port et côté large.

Excellente cuisine méditerranéenne.
▣🛏▣

→ HÔTEL-RESTAURANT
LA BASTIDE DE SAINT-TROPEZ
Route des Carles
Tél. 04 94 97 58 16
Fermé 3 jan.-13 fév.
Restaurant *L'Olivier* fermé oct.-avr. : lun.-mar.
Spécialité : cuisine provençale
✖❄📺▣▣

→ HÉBERGEMENT
LA MESSARDIÈRE **
Route de Tahiti
Tél. 04 94 56 76 00
Fermé oct.-mars
Cadre agréable
✖❄▣🛏▣

💚 **LE PRÉ DE LA MER ***
Route des Salins
Tél. 04 94 97 12 23
Fax 04 94 97 43 91
Fermé oct.-Pâques
📶🛏▣

RÉSIDENCE DE LA PINÈDE **
Plage de la Bouillabaisse
Tél. 04 94 55 91 00
Fermé 15 oct.-15 mars
✖❄▣

SISTERON
04200   F5

→ RESTAURANT
BECS FINS
16, rue Saunerie
Tél. 04 92 61 12 04
Fermé mer. et dim. soir, 3e sem. juin, 3e sem. nov.
▣✖▣▣

→ HÉBERGEMENT
GRAND HÔTEL DU COURS *
Place de l'Église
Tél. 04 92 61 04 51
Fax 04 92 61 41 73
Ouvert mars-15 nov.
▣

LES CHÊNES *
300, route de Gap
Tél. 04 92 61 15 08
Fax 04 92 61 16 92
Fermé 20 déc.-20 jan.
▣✖📶▣
📶▣

SOSPEL
06380   I6

→ HÔTEL-RESTAURANT
AUBERGE PROVENÇALE *
Route de Menton
Tél. 04 93 04 00 31
Fermé nov.-11 déc.
▣📶📶▣▣

TARASCON
13150   B6

→ RESTAURANT
LA PAILLOTE
28, rue du Dr-Fanton
Tél. 04 90 96 33 15
Fax 04 90 96 56 14
Fermé jeu.
✖▣

→ HÉBERGEMENT
AUBERGE DE JEUNESSE
31, bd Gambetta
Tél. 04 90 91 04 08
▣

LES MAZETS DES ROCHES *
Route de Fontvieille
Tél. 04 90 91 34 89
Ouvert avr.-sep.
✖❄📶📶▣

MAS DE MONGE
Route d'Avignon
Tél. 04 90 43 56 55
6 appartements à louer avec jardins.
Au pied de la Montagnette.
▣📶❄📶

340

→ **MAGASIN**
SOULÉIADO (FABRIQUE)
39, rue Proudhon
Tél. 04 90 91 08 80

TOULON

83000   F9

→ **RESTAURANTS**
AU SOURD
10, rue Molière
Tél. 04 94 92 28 52
Fermé juil. : dim.-lun.
🖃 🄿 ⌧

CHEZ BERNARD
Sentier des Douaniers
Tél. 04 94 27 20 62
Fermé nov.-fév.
*Au bord de l'eau. Sur réservation le soir.
Spécialité : poissons.*
🖃 ⌧

LE LIDO
Plage du Lido
Av. Frédéric-Mistral
Le Mourillon
Tél. 04 94 03 38 18
Fax 04 94 42 07 65
Fermé lun. et oct.-mai
Produits de la mer
🖃 ⌧ ⌧

→ **HÉBERGEMENT**
AMERICA **
51, rue Jean-Jaurès
Tél. 04 94 92 32 19
Fax 04 94 09 18 99
Parking payant
⌧ 🄿 ⌧

LES BASTIDIÈRES ***
2371, av.
de la Résistance
Le Cap-Brun (83100)
Tél. 04 94 36 14 73
Fax 04 94 42 49 75
*Carte de crédit
refusée.*
⌧ ⌧ ⌧

VAISON-LA-ROMAINE

84110   C5

→ **RESTAURANT**
LE BRIN D'OLIVIER
4, rue du Ventoux
Tél. 04 90 28 74 79
Fermé mer.
Saveurs provençales
⌧ 🖃 ⌧ ⌧

→ **HÔTELS-RESTAURANTS**
LA FÊTE EN PROVENCE
Place du Marché
Tél. 04 90 36 36 43
Fermé nov.-Pâques
*Cuisine régionale.
Service après le
spectacle pendant
tout le festival.*
⌧ ⌧ ⌧ ⌧ ⌧

LE BEFFROI ***
Rue de l'Évêché
Tél. 04 90 36 04 71
Fax 04 90 36 24 78
Fermé fév.-25 mars
Restaurant fermé mi-
oct.-déb. avr.
*Belle demeure
du XVIᵉ siècle*
Ⓒ ⌧ ⌧ ⌧ ⌧

→ **HÉBERGEMENT**
L'ÉVÊCHÉ
Rue de l'Évêché
Tél. 04 90 36 13 46
Fax 04 90 36 32 43
Fermé 15 déc.-
1ᵉʳ jan.
*Chambres d'hôtes
dans un ancien
évêché au cœur
de la vieille ville.*
⌧ ⌧ ⌧

**HÔTEL BURRHUS-
LE LIS ****
Place Montfort

VAISON-LA-ROMAINE, LE BEFFROI

Tél. 04 90 36 00 11
Fermé nov.-fév. :
dim. ; 15 nov.-
20 déc.
Ⓒ 🖃 ⌧ ⌧ ⌧ ⌧ ⌧

VALLAURIS

06220   H7

→ **HÉBERGEMENT**
BEAU SOLEIL ***
Impasse Beausoleil
par RN 7
Tél. 04 93 63 63 63
Fax 04 93 63 02 89
Fermé 15 oct.-
25 mars
Climatisation
⌧ ⌧ ⌧ 🖃 ⌧

CALIFORNIA *
222, av.
de la Liberté
Tél. 04 93 63 78 63

Fermé 25 oct.-
10 nov.
À 100 m de la mer
⌧ ⌧ ⌧

VALRÉAS

84600   C4

→ **HÔTEL-
RESTAURANT**
LE GRAND HÔTEL **
28, av. du
Général-De-Gaulle
Tél. 04 90 35 00 26
Fax 04 90 35 60 93
Fermé 20 déc.-
28 jan.
Restaurant fermé
dim. et nov.-mars
Cuisine traditionnelle
⌧ 🖃 🄿 ⌧ ⌧ ⌧

VENCE

06140   I6

→ **RESTAURANT**
**AUBERGE
DES TEMPLIERS**
39, av. Joffre
Tél. 04 93 58 06 05
Ouvert jusqu'à
22 h
Fermé lun. en hiver ;
25 oct.-5 nov.
⌧ ⌧ 🖃 ⌧

→ **HÉBERGEMENT**
**CLOSERIE
DES GENÊTS ***
4, impasse
Marcellin-Maurel
Tél. 04 93 58 33 25
Fax 04 93 58 78 50
⌧ 🖃 ⌧ ⌧ ⌧

LA ROSERAIE ***
51, av. Henri-Giraud
Tél. 04 93 58 02 20
Fax 04 93 58 97 01
*Petit hôtel dans une
maison ancienne*
⌧ ⌧ ⌧ 🖃 🄿 ⌧ ⌧

VILLEFRANCHE-
SUR-MER

06230   I6

→ **RESTAURANT**
LA GRIGNOTIÈRE
3, rue du Poilu
Direction Rhodes
Tél. 04 93 76 79 83
Ouvert tlj. à partir
de 19 h
*Cadre romantique
avec musique
classique*
🖃 ⌧ ⌧

→ **HÉBERGEMENT**
LE PATRICIA *
Pont Saint-Jean
Avenue de l'Ange-
Gardien

Tél./fax
04 93 01 06 70
⌧ 🄿 🖃 ⌧

LE WELCOME ***
Quai Courbet
Tél. 04 93 76 27 62
Fax 04 93 76 27 66
Fermé 15 nov.-
22 déc.
*Vue sur la rade
et la vieille ville.
Cocteau
y séjourna.
Réserver à l'avance.
Restaurant
Le Saint-Pierre :
spécialités
de poissons.*
🖃 Ⓒ ⌧ ⌧ ⌧

VILLENEUVE-
LÈS-AVIGNON

30400   C6

→ **RESTAURANTS**
AUBERTIN
1, rue de l'Hôpital
Tél. 04 90 25 94 84
Fermé dim.-lun. midi
⌧ 🖃 ⌧ Ⓒ ⌧

**MON MARI ÉTAIT
PÂTISSIER**
3, bd Pasteur
Tél. 04 90 25 52 79
Fermé lun., fév. et
congés scolaires
Cuisine du terroir
⌧ ⌧ ⌧ ⌧

→ **HÔTEL-
RESTAURANT**
**HOSTELLERIE
LE PRIEURÉ ******
7, place du Chapitre
Tél. 04 90 15 90 15
Fermé nov.-17 mars
Restaurant fermé
mars-avr. : mer. ; oct.
*Ancien domaine
ecclésiastique dans
de très beaux jardins.
Tennis.*
⌧ 🄿 ⌧ ⌧ ⌧ ⌧ ⌧

→ **HÉBERGEMENT**
HÔTEL DE L'ATELIER **
5, rue de la Foire
Tél. 04 90 25 01 84
Fermé début nov.-
début déc.
🖃 ⌧ ⌧ 🄿 ⌧ Ⓒ ⌧
⌧

**CAMPING
DE LA LAUNE**
Chemin Saint-Honoré
Tél. 04 90 25 76 06
Fermé 15 oct.-mars
Équipements sportifs
⌧

Les communes sont classées par ordre alphabétique. La lettre et le chiffre suivant le code postal (ex. A7) renvoient aux coordonnées des cartes situées en début et en fin d'ouvrage.
Lorsque la commune ne possède pas d'office de tourisme, le numéro de téléphone de la mairie est indiqué (ex. M 04 93 79 50 04).

AIGUES-MORTES	30220	A7
OFFICE DE TOURISME Porte de la Gardette Tél. 04 66 53 73 00		
ENCEINTE ET TOUR DE CONSTANCE Tél. 04 66 53 61 65	Ouvert juin-août : 9 h 30-19 h ; mai et sep. : 9 h 30-18 h ; fév.-avr. et oct. : 10 h-17 h ; nov.-jan. : 10 h-16 h	▲ 170

AIX-EN-PROVENCE	13100	D7
OFFICE DE TOURISME 2, place du Général-De-Gaulle Tél. 04 42 16 11 61		
BIBLIOTHÈQUE MÉJANES 8-10, rue des Allumettes Tél. 04 42 25 98 88	Ouvert mar.-ven. 12 h-18 h et sam. 10 h-18 h	▲ 219
CATHÉDRALE 34, place des Martyrs-de-la-Résistance	Ouvert tlj. 7 h 30-12 h et 14 h-18 h Triptyque : visite lun.-sam. 10 h-11 h 30 et 14 h-16 h 30	▲ 213 ● 93
ÉGLISE DE LA MADELEINE Place des Prêcheurs	Ouvert 9 h-11 h 45 et 15 h-18 h 45 Fermé juil.-août : après-midi	▲ 216
ÉGLISE SAINT-JEAN-DE-MALTE Place Saint-Jean-de-Malte	Ouvert tlj. 9 h-12 h et 15 h-19 h Clé au presbytère, 24, rue d'Italie	▲ 218
FONDATION VASARELY 1, avenue Marcel-Pagnol Tél. 04 42 20 01 09	Ouvert nov.-14 mars : lun.-ven. 9 h 30-13 h et 14 h-18 h, sam.-dim. 9 h 30-18 h ; 15 mars-oct. : lun.-ven. 10 h-13 h et 14 h-19 h, sam.-dim. 10 h-19 h	▲ 219
HÔTEL D'ARBAUD 2 A, rue du 4-septembre Tél. 04 42 38 38 95	Ouvert mar. et jeu. (sauf j. fér.) 14 h-17 h	▲ 216
HÔTEL DE CHÂTEAURENARD 19, rue Gaston-de-Saporta Tél. 04 42 25 95 95	Ouvert lun.-ven. 8 h-18 h	▲ 215
HÔTEL DE VILLE Place de l'Hôtel-de-Ville Tél. 04 42 25 95 95	Ouvert lun.-ven. 8 h-16 h	▲ 215
LA GAUDE Route des Pinchinats par la D 63	Ouvert juin-sep. : lun.-ven. 10 h-12 h et 15 h-18 h Visite du jardin	▲ 219
LA MIGNARDE Route des Pinchinats par la D 63	Visite organisée par l'office de tourisme	▲ 219 ● 97
MUSÉE DES TAPISSERIES **ANCIEN ARCHEVÊCHÉ** Pl. des Martyrs-de-la-Résistance Tél. 04 42 23 09 91	Ouvert 10 h-11 h 45 et 14 h-17 h 45 Fermé mar., 1er jan., 1er mai et 25 déc.	▲ 214
MUSÉE DU VIEIL-AIX 17, rue Gaston-de-Saporta Tél. 04 42 21 43 55	Ouvert avr.-sep. : 10 h-12 h et 14 h 30-18 h ; nov.-mars : 14 h-17 h Fermé lun. et j. fér.	▲ 215
MUSÉE GRANET Place Saint-Jean-de-Malte Tél. 04 42 38 14 70	Ouvert tlj. 10 h-12 h et 14 h-18 h Fermé mar. et j. fér.	▲ 218
MUSEUM 6, rue Espariat Tél. 04 42 26 23 67	Ouvert 10 h-12 h et 13 h-17 h	▲ 216
OPPIDUM Plateau d'Entremont	Ouvert 9 h-12 h et 14 h-18 h Fermé mar. et j. fér.	▲ 212
PALAIS DE JUSTICE Place de Verdun Tél. 04 42 33 83 00	Ouvert lun.-ven. 9 h-12 h et 14 h-17 h Visite de la Salle des pas perdus	▲ 216
PAVILLON DE LENFANT 346, route des Alpes	Visite guidée organisée par l'office de tourisme	▲ 219 ● 97
PAVILLON VENDÔME 32, rue Cellony Tél. 04 42 21 05 78	Ouvert 10 h-12 h et 14 h-18 h (17 h en hiver) Fermé mar.	▲ 217 ● 97

ANTIBES	06600	I7
OFFICE DE TOURISME 11, place du Général-De-Gaulle Tél. 04 92 90 53 00		
CATHÉDRALE Rue Saint-Esprit	Ouvert 8 h 30-12 h et 15 h-19 h Visite guidée sur rdv. (tél. 04 93 34 06 29)	▲ 279
FORTCARRÉ Avenue du 11-Novembre	Ouvert mai-15 sep. : 10 h-11 h 30 et 13 h 30-18 h ; 16 sep.-oct. : 10 h-11 h 30 et 13 h 30-15 h 30 ; nov.-avr. : 10 h-11 h 30 et 13 h 30-15 h. Fermé lun.	▲ 280 ● 84

MUSÉE D'ARCHÉOLOGIE **BASTION SAINT-ANDRÉ** Avenue Maizière Tél. 04 92 90 54 35	*Ouvert 10 h-12 h et 14 h-18 h* *Fermé lun. et nov.*	▲ 280
MUSÉE DES ARTS ET TRADITIONS **POPULAIRES** Cours Masséna Tél. 04 93 34 50 91	*Ouvert été : 16 h-19 h ; hiver : 15 h-17 h* *Fermé lun., mar., ven. et dim.*	▲ 279
MUSÉE PEYNET 23, place Nationale Tél. 04 92 90 54 30	*Ouvert 10 h-12 h et 14 h-18 h* *Fermé lun., j. fér. et nov.*	▲ 280
MUSÉE PICASSO **CHÂTEAU GRIMALDI** Place Mariejol Tél. 04 92 90 54 20	*Ouvert juin-sep. : 10 h-18 h ; oct.-mai : 10 h-12 h et* *14 h-18 h* *Fermé lun. et j. fér.*	▲ 278

APT	84400	D6
OFFICE DE TOURISME Avenue Philippe-de-Girard Tél. 04 90 74 03 18		
ANCIEN ÉVÊCHÉ Place Gabriel-Péri	*Abrite la préfecture*	▲ 193
ANCIEN HÔPITAL DE LA CHARITÉ Avenue Philippe-de-Girard	*Ne se visite pas*	▲ 193
CATHÉDRALE SAINTE-ANNE Rue des Marchands	*Ouvert mai-sep. : tlj. 10 h-12 h et 15 h-18 h ;* *oct.-avr. : mar.-sam. 10 h-12 h et 16 h-18 h* *Visite du trésor : tél. 04 90 74 36 60*	▲ 193
MAISON DU PARC DU LUBERON 60, place Jean-Jaurès Tél. 04 90 04 42 00	*Ouvert mai-oct. : lun.-sam. 8 h 30-12 h et 13 h 30-19 h ;* *nov.-avr. : lun.-ven. 8 h 30-12 h et 13 h 30-18 h,* *sam. 8 h 30-12 h. Exposition permanente : Genèse* *d'un territoire remarquable*	▲ 194
MUSÉE D'ARCHÉOLOGIE ET D'HISTOIRE 27, rue de l'Amphithéâtre Tél. 04 90 74 00 34	*Ouvert juin-sep. : lun.-sam. et dim. après-midi* *10 h-12 h et 14 h-17 h 30 ; oct.-mai : lun., mer.-ven.* *et dim. 14 h-17 h, sam. 10 h-12 h et 14 h 30-17 h 30*	▲ 194

ARLES	13200	B7
OFFICE DE TOURISME 35, place de la République Tél. 04 90 18 41 20		
ABBAYE DE MONTMAJOUR Route de Fontvieille Tél. 04 90 54 64 17	*Ouvert avr.-sep. : tlj. 9 h-19 h ; oct.-mars : tlj. 9 h-12 h* *et 14 h-17 h*	▲ 153
ALYSCAMPS	*Ouvert juin-sep. : 9 h-19 h ; déc.-fév. : 10 h-12 h et* *14 h-16 h 30 ; mars-mai : 9 h-12 h 30 et 14 h-17 h ;* *oct.-nov. : 10 h-12 h 30 et 14 h-17 h* *Fermé 25 déc., 1er jan. et 1er mai*	▲ 160
AMPHITHÉÂTRE ROMAIN Rond-point des Arènes Tél. 04 90 49 36 86	*Mêmes horaires que les Alyscamps*	▲ 159 ● 81
CRYPTOPORTIQUES Rue Balze	*Mêmes horaires que les Alyscamps*	▲ 161
ÉGLISE SAINTE-ANNE Place de la République	*Ne se visite pas.*	▲ 162
ÉGLISE SAINT-HONORAT Les Alyscamps	*Visite sur rdv. (tél. 04 90 49 36 87)*	▲ 160
ÉGLISE SAINT-TROPHIME ET CLOÎTRE Place de la République	*Église : ouvert lun.-sam. 10 h-18 h, dim. 10 h-12 h* *Cloître : mêmes horaires que les Alyscamps*	▲ 162 ● 93
ESPACE VAN-GOGH Rue Félix-Rey Tél. 04 90 49 39 39	*Visite de la cour et de la médiathèque*	▲ 163
LA CAPELIÈRE D 36b - Tél. 04 90 97 00 97	*Ouvert 9 h-12 h et 14 h-17 h* *Fermé hiver : mar.*	▲ 166
MUSÉE CAMARGUAIS Mas du Pont-de-Rousty - D 570 Tél. 04 90 97 10 82	*Ouvert avr.-sep. : 9 h-15-17 h 45 ;* *oct.-mars : 10 h-16 h 45* *Fermé mar.*	▲ 168
MUSÉE DE L'ARLES ANTIQUE Presqu'île du Cirque-Romain Tél. 04 90 18 88 89	*Ouvert avr.-oct. : lun., mer.-dim. 9 h-19 h ;* *nov.-mars : tlj. 10 h-18 h*	▲ 163
MUSÉE RÉATTU Rue du Grand-Prieuré Tél. 04 90 49 38 34	*Mêmes horaires que les Alyscamps*	▲ 161

MUSEON ARLATEN **MUSÉE D'ETHNOGRAPHIE** 29, rue de la République Tél. 04 90 96 08 23	*Ouvert toute l'année : 9 h-12 h ; juil.-août : 14 h-19 h ;* *juin : 14 h-18 h 30 ; avr.-mai et sep. : 14 h-18 h ;* *oct. : 14 h-17 h 30 ; nov.-mars : 14 h-17 h* *Fermé oct.-juin : lun. ; 25 déc., 1er jan., 1er mai*	▲ 163
PALAIS DE L'ARCHEVÊCHÉ 35, place de la République	*Université, ne se visite pas.*	▲ 162
THÉÂTRE ANTIQUE Rue de la Calade	*Mêmes horaires que les Alyscamps*	▲ 161
THERMES DE CONSTANTIN Rue Dominique-Maisto	*Mêmes horaires que les Alyscamps*	▲ 161
AVIGNON	**84000**	**C6**
OFFICE DE TOURISME 41, cours Jean-Jaurès Tél. 04 32 74 32 74		
CATHÉDRALE NOTRE-DAME-DES-DOMS Place des Palais	*Ouvert 8 h-19 h*	▲ 137
CHÂTELET Rue Ferruce Tél. 04 90 85 60 16	*Ouvert avr.-sep. : 9 h-19 h ;* *oct.-mars : 9 h 30-17 h 30*	▲ 138
COUVENT DES CARMES Place des Carmes	*Église : ouvert lun., mer. et ven. 18 h 30-19 h 30,* *mar., jeu. et sam. 7 h 45-9 h, dim. 9 h 30-12 h*	▲ 148
ÉGLISE SAINT-AGRICOL	*Fermé au public*	▲ 137
ÉGLISE SAINT-DIDIER Place Saint-Didier	*Ouvert 7 h-19 h*	▲ 148
ÉGLISE SAINT-PIERRE Place Saint-Pierre	*Ouvert juil.-août : dim. ; sep.-juin : ven. 14 h-17 h 30,* *sam.-dim. 9 h-11 h*	▲ 148
HÔTEL DE VILLE Place de l'Horloge Tél. 04 90 80 80 00	*Visite organisée par l'office de tourisme et lors des* *journées du Patrimoine*	▲ 137
HÔTEL DES MONNAIES **CONSERVATOIRE DE MUSIQUE** Place du Palais-des-Papes	*Ne se visite pas.*	▲ 137
MAISON JEAN-VILAR 8, rue de Mons Tél. 04 90 85 59 64	*Ouvert mar.-ven. 9 h-12 h et 13 h 30-17 h 30,* *sam. 10 h-17 h* *Fermé lun., dim. et j. fér.*	▲ 137
MUSÉE ANGLADON 5, rue du Laboureur Tél. 04 90 82 29 03	*Ouvert juil.-août : 13 h-19 h ; sep.-juin : 13 h-18 h ;* *j. fér. 15 h-18 h. Fermé lun.-mar.* *Jours de fermeture indéterminés de avr. à oct. 2000*	▲ 148
MUSÉE CALVET 65, avenue Joseph-Vernet Tél. 04 90 86 33 84	*Ouvert lun., mer.-dim. 10 h-13 h et 14 h-18 h*	▲ 148
MUSÉE DU PETIT-PALAIS Place du Palais Tél. 04 90 86 44 58	*Ouvert juil.-août : 10 h-18 h ; sep.-juin : 9 h 30-12 h* *et 14 h-18 h* *Fermé mar.*	▲ 138
MUSÉE LAPIDAIRE 27, rue de la République Tél. 04 90 85 75 38	*Ouvert lun., mer.-dim. 10 h-13 h et 14 h-18 h*	▲ 148
MUSÉUM REQUIEN 67, rue Joseph-Vernet Tél. 04 90 82 43 51	*Ouvert 9 h-12 h et 14 h-18 h* *Fermé lun. et j. fér.*	
MUSÉE VOULAND 17, rue Victor-Hugo Tél. 04 90 86 03 79	*Ouvert juin-sep. : 10 h-12 h et 14 h-18 h ;* *oct.-mai : 14 h-18 h* *Fermé lun. et dim.*	▲ 136
PALAIS DES PAPES Place du Palais Tél. 04 90 27 50 74	*Ouvert avr.-oct. : 9 h-19 h ;* *nov.-mars : 9 h 30-17 h 45*	▲ 140
PALAIS DU ROURE 3, rue Collège-du-Roure Tél. 04 90 80 80 88	*Ouvert 9 h-12 h et 14 h-17 h 30* *Fermé sam.-dim.*	▲ 136
SYNAGOGUE Place Jérusalem Tél. 04 90 85 21 24	*Ouvert lun.-ven. 10 h-12 h et 15 h-17 h*	▲ 148
BAUX-DE-PROVENCE, LES	**13520**	**C7**
OFFICE DE TOURISME Impasse du Château Tél. 04 90 54 34 39		
CITADELLE Grande-Rue Tél. 04 90 54 55 56	*Ouvert été : 9 h-20 h 30 ; automne : 9 h-18 h ;* *hiver : 9 h-17 h 30 ; printemps : 9 h-20 h 30*	▲ 153

ÉGLISE SAINT-VINCENT Place de l'Église	*Ouvert tlj. 9 h-19 h*	▲ 153
MUSÉE **MAISON DE LA TOUR-DE-BRAU** Rue Trencat Tél. 04 90 54 55 56	*Mêmes horaires que la citadelle*	▲ 153
MUSÉE DE L'OLIVIER **CHAPELLE SAINT-BLAISE** Tél. 04 90 54 55 56	*Mêmes horaires que la citadelle*	▲ 153
MUSÉE YVES-BRAYER **HÔTEL DES PORCELETS** Place de Herain Tél. 04 90 54 36 99	*Ouvert Pâques-Toussaint : 10 h-12 h 30* *et 14 h-18 h 30 ; Toussaint-Pâques : 10 h-12 h 30* *et 14 h-17 h 30* *Fermé mar.*	▲ 153
PAVILLON DE LA REINE JEANNE Vallon de la Fontaine	*Ouvert en permanence*	▲ 153
BEAUCAIRE	**30300**	**B6**
OFFICE DE TOURISME 24, cours Gambetta Tél. 04 66 59 26 57		
CHÂTEAU **MUSÉE MUNICIPAL** Tél. 04 66 59 47 61	*Ouvert nov.-mars : 10 h 15-12 h et 14 h-17 h 15 ;* *avr.-oct. : 10 h-12 h et 14 h 15-18 h 45* *Fermé mar. et j. fér.*	▲ 150
COLLÉGIALE **NOTRE-DAME-DES-POMMIERS** Rue Ledru-Rollin	*Ouvert tlj. 10 h-12 h*	▲ 150
BEAULIEU-SUR-MER	**06310**	**I6**
OFFICE DE TOURISME Place Clemenceau Tél. 04 93 01 02 21		
VILLA KERYLOS Rue Gustave-Eiffel Tél. 04 93 01 01 44	*Ouvert juil.-août : tlj. 10 h 30-19 h ;* *15 fév.-juin et sep.-11 nov. : tlj. 10 h 30-18 h ;* *mi-déc.-14 fév. : lun.-ven. 14 h-18 h, sam.-dim.* *et vac. scol. de Noël 10 h 30-18 h* *Fermé 25 déc., 1er jan. et 12 nov.-mi-déc.*	▲ 295
BIOT	**06410**	**I7**
OFFICE DE TOURISME Place de la Chapelle Tél. 04 93 65 05 85		
ÉGLISE	*Rens. à l'office de tourisme*	▲ 281
MUSÉE FERNAND-LÉGER Chemin du Val-de-Pôme Tél. 04 92 91 50 30	*Ouvert été : 11 h-18 h ;* *hors saison : 11 h-12 h 30 et 14 h-17 h 30* *Fermé mar.*	▲ 281
MUSÉE MUNICIPAL 9, rue Saint-Sébastien Tél. 04 93 65 54 54	*Ouvert été : 10 h-18 h ; hors saison : 14 h-18 h* *Fermé lun., mar. et nov.*	▲ 282
BONNIEUX	**84480**	**D6**
OFFICE DE TOURISME 7, place Carnot Tél. 04 90 75 91 90		
ÉGLISE NEUVE	*Horaires irréguliers, rens. à de l'office de tourisme*	▲ 195
ÉGLISE VIEILLE	*Horaires irréguliers, rens. à de l'office de tourisme*	▲ 194
MUSÉE DE LA BOULANGERIE 12, rue de la République Tél. 04 90 75 88 34	*Ouvert avr.-sep. et vac. scol. de Toussaint :* *lun., mer.-dim. 10 h-12 h et 15 h-18 h 30 ;* *oct. : sam.-dim. 10 h-12 h et 15 h-18 h 30*	▲ 195
BORMES-LES-MIMOSAS	**83230**	**G9**
OFFICE DE TOURISME 1, place Gambetta Tél. 04 94 01 38 38		
CHAPELLE **SAINT-FRANÇOIS-DE-PAULE** Place Saint-François	*Ouvert la journée*	▲ 264
CHARTREUSE DE LA VERNE Collobrières	*Ouvert la journée* *Fermé mar. et 1er jan.*	▲ 265
CHÂTEAU DE BORMES Rue Carnot	*Ne se visite pas.*	▲ 264
ÉGLISE SAINTE-TROPHIME	*Ouvert tlj.*	▲ 264

MUSÉE D'ART ET D'HISTOIRE 103, rue Carnot Tél. 04 94 71 56 60	*Ouvert lun., mer.-dim. 10 h-12 h et 15 h-18 h 30 ;* *nocturnes juil.-août : mer., ven. et dim. 21 h-23 h*	▲ 264

BREIL-SUR-ROYA	**06540**	**J6**
OFFICE DE TOURISME Place Biancheri Tél. 04 93 04 99 76		
CLOCHER SAINT-JEAN	*Ne se visite pas.*	▲ 321
ÉGLISE NOTRE-DAME-DU-MONT Route de Notre-Dame-du-Mont	*Ouvert avr.-sep. : dim. 15 h-16 h*	▲ 321
ÉGLISE SANCTA-MARIA-IN-ALBIS Place Brancion	*Ouvert 9 h-12 h et 14 h-18 h*	▲ 321

BRIGNOLES	**83170**	**F8**
OFFICE DE TOURISME Parking des Augustins Tél. 04 94 72 04 21		
CHÂTEAU COMTAL **MUSÉE DU PAYS BRIGNOLAIS** Place du Palais-des-Comtes- de-Provence Tél. 04 94 69 45 18	*Ouvert avr.-sep. : mer.-sam. 10 h-12 h* *et 14 h 30-18 h, dim. et j. fér. 9 h-12 h et 15 h-18 h ;* *oct.-mars : mer.-sam. : 10 h-12 h et 14 h 30-17 h,* *dim. et j. fér. 10 h-12 h et 15 h-17 h*	▲ 224
ÉGLISE SAINT-SAUVEUR Place de la Paroisse	*Ouvert 8 h-20 h*	▲ 224
HÔTEL DE CLAVIER À côté du Palais des Comtes	*Services municipaux ; ouvert aux heures de bureau* *(pour la visite de la cour)*	▲ 224

BRIGUE, LA	**06430**	**J5**
OFFICE DE TOURISME Tél. 04 93 04 36 07		
CHAPELLE DE L'ANNONCIATION Place Pacchiaudi	*Ouvert été : tlj. ; hors saison, rens. à l'office* *de tourisme*	▲ 322
CHAPELLE DE L'ASSOMPTION Place Saint-Martin	*Visite guidée par l'office de tourisme*	▲ 323
COLLÉGIALE SAINT-MARTIN Place Pacchiaudi	*Ouvert la journée*	▲ 322
NOTRE-DAME-DES-FONTAINES	*Visite guidée juil.-sep. : tlj. 11 h et 16 h ;* *hors saison : sur rdv. (tél. 04 93 04 99 90)*	▲ 323

CANNES	**06400**	**H7**
OFFICE DE TOURISME 1, la Croisette Tél. 04 93 39 24 53		
MUSÉE DE LA CASTRE Château de la Castre Le Suquet Tél. 04 93 38 55 26	*Ouvert avr.-juin : 10 h-12 h et 14 h-18 h ;* *juil.-sep. : 10 h-12 h et 15 h-19 h ;* *oct.-mars : 10 h-12 h et 14 h-17 h* *Fermé mar.*	▲ 245
NOTRE-DAME-DE-L'ESPÉRANCE Place de la Castre	*Ouvert été : 9 h-12 h et 14 h-19 h ;* *hiver : 9 h-12 h et 14 h 30-18 h 30*	▲ 245
PALAIS DES FESTIVALS **ET DES CONGRÈS** 1, boulevard de la Croisette	*Ne se visite pas.*	▲ 247
VILLA FIESOLE Avenue Fiesole	*Ouvert lors des journées du Patrimoine*	▲ 248

CARPENTRAS	**84200**	**C5**
OFFICE DE TOURISME 170, allée Jean-Jaurès Tél. 04 90 63 00 78		
BILIOTHÈQUE INGUIMBERTINE **MUSÉE DUPLESSIS-COMTADIN** 234, boulevard Albin-Durand Tél. 04 90 65 04 92	*Musée : ouvert Pâques-Toussaint : 10 h-12 h et* *14 h-18 h ; Toussaint-Pâques : 10 h-12 h et 14 h-16 h* *Fermé mar. ; hiver : j. fér.* *Bibliothèque : ouvert lun. 14 h-18 h 30, mar.-ven.* *9 h 30-18 h 30, sam. 9 h 30-12 h. Fermé juil.*	▲ 189
CATHÉDRALE SAINT-SIFFREIN Place du Général-De-Gaulle	*Ouvert 8 h-19 h* *Fermé dim. après-midi et j. fér.*	▲ 189
ÉVÊCHÉ	*Visite sur rdv. à l'office de tourisme*	▲ 189
PALAIS DE JUSTICE Place du Général-De-Gaulle		

HÔTEL-DIEU Avenue Victor-Hugo Tél. 04 90 63 80 00	*Ouvert lun., mer. et jeu. 9 h-11 h 30*	▲ 189
MUSÉE SOBIRATS 112, rue du Collège Tél. 04 90 63 04 92	*Ouvert Pâques-Toussaint : 10 h-12 h et 14 h-18 h ;* *Toussaint-Pâques : 10 h-12 h et 14 h-16 h* *Fermé mar.*	▲ 188
SYNAGOGUE Place Maurice-Charetier	*Ouvert lun.-jeu. 10 h-12 h et 15 h-17 h,* *ven. 10 h-12 h et 15 h-16 h*	▲ 188
CASSIS	**13260**	**E8**
OFFICE DE TOURISME Place Pierre-Baragnon Tél. 04 42 01 71 17		
CHÂTEAU	*Ne se visite pas.*	▲ 210
HÔTEL DE VILLE Tél. 04 42 01 66 66	*Ouvert lun.-jeu. 8 h-12 h et 14 h-18 h,* *ven. 8 h-12 h et 14 h-17 h*	▲ 210
CASTELLANE	**04120**	**G6**
VERDON ACCUEIL Tél. 04 92 83 67 36		
ÉGLISE NOTRE-DAME-DU-ROC Chemin au départ du 35, rue de la Mércy	*Clé dans la boîte aux lettres du presbytère* *(35, rue de la Mércy)*	▲ 313
ÉGLISE SAINT-VICTOR Rue Saint-Victor	*Ouvert 14 juil.-15 août : mar., jeu.-sam. 14 h 30-18 h ;* *hors saison : clé à l'office de tourisme*	▲ 313
COLMARS	**04370**	**G5**
OFFICE DE TOURISME Place J.-Girieud Tél. 04 92 83 41 92		
FORT DE FRANCE	*Ne se visite pas.*	▲ 311 ● 83
FORT DE SAVOIE	*Visite guidée juil.-août : 10 h-12 h (visite libre* *et exposition l'après-midi) ; sep.-juin : visite guidée* *par l'office de tourisme*	▲ 311 ● 83
DIGNE-LES-BAINS	**04000**	**F5**
OFFICE DE TOURISME 19, rue du Docteur-Honnorat Tél. 04 92 31 57 29		
CATHÉDRALE SAINT-JÉRÔME Rue du Tour-de-l'Église	*Ouvert toute l'année : dim. 10 h 30-12 h ;* *début juin-fin oct. : mar.-jeu. et sam. 15 h-18 h*	▲ 240
FONDATION ALEXANDRA-DAVID-NEEL 27, avenue du Maréchal-Juin Tél. 04 92 31 32 38	*Visite guidée juil.-sep. : 10 h 30, 14 h, 15 h 30 et 17 h ;* *oct.-juin : 10 h 30, 14 h et 16 h*	▲ 241
HÔTEL DE VILLE Boulevard Martin-Bret Tél. 04 92 30 52 00	*Ouvert lun.-ven. 8 h-12 h et 14 h-18 h*	▲ 241
MUSÉE DE DIGNE 64, boulevard Gassendi Tél. 04 92 31 45 29	*Ouvert juil.-août : 10 h 30-12 h et 13 h 30-18 h 30 ;* *sep.-juin : 13 h 30-17 h 30* *Fermé lun. et j. fér.*	▲ 240
MUSÉE DE GÉOLOGIE **RÉSERVE GÉOLOGIQUE** **DE HAUTE-PROVENCE** Parc Saint-Benoît	*Visite guidée du parc de Géologie de mi-juil. à fin* *août :* *• site nord : lun., jeu. et dim. (tél. 04 92 36 70 70)* *• site sud : mar. et ven. (tél. 04 92 83 61 14)*	▲ 241
NOTRE-DAME-DU-BOURG	*Ouvert fin mai-nov. : 15 h-18 h*	▲ 241 ● 92
DRAGUIGNAN	**83300**	**G7**
OFFICE DE TOURISME 9, boulevard Clemenceau Tél. 04 98 10 51 05		
CHAPELLE DU COUVENT DES MINIMES Place des Minimes	*Ouvert dim. matin lors de l'office* *Possibilité de visite en dehors de cette période en* *contactant le presbytère (tél. 04 94 47 26 22)*	▲ 226
ÉGLISE SAINT-HERMENTAIRE À l'extérieur de la ville	*Ne se visite pas.*	▲ 227
MUSÉE DE L'ARTILLERIE École d'application de l'artillerie Quartier Bonaparte Tél. 04 94 60 23 86	*Ouvert 8 h 15-11 h et 14 h 15-17 h* *Fermé sam., dim. et j. fér.*	▲ 226

MUSÉE DES ARTS ET TRADITIONS POPULAIRE 15, rue Jean-Roumanille Tél. 04 94 47 05 72	Ouvert 9 h-12 h et 14 h-18 h Fermé dim., lun. matin et j. fér.	▲ 226
MUSÉE MUNICIPAL 9, rue de la République Tél. 04 94 47 28 80	Ouvert 9 h-12 h et 14 h-18 h Fermé dim., lun. matin et j. fér.	▲ 226
TOUR DE L'HORLOGE Vieille-Ville	Visite sur rdv. auprès de l'office de tourisme	▲ 226

ENTREVAUX	**04320**	**H6**
OFFICE DE TOURISME Place C.-Panier Tél. 04 93 05 46 73		
CATHÉDRALE	Ouvert été : 9 h-19 h ; hiver : 9 h-17 h	▲ 311
CITADELLE ET CHÂTEAU Rue Orbitelle	Ouvert en permanence	▲ 310 ● 83

ESCARÈNE, L'	**06440**	M 04 93 79 50 04	**I6**
CHAPELLE DES PÉNITENTS Place Carnot	Ne se visite pas.		▲ 319
ÉGLISE SAINT-PIERRE-AUX-LIENS Place Carnot	Ouvert 9 h-18 h		▲ 319

ÈZE	**06360**	**I6**
OFFICE DE TOURISME Place du Général-De-Gaulle Tél. 04 93 41 26 00		
JARDIN EXOTIQUE Rue du Château Tél. 04 93 41 10 30	Ouvert juil.-août : tlj. 9 h-20 h ; sep.-juin : 9 h-tombée de la nuit	

FONTAINE-DE-VAUCLUSE	**84800**	**C6**
OFFICE DE TOURISME Chemin de la Fontaine Tél. 04 90 20 32 22		
CENTRE ARTISANAL DE VALLIS CLAUSA Chem. du Gouffre ou de la Fontaine Tél. 04 90 20 34 14	Ouvert 10 h-12 h et 14 h-17 h 30 Fermé 25 déc. et 1er jan.	▲ 190
CHÂTEAU DES ÉVÊQUES DE CAVAILLON	Ouvert en permanence	▲ 191
ÉGLISE SAINT-VÉRAN Avenue Robert-Garcin	Ouvert 9 h-17 h	▲ 190
MONDE SOUTERRAIN DE NORBERT-CASTERET Chem. du Gouffre ou de la Fontaine Tél. 04 90 20 34 13	Ouvert mai-août : tlj. 10 h-12 h et 14 h-18 h 30 ; mars-avr. et sep.-10 nov. : mer.-dim. 10 h-12 h et 14 h-17 h	▲ 190
MUSÉE APPEL DE LA LIBERTÉ Chem. du Gouffre ou de la Fontaine Tél. 04 90 20 24 00	Ouvert juin-sep. : lun., mer.-dim. 10 h-19 h ; 16 oct.-14 avr. : sam. et dim. 10 h-12 h et 14 h-18 h ; 15 avr.-mai et 1er-15 oct. : lun., mer.-dim. 10 h-12 h et 14 h-18 h	▲ 190
MUSÉE-BIBLIOTHÈQUE FRANÇOIS-PÉTRARQUE Rive gauche de la Sorgue Tél. 04 90 20 37 20	Ouvert avr.-mai : lun., mer.-dim. 10 h-12 h et 14 h-18 h ; juin-sep. : lun., mer.-dim. 10 h-12 h 30 et 13 h 30-18 h ; 1er-15 oct. : sam.-dim. 10 h-12 h et 14 h-18 h ; 16-31 oct. : sam.-dim. 10 h-12 h et 14 h-17 h ; nov.-mars : visite sur rdv. pour les groupes	▲ 190

FORCALQUIER	**04300**	**E6**
OFFICE DE TOURISME Place du Bourguet Tél. 04 92 75 10 02		
COUVENT DES CORDELIERS Boulevard des Martyrs	Visite guidée juil.-15 août : lun., mer.-dim. 11 h-18 h 30 ; mai-juin et 16 sep.-oct. : dim. et j. fér. 14 h 30-16 h	▲ 233
COUVENT DES RÉCOLLETS Placette Saint-Pierre	Ne se visite pas.	▲ 233
ÉGLISE NOTRE-DAME-DE-PROVENCE Site de la Citadelle	Ouvert juil.-août	▲ 233
MUSÉE MUNICIPAL COUVENT DES VISITANDINES Place du Bourguet Tél. 04 92 70 91 00	Ouvert juil.-sep. : tlj. 10 h-12 h et 15 h-18 h ; hors saison : visite jeu. 15 h	▲ 232

NOTRE-DAME-DU-MARCHÉ Place du Bourguet	*Ouvert 9 h-12 h et 14 h-18 h*	▲ 232
PRIEURÉ DE GANAGOBIE Tél. 04 92 68 00 04	*Église : ouvert mar.-dim. 15 h-17 h*	▲ 234

FRÉJUS	**83600**	**H7**
OFFICE DE TOURISME 325, rue Jean-Jaurès Tél. 04 94 51 83 83		
AMPHITHÉÂTRE RN 7 en provenance de Puget-sur-Argens	*Ouvert avr.-sep. : 9 h 30-12 h et 14 h-18 h 30 ;* *oct.-mars : 9 h-12 h et 14 h-16 h 30*	▲ 254
GROUPE ÉPISCOPAL Place Formigé Tél. 04 94 51 26 30 • PALAIS ÉPISCOPAL • CHAPELLE SAINT-ANDRÉ • MAISON DU PRÉVÔT • BAPTISTÈRE • CATHÉDRALE • CLOÎTRE	*Groupe épiscopal : ouvert oct.-mars : mar.-dim.* *9 h-12 h et 14 h-17 h ; avr.-sep. : tlj. 9 h-19 h* *Cathédrale : ouvert 10 h-12 h et 16 h-18 h*	▲ 252 ● 92 ● 93
MOSQUÉE Route des Combattants- d'Afrique-du-Nord	*Ne se visite pas.*	▲ 254
MUSÉE D'HISTOIRE LOCALE Maison du Seigneur 153, rue Jean-Jaurès Tél. 04 94 51 64 01	*Ouvert mai-sep. : lun.-sam. 9 h 30-12 h et 15 h-19 h ;* *oct.-avr. : mar.-ven. 9 h 30-12 h et 14 h 30-18 h 30,* *sam. 9 h 30-12 h* *Fermé dim. et j. fér.*	▲ 252
PAGODE HONG-HIEU 13, rue Henri-Giraud	*Ouvert mai-sep. : 9 h-12 h et 15 h-18 h 30 ;* *sep.-avr. : 9 h-12 h et 14 h-17 h* *Fermé 25 déc. et 1ᵉʳ mai*	▲ 254

GASSIN	**83580**	**G8**
MAISON DU TOURISME DE LA FOUX Carrefour de la Foux Tél. 04 94 43 42 10		
ÉGLISE	*Ouvert 9 h-19 h*	▲ 263

GORDES	**84220**	**D6**
OFFICE DE TOURISME Le Château Tél. 04 90 72 02 75		
ABBAYE DE SÉNANQUE À environ 3 km du centre-ville, dir. Cavaillon, puis dir. Venasque Tél. 04 90 72 05 72	*Ouvert mars-oct. : lun.-sam. 10 h-12 h et 14 h-18 h,* *dim. 14 h-18 h ; nov.-fév. : lun.-ven. 14 h-17 h,* *sam.-dim. et j. fér. 14 h-18 h*	▲ 192
AUMÔNERIE SAINT-JACQUES Rue Porte-de-Savoie	*Ouvert mi-mars-mi-oct.*	▲ 191
MAISON LHOTE	*Ne se visite pas.*	▲ 191
MUSÉE POL-MARA Place du Château Tél. 04 90 72 02 75	*Ouvert 10 h-12 h et 14 h-18 h* *Fermé mar.*	▲ 191
VILLAGE DE BORIES Tél. 04 90 72 03 48	*Ouvert tlj. 9 h-coucher du soleil*	▲ 191

GRASSE	**06130**	**H7**
OFFICE DE TOURISME 22, cours Honoré-Cresp Tél. 04 93 36 66 66		
CATHÉDRALE Place du Petit-Puy	*Ouvert 8 h 30-11 h 45 et 14 h-18 h ;* *à partir de 8 h le dim.*	▲ 227
MUSÉE D'ART ET D'HISTOIRE **DE LA PROVENCE** 2, rue Mirabeau Tél. 02 93 36 01 61	*Ouvert juin-sep. : 10 h-19 h ;* *oct.-mai : 10 h-12 h et 14 h-17 h* *Fermé lun., mar., j. fér. et nov.*	▲ 229
MUSÉE DE LA MARINE 2, boulevard du Jeu-de-ballon Tél. 04 93 09 10 71	*Ouvert juin-sep. : tlj. 10 h-19 h ;* *oct.-mai : lun.-sam. 10 h-12 h et 14 h-18 h* *Fermé j. fér. et nov.*	▲ 229
MUSÉE FRAGONARD 23, boulevard Fragonard Tél. 04 93 36 01 61	*Ouvert juin-sep. : tlj. 10 h-19 h ;* *oct.-mai : mer.-dim. 10 h-12 h et 14 h-17 h* *Fermé j. fér. et nov.*	▲ 229

| MUSÉE INTERNATIONAL DE LA PARFUMERIE
8, place du Cours
Tél. 04 93 09 10 71 | Ouvert juin-sep. : 10 h-19 h ;
oct.-mai : 10 h-12 h et 14 h-17 h
Fermé lun., mar., j. fér. et nov. | ▲ 228 |
| PALAIS ÉPISCOPAL
HÔTEL DE VILLE
Place du Petit-Puis | Visite sur rdv. à l'office de tourisme | ▲ 227 |

GRIMAUD — 83310 — G8

OFFICE DE TOURISME 1, boulevard des Aliziers Tél. 04 94 43 26 98		
CHAPELLE SAINT-ROCH Avenue de la Cabre-d'Or	Ne se visite pas.	▲ 255
CHÂTEAU	Ouvert en permanence	▲ 255
ÉGLISE SAINT-MICHEL	Ouvert la journée	▲ 255
MAISON DES TEMPLIERS Rue des Templiers	Propriété privée, ne se visite pas.	▲ 255
MUSÉE DES ARTS ET TRADITIONS POPULAIRES Le Pierredon Montée de l'Hospice Tél. 04 94 43 39 29	Ouvert 15 h-18 h 30 Fermé mar. et dim.	▲ 255
MOULIN DE GRIMAUD Derrière le cimetière	Ouvert juil.-août : 9 h-12 h et 14 h-18 h ; hors saison : visite sur rdv. pour les groupes	▲ 255

HYÈRES — 83400 — F9

OFFICE DE TOURISME Avenue de Belgique Tél. 04 94 01 84 50		
CHÂTEAU Montée de Noailles	Ouvert en permanence	▲ 266
COLLÉGIALE SAINT-PAUL Place Saint-Paul	Ouvert 15 h-18 h	▲ 266
VILLA NOAILLES Montée de Noailles Tél. 04 94 65 22 72	Visite guidée sur rdv. le ven. Ouvert lors des expositions : mai-sep. : 10 h-12 h et 16 h-19 h ; oct.-avr. : 10 h-12 h et 14 h-17 h Parc ouvert juin-août : 8 h-19 h ; sep.-oct. : 8 h-18 h 30 ; nov. : 8 h-17 h 30 ; déc. mai : 8 h-17 h	▲ 266

JUAN-LES-PINS — 06160 — I7

OFFICE DE TOURISME 51, boulevard Guillaumont Tél. 04 92 90 53 05		
EILEN ROC Avenue Helen-Beaumont Tél. 04 93 67 74 33	Ouvert mer. 9 h-17 h, sauf pendant les vac. scol.	▲ 277
JARDIN THURET 62, boulevard du Cap Tél. 04 93 67 88 66	Ouvert juil.-mai : 8 h-17 h 30 ; juin : 8 h-18 h Fermé sam., dim. et j. fér.	▲ 278
MUSÉE NAVAL ET NAPOLÉONIEN Boulevard John-Kennedy Tél. 04 93 61 45 32	Ouvert 9 h 30-12 h et 14 h 15-18 h Fermé sam. après-midi, dim., j. fér. et oct.	▲ 276
NOTRE-DAME-DE-LA-GAROUPE Tél. 04 93 61 57 63	Ouvert tlj. 9 h-19 h	▲ 277

LOURMARIN — 84160 — D6

OFFICE DE TOURISME 9, avenue Philippe-de-Girard Tél. 04 90 68 10 77		
CHÂTEAU Avenue Raoul-Dautry Tél. 04 90 68 15 23	Ouvert juil.-sep. : 10 h 30-12 h et 14 h 30-18 h 30 ; oct.-juin : 11 h-12 h et 14 h 30-17 h 30	▲ 195 ● 97
ÉGLISE SAINT-ANDRÉ	Rens. à l'office de tourisme	▲ 196
TEMPLE PROTESTANT	Rens. à l'office de tourisme	▲ 196

LUBERON — D6

| ABBAYE DE SILVACANE
Route de Cadenet
et La Roque-d'Anthéron D561
Tél. 04 90 25 94 84 | Ouvert avr.-sep. : tlj. 9 h-19 h ;
oct.-fév. : lun., mar.-dim. 10 h-13 h et 14 h-17 h | ▲ 196 |

MANOSQUE	04100		E6
OFFICE DE TOURISME Place du Docteur-Joubert Tél. 04 92 72 16 00			
CENTRE JEAN-GIONO 1, boulevard Élémir-Bourges Tél. 04 92 70 54 54	*Ouvert 9 h-12 h et 14 h-18 h* *Fermé dim. et lun.*		▲ 231
ÉGLISE SAINT-SAUVEUR Place Saint-Sauveur	*Ouvert lun.-sam. 8 h-12 h et 14 h 30-17 h 30,* *dim. 8 h 30-12 h*		▲ 230
FONDATION CARZOU 79, boulevard Élémir-Bourges Tél. 04 92 87 40 49	*Ouvert ven.-dim. 10 h-12 h 30 et 15 h 30-18 h 30*		▲ 231
HÔTEL DE VILLE	*Ouvert lun.-mar. et jeu. 14 h-18 h, mer. 10 h-12 h*		▲ 231
LOU PARAÏS Montée des Vraies-Richesses	*Visite sur rdv. auprès de l'association des Amis de* *Jean Giono (tél. 04 92 87 73 03)*		▲ 231
NOTRE-DAME-DE-ROMIGIER Place de l'Hôtel-de-Ville	*Ouvert juil.-août*		▲ 231

MARSEILLE	13000		D8
OFFICE DE TOURISME 4, la Canebière Tél. 04 91 13 89 00			
ANCIENNE MAJOR Place de la Major (IIe)	*Fermé pour travaux*		▲ 200
ANCIENS ARSENAUX 25, cours d'Estienne-d'Orves (Ier)	*Ne se visite pas.*		▲ 202
BASILIQUE SAINT-VICTOR Place Saint-Victor (IIe)	*Ouvert 8 h 30-18 h 30*		
CHÂTEAU BORÉLY Avenue du Château-Borély Tél. 04 91 25 26 34	*Ouvert oct.-mars : lun., jeu. et ven. 13 h-18 h, mar.,* *mer., sam. et dim. 10 h-18 h ; avr.-sep. : lun., jeu.* *et ven. 12 h-19 h, mar., mer., sam. et dim. 9 h-19 h*		▲ 206
CHÂTEAU D'IF Îlot d'If (VIIe) Tél. 04 91 59 02 30	*Accessible par bateau à partir du 7, quai des Belges.* *Château ouvert été : tlj. 9 h 30-18 h 30 ;* *hiver : mar.-dim. 9 h 30-17 h 30*		▲ 206 ● 85
CITÉ RADIEUSE 280, boulevard Michelet (VIIIe)	*Visite organisée par les résidents*		▲ 206
ÉGLISE DES RÉFORMÉS 8, cours François-Roosevelt (Ier)	*Ouvert 9 h-12 h et 14 h 30-18 h 30* *Fermé dim. et lun. matin*		▲ 204
FORT SAINT-JEAN Quai du Port (IIe)	*Expositions temporaires*		▲ 200
FORT SAINT-NICOLAS Boulevard Charles-Livon (VIIe)	*Ne se visite pas.*		▲ 200 ● 84
LA MAGALONE 245, boulevard Michelet (VIIIe)	*Visite guidée organisée par l'office de tourisme*		▲ 207
MUSÉE CANTINI 19, rue Grignan (VIe) Tél. 04 91 54 77 75	*Ouvert été : 11 h-18 h ; hiver : 10 h-17 h* *Fermé lun. et j. fér.*		▲ 203
MUSÉE DE LA MARINE Hall du Palais de la Bourse (Ier) Tél. 04 91 39 33 33	*Ouvert tlj. 10 h-18 h*		▲ 203
MUSÉE DES DOCKS Place Vivaux (Ier) Tél. 04 91 91 24 62	*Ouvert été : 11 h-18 h ; hiver : 10 h-17 h* *Fermé lun. et j. fér.*		▲ 199
MUSÉE D'HISTOIRE Centre Bourse (Ier) Tél. 04 91 90 42 22	*Ouvert 12 h-19 h* *Fermé dim.*		▲ 199
MUSÉE DU VIEUX-MARSEILLE **MAISON DIAMANTÉE** 2, rue de la Prison (IIe) Tél. 04 91 55 28 68	*Ouvert mer. 15 h-16 h 30 et sam. 11 h-12 h 30*		▲ 200
MUSÉE GROBET-LABADIÉ 140, boulevard Longchamp (Ier) Tél. 04 91 62 21 82	*Ouvert été : 11 h-18 h ; hiver : 10 h-17 h* *Fermé lun. et j. fér.*		▲ 204
NOTRE-DAME-DE-LA-GARDE (VIIIe)	*Ouvert mi-juin-mi-août : 7 h-21 h ;* *mi-août-mi-juin : 7 h-20 h*		▲ 203
NOUVELLE MAJOR Place de la Major (IIe)	*Ouvert mar.-jeu. 9 h-12 h et 14 h-17 h 30,* *ven.-dim. 14 h 30-18 h*		▲ 200
PALAIS LONGCHAMP • **MUSÉE DES BEAUX-ARTS** 7, rue Édouard-Stéphane (IVe) Tél. 04 91 14 59 30	*Ouvert été : 11 h-18 h ; hiver : 10 h-17 h* *Fermé lun. et j. fér.*		▲ 204 ▲ 205

Lieu	Horaires	Page
• **MUSEUM** Boulevard Philippon (IVe) Tél. 04 91 14 59 50	*Ouvert été : 11 h-18 h ; hiver : 10 h-17 h* *Fermé lun. et j. fér.*	▲ 205
VIEILLE CHARITÉ 2, rue de la Vieille-Charité (IIe) Tél. 04 91 14 58 80	*Ouvert été : 11 h-18 h ; hiver : 10 h-17 h* *Fermé lun. et j. fér.*	▲ 201
• **MUSÉE ARCHÉOLOGIQUE**		▲ 202
• **MUSÉE DES ARTS AFRICAINS** ET OCÉANIENS		▲ 202

MENTON	**06500**	**J6**
OFFICE DE TOURISME 8, avenue Boyer Tél. 04 92 41 76 76		
CASINO DU SOLEIL Avenue Félix-Faure Tél. 04 92 10 16 16	*Ouvert 10 h-4 h*	▲ 306
CHAPELLE **DE L'IMMACULÉE-CONCEPTION** Place de la Conception	*Clé à l'église Saint-Michel*	▲ 305
DOMAINE DES COLOMBIÈRES Boulevard Garavan	*Ouvert lors des journées méditerranéennes* *et visite l'été sur rdv. (tél. 04 92 10 33 66)*	▲ 307
ÉGLISE SAINT-MICHEL Parvis Saint-Michel	*Ouvert 10 h-12 h et 15 h-17 h* *Fermé sam. matin et j. fér. ; Toussaint-15 déc. : matin*	▲ 305
JARDIN BOTANIQUE EXOTIQUE **DU VAL RAHMEH** Avenue Saint-Jacques Tél. 04 93 35 86 72	*Ouvert mai-sep. : 10 h-12 h 30 et 15 h-18 h ;* *oct.-avr. : 10 h-12 h et 14 h-17 h*	▲ 307
MAIRIE 17, rue de la République Tél. 04 92 10 50 00	*Visite de la salle des Mariages : 8 h 30-12 h 30* *et 13 h 30-17 h* *Fermé sam., dim. et j. fér.*	▲ 305
MUSÉE DE LA PRÉHISTOIRE RÉGIONALE Rue Loredan-Larchey Tél. 04 93 35 84 64	*Ouvert 10 h-12 h et 14 h-18 h* *Fermé mar. et j. fér.*	▲ 305
MUSÉE JEAN-COCTEAU - BASTION Tél. 04 93 357 72 30	*Ouvert 10 h-12 h et 14 h-18 h* *Fermé mar. et j. fér.*	▲ 306
PALAIS CARNOLÈS 3, avenue de la Madone Tél. 04 93 35 49 71	*Ouvert 10 h-12 h et 14 h-18 h* *Fermé mar. et j. fér.*	▲ 306
SERRE DE LA MADONE 74, route de Gorbio Tél. 04 93 28 29 17	*Ouvert été : 10 h-18 h ; hors saison : 10 h-16 h*	▲ 306
VILLA FONTANA ROSA 6, avenue Blasco-Ibanez	*Jardin : visite organisée par le service du Patrimoine* *(tél. 04 92 10 97 10)*	▲ 307
VILLA MARIA-SERENA 21, promenade de la Reine-Astrid	*Jardin : visite guidée mar. 10 h et sur rdv.* *pour les groupes auprès du service du Patrimoine* *(tél. 04 92 10 33 66)*	▲ 307

MONACO		**I6**
DIRECTION DU TOURISME 2a, bd des Moulins Monte-Carlo Tél. (377) 92 16 61 66		
CASINO Monte-Carlo Tél. (377) 92 16 23 00	*Ouvert à partir de 12 h*	▲ 302
CATHÉDRALE **DE L'IMMACULÉE-CONCEPTION** 4, rue Colonel-Bellando-de-Castro	*Ouvert 7 h-18 h*	▲ 301
ÉGLISE DE LA MISÉRICORDE Place de l'Hôtel-de-Ville	*Ouvert lun.-ven. 7 h 30-17 h 45, sam.-dim. 7 h 30-19 h*	▲ 301
ÉGLISE SAINT-NICOLAS 1, place du Campanin	*Ouvert 9 h-19 h 30*	▲ 301
JARDIN EXOTIQUE **GROTTE DE L'OBSERVATOIRE** La Condamine Tél. (377) 93 30 33 65	*Ouvert avr.-sep. : 9 h 30-18 h ; oct.-mars : 11 h-16 h*	▲ 302
MUSÉE D'ANTHROPOLOGIE **PRÉHISTORIQUE** La Condamine Tél. (377) 93 15 80 06	*Ouvert avr.-sep. : 9 h 30-18 h ; oct.-mars : 11 h-16 h*	▲ 303

MUSÉE NAPOLÉONIEN Place du Palais Tél. (377) 93 25 18 31	*Ouvert juin-sep. : 9 h 30-18 h 30 ; 16 déc.-mai :* *10 h 30-12 h 30 et 14 h-17 h ; oct.-11 nov. : 10 h-17 h* *Fermé lun.*	▲ 301
MUSÉE NATIONAL DE MONACO 17, avenue de la Princesse- Grace Tél. (377) 90 30 91 26	*Ouvert Pâques-sep. : 10 h-18 h 30 ;* *oct.-Pâques : 10 h-12 h 15 et 14 h-18 h 30* *Fermé j. fér.*	▲ 303
MUSÉE OCÉANOGRAPHIQUE Avenue Saint-Martin Tél. (377) 93 15 36 00	*Ouvert 10 h-18 h*	▲ 301
OPÉRA Monte-Carlo	*Ne se visite pas.*	▲ 302
PALAIS PRINCIER Grands appartements Tél. (377) 93 25 18 31	*Ouvert juin-sep. : 9 h 30-18 h 30 ; oct. : 10 h-17 h*	▲ 300
MOUSTIERS-SAINTE-MARIE	**04360**	**F6**
OFFICE DE TOURISME Rue de la Bourgade Tél. 04 92 74 67 84		●
CHAPELLE NOTRE-DAME- **DE-BEAUVOIR** Au-dessus du village	*Ouvert en permanence*	▲ 317
ÉGLISE	*Ouvert pâques-Toussaint : 8 h 30-19 h ;* *Toussaint-Pâques : 9 h-19 h*	▲ 316
MUSÉE DE LA FAÏENCE Mairie Tél. 04 92 74 66 19	*Ouvert avr.-juin et sep.-oct. : 9 h-18 h ;* *juil.-août : 9 h-19 h* *Fermé mar. sauf vac. scol. ; jan.*	▲ 316
NICE	**06000**	**I6**
OFFICE DE TOURISME 5, promenade des Anglais Tél. 04 92 14 48 00		
ARÈNES	*Ouvert en permanence*	▲ 291
CATHÉDRALE SAINTE-RÉPARATE Place Rosseti	*Ouvert été : 7 h 30-11 h 45 et 14 h 30-19 h* *(17 h en hiver)*	▲ 287
CATHÉDRALE SAINT-NICOLAS Avenue Nicolas-II	*Ouvert été : 9 h 30-12 h et 14 h 30-18 h ;* *hiver : 9 h 30-12 h et 14 h 30-17 h*	▲ 289 ● 101
CHAPELLE DE LA MISÉRICORDE 7, cours Saleya	*Visite mar. et dim. à 15 h, rdv. au palais Lascaris* *(tél. 04 93 62 05 54)*	▲ 286
CHAPELLE DU SAINT-SÉPULCRE 7, place Garibaldi	*Ouvert jeu.-sam. 16 h-18 h, dim. 8 h-12 h* *Visite sur rdv. auprès de la Mission catholique* *italienne (tél. 04 93 85 56 55)*	▲ 287
ÉGLISE DE L'ANNONCIATION 1, rue de la Poissonnerie	*Ouvert 7 h-12 h et 14 h 30-18 h 30*	▲ 286
ÉGLISE DU JÉSUS 12, rue Droite	*Ouvert 8 h-12 h et 14 h-18 h 30*	▲ 287
ÉGLISE RUSSE 6, rue de Longchamp	*Ne se visite pas. Uniquement accès à la bibliothèque* *russe : mar. et ven. 14 h 30-18 h. Fermé en été.*	▲ 289
ENSEMBLE THERMAL ROMAIN	*Dans le musée archéologique*	▲ 290 ● 80
GALERIES-MUSÉES 77, quai des États-Unis Tél. 04 93 62 31 24 (musée Dufy) Tél. 04 93 62 37 11 (musée Alexis et Gustav-Adolf Mossa)	*Ouvert 10 h-12 h et 14 h-18 h* *Fermé dim. matin, lun. et j. fér.*	▲ 293
MONASTÈRE DE CIMIEZ Place du Monastère Tél. 04 93 81 00 04	*Ouvert 10 h-12 h et 15 h-18 h* *Fermé dim.* *Jardin des Moines : ouvert 8 h-18 h*	▲ 291
MUSÉE ARCHÉOLOGIQUE 160, avenue des Arènes- de-Cimiez	*Ouvert avr.-sep. : 10 h-12 h et 14 h-18 h ;* *oct.-mars : 10 h-13 h et 14 h-18 h* *Fermé lun. et certains j. fér.*	▲ 291
MUSÉE CHAGALL Avenue du Docteur-Ménard Tél. 04 9353 87 20	*Ouvert juil.-sep. : 10 h-18 h ; oct.-juin : 10 h-17 h* *Fermé mar. et j. fér.*	▲ 290
MUSÉE CHÉRET DES BEAUX-ARTS 33, avenue des Baumettes Tél. 04 92 15 28 28	*Ouvert 10 h-12 h et 14 h-18 h* *Fermé lun.*	▲ 293
MUSÉE D'ART ET D'HISTOIRE 65, rue de France Tél. 04 93 88 11 34	*Ouvert 10 h-12 h et 14 h-18 h* *Fermé lun.*	▲ 293

MUSÉE D'ART MODERNE ET D'ART CONTEMPORAIN Promenade des Arts Tél. 04 93 62 61 62	*Ouvert lun., mer.-jeu. et sam.-dim. 11 h-18 h, ven. 11 h-22 h*	▲ 288
MUSÉE MATISSE 164, avenue des Arènes-de-Cimiez Tél. 04 93 81 08 08	*Ouvert avr.-sep. : 10 h-18 h ; oct.-mars : 10 h-17 h Fermé mar. et j. fér.*	▲ 291
MUSÉE TERRA-AMATA 25, boulevard Carnot Tél. 04 93 55 59 93	*Ouvert 10 h-12 h et 14 h-18 h Fermé lun.*	▲ 292
NOTRE-DAME-AUXILIATRICE 17, place Dom-Bosco	*Ouvert 8 h 30-12 h et 14 h 30-18 h*	▲ 288
OPÉRA 4-6, rue Saint-François-de-Paul	*Location : ouvert (9, rue de la Terrasse) lun.-sam. 10 h-18 h 30*	▲ 293
PALAIS DE LA PRÉFECTURE Place Pierre-Gautier	*Ouvert lors des journées du Patrimoine*	▲ 286
PALAIS LASCARIS 15, rue Droite Tél. 04 93 62 05 54	*Ouvert 10 h-12 h et 14 h-18 h Fermé lun. et j. fér.*	▲ 287

NÎMES	**30000**	**A6**
OFFICE DE TOURISME 6, rue Auguste Tél. 04 66 67 29 11		
ARÈNES	*Ouvert juin-sep. : 9 h-19 h ; oct.-mai 9 h-12 h et 14 h-17 h 30. Fermé 1er jan., 1er mai et 25 déc.*	▲ 175
CARRÉ D'ART • **MUSÉE D'ART CONTEMPORAIN** • **BIBLIOTHÈQUE** Place de la Maison-Carrée	*Ouvert 11 h-18 h Fermé lun., j. fér.*	▲ 174
CATHÉDRALE Place aux Herbes	*Ouvert 8 h-18 h 30*	▲ 177
ÉGLISE SAINT-PAUL Boulevard Victor-Hugo	*Rens. : tél. 04 66 21 97 82*	▲ 175
JARDIN DE LA FONTAINE ET TEMPLE DE DIANE Quai de la Fontaine	*Ouvert juin-sep. : 8 h-21 h ; oct.-mai : 8 h-tombée de la nuit*	▲ 178
LYCÉE ALPHONSE-DAUDET Boulevard Victor-Hugo	*Ne se visite pas.*	▲ 175
MAISON CARRÉE MUSÉE DES ANTIQUES Place de la Maison-Carrée	*Ouvert juin-sep. : 9 h-12 h et 14 h 30-19 h ; oct.-mai : 9 h-12 h 30 et 14 h-18 h Fermé 1er jan., 1er mai et 25 déc.*	▲ 174
MUSÉE D'ARCHÉOLOGIE ET D'HISTOIRE NATURELLE Boulevard Amiral-Courbet	*Ouvert 11 h-18 h Fermé lun., j. fér.*	▲ 176
MUSÉE DES BEAUX-ARTS Rue Cité-Foulc	*Ouvert 11 h-18 h Fermé lun., j. fér.*	▲ 176
MUSÉE DU VIEUX NÎMES Place aux Herbes	*Ouvert 11 h-18 h Fermé lun., j. fér.*	▲ 177
TOUR MAGNE Chemin Guillaume-Laforêt	*Ouvert juin-sep. : 9 h-19 h ; oct.-mai : 9 h-17 h Fermé 1er jan., 1er mai et 25 déc.*	▲ 178

ORANGE	**84100**	**C5**
OFFICE DE TOURISME 5, cours Aristide-Briand Tél. 04 90 34 70 88		
CATHÉDRALE NOTRE-DAME-DE-NAZARETH Place de l'Hôtel-de-Ville	*Ouvert 8 h-16 h 45*	▲ 183
CHÂTEAU DES PRINCES D'ORANGE	*Ne se visite pas.*	▲ 182
MUSÉE MUNICIPAL Place des Frères-Mounet Tél. 04 90 51 18 24	*Ouvert avr.-sep. : 9 h 30-19 h ; oct.-mars : 9 h 30-12 h et 13 h 30-17 h 30 Fermé 25 déc. et 1er jan.*	▲ 181
TEMPLE PROTESTANT Impasse de la Cloche	*Ne se visite pas.*	▲ 183
THÉÂTRE ANTIQUE Place des Frères-Mounet	*Ouvert avr.-sep. : tlj. 9 h-18 h 30 ; oct.-mars : 9 h-12 h et 13 h 30-17 h Fermé 25 déc. et 1er jan.*	▲ 181 ● 81

PALUD, LA	**04120**	*M 04 92 77 32 02*	**G6**
CHÂTEAU	Mairie		▲ 315
ÉGLISE	Clé à la mairie		▲ 315

PEILLE	**06440**	*M 04 93 91 71 71*	**I6**
CHAPELLE SAINT-SÉBASTIEN	Ouvert 9 h-12 h		▲ 318
COLLÉGIALE SAINTE-MARIE Boulevard Aristide-Briand	Clé à la maison de retraite (tél. 04 93 79 90 38)		▲ 318
MUSÉE DES ARTS ET TRADITIONS POPULAIRES	Clé à la mairie		▲ 318
PALAIS DU JUGE-MAGE Place André-Laugier	Propriété privée, ne se visite pas.		▲ 318

PEILLON	**06440**	*M 04 93 79 91 04*	**I6**
CHAPELLE DES PÉNITENTS-BLANCS	Ouvert sam.-dim. et en août pendant les expositions Visite pour les groupes sur rdv. à la mairie		▲ 318
CHAPELLE SAINT-MARTIN	Fermé pour travaux		▲ 318
ÉGLISE DE LA TRANSFIGURATION Place de l'Église	Ne se visite pas.		▲ 318

PLAN-D'AUPS	**83640**		**E8**
OFFICE DE TOURISME Tél. 04 42 62 57 57			
ABBAYE FÉMININE DE SAINT-PONS	Ne se visite pas.		▲ 221
GROTTE DE LA MADELEINE	Fermé pour quelques mois début 2000		▲ 221
PARC DE SAINT-PONS	Ouvert en permanence		▲ 221

PORQUEROLLES	**83400**		**F9**
OFFICE DE TOURISME Carré du Port Tél. 04 94 58 33 76			
CONSERVATOIRE BOTANIQUE Hameau Agricol Tél. 04 94 12 30 40	Ouvert mai-15 oct. : 9 h 30-12 h 30 et 13 h 30-17 h Visite libre du jardin toute l'année		▲ 268
FORT SAINTE-AGATHE Tél. 04 94 58 33 76	Ouvert mai-oct. 10 h-17 h 30		▲ 268

PORT-CROS	**83400**		**G9**
FORT DE L'ESTISSAC Tél. 04 94 65 32 98	Ouvert juin-sep. : 10 h-17 h		▲ 269

PORT-GRIMAUD	**83310**		**G8**
OFFICE DE TOURISME	Voir Grimaud		
ÉGLISE SAINT-FRANÇOIS	Ouvert la journée		▲ 255

RAMATUELLE	**83350**	*M 04 94 79 26 04*	**G8**
ANCIENNES PRISONS Rue du Clocher	Ne se visite pas.		▲ 263
ÉGLISE NOTRE-DAME	Ouvert 8 h-18 h		▲ 263

SAINTE-MARGUERITE, ÎLE	**06400**		**H7**
FORT ROYAL Tél. 04 93 43 45 47	Ouvert 10 h-12 h et 14 h-17 h 30 Fermé mar. et j. fér.		▲ 272
GRAND JARDIN	Propriété privée, ne se visite pas.		▲ 272
MUSÉE DE LA MER Dans le fort Tél. 04 93 43 18 17	Ouvert avr.-sep. : 10 h 30-12 h 15 et 14 h 15-17 h 30 ; oct.-mars : 10 h 30-12 h 15 et 14 h 15-16 h 30 Fermé mar. et j. fér.		▲ 272

SAINTES-MARIES-DE-LA-MER, LES	**13460**		**B8**
OFFICE DE TOURISME 5, avenue Van-Gogh Tél. 04 90 97 82 55			
CENTRE D'INFORMATION DE GINÈS Pont-de-Gau Tél. 04 90 97 86 32	Ouvert avr.-sep. : 9 h-18 h ; oct.-mars : 9 h 30-17 h Fermé 1er mai		▲ 168
CHÂTEAU D'AVIGNON Tél. 04 90 97 58 60	Ouvert avr.-nov. : lun., mer.-dim. 10 h-17 h		▲ 168
ÉGLISE	Horaires variables		▲ 169
MUSÉE BARONCELLI Rue Victor-Hugo Tél. 04 90 97 87 60	Ouvert avr.-sep. : 10 h-12 h et 14 h-18 h		▲ 169

PARC ORNITHOLOGIQUE DU PONT-DE-GAU Tél. 04 90 97 82 62	*Ouvert avr.-sep. : 9 h-fin du jour ; oct.-mars : 10 h-fin du jour Fermé 25 déc. et 1er jan.*	▲ 168
SAINT-HONORAT		
ABBAYE DE LÉRINS Tél. 04 92 99 54 00	*Chapelle : ouvert la journée Fermé pendant les offices*	▲ 273
LES SEPT CHAPELLES	*Ne se visite pas.*	▲ 274
MONASTÈRE SAINT-HONORAT	*Ouvert 9 h 30-16 h 30*	▲ 273
SAINT-JEAN-CAP-FERRAT 06230		
OFFICE DE TOURISME 59, avenue Denis-Seméria Tél. 04 93 76 08 90		
CHAPELLE SAINT-HOSPICE Chemin de Saint-Hospice	*Ouvert 8 h-18 h*	▲ 297
PARC ZOOLOGIQUE 117, boulevard du Général-De-Gaulle Tél. 04 93 76 04 98	*Ouvert avr.-sep. : 9 h 30-19 h ; oct.-mars : 9 h 30-17 h*	▲ 296
TOUR Chemin de Saint-Hospice	*Propriété privée, ne se visite pas.*	▲ 297
VILLA DES CÈDRES Avenue Denis-Seméria	*Propriété privée, ne se visite pas.*	▲ 296
VILLA EPHRUSSI-ROTHSCHILD Route du Cap Tél. 04 93 01 33 09	*Ouvert 15 fév.-juin et sep.-1er nov. : 10 h-18 h ; juil.-août : 10 h-19 h ; 2 nov.-14 fév. : w.-e. et vac. scol. 10 h-18 h (salons et jardins)*	▲ 296
SAINT-MAXIMIN-LA-SAINTE-BAUME 83470 E7		
OFFICE DE TOURISME Place de l'Hôtel-de-Ville Tél. 04 94 59 84 59		
COUVENT ET BASILIQUE ROYAUX Place de l'Hôtel-de-Ville Tél. 04 94 86 99 66	*Ouvert été : 8 h-18 h 30 ; hiver : 9 h-18 h*	▲ 221
SAINT-PAUL-DE-VENCE 06570 I6		
OFFICE DE TOURISME Rue Grande Tél. 04 93 32 86 95		
COLLÉGIALE	*Ouvert 10 h-18 h*	▲ 308
ENCEINTE ET FORTIFICATIONS	*Ouvert en permanence*	▲ 308 ● 83
FONDATION MAEGHT Tél. 04 93 32 81 63	*Ouvert juil.-sep. : 10 h-19 h ; oct.-juin : 10 h-12 h 30 et 14 h 30-18 h*	▲ 309
SAINT-RAPHAËL 83700 H7		
OFFICE DE TOURISME Rue Waldeck-Rousseau Tél. 04 94 19 52 52		
ÉGLISE SAINT-PIERRE Place de la Vieille-Église	*Ouvert été : 10 h-12 h et 14 h-17 h ; hiver : 10 h-12 h et 15 h-18 h. Fermé mer., sam. et dim.*	▲ 251
MUSÉE ARCHÉOLOGIQUE Place de la Vieille-Église Tél. 04 94 18 25 75	*Ouvert 15 juin-14 sep. : 10 h-12 h et 15 h-18 h (fermé mar. et j. fér.) ; 15 sep.-14 juin : 10 h-12 h et 14 h-17 h (fermé dim. et j. fér.)*	▲ 252
SAINT-RÉMY-DE-PROVENCE 13210 C6		
OFFICE DE TOURISME Place Jean-Jaurès Tél. 04 90 92 05 22		
ESPACE VAN-GOGH 8, rue Estrine Tél. 04 90 92 34 72	*Ouvert 10 h 30-12 h 30 et 14 h 30-18 h 30 Fermé lun. ; jan.-mars*	▲ 152
GLANUM Route des Baux Tél. 04 90 92 23 79	*Ouvert avr.-sep. : 9 h-19 h ; oct.-mars : 9 h-12 h et 14 h-17 h Fermé j. fér.*	▲ 152
MUSÉE ARCHÉOLOGIQUE HÔTEL DE SADE Rue du Parage Tél. 04 90 92 64 04	*Ouvert été : 10 h-12 h et 14 h-18 h ; hiver : 10 h-12 h et 14 h-17 h Fermé lun. et j. fér.*	▲ 152

MUSÉE DES ALPILLES Place Favier Tél. 04 90 92 68 24	*Ouvert juil.-août : 10 h-12 h et 14 h-19 h ;* *sep.-juin : 10 h-12 h et 14 h-18 h*	▲ 152

SAINT-TROPEZ	**83990**	**G8**
OFFICE DE TOURISME Quai Jean-Jaurès Tél. 04 94 97 45 21		
CITADELLE Tél. 04 94 97 06 53	*Ouvert 16 juin-14 sep. : 10 h-18 h ;* *15 sep.-15 juin : 10 h-17 h. Fermé mar.*	▲ 262
ÉGLISE SAINT-TROPEZ Rue du Clocher	*Ouvert tlj.*	▲ 262
MUSÉE DE L'ANNONCIADE Place Grammont Tél. 04 94 97 04 01	*Ouvert juin-sep. : 10 h-12 h et 15 h-19 h ;* *oct.-mai : 10 h-12 h et 14 h-18 h* *Fermé mar. ; nov., 1er jan. ascension et 25 déc.*	▲ 257
TOUR DU PORTALET	*Ne se visite pas.*	▲ 257
TOUR GRIMALDI	*Galerie d'art*	▲ 257
CHÂTEAU DE SUFFREN		
TOUR VIEILLE	*Propriété privée, ne se visite pas.*	▲ 262

SAORGE	**06540**	*M 04 93 04 51 23*	**I6**
CHAPELLE DE LA MADONE-DEL-POGGIO Route de la Madone	*Ne se visite pas.*		▲ 322
COUVENT DES FRANCISCAINS Tél. 04 93 04 55 55	*Ouvert lun., mar.-dim. 14 h-18 h*		▲ 322
ÉGLISE SAINT-SAUVEUR Place de l'Église	*Ouvert 10 h-17 h*		▲ 322

SISTERON	**04200**	**F5**
OFFICE DE TOURISME Place de la République Tél. 04 92 61 12 03		
CITADELLE	*Ouvert fin mars-mi-nov. : 9 h-18 h 30*	▲ 236
GROTTE DU «TROU DE L'ARGENT» Accès par le chemin de PR à 2 h 30 de marche de La Baume	*Ouvert en permanence*	▲ 237
MUSÉE DU VIEUX-SISTERON Avenue des Arcades	*Ouvert juil.-août*	▲ 237
NOTRE-DAME-DES-POMMIERS Place du Général-De-Gaulle	*Ouvert 14 h 30-17 h 30*	▲ 237
TOURS	*Ne se visitent pas.*	▲ 237

SOSPEL	**06380**	**I6**
OFFICE DE TOURISME Le Vieux Port Tél. 04 93 04 15 80		
CATHÉDRALE SAINT-MICHEL	*Ouvert la journée*	▲ 320
CHAPELLE SAINTE-CROIX Place Sainte-Croix	*Rens. à l'office de tourisme*	▲ 320
FORT DE CASTÈS	*Ne se visite pas.*	▲ 321
FORT DU BARBONNET Col Saint-Jean - Route de Nice	*Visite sur rdv. auprès de M. Bled (tél. 04 93 04 14 29* *ou 04 93 28 87 76)*	▲ 321
OUVRAGE SAINT-ROCH Tél. 04 93 04 00 70 ou 04 93 04 14 41 (musée)	*Ouvert juin-sep. : mar.-dim. 14 h-18 h*	▲ 321

TARASCON	**13150**	**B6**
OFFICE DE TOURISME 59, rue des Halles Tél. 04 90 91 03 51		
CHÂTEAU Boulevard du Roi-René Tél. 04 90 91 01 93	*Ouvert avr.-sep. : 9 h-19 h ;* *oct.-mars : 9 h-12 h et 14 h-17 h*	▲ 151
COLLÉGIALE SAINTE-MARTHE Place de la Concorde	*Ouvert 9 h-12 h et 14 h-19 h*	▲ 151
MAISON DE TARTARIN 55 *bis* boulevard Itam Tél. 04 90 91 05 08	*Ouvert 16 mars-15 déc. : 10 h-12 h et 13 h 30-19 h ;* *16 déc.-15 mars : 9 h-12 h et 13 h 30-17 h*	▲ 152
SOULEÏADO 39, rue Proudhon Tél. 04 90 91 08 80	*Ouvert juil.-sep. : 10 h-18 h* *Fermé sam., dim. et j. fér.* *Visite du musée sur rdv. une semaine à l'avance*	▲ 151

THORONET, LE	83340	G7
SYNDICAT D'INITIATIVE Tél. 04 94 60 10 94		
ABBAYE 4 km du bourg Tél. 04 94 60 43 90	Ouvert avr.-sep. : 9 h-19 h ; oct.-mars : 10 h-13 h et 14 h-17 h Fermé dim. 12 h-14 h	▲ 225
TOULON	**83000**	**F9**
OFFICE DE TOURISME Square Booth Tél. 04 94 18 53 00		
ARSENAL Tél. 04 94 62 90 00	Visite gratuite en bateau sur rdv.	▲ 270
CATHÉDRALE Place de la Cathédrale	Ouvert 8 h-12 h 30 et 14 h 30-19 h	▲ 271
CORDERIE Passage de la Corderie	Galerie d'exposition	▲ 270
FORT BALAGUIER MUSÉE DU BAGNE Boulevard Bonaparte Tél. 04 94 94 84 72	Ouvert juin-août : mar.-dim. 10 h-12 h et 15 h-19 h ; sep.-déc. et fév.-mai : mar.-dim. 10 h-12 h et 14 h-18 h Fermé jan.	● 85
FORT SAINT-LOUIS Arsenal du Mourillon	Ne se visite pas.	▲ 271
MUSÉE DE LA MARINE Place Monsénergue Tél. 04 94 02 02 01	Ouvert saison : 9 h 30-12 h et 14 h 30-18 h ; hors saison : 9 h 30-12 h et 15 h-19 h Fermé mar. et 1er mai	▲ 269
MUSÉE DES BEAUX-ARTS 113, boulevard du Mal-Leclerc Tél. 04 94 93 15 54	Ouvert saison : 13 h-19 h ; hors saison : 13 h-18 h Fermé j. fér.	▲ 271
MUSÉE D'HISTOIRE NATURELLE 113, boulevard du Mal-Leclerc Tél. 04 94 93 15 54	Ouvert lun.-sam. 9 h 30-12 h et 14 h-18 h, dim. 13 h-19 h Fermé j. fér.	▲ 271
THÉÂTRE Boulevard de Strasbourg Tél. 04 94 92 70 78		▲ 270
TOUR ROYALE Pointe de la Mitre Le Mourillin	Ouvert Pâques-sep. et vac. scol.	▲ 271 ● 85
ZOO DU MONT-FARON Tél. 04 94 88 07 89	Ouvert mai-oct. : 10 h-19 h ; nov.-avr. : 14 h-fin du jour	▲ 271
VAISON-LA-ROMAINE	**84110**	**C5**
OFFICE DE TOURISME Place du Chanoine-Sautel Tél. 04 90 36 02 11		
ANCIENNE CATHÉDRALE Ville haute	Ne se visite pas.	▲ 187
ANCIENNE CATHÉDRALE NOTRE-DAME-DE-NAZARETH Avenue Jules-Ferry	Ouvert juin-sep. : 9 h 30-12 h 30 et 14 h-19 h ; mars-mai et oct. : 10 h-12 h 30 et 14 h-18 h : nov.-fév. : 10 h-12 h et 14 h-16 h 30	▲ 187
CHÂTEAU	Visite guidée 3 avr.-14 juil. et sep. : jeu. 14 h 15 ; 15 juil.-août : jeu. 14 h 30 Visite libre des extérieurs	▲ 187
COLLINE DE PUYMIN • MAISON À L'APOLLON LAURÉ • PORTIQUE DE POMPÉE • THÉÂTRE • VILLA DU PAON • MAISON À LA TONNELLE	Horaires variables, rens. à l'office de tourisme Ne se visite pas.	▲ 186
MAISON DU BUSTE EN ARGENT Place de l'Abbé-Sautel	Mêmes horaires que Notre-Dame-de-Nazareth	▲ 187
MAISON AU DAUPHIN Site de la Vilasse	Horaires variables, rens. à l'office de tourisme	▲ 187 ● 81
MUSÉE THÉO-DESPLANS Place de l'Abbé-Sautel Tél. 04 90 35 50 00	Ouvert juin-sep. : 10 h-13 h et 14 h 30-19 h 30 ; mars-mai et oct. 10 h-13 h et 14 h 30-18 h 30 ; nov.-fév. : 10 h-12 h et 14 h-16 h 30. Fermé mar.	▲ 186
VALLAURIS	**06220**	**I7**
OFFICE DE TOURISME Square du 8-mai-45 Tél. 04 93 63 82 58		

CHÂTEAU Place de la Libération Tél. 04 93 64 16 05	*Ouvert juil.-août : 10 h-12 h 30 et 14 h-18 h 30 ;* *sep.-juin : 10 h-12 h et 14 h-18 h* *Fermé mar.*	▲ 274
MUSÉE PRIVÉ Rue Sicard Tél. 04 93 64 66 51	*Ouvert 10 h-19 h*	▲ 275

VALRÉAS	**84600**	**C4**
OFFICE DE TOURISME Place Aristide-Briand Tél. 04 90 35 04 71		
CHAPELLE DES PÉNITENTS-BLANCS Place Pie	*Clé au presbytère, 8, place Pie*	▲ 184
ÉGLISE NOTRE-DAME-DE-NAZARETH Place Pie	*Ouvert mai-sep. : 9 h-19 h ; oct.-avr. : 9 h-18 h*	▲ 184
HÔTEL DE SIMIANE Place Aristide-Briand Tél. 04 90 35 04 71	*Ouvert 15 h-17 h* *Fermé sam.-dim.*	▲ 184
MUSÉE DU CARTONNAGE **ET DE L'IMPRIMERIE** 3, rue du Maréchal-Foch Tél. 04 90 35 58 75	*Ouvert 10 h-12 h et 14 h-17 h* *Fermé mar. et j. fér. (sauf 14 juil. et 15 août) ;* *hiver : dim. matin*	▲ 184
TOUR DE L'HORLOGE Rue Château-Robert	*Ouvert juil.-août : tlj. 16 h-18 h ;* *hors saison : visite sur rdv. à l'office de tourisme*	▲ 184

VENCE	**06140**	**I6**
OFFICE DE TOURISME 8, place du Grand-Jardin Tél. 04 93 58 06 38		
CATHÉDRALE **DE LA NATIVITÉ-DE-LA-VIERGE** Place Clemenceau	*Ouvert été : 9 h-18 h 30 ; hiver : 9 h-18 h*	▲ 309
CHAPELLE DU ROSAIRE **CHAPELLE MATISSE** Avenue Henri-Matisse	*Ouvert été : mar.-ven. 10 h-11 h 30 ;* *hiver : mar. et jeu. 10 h-11 h 30 et 14 h 30-17 h 30*	▲ 310
CHÂTEAU **DE NOTRE-DAME-DES-FLEURS** Tél. 04 93 24 52 00	*Galerie Beaubourg* *Horaires variables en fonction des expositions*	▲ 309

VILLEFRANCHE-SUR-MER	**06230**	**I6**
OFFICE DE TOURISME Jardin François-Binon Tél. 04 93 01 73 68		
CHAPELLE SAINT-PIERRE Quai Courbet - Port de la Santé	*Ouvert été : 10 h-12 h et 16 h-20 h 30 ; automne :* *9 h 30-12 h et 14 h-18 h ; hiver : 9 h 30-12 h* *et 14 h-17 h ; printemps : 9 h 30-12 h et 15 h-19 h*	▲ 295
CITADELLE SAINT-ELME Tél. 04 93 76 33 33	*Ouvert juil.-août : 10 h-12 h et 15 h-19 h ; juin et sep. :* *9 h-12 h et 15 h-18 h ; oct.-mai : 10 h-12 h* *et 14 h-17 h. Fermé dim. matin, mar. et nov.*	▲ 294 ● 84
FORT DE MONT-ALBAN Avenue Sadi-Carnot Tél. 04 93 73 33 33	*Ne se visite pas.*	▲ 295

VILLENEUVE-LÈS-AVIGNON	**30400**	**C6**
OFFICE DE TOURISME Place Charles-David Tél. 04 90 25 61 33		
CHARTREUSE DU VAL-DE-BÉNÉDICTION Rue de la République	*Ouvert oct.-mars : 9 h 30-17 h 30 ;* *avr.-sep. : 9 h-18 h 30. Fermé j. fér.*	▲ 149
COLLÉGIALE NOTRE-DAME Rue de la République	*Ouvert avr.-sep. : 10 h-12 h 30 et 14 h-18 h ;* *oct.-mars : 10 h-12 h et 14 h-17 h* *Fermé lun., j. fér. et fév.*	▲ 149
FORT SAINT-ANDRÉ	*Ouvert avr.-sep. : 10 h-12 h 30 et 14 h-18 h ;* *oct.-mars : 10 h-12 h et 14 h-17 h* *Fermé 1ᵉʳ jan., 1ᵉʳ mai, 1ᵉʳ et 11 nov. et 25 déc.*	▲ 149
MONASTÈRE SAINT-ANDRÉ	*Jardin : ouvert toute l'année* *Monastère : été, visite sur rdv. (tél. 04 90 25 55 95)*	▲ 149
MUSÉE MUNICIPAL Rue de la République Tél. 04 90 25 55 95	*Ouvert avr.-sep. : 10 h-12 h 30 et 14 h-18 h ;* *oct.-mars : 10 h-12 h et 14 h-17 h* *Fermé 16 sep.-14 juin : lun. ; j. fér.*	▲ 149

◆ CALENDRIER DES FÊTES ET MANIFESTATIONS

Pour plus d'informations sur une manifestation, contacter l'office de tourisme ou la mairie de la ville
(coordonnées ◆ *342 à 359).*

PRINCIPALES FÊTES

ALPES-DE-HAUTE-PROVENCE (04)

CORSO DE LA LAVANDE	DIGNE	1er DIM. D'AOÛT
FÊTE DE LA DIANE	MOUSTIERS-SAINTE-MARIE	8 SEPTEMBRE
FÊTE DE LA LAVANDE	VALENSOLE	JUILLET
FÊTE DE L'ÂNE GRIS DE PROVENCE	DIGNE-LES-BAINS	DÉCEMBRE
FÊTE DE LA SAINT-PANCRACE	FORCALQUIER	FIN MAI
FÊTE MÉDIÉVALE	ENTREVAUX	DÉB. AOÛT

ALPES-MARITIMES (06)

BATAILLE DE FLEURS (CARNAVAL)	NICE	FÉVRIER
FÊTES DE LA POTERIE	VALLAURIS	AOÛT
FÊTE DE LA ROSE	GRASSE	MAI
FÊTE DE SAINTE DÉVOTE	MONACO	27 JANVIER
FÊTE DU CITRON	MENTON	FÉVRIER
FÊTE TRADITIONNELLE DES MAÏS	NICE	MAI
PÈLERINAGE À LA MADONE D'UTELLE	UTELLE	LUNDI DE PÂQUES

BOUCHES-DU-RHÔNE (13)

CHANDELEUR	MARSEILLE	2 FÉVRIER
FÊTE DE LA TARASQUE	TARASCON	FIN JUIN
FÊTE DES GARDIANS (FÊTE DE LA SAINT-GEORGES)	ARLES	1er MAI
FÊTE VOTIVE AVEC LÂCHER DE TAUREAUX DANS LA VILLE	SAINT-RÉMY-DE-PROVENCE	DU VEN. PRÉCÉDANT LE 4e DIM. DE SEP. AU MER. SUIVANT
PASTRAGES (OFFRANDE DE L'AGNEAU PAR LES BERGERS)	AUREILLE, EYGALIÈRES, LES BAUX-DE-PROVENCE, SAINT-RÉMY-DE-PROVENCE, FONTVIEILLE	24 OU 25 DÉCEMBRE
PÈLERINAGE ET DÉVOTION À SAINTE MARIE-SALOMÉ	LES STES-MARIES-DE-LA-MER	AVANT-DERNIER DIM. D'OCTOBRE
PÈLERINAGE ET FÊTE DES GITANS (SAINTE SARAH)	LES STES-MARIES-DE-LA-MER	24 ET 25 MAI

VAR (83)

BRAVADE	FRÉJUS	4e SEMAINE D'AVRIL
BRAVADES ET FÊTE DES ESPAGNOLS	SAINT-TROPEZ	MAI
CORSOS DU MIMOSA ET CORSOS FLEURIS	SAINTE-MAXIME, BORMES, SAINT-RAPHAËL, HYÈRES, OLLIOULES, LE LAVANDOU, DRAGUIGNAN	FÉVRIER-MAI
FÊTE DE SAINTE-MARIE-MADELEINE	LA SAINTE-BAUME	22 JUILLET
TOUR DE FRANCE DES VOITURES HISTORIQUES	LE CASTELLET	MI-AVRIL
TRIPETTES DE LA SAINT-MARCEL	BARJOLS	MI-JANVIER

VAUCLUSE (84)

BAN DES VENDANGES	CHÂTEAUNEUF-DU-PAPE	MI-SEPTEMBRE
CORSO	CAVAILLON	MAI

PRINCIPAUX FESTIVALS

ALPES-DE-HAUTE-PROVENCE (04)

FESTIVAL DU FILM AMÉRICAIN Tél. 04 92 81 04 71	BARCELONNETTE	JUILLET
LES MÉDIÉVALES Tél. 04 93 05 41 87	ENTREVAUX	JUILLET-AOÛT
LES NUITS DE LA CITADELLE Tél. 04 92 61 06 00	SISTERON	MI-JUILLET-MI-AOÛT
LES RICHES HEURES MUSICALES Tél. 04 92 75 90 47	SIMIANE-LA-ROTONDE	JUILLET-AOÛT

ALPES-MARITIMES (06)

FESTIVAL INTERNATIONAL DE DANSE Tél. 04 93 39 24 53 (office de tourisme)	CANNES	DÉCEMBRE
FESTIVAL INTERNATIONAL DU FILM Tél. 04 93 39 24 53 (office de tourisme)	CANNES	MAI
FESTIVAL INTERNATIONAL DE JAZZ Tél. 04 92 90 53 00 (office de tourisme)	ANTIBES-JUAN-LES-PINS	JUILLET
FESTIVAL DE MUSIQUE Tél. 04 92 41 76 76 (office de tourisme)	MENTON	AOÛT

GRANDE PARADE DU JAZZ Tél. 01 56 59 70 40	NICE	JUILLET
MARCHÉ INTERNATIONAL DU DISQUE **ET DE L'ÉDITION MUSICALE (MIDEM)**	CANNES	JANVIER

BOUCHES-DU-RHÔNE (13)

AIX EN MUSIQUE Tél. 04 42 21 69 69	AIX-EN-PROVENCE	JUIN-JUILLET
FESTIVAL D'ART LYRIQUE ET DE MUSIQUE Programmes et réservations : bureau du festival, Palais de l'ancien archevêché 13100 Aix-en-provence, tél. 04 42 17 34 00	AIX-EN-PROVENCE	JUILLET
FESTIVAL DE JAZZ OFF ALBERT-MAIOLI Tél. 04 90 56 24 62	SALON-DE-PROVENCE	JUILLET
FESTIVAL DE MUSIQUE SACRÉE **À L'ABBAYE SAINT-VICTOR** Tél. 04 91 62 27 88	MARSEILLE	FIN OCTOBRE- DÉBUT DÉCEMBRE
FÊTE D'ARLES Tél. 04 90 18 41 20	ARLES	JUIN
FIESTA DES SUDS Tél. 04 91 99 00 00	MARSEILLE	OCTOBRE
RENCONTRES INTERNATIONALES **DE LA PHOTOGRAPHIE** Tél. 04 90 96 76 06	ARLES	JUILLET

VAR (83)

FESTIVAL DE DANSE DE CHÂTEAUVALLON Tél. 04 94 24 11 46	OLLIOULES	JUILLET
FESTIVAL DE THÉÂTRE Tél. 04 94 79 26 04 (mairie)	RAMATUELLE	1e QUINZAINE D'AOÛT
FESTIVAL D'ORGUE Tél. 04 94 78 00 09	SAINTE-BAUME	AOÛT
JAZZ À RAMATUELLE Tél. 04 94 79 26 04 (mairie)	RAMATUELLE	MI-JUILLET
MUSIQUE EN PAYS DE FAYENCE Tél. 04 9476 02 03	FAYENCE	FIN OCTOBRE
RENCONTRES INTERNATIONALES **DE MUSIQUE MÉDIÉVALE** Tél. 04 94 73 85 00	LE THORONET (ABBAYE)	MI-JUILLET
SALON EUROPÉEN DES JEUNES STYLISTES Tél. 04 94 65 22 72	HYÈRES	1er WEEK-END MAI

VAUCLUSE (84)

CHEVAL PASSION *Spectacles, présentation d'élevages, expositions*	AVIGNON	5 JOURS FIN JANVIER
CHORÉGIES D'ORANGE Programmes et réservations : Chorégies d'Orange, BP 205, 84107 Orange cedex Tél. 04 90 51 83 83	ORANGE	JUILLET-AOÛT
FESTIVAL «BONHEUR MUSICAL» Tél. 04 90 68 15 23	LOURMARIN (CHÂTEAU)	JUILLET
FESTIVAL D'AVIGNON Programme, téléphoner : 04 90 27 66 50 ou écrire : Festival d'Avignon, Saint-Louis d'Avignon, rue Portail-Bocquier, 84 000 Avignon Réservations : 04 90 14 14 26 (à partir de juin)	AVIGNON	JUILLET
FESTIVAL «OFF» Bureau d'accueil : place du palais, tél. 04 90 27 66 50 Informations : tél. 01 48 05 01 19	AVIGNON	JUILLET
FESTIVAL INTERNATIONAL **DU QUATUOR À CORDES** Tél. 04 90 75 89 60	FONTAINE-DE-VAUCLUSE GOULT, ROUSSILLON, ABBAYE DE SILVACANE, CHAPELLE DE L'HÔPITAL DE L'ISLE-SUR-LA-SORGUE	JUILLET- DÉBUT SEPTEMBRE

PRINCIPALES FOIRES

ALPES DE HAUTE-PROVENCE (04)

FOIRE DES JEUNES SANTONNIERS	MANOSQUE	DÉCEMBRE
GRANDES FOIRES	FORCALQUIER	LUNDI DE PÂQUES LUNDI DE PENTECÔTE

BOUCHES-DU-RHÔNE (13)

FOIRE À L'AIL ET AUX HERBES	MARSEILLE	MI-JUIN-FIN JUILLET

FOIRE AUX MOUTONS	SAINT-MARTIN-DE-CRAU	MI-FÉVRIER
FOIRE AUX SANTONS	MARSEILLE	FIN NOV.-FIN DÉC.
FOIRE DE LA SAINTE-BARBE	AIX-EN-PROVENCE	4 DÉCEMBRE
FOIRE DU VIN ET DE L'ARTISANAT	SAINT-RÉMY-DE-PROVENCE	DERNIER W.-E. JUIL.

GARD (30)

| FOIRE DE LA SAINTE-MADELEINE | BEAUCAIRE | JUILLET |

VAR (83)

FLORALIES	SANARY-SUR-MER	MI-MAI (ANNÉES IMPAIRES) (ÉTÉ)
FOIRE ARTISANALE ET PRODUITS RÉGIONAUX	PLAN-D'AUPS	MI-MAI
FOIRE AUX CHÂTAIGNES	LA GARDE-FREINET	COURANT NOVEMBRE
FOIRE AUX POTIERS	FAYENCE-TOURRETTES	MI-SEPTEMBRE
FOIRE VINICOLE ET ARTISANALE	VIDAUBAN	1er WEEK-END D'AOÛT

VAUCLUSE (84)

MARCHÉ DE LA TRUFFE	CARPENTRAS	VEN. (NOV.-MARS)
MARCHÉ FLOTTANT	L'ISLE-SUR-LA-SORGUE	1er DIMANCHE D'AOÛT
FOIRE DE LA SAINT-SIFFREIN	CARPENTRAS	26-28 NOVEMBRE
SALON DES SANTONNIERS	APT	DÉCEMBRE

PRINCIPAUX MARCHÉS

ALPES-DE-HAUTE-PROVENCE (04)

BARCELONNETTE Place du Gravier	TOUS PRODUITS	MERCREDI ET SAMEDI
CASTELLANE Place Sauvaire	TOUS PRODUITS	SAMEDI MATIN
DIGNE-LES-BAINS Place du Général-de-Gaulle	TOUS PRODUITS	MERCREDI MATIN ET SAMEDI
FORCALQUIER Centre-ville	TOUS PRODUITS	2e, 3e ET 4e LUNDI DU MOIS
MANOSQUE Place de la Mairie	TOUS PRODUITS	SAMEDI MATIN
SISTERON	TOUS PRODUITS	MERCREDI ET SAMEDI MATIN

ALPES-MARITIMES (06)

ANTIBES Cours Masséna	PROVENÇAL	TLJ. SAUF LUNDI (JUILLET-AOÛT : TLJ.)
CANNES Les Allées	BROCANTE	SAMEDI
Marché Forville	BROCANTE	LUNDI
MENTON	BROCANTE	VENDREDI ET 2e DIMANCHE DU MOIS
NICE Cours Saleya	FLEURS	TLJ. SAUF LUNDI
Place Saint-François	POISSONS	TLJ. SAUF LUNDI
VENCE Place du Grand-Jardin	BROCANTE	MERCREDI
VILLEFRANCHE Corne d'or	PUCES	DIMANCHE

BOUCHES-DU-RHÔNE (13)

AIX-EN-PROVENCE Place Richelme	PRODUCTEURS	JEUDI ET SAMEDI
Place de la Madeleine	PRODUCTEURS	JEUDI ET SAMEDI
Hôtel de ville	FLEURS	MAR., JEU., SAM.
MARSEILLE Vieux port, quai des Belges	POISSONS	TLJ.
Velten	FORAIN	TLJ.
Allée de Meilhan	FLEURS	MARDI ET SAMEDI

VAR (83)

BORMES-LES-MIMOSAS Au village	ARTISANAL	VENDREDI SOIR (ÉTÉ)
La Favière	ARTISANAL	LUNDI SOIR (ÉTÉ)
TOULON Place du Théâtre	VIEUX PAPIERS	1er SAMEDI DU MOIS

Cours Lafayette, Mourillon, Pont-du-Las et Saint-Jean-du-Var	PROVENÇAL	TOUS LES MATINS SAUF LUNDI

VAUCLUSE (84)

AVIGNON Place des Carmes	FLEURS	SAMEDI MATIN
L'ISLE-SUR-LA-SORGUE	PROVENÇAL (EN COSTUMES)	MI-JUILLET
VALRÉAS Centre-ville	TRUFFES	MERCREDI (NOVEMBRE-MARS)

PRINCIPALES MANIFESTATIONS SPORTIVES

ALPES MARITIMES (06)

GRAND PRIX AUTOMOBILE DE F1	MONACO	ASCENSION
OPEN DE TENNIS	MONACO	AVRIL
RALLYE AUTOMOBILE	MONACO	JANVIER

BOUCHES-DU-RHÔNE (13)

JOUTES NAUTIQUES	MARTIGUES, ISTRES PORT-SAINT-LOUIS, PORT-DE-BOUC, FOS-SUR-MER	MI-JUILLET

VAR (83)

COUPE D'EUROPE DES NATIONS (ROLLER-SKATE)	SAINT-MAXIMIN	FIN MARS
COUPE DU MONDE DE FUNBOARD	HYÈRES	2e SEMAINE MARS
NIOULARGUE	SAINT-TROPEZ	FIN SEP.-DÉB. OCT.
ROC D'AZUR (COMPÉTITION V.T.T.)	RAMATUELLE	OCTOBRE

VAUCLUSE (84)

TOUR DU VAUCLUSE CYCLISTE	L'ISLE-SUR-LA-SORGUE	AVRIL
TRIATHLON DU PONT D'AVIGNON	AVIGNON	JUIN

PRINCIPALES FÊTES TAURINES

CORRIDA ESPAGNOLE

FERIA DE PENTECÔTE Tél. 04 66 67 28 02 (location)	NÎMES (30)	PENTECÔTE
FERIA DES VENDANGES Tél. 04 66 67 28 02 (location)	NÎMES (30)	SEPTEMBRE
FERIA PASCALE Tél. 04 90 96 03 70	ARLES (13)	PÂQUES
FÊTE DE L'ASSOMPTION Tél. 04 90 96 03 70	ARLES (13)	15 AOÛT

CORRIDA PORTUGAISE

Corrida menée à cheval, sans mise à mort

FERIA DU CHEVAL	LES SAINTES-MARIES-DE-LA-MER (13)	MI-JUILLET
FERIA	SAINT-RÉMY-DE-PROVENCE (13)	MI-AOÛT

COURSE CAMARGUAISE

Dans l'arène, des équipes de professionnels doivent attraper des cocardes accrochées aux cornes d'un taureau. Chacune leur rapportera une prime.

COURSE CAMARGUAISE	TARASCON (13)	FIN JUIN
COURSE CAMARGUAISE	SAINT-MARTIN-DE-CRAU (13)	MAI ET OCTOBRE
TROPHÉE DES MARAÎCHERS	CHÂTEAURENARD (13)	1er DIM. JUIL., 1er DIM. AOÛT, FINALE EN SEP.

ENCIERRO

Vachettes lâchées dans les rues de la ville

NUIT TAURINE	SAINT-RÉMY-DE-PROVENCE (13)	MI-JUILLET

NOVILLADE

Les novilleros, futurs toreros, combattent des taureaux de moins de 4 ans.

FERIA DE PRINTEMPS	NÎMES (30)	2e QUINZ. FÉVRIER
FERIA DU CHEVAL	LES SAINTES-MARIES-DE-LA-MER (13)	MI-JUIL.

◆ BIBLIOGRAPHIE

GÉNÉRALITÉS

◆ AMOURETTI (M.-C.) COMET (G) : *Le Livre de l'olivier*, Aix-en-Provence, Édisud, 1985
◆ BAILLY (R.) : *Dictionnaire des communes de Vaucluse*, Éditions A. Barthélemy, Avignon, 1985
◆ BARAL (R.), TROADEC (Y.) : *Vignes et vins en Provence ; les appellations d'origine de la Provence et de la vallée du Rhône*, Collection de l'université du vin, Suze-la-Rousse, 1989
◆ BELLET (M.-É.) : *Orange antique*, Imprimerie nationale, Paris, 1991
◆ BERTRAND (R.), BROMBERGER (C.), MARTEL (C.), MAURON (C.), ONIMUS (J.), FERRIER (J.-P.) : *Provence*, Éditions Christine Bonneton, Paris, 1989
◆ BERTRAND (R.), TIRONE (L.) : *Le Guide de Marseille* (La Manufacture, Besançon, 1991
◆ BLUME (M.) : *Côte d'Azur, Inventing the French Riviera*, Thames and Hudson, Londres, 1992
◆ BOUGIS (P.), DEJEAN-ARRECGROS (J.) : *Guide nature. Mer Méditerranée*, Éditions Édimo, Monaco, 1991
◆ BOURSIER-MOUGENOT (E.) RACINE (N.) : *Jardins de la Côte d'Azur*, Édisud, La Calade, Aix-en-Provence, 1987
◆ BRUN (F) : *Nouveaux aspects de la pêche sur les côtes françaises de la Méditerranée*, Ophrys, Aix-en-Provence, 1965
◆ *Connaître les plantes protégées. Région méditerranéenne*, Delachaux & Niestlé, Neuchâtel, Suisse, 1988
◆ DEBELMAS (J., SOUS LA DIRECTION DE) : *Géologie de la France. Tome 1 : Vieux massifs et grands bassins sédimentaires ; tome 2 : Les Chaînes plissées du cycle alpin et leur avant-pays*, Doin, Paris, 1980
◆ DEJEAN-ARRECGROS (J.) : *Guide d'observation de la nature*, Masson, Paris, 1986
◆ DROIT (A.) : *Les Paysages forestiers de la Haute-Provence et des Alpes-Maritimes*, Delachaux & Niestlé, Neuchâtel, Suisse, 1991
◆ DUBY (G.), HILDESHEIMER (E.), BARATIER (E.) : *Atlas historique de Provence – Comtat Venaissin, Orange, Nice, Monaco*, Librairie Armand Colin, Paris, 1969
◆ DUPUY (P.) : *Le Guide de la Camargue*, La Manufacture, Besançon, 1991
◆ ESCRIBE (D.) : *La Côte d'Azur, genèse d'un mythe*, Gilbert Vitaloni et Conseil général des Alpes-Maritimes, 1988
◆ FUSTIER-DAUTIER (N.), COULET (N.), DAUTIER (Y.), JEAN (R.) : *Le Guide d'Aix-en-Provence*, La Manufacture, Lyon, 1988
◆ GIRARD (J.) : *Évocation du Vieil Avignon*, Éditions de Minuit, Paris, 1958
◆ HARANT (H.) JARRY (D.) : *Guide du naturaliste dans le midi de la France. 2 tomes*, Delachaux & Niestlé, Neuchâtel, Suisse, 1987
◆ LARTIGUES (C. DE) : *Les Plus Belles Balades autour d'Aix et de Marseille*, Le Pélican, Montpellier, 1992
◆ LETELLIER (A.) : *La Provence*, Études vivantes, Paris-Montréal, 1981
◆ NÈGRE (J.) : *La Riviera de Charles Nègre*, Édisud, La Calade, Aix-en-Provence, 1991
◆ ROCCHIA (J.-M.) : *Des truffes en général et de la rabasse en particulier*, Éd. A. Barhélemy, Avignon, 1992
◆ STOCK (D.) : *Provence*, Chêne, 1988 Nature
◆ VOLOT (Y.), DÉJEAN-ARRECGROS (J.) : *Guide du promeneur Côte d'Azur Alpes du Sud*, Réalisations éditoriales pédagogiques, Paris, 1982

HISTOIRE

◆ *Archives municipales de Toulon : Toulon dévoile sa mémoire*, Municipalité de Toulon,1992)
◆ AGULHON (M., SOUS LA DIRECTION DE) : *Histoire de Toulon*, Privat, Toulouse,1988
◆ BARATIER (É., SOUS LA DIRECTION DE) : *Histoire de la Provence*, Privat, Toulouse, 1990
◆ BARATIER (É.) : *Histoire de Marseille*, Privat, Toulouse,1973
◆ COSQUER (H.) : *La Grotte Cosquer, plongée dans la préhistoire*, Solar, Paris, 1992
◆ BARRAL (L.), SIMONE (S.) : *Préhistoire de la Côte d'Azur orientale*, Imprimerie nationale, Monaco, 1968
◆ BEAUCHAMP (P. DE) : *Châteaux villages et ouvrages défensifs des Alpes-Maritimes*, Édisud, Aix-en-Provence, 1991
◆ BENOÎT (F.) : *La Provence et le Comtat Venaissin : arts et traditions populaires*, Aubanel, Avignon, 1989
◆ BIANCHERI (F.) : *Principauté de Monaco. Le Palais princier*, Kina Italia, Milan, 1987
◆ BIANCHI (B.) : *Histoire de Cannes*, Éd. Xavier Richier, Cannes, 1977
◆ BORDES (M.) : *Histoire de Nice et du pays niçois*, Privat, Toulouse, 1976
◆ BRUGE (R.) : *Histoire de la ligne Maginot*, Fayard, Paris, 1976
◆ BRUNI (R.) : *Villages du Luberon ; Auribeau, Bonnieux, Buoux, Castellet, Saignon, Sivergues*, Éditions Équinoxe, Marguerittes, 1992
◆ COTTE (A.) : *La Vie de ceux d'avant*, Les Alpes de lumière, Mane, 1990
◆ DUCHENE (R.) : *Histoire de Provence-Alpes-Côte d'Azur. Naissance d'une région, 1945-1985*, Fayard, Paris, 1986
◆ FAVIER (J.) : *Le Palais des Papes d'Avignon*, Ouest-France, 1980
◆ FONCIN (P.) : *Maures et Estérel*, Éditions d'Aujourd'hui
◆ GAGNIÈRE (S.) : *Le Palais des Papes d'Avignon*, Les Amis du palais du Roure, Avignon, 1985
◆ GONNET (P, SOUS LA DIRECTION DE) : *Histoire du pays de Grasse et sa région*, Horvath, Roanne, 1984
◆ LAURENT (C.-M.) : *Tous les jeux de cercle et de casino*, Pierre Tournon, Paris, 1991
◆ LUMLEY (H. DE) : *Le Mont Bégo, vallées des Merveilles et de Fontanalba*, Imprimerie nationale, Paris, 1992
◆ MALAUSSENA (P.-L.) : *La Vie en Provence orientale aux XIVe et XVe siècles*, Paris, 1969
◆ MARCHANDIAU (J.-N.) : *Gens et vins du Bandol*, Éditions Serre, 1991
◆ MASSON (P., SOUS LA DIR. DE) : *Bouches-du-Rhône. Encyclopédie départementale*, Conseil général, Marseille, 1932
◆ MONESTIER (M.) : *Petit guide de poche des casinos*, Éditions Sand, Paris, 1987
◆ MUHEIM (E.) REVAULT (E.) : *L'Abbaye du Thoronet*, Éditions CNMHS, 1990
◆ MUSSET (D.), MAUREL (J.) : *Les Habitants de l'Ubaye, récit de la transformation d'une vallée*, Les Alpes de lumière, Mane, 1987
◆ PREYSSOURE (L.) : *Le Rêve cistercien*, Découvertes Gallimard, 1990
◆ ROBERT (J.-B.) : *Histoire de Monaco*, PUF, Paris, 1973

ÉCONOMIE

◆ BARAL (R.), TROADEC (Y.) : *Vignes et vins en Provence ; les appellations d'origine de la Provence et de la vallée du Rhône*, Collection de l'université du vin, Suze-la-Rousse, 1989
◆ FERRIER (J.-P.) : *Leçons du territoire. Nouvelle géographie de la Région Provence-Côte d'Azur*, Édisud, Aix-en-Provence, 1983
◆ FERRIER (J.-P.), GUGLIELMO (R.), KRIER (G.), RINAUDO (Y.), LACOSTE (Y.) : *Provence-Alpes-Côte d'Azur in Géopolitiques des régions françaises*, Fayard, Paris, 1986
◆ LANGEVIN (P.) : *L'Économie provençale*, 2 tomes, Édisud, Aix-en-Provence, 1983

RELIGION

◆ AGULHON (M.) : *Pénitents et francs-maçons de l'ancienne Provence*, Fayard, Paris, 1984
◆ ARDITTI (T.), DESCHAMPS (J.) : *L'Abbaye de Silvacane*, Éditions CNMHS, Paris, 1991
◆ FROESCHLE-CHOPARD (M.-H.) : *La Religion populaire en Provence orientale au XVIIIe siècle*, Beauchesne, Paris, 1980

◆ FROESCHLE-CHOPARD (M.-H.) : *Les Confréries, l'Église et la Cité. Cartographie des confréries du Sud-Est*, Grenoble, centre alpin et rhodanien d'ethnologie, 1988
◆ VOVELLE (M.) : *Piété baroque et déchristianisation en Provence au XVIIIᵉ siècle*, Point Seuil histoire, Paris, édition abrégée, 1978
◆ VOVELLE (M.) : *Vision de la mort et de l'au-delà en Provence du XVᵉ au XXᵉ siècle, d'après les autels des âmes du Purgatoire*, Cahier des Annales, Colin, Paris, 1975

ARCHITECTURE

◆ ASTRO (C.) : *L'Architecture niçoise à la Belle Époque*, Catalogue d'exposition, palais Lascaris, Nice, 1978
◆ BARRUOL (G.) : *Provence romane. Tome 2*, Zodiaque, La Pierre-qui-Vire, Saint-Léger-Vauban, 1977
◆ BARRUOL (G.), ROUQUETTE (J.-M.) : *Itinéraires romans en Provence*, Zodiaque, La Pierre-qui-Vire, Saint-Léger- Vauban, 1978
◆ BEAUCHAMP (PHILIPPE DE) : *L'architecture rurale des Alpes-Maritimes*, Édisud, La Calade, Aix-en-Provence, 1992
◆ BORNECQUE (ROBERT) : *La France de Vauban*, Arthaud, Paris, 1984
◆ BROMBERGER (C.), LACROIX (J.), RAULIN (H.) : *L'Architecture rurale française, Provence*, Berger Levrault – Musée des Arts et Traditions populaires, Paris, 1980
◆ COLLIER (R.) : *La Haute-Provence monumentale et artistique*, Digne, 1986
◆ COSTE (P.), MARTEL (P.) : *Pierre sèche en Provence*, Les Alpes de lumière, Mane, 1986
◆ DAL CO (F.), TAFURI (M.) : *Architecture contemporaine*, Gallimard/Electa, 1976
◆ FOUSSARD (D.), BARBIER (G) : *Baroque niçois et monégasque*, Éditions Picart, Paris, 1988
◆ FUSTIER-DAUTIER (N.) : *Les Bastides de Provence et leurs jardins*, SERG, Aix-en-Provence, 1977
◆ JEAN-NEMY (DOM CLAUDE) : *Les Sœurs provençales ; Silvacane Sénanque, Le Thoronet*, Zodiaque, Yonne, 1991
◆ KUBACH (H.-E.) : *Architecture romane*, Gallimard/Electa, Milan, 1992
◆ MASSOT (J.-L.) : *Maisons rurales et vie paysanne en Provence*, SERG-Berger Levrault, Paris, 1990
◆ MASSOT (J.-L.) : *Architecture et décoration du XVIᵉ au XIXᵉ siècle*, Édisud, Aix-en-Provence, 1992
◆ MILLIET-MONDON (C.) : *Cannes 1835-1914. Villégiature, urbanisation, architectures*, Éditions Serre, Nice, 1986
◆ NORBERG-SCHULZ (C.) : *Architecture baroque, Histoire de l'architecture*, Gallimard/Electa, Milan, 1992
◆ RAYBAUT (P.), PERREARD (M.) : *L'Architecture rurale française, comté de Nice*, Berger-Levraut– Musée des Arts et Traditions populaires, Paris, 1982
◆ ROUQUETTE (J.-M.) : *Provence romane*, Zodiaque, Yonne, 1980
◆ STEVE (M.) : *Hans-Georg Tersling, architecte de la Côte d'Azur*, Éditions Serre, Nice, 1990
◆ THIRION (J.) : *Alpes romanes*, Zodiaque, Coll. «La Nuit des temps», La Pierre-qui-Vire, Saint-Léger-Vauban, 1980
◆ VÉSIAN (H.), FALVARD, (E.) : *Châteaux et bastides en haute Provence*, Aubanel, Avignon, 1991

BEAUX-ARTS

◆ ARRIGONI (L.) : *Van Gogh, Catalogo completo*, Cantini Editore, Florence, 1990
◆ ARROUYE (J.) : *La Provence de Cézanne*, Édisud, Aix-en-Provence, 1982
◆ ASTRO (C.), THÉVENON (L.) : *La Peinture au XVIIᵉ siècle dans les Alpes-Maritimes*, Serre, Nice, 1985
◆ BABY-PABION (M.) : *Ludovic Bréa et la peinture primitive niçoise*, Serre, Nice, 1991
◆ BEAUCHAMP (P. DE) : *L'Art religieux dans les Alpes-Maritimes*, Édisud, Aix-en-Provence, 1990
◆ BERNADAC (M.-L.) : *Picasso, le Sage et le Fou*, Gallimard, 1986
◆ CACHIN (F.) : *Gauguin : «ce malgré moi de sauvage»*, Gallimard, Paris, 1989
◆ COLLARD-MONIOTTE (D.) : *Catalogue des faïences de Moustiers*, Musée national de céramique de Limoges/ RMN, Paris, 1988
◆ COULOMB (G.), MARTEL (P.) : *Eugène Martel, 1869-1947 , redécouverte d'un peintre moderne*, Les Alpes de lumière, Mane, 1991
◆ DISTEL (A.) : *Renoir, «Il faut embellir»*, Gallimard, Paris, 1993
◆ DUMUR (G.) : *Nicolas de Staël*, Flammarion, Paris, 1989
◆ GENOVA (A. DI) : *La Merveilleuse Provence des peintres*, AGEP, Marseille, 1991
◆ GIRARD (X.) : *Matisse, une splendeur inouïe* , Gallimard, Paris, 1993
◆ LACLOTTE (M., SOUS LA DIRECTION DE) : *Dictionnaire de la peinture*, Larousse, Paris, 1991
◆ *Musée de l'Annonciade*, Musée de l'Annonciade, Saint-Tropez, 1989)
◆ ROQUES (M.) : *Les Peintures murales du sud-est de la France, XIIIᵉ-XVIᵉ siècle*, Éditions Picart, Paris, 1961
◆ SCHNAPPER (A.) : *Nicolas Mignard d'Avignon, 1606-1668*, Catalogue d'exposition palais des Papes, Avignon,1979
◆ TERRASSE (A.) : *Bonnard*, Gallimard, Paris, 1988
◆ THÉVENON (L.) : *L'Art du Moyen Âge dans les Alpes méridionales*, Éditions Serre, Nice, 1983
◆ WERNER (A.) : *Chaïm Soutine*, Cercle d'Art, Paris, 1986

LITTÉRATURE

◆ ANTIER (J.-J.) : *La Côte d'Azur, ombres et lumières*, France Empire, Paris, 1972
◆ ARBAUD (J. D') : *La Bête du Vaccarès*, Grasset, Paris, 1985
◆ BORELY (M.) : *Le Dernier feu*, Éd. Jeanne Laffitte, Marseille, 1983
◆ BOSCO (H.) : *Malicroix*, Gallimard, Paris, 1948
◆ DAUDET (A.) : *Tartarin de Tarascon*, Le Livre de Poche, Paris, 1985
◆ DAVID NEEL (A) : *Voyage d'une Parisienne à Lhassa*, Presse Pocket, Plon, Paris, 1982
◆ DOS PASSOS (J.) : *La Belle Vie*, Mercure de France, Paris, 1986
◆ FITZGERALD (S.) : *Tendre est la nuit*, Belfond, Paris, 1985
◆ FREGNI (R.) : *Les Nuits d'Alice*, Denoël, Paris, 1992
◆ GIONO (J.) : *Provence*, Gallimard, Paris, 1993
◆ HANDKE (P.) : *La Leçon de la Sainte-Victoire*, «Arcades», Gallimard, Paris, 1985
◆ JAMES (H.) : VOYAGES EN FRANCE, Robert Laffont, Paris, 1987
◆ LIÉGARD (S.) : *La Côte d'Azur*, Éditions Serre, Nice, 1988
◆ MAGNAN (P.) : *Le Poivre d'Âne*, Denoël, Paris, 1988
◆ MAURRAS (C.) : *L'Étang de Berre*, Librairie ancienne Édouard Champion, Paris, 1915
◆ MICHELET (J.) : *La Mer*, Gallimard, Paris, 1983
◆ MILLER (H.) : *Lettres à Anaïs Nin*, 10/18, Paris, 1973
◆ MISTRAL (F.) : *Calendau-Calendal*, Marcel Petit,1980
◆ MISTRAL (F.) : *Œuvres complètes*, Culture provençale et méridionale, Marcel Petit, Raphèle-lès-Arles, 1979
◆ NIETZSCHE (F.) : *Correspondances, «Lettres à sa sœur»*, Gallimard, Paris, 1986 ; *Ecce Homo*, Gallimard, Paris, 1978
◆ NUCÉRA (L.) : *Le Ruban rouge*, Grasset, Paris, 1991
◆ PROAL (J.) : *Les Arnaud*, Éd. Terradou, 1991
◆ RENOIR (J.) : *Pierre-Auguste Renoir, mon père*, Gallimard, Paris, 1981
◆ SÉVIGNÉ (MME DE) : *Correspondance complète*, Gallimard, La Pléiade, Paris, 1963
◆ VAN GOGH (V.) : *Correspondance complète*, Gallimard, Paris, 1960
◆ YOUNG (A.) : *Voyages en France* , UGE, 1989

◆ TABLE DES ILLUSTRATIONS

◆ TABLE DES ILLUSTRATIONS

◆ TABLE DES ILLUSTRATIONS

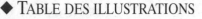

◆ TABLE DES ILLUSTRATIONS

Muséon Arlatan (Mme D. Serena conservateur), Musée d'art et d'histoire de Provence, Grasse (Mme J. Desjardins, documentaliste), Musée d'art moderne et contemporain, Nice (Mme M. Anssens, photographe et M. P. Chaigneau, conservateur), Musée des Arts et Traditions populaires, Draguignan (M. Fattori, conservateur, Musée national biblique Marc Chagall, Nice (Mme S. Forestier, conservateur), Musée camarguais, Arles (Mme M.-H. Sibille, conservateur), Musée de Hyères (Mme Nicolaï conservateur), Musée Cantini, Marseille (M. Cousinou, conservateur), Musée de la Castre, Cannes (Mme M. Wallet, conservateur), Musée Granet, Aix-en-Provence (M. B. Telay), Musée Grobet-Labadié, Marseille (Mme D. Maternati, conservateur), Musée d'histoire de Marseille (Mme M. Morel, conservateur), Musée Fernand Léger, Biot (M. R. Bauquier, conservateur), Musée Masséna, Nice (M. de Lorenzo, photographe), Musée du Mont-de-Piété, Avignon, Musée municipal d'Orange, Musée Requien, Orange, Musée Picasso, Antibes, Musée du Vieux Marseille, Marseille (Mme Sportiello, conservateur), Fondation Théodore Reinach, Beaulieur-sur-Mer, Galerie Schmit, Paris, SOCRA (Périgueux), Mme Elia Surtel, M. Traverso, Cannes, Galerie Varine Gincourt, Paris, Centre Jean Giono, Manosque (Mme A. Vigier, conservateur), M. R. Rocca, Palais du Roure, Avignon, Musée de la Vallée, Barcelonnette (M. P. Coste, Mme H. Homps, conservateurs).

Les affiches P.L.M. ont été reproduites avec l'aimable autorisation de la société Accor.

Nous avons par ailleurs cherché en vain les ayants droit ou éditeurs de certains documents. Nous restons prêts à régler les sommes qui leur reviennent si jamais leurs identités nous étaient révélées.

◆ Index alphabétique

◆ Index alphabétique

◆ Index alphabétique

MUSÉES